DIREITO INDUSTRIAL

APDI – ASSOCIAÇÃO PORTUGUESA DE DIREITO
INTELECTUAL

DIREITO INDUSTRIAL

VOL. VIII

Adelaide Menezes Leitão
Alberto Ribeiro de Almeida
António Abrantes Geraldes
António Côrte-Real Cruz
Aquilino Paulo Antunes
Dário Moura Vicente
Denis Borges Barbosa
João Paulo Remédio Marques
José de Oliveira Ascensão
Luís Menezes Leitão
Pedro Sousa e Silva

Coordenação:

José de Oliveira Ascensão

ALMEDINA

DIREITO INDUSTRIAL – VOL VIII

AUTORES
ASSOCIAÇÃO PORTUGUESA DE DIREITO INTELECTUAL

EDITOR
EDIÇÕES ALMEDINA, SA
Rua Fernandes Tomás, n.os 76, 78, 80
3000-167 Coimbra
Tel.: 239 851 904
Fax: 239 851 901
www.almedina.net
editora@almedina.net

PRÉ-IMPRESSÃO
G.C. – GRÁFICA DE COIMBRA, LDA.
Palheira – Assafarge
3001-453 Coimbra
producao@graficadecoimbra.pt
IMPRESSÃO E ACABAMENTO
PAPELMUNDE, SMG, LDA.
V. N. de Famalicão

Abril, 2012
DEPÓSITO LEGAL
314685/10

Biblioteca Nacional de Portugal – Catalogação na Publicação

ASSOCIAÇÃO PORTUGUESA DE DIREITO
INTELECTUAL

Direito industrial / APDI ; coord. José de Oliveira Ascensão
8ª v. : p. - ISBN 978-972-40-4675-4

I – ASCENSÃO, José de Oliveira, 1932-

CDU 347

ÍNDICE

NOTA PRÉVIA

Passaram dez anos sobre a publicação do volume I da Colectânea de Direito Industrial.

É portanto com especial satisfação que a APDI apresenta o volume VIII da Colectânea de Direito Industrial, com o qual se ultrapassa a centena de novos trabalhos publicados no domínio do Direito Industrial. Esta publicação continua única no seu género no panorama português e reflecte a pesquisa de universitários e de outros especialistas na matéria, que vem a desenvolver-se a par dos Cursos de Pós-Graduação realizados conjuntamente pela Faculdade de Direito de Lisboa e pela APDI.

No seu propósito de desenvolvimento da investigação e difusão do Direito Industrial a APDI tem contado com a colaboração e o empenho permanente de um conjunto crescente de colaboradores que, com independência e visão plural, contribuem para o progresso da investigação cientifica nesta área do Direito, a sua difusão e a formação e actualização dos interessados e dos profissionais. O objectivo de expansão do estudo do Direito Industrial mostra-se assim cumprido.

Naturalmente, não está concluído. Os desafios não cessam a nível nacional, comunitário e internacional. Novos problemas económicos e sociais emergem do confronto de interesses cada vez mais poderosos e globais, reclamando soluções legislativas que convocam os interessados nesta área do direito a prosseguir, ampliar e aprofundar o trabalho que vem sendo feito.

Não é pois surpreendente que muitas das questões tratadas neste volume sejam questões fundamentais no domínio do Direito Industrial. Há sempre novas respostas a dar do ponto de vista substantivo e processual às inúmeras questões que a rápida evolução das fontes suscita.

Uma palavra de apreço para todos aqueles que durante estes dez anos de forma desinteressada colaboraram com a APDI, nos seus cursos e colectâneas; bem como uma especial homenagem ao Professor José de Oliveira Ascensão, presidente da APDI desde a primeira hora, cuja dedicação ímpar à investigação e ao ensino conduziu a APDI e congregou esforços e vontades para os transformar em obra feita.

TERESA GARCIA

PALAVRAS-CHAVE, PUBLICIDADE, USO DA MARCA E CONCORRÊNCIA DESLEAL *

ADELAIDE MENEZES LEITÃO **
Professora da Faculdade de Direito da Universidade de Lisboa

ÍNDICE:

1. **As palavras-chave**

No título desta conferência surge o conceito de palavras-chave (*key-words*). As palavras-chave são também referidas como descritores[1] ou metadados[2], correspondendo a códigos de html (*hypertext markup language*) colocados nas páginas pelos *webdesigners*, que descrevem o conteúdo dos sítios, mas que são invisíveis pelos utilizadores,[3] e que permitem aos motores de pesquisa catalogar os conteúdos dos sítios da rede.

---

* Texto da conferência apresentada no XII Curso Pós-Graduado de Direito de Autor e da Sociedade da Informação, em 19 de Fevereiro de 2011.

** Professora Auxiliar da Faculdade de Direito da Universidade de Lisboa.

[1] Oliveira Ascensão, *As funções das marcas e os descritores (metatags) na Internet*, Direito Industrial, vol. III, Almedina, Coimbra, 2003, 5.

[2] Alexandre Dias Pereira, *"Meta-Tags", Marca e Concorrência Desleal,* Direito Industrial, vol. III, Almedina, Coimbra, 2003, 243.

[3] Adelaide Menezes Leitão, *Metatags e correio electrónico entre os novos problemas do direito da Internet,* Direito da Sociedade da Informação, vol. IV, Coimbra Ed,

Os problemas resultantes da utilização de marcas, da titularidade de terceiros, como palavras-chave na Internet, foram inicialmente colocados nas instâncias norte-americanas. Esta jurisprudência, seguindo o direito norte-americano das marcas, admitiu que as referidas condutas consubstanciariam, em certos casos, violação do direito da marca através de confusão. Os tribunais norte-americanos chegaram mesmo a desenvolver a doutrina da confusão inicial (*initial interest confusion*), reconhecendo que a utilização de marcas de grande notoriedade levaria a desviar os consumidores para outro sítio, ainda que os utilizadores chegassem a ter conhecimento de que se encontravam num sítio diferente daquele que inicialmente procuravam[4].

Nem sempre, porém, os tribunais norte-americanos consideraram a utilização de marcas de terceiro em palavras-chave como violadora do direito da marca, admitindo situações de *fair use,* se a utilização da marca de terceiros fosse feita para descrever, de forma verdadeira, a própria oferta.

Para além da questão da utilização dos descritores, um outro problema que originou algum debate foi o da própria venda de palavras-chave pelos motores de busca, como o Google ou o Yahoo[5]. Em certos casos de venda de palavras-chave, alguns tribunais norte-americanos consideraram que não havia violação ou diluição da marca, enquanto outros admitiram a utilização da disciplina jurídica das marcas, da concorrência desleal e da própria publicidade para considerarem ilícita a venda de marcas notórias de titularidade alheia como palavras-chave[6].

Coimbra, 2003, 407 e Alexandre Dias Pereira, *"Meta-Tags", Marca e Concorrência Desleal cit.*, 243-244.

[4] Adelaide Menezes Leitão, *Metatags e correio electrónico entre os novos problemas do direito da Internet cit.*, 415 e Alexandre Dias Pereira, *"Meta-Tags", Marca e Concorrência Desleal cit.*, 245.

[5] Sebastian Geiseler-Bonse, *Internet-Suchmaschinen als rechtliches Problemfeld: Die rechtliche Beurteilung von Meta-tags, Keyword Advertisements und Paid Listings*, Lang, Münster, 2003, e Javier Felipe Sanchez Iregui, *Linking, framing and meta-tagging, new ways of copyright and trademark infringement*,www.enewnesslaw.com/documents/LINKINGFRAMINGINLININGMETATAGING_000.pdf, e ainda WanQiong Lin, *An exploration of keyword advertisements and trade mark infringement*, Journal of Intellectual Property Law & Practice (2011), 396-400.

[6] Adelaide Menezes Leitão, *Metatags e correio electrónico entre os novos problemas do direito da Internet cit.*, 410-417, e Alexandre Dias Pereira, *"Meta-Tags", Marca e Concorrência Desleal cit.*, 247.

2. A doutrina portuguesa sobre as palavras-chave

A questão da utilização das marcas nas palavras-chave dos sítios foi abordada pela doutrina portuguesa em termos não totalmente coincidentes.

Alexandre Dias Pereira, no seu artigo "*"Metatags", marca e concorrência desleal*", publicado em 2003, defendia que, não obstante a jurisprudência e o direito estrangeiro incluírem alguns destes usos da marca na violação do direito da marca, era problemático que esses usos fossem abrangidos no conteúdo do direito de marca definido no Código da Propriedade Industrial português. Apesar disto, admitia haver uma utilização publicitária de signos protegidos, que deveria ser reservada ao titular do direito, antecipando o papel da concorrência desleal no combate a estas condutas[7].

No nosso estudo intitulado "*Metatags e Correio Electrónico entre os novos problemas do Direito da internet*", publicado igualmente em 2003, considerámos que através das palavras-chave se desenvolvia uma forma *sui generis* de usurpação ilegal da marca, na medida em que se permitia auto-referenciar produtos próprios com marcas de terceiros, normalmente de concorrentes. Haveria, porém, que distinguir entre as referências publicitárias e as referências puramente informativas, admitindo-se a utilização de marcas de terceiro, sem autorização, na publicidade comparativa lícita, na qual não haveria violação da marca[8].

No referido estudo defendíamos ainda que, sendo normalmente nas palavras-chave introduzidas marcas notórias ou de grande prestígio, ter-se-ia que analisar a disciplina jurídica destas marcas. Admitíamos então que o uso de marcas notórias ou de grande prestígio representaria uma violação da marca, mas não afastávamos o recurso à concorrência desleal. Com efeito, na concorrência desleal haveria a possibilidade de abranger as referidas condutas nos actos que causam confusão, nas invocações de referências não autorizadas e também na cláusula geral para combater práticas sistemáticas, globais e continuadas. Considerávamos, além disso, nos casos de utilização indevida de marcas como palavras-chave, o recurso à disciplina publicitária na publicidade oculta, na publicidade comparativa ilícita e na publicidade enganosa[9].

---

[7] Alexandre Dias Pereira, *"Meta-Tags", Marca e Concorrência Desleal cit.*, 253.

[8] Adelaide Menezes Leitão, *Metatags e correio electrónico entre os novos problemas do direito da Internet cit.*, 416-426.

[9] Adelaide Menezes Leitão, *Metatags e correio electrónico entre os novos problemas do direito da Internet cit.*, 424-426.

Oliveira Ascensão, no seu estudo *"As funções da marca e os descritores (Metatags) na Internet"*, igualmente publicado em 2003, defendeu um princípio de liberdade de utilização dos descritores, quer fora do âmbito da actividade comercial, quer, em parte, dentro do âmbito desta actividade, e que a utilização de palavras-chave não corresponderia a um uso da marca, na medida em que usar a marca é aplicá-la a produtos ou serviços, tendo recusado o recurso à disciplina das marcas no que se refere às palavras-chave que utilizam, sem o respectivo consentimento, marcas de terceiros. Oliveira Ascensão reconhecia, porém, a autonomização pelos alemães dos chamados usos atípicos da marca, embora duvidasse da utilidade desta categoria. Assim, recusava liminarmente a aplicação da disciplina das marcas à utilização de palavras-chave[10].

Este era este, em linhas gerais, o estado do debate doutrinário nacional da questão.

3. Novos casos colocados nos tribunais nacionais europeus e no Tribunal de Justiça da União Europeia

Em 2004, a Louis Vuitton instaurou, em França, uma acção contra a Google com base no facto de a venda das palavras Louis Vuitton, como palavras-chave, constituir uma violação do direito da marca. Os advogados da Louis Vuitton alegavam que a venda de palavras-chave favorecia a contrafacção. Por sua vez, os advogados da Google contra-argumentavam que a decisão de compra dos produtos contrafeitos era dos consumidores.

Na primeira instância o tribunal nacional considerou que a Google tinha violado o direito de marca e promovido publicidade enganosa e concorrência desleal. Em sentido diferente, o Tribunal de Justiça da União Europeia entendeu que a venda de marcas como palavras-chave pela Google era técnica, passiva e não facultava um conhecimento ou um controlo dos dados armazenados. Se houvesse um papel mais activo por parte da Google, poderia ocorrer responsabilidade por violação de marca, não sendo esse o caso, o Tribunal considerou que seriam os anunciantes os responsáveis por essa violação, na medida em que poderiam induzir os consumidores a pensar que existia uma qualquer conexão com os titulares da marca. Por exemplo, se o próprio anunciante surgisse no resultado da pes-

[10] Oliveira Ascensão, *As funções das marcas e os descritores (metatags) na Internet cit.*, 15-18.

quisa, e não o titular da marca, poderia ser considerado responsável por violação de marca.

Esta posição foi defendida no Acórdão do Tribunal de Justiça (Grande Secção), de 23 de Março de 2010, relativo a três casos contra a Google – Louis Vuitton Malletier SA v. Google France SARL, Viaticum SA v. Google France SARL e CNRRH v. Google France SARL –, em que se considerou que a venda por parte da Google de marcas de terceiros como palavras-chave não constitui violação do direito de marca.

A Google tem um serviço pago, designado "Adwords", que permite a terceiros comprarem palavras-chave que, quando introduzidas nos motores de busca, dão origem a que os sítios sejam apresentados de forma mais evidente. O que acontece é que, muitas vezes, as marcas são compradas por concorrentes que visam, desta forma, incrementar a própria publicidade e favorecer o comércio de produtos contrafeitos na internet.

O Tribunal de Justiça considerou, ainda, que a existência ou não de confusão deverá ser analisada caso a caso pelos tribunais, devendo a acção ser instaurada contra os anunciantes e não contra a Google, a não ser que a Google tenha tido um papel mais activo. Isto significa que poderá haver reclamações contra a Google, para a obrigar a remover as palavras-chave, se se provar que as referidas palavras-chave estão a ser usadas para vender *online* produtos contrafeitos. Se a Google não actuar em conformidade poderá logicamente ser também responsabilizada.

Uma situação semelhante ocorreu, no Reino Unido, numa acção instaurada pela Interflora contra a Marks and Spencer por esta empresa ter utilizado a palavra-chave "Interflora". Neste caso, o tribunal nacional conclui que os motores de busca não utilizaram a palavra-chave como marca, mas o Tribunal não se debruçou sobre a responsabilidade do anunciante, no caso concreto a Marks and Spencer, quando utilizou marcas de concorrentes como palavras-chave.

Recentemente, na Alemanha, o Supremo Tribunal Federal decidiu três casos de palavras-chave. O primeiro, referia-se à palavra "Beta Layout", que corresponde à firma de uma sociedade, que, no direito alemão, goza da mesma protecção da marca. Apesar disto, o Tribunal considerou não ter havido violação de marca. O outro caso, referente a dois concorrentes, respeitava à palavra "PCB". A demandante registou a marca pcb-pool e a demandada adquiriu a palavra-chave pcb. O tribunal entendeu que a demandante podia proibir o uso do termo pcb, que é um acrónimo de *printed circuit board*. Quanto ao último caso, que se reportava à utilização/uso da palavra-chave "bananabay" da titularidade da demandante.

Também nos Países Baixos surgiu um caso envolvendo dois concorrentes Primakabin/Portakabin. A Primakabin comprou a palavra-chave "portakabin" e outras similares. O Tribunal de Justiça da União Europeia (Primeira Secção), no Acórdão de 8 de Julho de 2010, decidiu que este uso é relevante para efeitos do direito das marcas.

Do ponto de vista jurídico, em todos estes casos, a questão que se colocava era a de saber se a utilização das marcas de concorrentes, como palavras-chave, deveria ou não ser considerada uso para efeito das marcas.

O Acórdão do Tribunal de Justiça (Grande Secção), de 23 de Março de 2010, já atrás referido, mas que retomamos dada a sua importância nesta matéria, respeita à publicidade a partir de palavras-chave (*keyword advertising*) através da exibição de *links* publicitários para sítios concorrentes dos titulares das marcas ou para sítios com produtos de imitação.

Segundo a fundamentação deste Acórdão, "A Google explora um motor de busca na Internet. Quando um internauta faz uma busca a partir de uma ou de várias palavras, o motor de busca apresenta os sítios que melhor parecem corresponder a estas palavras, por ordem decrescente de pertinência. São os chamados resultados «naturais» da pesquisa. Por outro lado, o serviço "Adwords" da Google permite aos operadores económicos, mediante a selecção de uma ou várias palavras-chave, fazer aparecer um *link* publicitário para o seu sítio, que surge na rubrica "*links* patrocinados", no lado direito do ecrã. Esse *link* publicitário é acompanhado de uma curta mensagem comercial. O anunciante paga por esse serviço de referenciamento um certo montante por cada clique no *link* publicitário, que é calculado em função, designadamente, do «preço máximo por clique» que o anunciante, quando celebrou o contrato de prestação de serviço de referenciamento com a Google, se dispôs a pagar, bem como do número de cliques dos internautas no referido link. A mesma palavra-chave pode ser seleccionada por vários anunciantes. Deste modo, a ordem pela qual os referidos *links* publicitários são exibidos é determinada, designadamente, em função do preço máximo por clique, do número de cliques anteriores nos ditos *links*, bem como da qualidade do anúncio, avaliada pela Google. O anunciante pode, em qualquer momento, melhorar a sua posição na ordem de exibição, fixando um preço máximo por clique mais elevado, ou tentando melhorar a qualidade do seu anúncio".

Em termos de fundamentação jurídica, o TJ, no Acórdão mencionado, começou por analisar o artigo 5.°, com a epígrafe "Direitos conferidos pela marca", da Directiva 89/104/CEE do Conselho, de 21 de Dezembro de 1988, que harmonizou as legislações dos Estados-Membros em matéria de marcas, que dispõe:

«1. A marca registada confere ao seu titular um direito exclusivo. O titular fica habilitado a proibir que um terceiro, sem o seu consentimento, faça uso na vida comercial:

a) De qualquer sinal idêntico à marca para produtos ou serviços idênticos àqueles para os quais a marca foi registada;

b) De um sinal relativamente ao qual, devido à sua identidade ou semelhança com a marca e devido à identidade ou semelhança dos produtos ou serviços a que a marca e o sinal se destinam, exista, no espírito do público, um risco de confusão que compreenda o risco de associação entre o sinal e a marca.

2. Qualquer Estado-Membro poderá também estipular que o titular fique habilitado a proibir que terceiros façam uso, na vida comercial, sem o seu consentimento, de qualquer sinal idêntico ou semelhante à marca para produtos ou serviços que não sejam semelhantes àqueles para os quais a marca foi registada, sempre que esta goze de prestígio no Estado-Membro e que o uso desse sinal, sem justo motivo, tire partido indevido do carácter distintivo ou do prestígio da marca ou os prejudique.

3. Pode nomeadamente ser proibido, caso se encontrem preenchidas as condições enumeradas nos n.os 1 e 2:

a) Apor o sinal nos produtos ou na respectiva embalagem;

b) Oferecer os produtos para venda ou colocá-los no mercado ou armazená-los para esse fim, ou oferecer ou fornecer serviços sob o sinal;

c) Importar ou exportar produtos com esse sinal;

d) Utilizar o sinal nos documentos comerciais e na publicidade.

[...]»

Note-se que a Directiva 89/104/CEE foi revogada pela Directiva 2008/95/CE do Parlamento Europeu e do Conselho, de 22 de Outubro de 2008, que aproxima as legislações dos Estados-Membros em matéria de marcas (versão codificada), que entrou em vigor em 28 de Novembro de 2008. Porém, o artigo 5.° da Directiva 2008/95/CE é igual ao da Directiva 89/104/CEE.

Aliás, regime semelhante encontra-se nos artigos 9.° do Regulamento (CE) n.° 40/94, do Conselho, de 20 de Dezembro de 1993 e do Regulamento (CE) n.° 207/2009, do Conselho, de 26 de Fevereiro de 2009, ambos sobre a marca comunitária, este último entrado em vigor em 13 de Abril de 2009.

"Do ponto de vista do anunciante, a selecção de palavra-chave idêntica à marca tem por objecto e por efeito a exibição de um *link* publicitário para o sítio no qual propõe, para venda, os seus produtos ou serviços, pelo que é incontestável que faz uso desse sinal no contexto das suas actividades comerciais, e não no domínio privado. No que respeita ao prestador do serviço de referenciamento, é pacífico que exerce uma actividade comercial, que tem em vista uma vantagem económica, quando armazena, por conta de alguns dos seus clientes, sinais idênticos a marcas como palavras-chave, e organiza a exibição de anúncios a partir destas, sendo que este serviço não é fornecido apenas aos titulares das referidas marcas, ou aos operadores habilitados a comercializar os produtos ou os serviços destes, mas ocorre sem o consentimento dos titulares e é fornecido a concorrentes destes ou a imitadores" – lê-se no Acórdão *sub iudice*.

Porém, segundo o Acórdão, o prestador do serviço de referenciamento opera na *vida comercial*, quando permite aos anunciantes seleccionar sinais idênticos a marcas como palavras-chave, armazena estes sinais e exibe os anúncios dos seus clientes a partir destes, não resultando, no entanto, de tais elementos, que esse prestador faça ele próprio um *uso* destes sinais na acepção dos artigos 5.° da Directiva 89/104/CEE e 9.° do Regulamento n.° 40/94[11].

A este respeito, basta salientar que o uso de um sinal idêntico ou semelhante à marca do titular por um terceiro implica, no mínimo, que este faça uma utilização do sinal no âmbito da sua própria comunicação comercial. Ora, o prestador de um serviço de referenciamento apenas permite aos seus clientes fazerem uso de sinais idênticos ou semelhantes a marcas, sem que ele próprio faça uso dos referidos sinais. Daqui resulta que os requisitos relativos *ao uso para produtos ou serviços* e ao prejuízo para as funções da marca devem ser examinados unicamente em relação ao uso do sinal idêntico à marca pelo anunciante. Em relação ao uso para produtos ou serviços, o Acórdão considerou que um anunciante que utiliza, no âmbito de publicidade comparativa, um sinal idêntico ou semelhante à marca de um concorrente, para identificar, explícita ou implicitamente, os produtos ou os serviços oferecidos por este último e com eles comparar os seus próprios produtos ou serviços, faz um uso do referido sinal *para produtos ou serviços*[12].

Por outro lado, mesmo em casos em que o anunciante não pretende, através do uso que faz do sinal idêntico à marca como palavra-chave, apresentar os seus produtos ou os seus serviços aos internautas como uma

---

[11] Acórdão do Tribunal de Justiça (Grande Secção), de 23 de Março de 2010.

[12] Acórdão do Tribunal de Justiça (Grande Secção), de 23 de Março de 2010.

alternativa aos produtos ou aos serviços do titular da marca, mas tem por objectivo induzir os internautas em erro sobre a origem dos seus produtos ou dos seus serviços, fazendo-lhes crer que provêm do titular da marca ou de uma empresa economicamente ligada a esta, existe um uso para *produtos ou serviços*. Com efeito, como o Tribunal de Justiça já declarou, existe esse uso sempre que o terceiro utiliza o sinal idêntico à marca de tal modo que se estabelece uma ligação entre o referido sinal e os produtos comercializados ou os serviços fornecidos pelo terceiro[13].

Em relação ao uso susceptível de afectar as funções da marca figuram não apenas a função essencial da marca, que consiste em garantir aos consumidores a proveniência do produto ou do serviço, mas igualmente as suas outras funções, como, designadamente, garantir a qualidade desse produto ou desse serviço, ou as funções de comunicação, de investimento ou de publicidade. O titular da marca está habilitado a proibir esse uso, se ele for susceptível de prejudicar uma das funções da marca, quer se trate da função de indicação de origem, quer de uma qualquer das outras funções[14].

A função de indicação de origem da marca é prejudicada quando o anúncio não permite, ou permite dificilmente ao internauta, normalmente informado e razoavelmente atento, saber se os produtos ou os serviços objecto do anúncio provêm do titular da marca ou de uma empresa economicamente ligada a este ou, pelo contrário, de um terceiro. Quando o anúncio do terceiro sugere a existência de uma relação económica entre esse terceiro e o titular da marca, deve concluir-se que a função de indicação de origem é prejudicada. Quando o anúncio, embora não sugira a existência de uma relação económica, é de tal forma vago sobre a origem dos produtos ou dos serviços em causa, que um internauta normalmente informado e razoavelmente atento não consegue determinar, com base no *link* publicitário e na correspondente mensagem comercial, se o anunciante é um terceiro relativamente ao titular da marca ou, pelo contrário, se está economicamente ligado a este, deve igualmente concluir-se que a referida função da marca é prejudicada[15].

Quanto à violação da função de publicidade, o titular de uma marca está habilitado a proibir que seja feito uso, sem o seu consentimento, de um sinal idêntico à sua marca para produtos ou serviços idênticos aos produtos ou serviços para os quais essa marca foi registada, quando esse uso

---

[13] Acórdão do Tribunal de Justiça (Grande Secção), de 23 de Março de 2010.

[14] Acórdão do Tribunal de Justiça (Grande Secção), de 23 de Março de 2010.

[15] Acórdão do Tribunal de Justiça (Grande Secção), de 23 de Março de 2010.

seja susceptível de violar a utilização da marca pelo seu titular como elemento de promoção de vendas ou instrumento de estratégia comercial[16].

Com efeito, atendendo ao lugar importante que a publicidade na Internet ocupa na vida comercial, é plausível que o titular da marca inscreva a sua própria marca como palavra-chave junto do fornecedor do serviço de referenciamento, a fim de fazer inserir um anúncio na rubrica *links* patrocinados. Quando assim é, o titular da marca deve, eventualmente, aceitar pagar um preço por clique mais elevado do que outros operadores económicos, se pretender que o seu anúncio seja exibido antes dos anúncios dos referidos operadores que tenham igualmente seleccionado a sua marca como palavra-chave. Além disso, mesmo que o titular da marca esteja disposto a pagar um preço por clique mais elevado do que o oferecido pelos terceiros que tenham igualmente seleccionado a referida marca, não pode ter a garantia de que o seu anúncio seja exibido antes dos anúncios dos referidos terceiros, dado que há outros elementos que são igualmente tomados em consideração para determinar a ordem de exibição dos anúncios[17].

Tendo em conta estas circunstâncias, o Acórdão conclui que o uso de um sinal idêntico a uma marca de outrem, no âmbito de um serviço de referenciamento, como o que está em causa nos processos principais, não é susceptível de constituir uma violação da função de publicidade da marca.

O mais relevante neste Acórdão é que conclui por uma não responsabilidade dos motores de busca. Porém, considera que a utilização de palavras-chave pelos anunciantes, desde que a mesma se situe no âmbito da actividade económica e que seja feita para identificar produtos ou serviços, viola o exclusivo da marca, sendo que considera que essa referência invisível nos sítios da internet é feita para identificar produtos ou serviços, pelo que há espaço para aplicar o direito das marcas.

Assim sendo, parece-nos que a posição, que perfilhámos no passado, de que a expressão "Produtos ou serviços" tinha de ser entendida com latitude[18], veio a ser a sufragada, bem ou mal, pelo Tribunal de Justiça da União Europeia[19].

---

[16] Acórdão do Tribunal de Justiça (Grande Secção), de 23 de Março de 2010.

[17] Acórdão do Tribunal de Justiça (Grande Secção), de 23 de Março de 2010.

[18] Adelaide Menezes Leitão, *Metatags e correio electrónico entre os novos problemas do direito da Internet cit.*, 421.

[19] Neste sentido, igualmente o Acórdão do Tribunal de Justiça (Primeira Secção) de 25 de Março de 2010 *Die BergSpechte Outdoor Reisen und Alpinschule Edi Koblmüller GmbH*.

4. Enquadramento de Direito Português

4.1. *Funções das Marcas*

Nos termos do artigo 222.° do Código da Propriedade Industrial (CPI) (DL n.° 143/2008, de 25 de Julho), a marca pode ser constituída por um sinal ou conjunto de sinais susceptíveis de representação gráfica, nomeadamente palavras, incluindo nomes de pessoas, desenhos, letras, números, sons, a forma do produto ou da respectiva embalagem, desde que sejam adequados a distinguir os produtos ou serviços de uma empresa dos de outras empresas. A marca pode, igualmente, ser constituída por frases publicitárias para os produtos ou serviços a que respeitem, desde que possuam carácter distintivo, independentemente da protecção que lhe seja reconhecida pelos direitos de autor. Resulta, assim, do próprio conceito de marca a respectiva função distintiva: a marca serve para distinguir produtos ou serviços de diferentes empresas.

A função distintiva possui consequências ao nível do regime das marcas: legitimidade para registar a marca a quem exerça actividade empresarial (art. 225.° CPI), transmissão não autónoma da marca (art. 262.° CPI) e extinção da marca em caso de cessação da actividade da empresa (art. 269.°/3/c) CPI).

Segundo Luís Couto Gonçalves, a função distintiva já não se apresenta como uma garantia de uma origem empresarial, mas apenas uma garantia de uma origem pessoal sujeita a um ónus de uso não enganoso, o que aponta para uma função de garantia de qualidade[20].

Já para Oliveira Ascensão, a marca deixou de ter qualquer função de indicação de origem, porque se admite a transmissão da marca independentemente do estabelecimento, e que sejam concedidas licenças de utilização da marca a várias entidades. Por outro lado, a marca também já não teria qualquer função de garantia, pelo que defende que a única função juridicamente relevante da marca é a função distintiva[21].

Porém, na nossa óptica, a protecção das marcas de prestígio e de notoriedade implica uma autonomização da função publicitária, a acrescer à função distintiva.

---

[20] Neste sentido, Luís Couto Gonçalves, *Função Distintiva da Marca*, Almedina, Coimbra, 1999, 219.

[21] Oliveira Ascensão, *As funções das marcas e os descritores (metatags) na Internet cit.*, 7-10.

Actualmente, a função publicitária da marca tem obtido uma gradual predominância, traduzindo a influência que a marca, por si mesma ou por força das técnicas publicitárias, exerce sobre os consumidores, fazendo com que os produtos ou serviços sejam escolhidos mais em função da imagem de mercado do que em função de critérios racionais de apreciação. A marca não é, assim, só um sinal distintivo do produto ou serviço, mas também um sinal com uma especial força de venda, podendo ser mais valiosa do que o próprio produto que distingue. Esta função publicitária da marca acresce à função distintiva, designadamente nas marcas de prestígio (art. 242.° CPI), em que há uma protecção da marca para além da identidade ou similitude de bens ou serviços, derrogando-se o princípio da especialidade da marca.

A função publicitária não se confunde com o facto de as marcas serem utilizadas na publicidade, pois, neste caso, estamos no âmbito da função distintiva. Porém, a publicidade e as associações que se estabelecem contribuem para o especial poder de atracção que as marcas só por si podem gerar nos consumidores.

Esta função publicitária, no passado, não foi protegida pelo direito das marcas, mas pela concorrência desleal. A protecção das marcas de prestígio (art. 242.°) evidencia esta função publicitária das marcas.

4.2. *Usos das marcas*

O artigo 224.°, n.° 1 do CPI estabelece que o registo confere ao seu titular o direito de propriedade e do exclusivo da marca para os produtos e serviços a que esta se destina.

Do ponto de vista das Directivas e Regulamentos que regulam esta matéria, em especial o art. 5.° da Directiva 2008/95/CE, a marca registada confere ao seu titular um direito exclusivo. O titular fica habilitado a proibir que um terceiro, sem o seu consentimento, faça uso na vida comercial de qualquer sinal idêntico à marca para produtos ou serviços semelhantes àqueles para os quais a marca foi registada, ou de um sinal relativamente ao qual, devido à sua identidade ou semelhança com a marca e com os produtos ou serviços a que a marca e o sinal se destinam, exista, no espírito do público, um risco de confusão que compreenda o risco de associação entre o sinal e a marca.

A mesma solução encontra-se consagrada no artigo 258.° do CPI, que estabelece que o registo da marca confere ao seu titular o direito de impedir terceiros, sem o seu consentimento, de usar, no exercício de actividades económicas, qualquer sinal igual, ou semelhante, em produtos ou serviços idênticos ou afins daqueles para os quais a marca foi registada, e que, em consequência da semelhança entre os sinais e da afinidade dos produtos ou serviços, possa causar um risco de confusão, ou associação, no espírito do consumidor.

Nestes termos, segundo a legislação europeia, o titular pode proibir: a) que terceiro aponha o sinal nos produtos ou na respectiva embalagem; b) que sob o sinal ofereça produtos para venda, ou os coloque no mercado, ou os armazene com esse fim, ou que ofereça ou forneça serviços; c) que com o sinal importe ou exporte produtos; d) e que utilize o sinal nos documentos comerciais e na publicidade.

No que concerne ao direito português, o artigo 260.° do CPI estabelece que os direitos conferidos pelo registo da marca não permitem ao seu titular impedir terceiros de usar, na sua actividade económica, desde que tal seja feito em conformidade com as normas e os usos honestos em matéria industrial e comercial: *a*) O seu próprio nome e endereço; *b*) Indicações relativas à espécie, à qualidade, à quantidade, ao destino, ao valor, à proveniência geográfica, à época e meio de produção do produto ou da prestação do serviço ou a outras características dos produtos ou serviços; *c*) A marca, sempre que tal seja necessário para indicar o destino de um produto ou serviço, nomeadamente sob a forma de acessórios ou peças sobressalentes.

Em nosso entender, essa é a situação nos metadados em que há uma utilização de marca exclusiva de terceiro na publicidade na rede, pelo que o exclusivo é violado, gerando-se todas as consequências jurídicas da violação do direito subjectivo de marca.

O artigo 268.°/1 do CPI considera ainda uso sério da marca o uso da marca tal como está registada pelo titular ou por terceiro, desde que devidamente licenciado; o uso de marca para produtos destinados à exportação; e a utilização da marca por um terceiro, desde que seja sob controlo do titular e para manutenção do registo.

Assim sendo, considera-se que a utilização de *metatags* associados a *links* publicitários dos próprios produtos configura uma violação do exclusivo da marca, uma vez que é feita no exercício da actividade económica, sendo esse uso não autorizado e desde que se destine a promover a venda dos próprios produtos ou serviços, criando-se risco de confusão ou de associação.

Deste modo, admitimos que seja utilizado o direito de marca com todas as consequências legais que resultam da sua violação.

Excepcionamos, porém, destas consequências a aplicação do art. 323.° alínea f) do CPI, que prevê uma pena de prisão até 3 anos ou pena de multa até 360 dias para quem usar nos seus produtos, serviços, estabelecimento ou empresa, uma marca registada pertencente a outrem, por considerarmos que a tipicidade penal obsta à aplicação desta disposição aos casos de palavras-chave.

Para quem continue a recusar o recurso à disciplina jurídica das marcas, resta-lhe o instituto da concorrência desleal, mantendo-se a posição que vimos defendendo de serem susceptíveis de aplicação o art. 317.°/1, a) e art. 317.°/1, c), respectivamente: aos actos susceptíveis de criar confusão e às invocações ou referências não autorizadas de marcas alheias. Há ainda a possibilidade de aplicação do proémio do artigo 317.° do CPI para actuações mais sistemáticas, globais e contínuas.

Outra possibilidade é a da aplicação da disciplina publicitária. No passado, defendemos que poderia ser aplicada aos metadados a regulamentação relativa à publicidade oculta e à publicidade comparativa ilícita[22]. O art. 16.° do CPub considera ilícita a publicidade que gere confusão entre marcas (alínea d), que retire partido indevido do renome de outra marca (alínea g) ou que apresente um bem ou serviço como imitação ou reprodução de outro cuja marca é protegida (alínea h). Ora, são estes os casos que ocorrem na venda de palavras-chave, pelo que, à partida, estarão abrangidos pela publicidade comparativa ilícita, com as consequências legais devidas em termos de ilícito contra-ordenacional e civil. Hoje parece-nos, porém, que já não faz sentido chamar à colação o regime da publicidade oculta, embora a aplicação do regime da publicidade comparativa continue a fazer sentido.

Note-se que, actualmente, a disciplina publicitária já não se encontra apenas no CPub, pelo que é fundamental ter em conta o diploma sobre práticas comerciais desleais, uma vez que o artigo 43.° do DL 57/2008, de 26 de Março, só permite aplicar o art. 16.° à publicidade dirigida a profissionais. Assim, é necessário o recurso ao art. 5.°/1 do DL 57/2008 para defender que a utilização de marcas de concorrentes na publicidade na internet como palavras-chave pode configurar uma prática comercial desleal, se for contrária a um critério de diligência profissional e se for susceptível de alterar o comportamento económico do consumidor.

---

[22] Adelaide Menezes Leitão, *Metatags e correio electrónico entre os novos problemas do direito da Internet cit.*, 426.

5. Conclusão

Tendo em conta as decisões dos casos recentemente instaurados nos tribunais europeus e no Tribunal de Justiça da União Europeia, parece poder concluir-se que a jurisprudência vai no sentido de um alargamento do regime de exclusivo da marca, pelo menos no que respeita às marcas de prestígio. Com efeito, essas decisões têm sido no sentido da aplicação da disciplina da marca aos casos de utilização por concorrentes de palavras--chaves na publicidade difundida na Internet. Deste modo, estas decisões judiciais parecem ir no mesmo sentido da posição que vimos defendendo nesta matéria.

ENQUADRAMENTO DA PROBLEMÁTICA DO DIREITO DA PROPRIEDADE INDUSTRIAL (DOS DIREITOS DO HOMEM AOS ACORDOS DE COMÉRCIO LIVRE)

ALBERTO RIBEIRO DE ALMEIDA
Doutor em Direito pela Universidade de Coimbra
Professor Auxiliar da Faculdade de Direito
da Universidade Lusíada (Porto)

ÍNDICE:

Palavras-chave: direitos de propriedade industrial; direitos do homem; multilateralismo; bilateralismo; acordos de comércio livre; contratos.

Sumário: a crescente importância dos direitos de propriedade intelectual tem exigido medidas exacerbadas de tutela efectiva o que tem imposto uma correcta ponderação dos fundamentos da propriedade intelectual. A invocação dos direitos do homem tem facilitado a expansão da protecção de tais direitos. Expansão que assenta agora nos acordos bilaterais de comércio livre face ao esgotamento temporário do multilateralismo da Organização Mundial do Comércio. A importância dos direitos de propriedade intelectual também se manifesta no domínio contratual.

Key-words: intellectual property rights; human rights; multilateralism; bilateralism; free trade agreements; contracts.

Abstract: the growing importance of the intellectual property rights has demanded inflated measures of enforcement which impose a correct balance of the intellectual property fundamentals. Human rights arguments have helped the expansion of protection of those rights. This expansion is now based on bilateral free trade agreements taking into account the temporary breakdown of the Wold Trade Organization multilateralism. The intellectual property rights importance is also very clear on the contractual dominion.

I. INTRODUÇÃO

O início do século XXI tem sido marcado pelo reconhecimento global dos direitos de propriedade intelectual ou de um certo modelo da propriedade intelectual. Seja pela via das convenções internacionais multilaterais seja com acordos bilaterais, a propriedade intelectual globalizou-se. A revolução tecnológica e o desenvolvimento dos meios de comunicação ajudaram na construção de uma sociedade post-internacional que ultrapassou as fronteiras territoriais do Estado nacional e permitiu uma economia transnacional. Procuram-se símbolos universais e uma tutela da mesma dimensão. Assim, a globalização das trocas pretende o afastamento do princípio da territorialidade dos direitos de propriedade intelectual (no espaço da União Europeia buscam-se os títulos europeus de propriedade intelectual). O multilateralismo, recentemente sublinhado com a Organização Mundial do Comércio (OMC) e o seu acordo TRIPS (Acordo sobre os Aspectos dos Direitos de Propriedade Intelectual Relacionados com o Comércio), parece temporariamente adormecido. Mas a história já nos ensinou que a alternativa ao multilateralismo é o bilateralismo. O acordo bilateral é também um caminho para a globalização da propriedade intelectual. A proliferação, nos últimos anos, dos acordos de comércio livre (*Free Trade Agreements*) – todos eles disciplinando os direitos de propriedade intelectual – celebrados ou a negociar pela União Europeia, são um excelente exemplo.

A fluidez das trocas exige harmonização jurídica e económica. A crescente importância económica dos fluxos de coisas imateriais impõem uma disciplina planetária da propriedade intelectual. A quota dos bens intensivos em conhecimento ou de alta tecnologia tem crescido de forma acentuada (desde a tutela das invenções biotecnológicas até à protecção do conhecimento tradicional). É o desenvolvimento da economia intangível. Estamos longe de um simples mercado das coisas (o consumo não se reduz à simples aquisição de objectos; não é uma aquisição fundada no *price-competition*), sem que deixe de ser um mercado de coisas e para coisas. É essencial um nome, uma imagem, uma embalagem, um símbolo na comunicação de qualquer produto ou serviço. Uma diferenciação pelo símbolo face à despersonalização da venda.

Este início do século XXI é ainda marcado pelo aprofundamento da propriedade intelectual, desde logo com o desejo de uma tutela cada vez mais eficaz, embora tal intento não seja idêntico em relação a todos os direitos de propriedade intelectual. Um aprofundamento que é expressão da sua importância e, por certo, dos interesses (quantas vezes transnacionais) envolvidos (que moldam o regime). Todavia, este crescendo da propriedade intelectual também se reflecte no quadro da autonomia privada. Os direitos de propriedade intelectual transmitem-se e licenciam-se (nos termos em que o ordenamento jurídico o permite). Múltiplos contratos têm por objecto direitos de propriedade intelectual, cuja natureza e regime não deixará de se projectar na disciplina do contrato, desde logo na forma e no conteúdo.

Os direitos da propriedade industrial não podem olvidar os seus fundamentos e os equilíbrios que se impõem (entre interesses privados e objectivos públicos). Estamos perante instrumentos de monopolização da concorrência.

II. FUNDAMENTOS DO DIREITO DA PROPRIEDADE INDUSTRIAL

O direito da propriedade industrial assenta nas criações industriais (patentes, modelos de utilidade, topografias de produtos semicondutores e desenhos ou modelos) e nos sinais distintivos do comércio (marcas, recompensas, logótipos, denominações de origem e indicações geográficas). É a tutela da capacidade de inovação e de *design*, bem como da capacidade distintiva[1]. Se o direito de autor assenta na protecção das criações

[1] *Vide* COUTO GONÇALVES, *Manual de Direito Industrial*, 2.ª edição, Almedina, Coimbra, 2008, 33.

literárias, artísticas ou científicas, ou seja num conjunto de criações espirituais que fazem parte do mundo da cultura, da ciência, da arte e da beleza [temos de estar perante uma obra, enquanto realidade incorpórea, ou seja, uma exteriorização da criação intelectual (uma forma, literária ou artística, que seja uma criação do espírito e, por isso, expressão de criatividade e individualidade)[2]], a propriedade industrial dirige-se à protecção das inovações técnicas (patente e modelo de utilidade), estéticas ou ornamentais (desenho ou modelo) e dos sinais distintivos da empresa, dos produtos ou serviços.

Com os direitos subjectivos de propriedade industrial (criações industriais e sinais distintivos do comércio) pretende-se, em relação às criações industriais, atribuir ao inventor, durante um certo tempo (um monopólio temporário pois o inventor ou criador muito deve à comunidade), um direito exclusivo de utilização ou de exploração do objecto protegido, e isto com a finalidade de encorajar o aperfeiçoamento da indústria e o desenvolvimento tecnológico, que aproveita à comunidade. No que respeita aos sinais distintivos do comércio, não se confere um monopólio de exploração de um produto, mas somente a exclusividade relativa à apresentação em face do público dos produtos ou dos serviços que são o *corpus mechanicum* do direito sobre o sinal distintivo. Os concorrentes podem vender produtos idênticos ou semelhantes, mas com uma marca não confundível ou até sem marca. Os direitos sobre as criações industriais têm uma duração temporária, enquanto que os direitos sobre os sinais distintivos, desde que sejam conservados ou renovados nos termos da lei, têm vocação para a perenidade. Os monopólios admitidos para as criações industriais surgem como recompensas destinadas a estimular o espírito criador e inovador e, consequentemente, o progresso do conhecimento, da ciência e da tecnologia (incluindo a saúde, a biologia e o ambiente, por exemplo) e o desenvolvimento económico que beneficia, desde logo, com a divulgação, por exemplo, da tecnologia patenteada (além de reconhecerem a titularidade da invenção ou criação – uma expressão da individualidade humana e de respeito pela pessoa humana – *id est* a protecção do inventor) e a tornar lucrativos os investimentos utilizados na investigação, mas é um monopólio temporário, dada a necessidade de satisfazer o inte-

[2] Para mais desenvolvimentos *vide* OLIVEIRA ASCENSÃO, *Direito de Autor e Direitos Conexos*, Coimbra Editora, Coimbra, 1992, 57, ss.; REMÉDIO MARQUES, *Biotecnologia(s) e propriedade intelectual*, vol. I, Almedina, Coimbra, 2007, 92.

resse geral, o interesse da comunidade (é a busca do referido equilíbrio entre o monopólio concedido e o benefício público do livre acesso à informação e ao conhecimento). Já os sinais distintivos servem para identificar o comerciante, os produtos, os serviços ou o estabelecimento comercial e não há um princípio de objecção a que o granjeio da clientela, dado o poder atractivo dos sinais, dure tanto tempo quanto o titular do direito o desejar.

O exercício da actividade comercial é livre (liberdade de iniciativa privada) desde que cumpridos os limites estabelecidos pelo ordenamento jurídico. Daqui decorre a liberdade de concorrência, uma multiplicidade de sujeitos económicos que actuam no mercado, que colocam produtos no mercado ou prestam serviços e que se dirigem a uma pluralidade de consumidores. Num quadro de liberdade de concorrência – e com o objectivo de preservar essa liberdade – permitem-se direitos de propriedade industrial que são exclusivos ou monopólios concedidos a uma empresa e que lhe permitem singrar no mercado, conquistar clientela, sobrepor-se às outras empresas suas concorrentes. Na luta competitiva do mercado, ao lado dos direitos de propriedade industrial (direitos subjectivos que têm por objecto coisas incorpóreas[3]) o ordenamento jurídico proíbe certos comportamentos concorrenciais. Na verdade, o ordenamento jurídico impõe determinados deveres aos concorrentes, disciplina a concorrência de modo a garantir um proceder honesto por parte de todas as empresas, reprimindo-se a concorrência desleal (na proibição de actos desleais não se reconhece direitos subjectivos aos concorrentes, mas reconhece-lhes interesses juridicamente protegidos). A concorrência desleal goza de autonomia em relação aos direitos subjectivos de propriedade industrial. Na verdade, a repressão de um acto de concorrência desleal e a violação de um direito de propriedade industrial são realidades autónomas (sem prejuízo de poder haver infracção simultânea de um direito de propriedade industrial e das normas que tutelam a lealdade da concorrência), ou seja, pode haver um acto de concorrência desleal sem haver violação de direi-

[3] O objecto destes direitos não é a ideia em si mesma (o *corpus mysticum*) nem a coisa corpórea (*corpus mechanicum*), mas «(...) ideações que, uma vez saídas da mente e, por conseguinte, discerníveis, ganham autonomia em face dos meios que as sensibilizam ou exteriorizam e em face da própria personalidade criadora, justificando uma tutela independente da tutela da personalidade como da tutela dos meios ou objectos corpóreos que são o suporte sensível dessas mesmas ideações» – ORLANDO DE CARVALHO, *Direito das Coisas (do direito das coisas em geral)*, Centelha, Coimbra, 1977, 191, nota 2.

tos subjectivos de propriedade industrial e pode haver violação de um tal direito subjectivo (por exemplo, marcas de prestígio) sem qualquer acto de concorrência desleal.

Todavia, o desejado equilíbrio entre a liberdade e o monopólio (que constituem os direitos de propriedade industrial) parece pender, no quadro actual, mais para este do que para aquele. E com esta tendência é o fundamento do direito da propriedade industrial que é afectado. Na verdade, temos assistido a um aprofundamento dos direitos de propriedade intelectual ou ao alargamento do âmbito da sua incidência[4], desde logo com a extensão do prazo de protecção do direito de autor, com o certificado complementar de protecção dos produtos farmacêuticos e fitofarmacêuticos[5], com o alargamento do âmbito de incidência dos direitos de propriedade industrial (extensão das patentes ao domínio da biodiversidade e a construção de direitos de propriedade intelectual em volta dos produtos informáticos: topografias de produtos semicondutores, programas de computador[6] e bases de dados[7]). Paralelamente, tem-se verificado uma tendência para afrouxar as condições de patenteabilidade, nomeadamente no que respeita à actividade inventiva[8], para conceder tutela ultramerceológica a marcas simplesmente "notórias", para alargar o objecto da marca (as denominadas marcas não convencionais[9]) ou para alargar o âmbito de tutela da marca com uma vasta compreensão dos usos qualificados como a título de marca, sem esquecermos (nesta ilustração exemplificativa) a tendência

---

[4] *Vide* o nosso *A autonomia jurídica da denominação de origem. Uma perspectiva transnacional. Uma garantia de qualidade*, Coimbra Editora, Coimbra, 2010, 405, ss.

[5] *Vide* Remédio Marques, «O direito de patentes, o sistema regulatório de aprovação, o direito da concorrência e o acesso aos medicamentos genéricos», *in AA VV, Direito Industrial*, Vol. VII, APDI, Almedina, Coimbra, 2010, 307, ss.

[6] *Vide* Reinier B. Bakels, «Software patentability: what are the right questions?», *in EIPR* 2009, 31(10), 514-522.

[7] *Vide* Alexandre Dias Pereira, «Bases de dados e direito *sui generis*», *in AA VV, Direito Industrial*, Vol. VII, APDI, Almedina, Coimbra, 2010, 375, ss.

[8] Remédio Marques, *Biotecnologia(s) e propriedade intelectual, cit.*, 45, escreve «(...) enfraquecimento do rigor por que são sindicadas as condições de cuja verificação depende a concessão destes *direitos subjectivos absolutos* sobre *criações do espírito humano* ou sobre *meras prestações empresariais* (*v.g.*, a *novidade* e o *nível inventivo* dos inventos; a *originalidade* das obras de engenho)».

[9] *Vide* V. K. Ahuja, «Non-traditional trade marks: new dimension of trade marks law», *in EIPR* 2010, 32(11), 575-581; Gordon Humphreys, «Non-conventional trade marks: an overview of some of the leading case law of the Boards of Appeal», *in EIPR* 2010, 32(9), 437-448.

para acumular instrumentos de protecção prejudicando a fronteira entre os diversos direitos de propriedade industrial e a própria delimitação entre a propriedade industrial e a propriedade intelectual. Neste domínio se insere, por exemplo, o recurso à marca de forma ou à marca tridimensional para "prolongar" interminavelmente a tutela dos modelos[10], a tutela dos desenhos ou modelos através do direito de autor, a protecção jurídica das bases de dados através do direito de autor e de um direito *sui generis* (protecção especial do fabricante da base de dados) que engloba o conteúdo informativo de tais bases de dados e a protecção dos inventos que implicam programas de computador através cumulativamente do direito de autor e do direito de patente.

Na relação dos direitos de propriedade intelectual com a liberdade de concorrência, a liberdade de expressão e de informação e com valores fundamentais como a saúde ou o acesso ao conhecimento, bem como com os interesses dos concorrentes e dos consumidores, aqueles direitos (quanto à sua constituição, reconhecimento e âmbito de tutela) devem ser sujeitos aos princípios da necessidade, da adequação e da proporcionalidade. O desequilíbrio verifica-se em diversos aspectos. O reforço da tutela da propriedade intelectual – na sequência, desde logo, do acordo TRIPS e da Directiva n.° 2004/48/CE, de 29-4-2004 – evidencia exagero nas medidas adoptadas. Apesar desta Directiva não conter medidas penais (ao contrário do inicialmente proposto[11]), o acordo TRIPS é muito minucioso nas medidas de tutela da propriedade intelectual e contém previsões no domínio do direito penal, constituindo uma inovação no plano convencional multilateral – aliás as medidas de aplicação efectiva são uma novidade em relação à Convenção de Berna para a Protecção das Obras Literárias e Artísticas ou à Convenção da União de Paris (CUP) para a Protecção da Propriedade Industrial (estas convenções permitiam que cada ordena-

---

[10] *Vide* MARIA MIGUEL CARVALHO, «Desenhos e modelos. Carácter singular. Cumulação com marca», *in AA VV, Direito Industrial*, Vol. VII, APDI, Almedina, Coimbra, 2010, 444, ss.

[11] Na União Europeia continuam a ser discutidas propostas que consagram medidas de natureza penal para combater a infracção de direitos de propriedade intelectual. *Vide* Proposal for a Council Framework Decision to strengthen the criminal law framework to combat intellectual property offences [COM (2005) 276 final] e Report (do Parlamento Europeu) on the amended proposal for a directive of the European Parliament and of the Council on criminal measures aimed at ensuring the enforcement of intellectual property rights [COM (2006) 0168 – C6-0233/2005 – 2005/0127 (COD)].

mento jurídico determinasse as medidas de tutela dos direitos de propriedade intelectual[12]). O fundamento do direito da propriedade intelectual alterou-se: encontra-se ao serviço do comércio multilateral (permitindo barreiras) e das empresas transnacionais[13]. O crescente recurso à tutela penal dos direitos de propriedade intelectual não só desvirtua o sentido daquela tutela[14], como pretende fundamentalmente atemorizar o público em geral[15]. É uma inversão axiológica fruto da funcionalização do jurídico ao económico com a consequente desvalorização do jurídico e perda da sua autonomia.

Acresce, ainda, a crescente de inserção da propriedade intelectual no âmbito dos direitos fundamentais do homem. Esta inserção tem sido utilizada em dois sentidos: ou para assegurar um nível elevado de tutela dos direitos da propriedade intelectual ou para tentar restringir uma tutela excessiva (todavia, sempre no cumprimento do objectivo de uma maior protecção).

Um dos direitos fundamentais do homem é a liberdade de expressão, onde se inclui a liberdade de referências. Esta liberdade tem sido reclamada contra a protecção agressiva do direito de marca, em especial no quadro da invocação do risco de diluição. Todavia, e sem desenvolvermos agora a teoria da diluição[16] (o que ultrapassaria os objectivos deste texto), o problema não deve centrar-se na relação entre a liberdade de expressão e a tutela da marca, mas, antes, numa correcta ponderação da função da marca e numa correcta aplicação da teoria da diluição[17]. Numa errada aplicação da tutela ultramerceológica da marca (sempre favorável a esta) esta-

---

[12] *Vide* o nosso *A autonomia jurídica da denominação de origem. Uma perspectiva transnacional. Uma garantia de qualidade, cit.*, 502, ss.

[13] *Vide* o nosso «Os princípios estruturantes do acordo TRIPS: um contributo para a liberalização do comércio mundial», *in Boletim de Ciências Económicas da Faculdade de Direito de Coimbra*, XVLII, 2004, 105, ss.

[14] Oliveira Ascensão, «Direito Industrial e direito penal», *in AA VV, Direito Industrial*, Vol. VII, APDI, Almedina, Coimbra, 2010, 32, escreve: «Vivemos o paradoxo de se proclamar como objectivo a descriminalização e à luz desta bandeira são abolidos tipos com conteúdo ético mas simultaneamente o Direito Penal secundário é fortemente empolado, ao serviço dos interesses empresariais».

[15] Oliveira Ascensão, «Direito Industrial e direito penal», *cit.*, 29.

[16] *Vide* o nosso *A autonomia jurídica da denominação de origem. Uma perspectiva transnacional. Uma garantia de qualidade, cit.*, 1269, ss.

[17] Em especial *vide* Robert Burrell e Dev Gangjee, «Trade Marks and Freedom of Expression – A Call for Caution», *in IIC* 2010, 544, ss.

ríamos, no limite, em face de um conflito entre dois direitos fundamentais: a liberdade de expressão e o direito de propriedade. E é precisamente a qualificação do direito de marca (e de outros direitos de propriedade intelectual[18-19]) como direito de propriedade que tem implicado a inserção da propriedade intelectual no âmbito dos direitos fundamentais do homem[20]. Todavia, já da Roma Antiga se conhecem restrições ao direito de propriedade fundadas, desde logo, em interesses públicos. Na verdade, não pode ser esquecida a função social do direito de propriedade nem a defesa de

[18] Recusando a inserção do direito de marca, mas já não do direito de autor ou do direito de patente, nos direitos do homem, *vide* MEGAN M. CARPENTER, «Trademarks and Human Rights: Oil and Water? Or Chocolate and Peanut Butter?», *in 99 Trademark Rep.*, 892, ss.

[19] Na Declaração Universal dos Direitos do Homem, art. 27.°, encontramos a relação dos direitos do homem com os direitos de propriedade intelectual: «1. Toda a pessoa tem o direito de tomar parte livremente na vida cultural da comunidade, de fruir as artes e de participar no progresso científico e nos benefícios que deste resultam. 2. Todos têm direito à protecção dos interesses morais e materiais ligados a qualquer produção científica, literária ou artística da sua autoria».

[20] Importa aqui sublinhar o caso apreciado pelo Tribunal Europeu dos Direitos do Homem na sequência do recurso interposto pela «Anheuser-Busch Inc.» contra Portugal. O tribunal decidiu a 11-10-2005 (processo n.° 73049/01). O tribunal entendeu que a propriedade intelectual está incluída no art. 1.° do Protocolo n.° 1 adicional à Convenção Europeia para a Protecção dos Direitos do Homem e das Liberdades Fundamentais, relativo à protecção da propriedade [o citado art. 1.° (Protecção da propriedade) reza assim: «Qualquer pessoa singular ou colectiva tem direito ao respeito dos seus bens. Ninguém pode ser privado do que é sua propriedade a não ser por utilidade pública e nas condições previstas pela lei e pelos princípios gerais do direito internacional. As condições precedentes entendem-se sem prejuízo do direito que os Estados possuem de pôr em vigor as leis que julguem necessárias para a regulamentação do uso dos bens, de acordo com o interesse geral, ou para assegurar o pagamento de impostos ou outras contribuições ou multas»]. A questão fundamental era saber quando é que o direito à protecção de uma marca é um direito de propriedade (é preciso o registo definitivo ou basta o pedido de registo?). O tribunal pleno (decisão de 11-1-2007) reconheceu que o pedido de registo de uma marca podia ser qualificada como um «bem» nos termos do art. 1.° do citado Protocolo. O tribunal sublinhou que um pedido de registo pode ser objecto de transmissão e licença, pelo que estávamos perante actos de relevante interesse económico, desde logo tendo em consideração a notoriedade internacional do sinal em causa. Assim, o tribunal entendeu que estávamos perante um conjunto de interesses de conteúdo patrimonial, um conjunto de direitos patrimoniais ainda que revogáveis («révocables» no francês) em certas condições, abrangidos pelo art. 1.° do referido Protocolo. Sobre este caso *vide* o nosso *A autonomia jurídica da denominação de origem. Uma perspectiva transnacional. Uma garantia de qualidade*, *cit.*, 345-346, em nota.

interesses públicos, como seja a saúde pública (valor que justifica certas restrições à utilização da marca, por exemplo no tabaco ou nas bebidas alcoólicas) ou o acesso à educação e ao conhecimento. Por fim, se o reforço das medidas de aplicação efectiva dos direitos de propriedade intelectual, designadamente de natureza penal, pretende combater, diz-se, a contrafacção e a pirataria e contribuir para a criação de inovações, desde logo tecnológicas, não podemos esquecer os direitos fundamentais (por exemplo, direito à informação e à educação, liberdade de expressão, protecção de dados pessoais, direito a uma processo judicial equitativo com respeito pelo direito de defesa), a promoção da sociedade de informação, a tutela da saúde, o respeito pela diversidade cultural e biológica, e o desenvolvimento dos países mais pobres.

A propriedade intelectual está igualmente inserida na Carta dos Direitos Fundamentais da União Europeia, art. 17.° (com a epígrafe «Direito de propriedade»), n.° 2 («É protegida a propriedade intelectual»). Parece inevitável a relação desta disposição com o art. 1.° do Protocolo n.° 1 adicional à Convenção Europeia para a Protecção dos Direitos do Homem e das Liberdades Fundamentais. Se até aqui – isto é antes do tratado de Lisboa – a propriedade intelectual foi perspectivada de um ângulo funcional, *id est* com vista ao estabelecimento do mercado interno, a perspectiva agora parece ser outra. Em primeiro lugar, o Tratado sobre o Funcionamento da União Europeia (TFUE) prevê expressamente uma disposição (art. 118.°) sobre os títulos europeus de propriedade intelectual (apesar de parecer querer funcionalizar tais direitos ao estabelecimento do mercado interno – *vide* parte inicial da disposição). Em segundo lugar, a União Europeia aderiu à Convenção Europeia para a Protecção dos Direitos do Homem e das Liberdades Fundamentais (art. 6.°, n.° 2, do Tratado da União Europeia – TUE) e já sabemos a posição do Tribunal Europeu dos Direitos do Homem quanto à propriedade intelectual. Em terceiro lugar, a referida Carta dos Direitos Fundamentais da União Europeia tem o mesmo valor do direito originário da União – art. 6.°, n.° 1, do TUE. Aliás, o citado art. 17.°, n.° 2, desta Carta já tem sido usado para sustentar uma tutela reforçada dos direitos de propriedade intelectual – *vide* o considerando 32 da referida Directiva 2004/48/CE[21]. Independentemente do

[21] *Vide*, em especial, Christophe Geiger, «Intellectual "property" after the Treaty of Lisbon: towards a different approach in the new European legal order?», *in EIPR* 2010, 32(6), 255-258.

reforço da tutela dos direitos de propriedade intelectual, estas alterações colocam os direitos de propriedade intelectual no patamar dos direitos fundamentais exigindo do intérprete um esforço de articulação com outros direitos fundamentais. Os princípios da adequação, da necessidade e da proporcionalidade desempenharão um papel essencial na resolução de conflitos entre direitos fundamentais.

III. OS TÍTULOS EUROPEUS DE PROPRIEDADE INDUSTRIAL

O direito da propriedade industrial evidencia, na sua evolução, três fases: nacional, internacional e global. Esta evolução não afastou a territorialidade de tais direitos, sem prejuízo da harmonização que foi sendo realizada. Todavia, no seio da União Europeia têm-se consagrado direitos europeus de propriedade industrial. O art. 118.° do TFUE veio consagrar expressamente estes títulos, a «fim de assegurar uma protecção uniforme dos direitos de propriedade intelectual na União», permitindo a «instituição de regimes de autorização, de coordenação e de controlo centralizados ao nível da União». O segundo parágrafo permite o estabelecimento do regime linguístico do título europeu (exigindo-se deliberação unânime do Conselho), o que aponta claramente para um dos problemas fundamentais na instituição da patente da União Europeia (antiga patente comunitária). O caminho para esta disposição foi sendo traçado ao longo do tempo.

Na verdade, no domínio da propriedade industrial o estabelecimento e funcionamento do mercado interno exigiu não apenas uma aproximação das legislações nacionais, mas a consagração de direitos de propriedade industrial comunitários.[22] Os obstáculos ao comércio intracomunitário resultam da territorialidade dos títulos (nacionais) de propriedade industrial. Assim, consagraram-se títulos comunitários de propriedade industrial (agora denominados títulos europeus): marca comunitária[23], desenhos ou modelos comunitários[24], denominações de origem e indicações geográficas

[22] *Vide* W. Cornish, D. Llewelyn, *Intellectual Property: Patents, Copyright, Trade Marks and Allied Rights*, Sixth Edition, Sweet & Maxwell, London, 2007, 779, ss.

[23] Regulamento (CE) N.° 207/2009, 26-02-2009, sobre a marca comunitária.

[24] Regulamento (CE) N.° 6/2002, 12-12-2001, relativo aos desenhos ou modelos comunitários.

comunitárias[25], e os direitos comunitários de protecção das variedades vegetais[26]. Estes títulos são regulados por um direito comunitário único, gozando de protecção uniforme e produzindo efeitos em todo o território da União. Estes títulos comunitários não pretendem substituir os títulos nacionais, com excepção das denominações de origem e das indicações geográficas comunitárias em que se quis adoptar (não sem controvérsia) um sistema único de protecção (removendo-se os sistemas nacionais).

Quanto ao procedimento de concessão e controlo, importa sublinhar que no que respeita à marca comunitária e aos desenhos ou modelos comunitários, das decisões do Instituto de Harmonização do Mercado Interno é possível interpor recurso para uma Câmara de Recurso[27]. Desta decisão é possível recorrer para o Tribunal Geral e, quanto às questões de direito, da decisão deste para o Tribunal de Justiça. Encontramos um sistema jurisdicional semelhante em relação às decisões do Instituto Comunitário das Variedades Vegetais. Diferentemente, quanto à decisão de registo pela Comissão Europeia de denominações de origem e indicações geográficas comunitárias não foram consagradas regras específicas, havendo a possibilidade de uso do recurso de anulação (art. 263.° do TFUE)[28]. Sublinhe-se, todavia, que a competência do Tribunal de Justiça da União Europeia (TJUE) (no que respeita aos citados títulos europeus de propriedade industrial) é exercida sem prejuízo da competência dos tribunais nacionais no domínio da contrafacção e validade dos títulos europeus de propriedade industrial[29] (tribunais nacionais que são, como sabemos, tribunais comuns do direito da União Europeia).

---

[25] Regulamento (CE) N.° 510/2006, 20-03-2006, relativo à protecção das indicações geográficas e denominações de origem dos produtos agrícolas e dos géneros alimentícios. Regulamento (CE) N.° 1234/2007, 22-10-2007, que estabelece uma organização comum dos mercados agrícolas (arts. 118.°-A e ss.) e disciplina as denominações de origem e indicações geográficas dos vinhos. Regulamento (CE) N.° 110/2008, 15-1-2008, relativo às indicações geográficas de bebidas espirituosas.

[26] Regulamento (CE) N.° 2100/94, 27-07-1994, relativo ao regime comunitário de protecção das variedades vegetais.

[27] As Câmaras de Recurso poderão, atendendo à sua natureza quase jurisdicional, vir a ser qualificadas, com o Tratado de Lisboa, de tribunais especializados (art. 257.° do TFUE).

[28] Uma importante jurisprudência comunitária tem sido desenvolvida através do recurso ao processo das questões prejudiciais (art. 267.° do TFUE) e, em menor medida, através da acção de incumprimento (arts. 258.° a 260.° do TFUE).

[29] O órgão jurisdicional de um Estado membro pode, ainda, fazer uso do processo das questões prejudiciais.

Diversas dificuldades têm surgido para o estabelecimento da patente da União Europeia. Para o efeito é relevante o art. 262.° do TFUE que consagra a possibilidade de alargamento da competência do TJUE a litígios entre particulares relativos a títulos europeus de propriedade industrial. Esta disposição pretende constituir a base legal para a escolha do quadro jurisdicional destinado ao tratamento do contencioso resultante da aplicação do acto que crie a futura patente comunitária (agora patente da UE). Pretende-se uma patente única juridicamente válida em todo o espaço da União Europeia. O objectivo é fazer culminar um processo que se iniciou em 1973 com a Convenção sobre a Concessão de Patentes Europeias (CPE) e que gerou o Instituto Europeu de Patentes e que teve como segundo momento a Convenção do Luxemburgo de 1975 relativa à patente comunitária (actualmente parte integrante do acordo em matéria de patentes comunitárias celebrado em 1989) mas que não foi ratificada por todos os Estados membros e, por isso, não entrou em vigor. A patente europeia não é um título unitário no espaço da União Europeia. Na verdade, existe um único pedido, um único processo de exame junto do Instituto Europeu de Patentes, mas a concessão da patente (pelo Instituto Europeu de Patentes) gera um feixe de patentes nacionais (a decisão de concessão da patente não pode ser revista pelos institutos nacionais de propriedade industrial) subordinadas à protecção concedida pelo direito nacional, apesar de cada Estado membro estar vinculado a aplicar alguns aspectos do regime jurídico do direito de patente regulados pelo direito convencional. Assim, compete aos tribunais nacionais decidir os litígios relativos à violação da patente europeia ou à sua nulidade ou caducidade.

As propostas de patente da União Europeia, cujo procedimento de pedido, análise e concessão se efectuaria junto do Instituto Europeu de Patentes (o que tem como pressuposto a adesão da UE à CPE e, assim, a patente da UE seria parte do sistema administrativo criado para a patente europeia), têm apresentado algumas dificuldades. Uma das dificuldades prende-se com o sistema jurisdicional. As propostas já apresentadas de sistema jurisdicional destinado a dirimir os litígios resultantes da aplicação do Regulamento da patente da UE dividem-se. Diga-se que o art. 262.° do TFUE não impõe um determinado sistema jurisdicional[30], *id est* o TJUE

---

[30] *Vide* a Declaração n.° 17 relativa ao art. 229.°-A do TCE anexa à acta final da Conferência dos representantes dos Governos dos Estados membros reunida em Bruxelas a 14-2-2000.

não goza de monopólio quanto à resolução dos litígios sobre títulos europeus de propriedade industrial. Num primeiro momento a Comissão Europeia apresentou uma proposta[31] de criação de um tribunal comunitário de propriedade intelectual, uma nova jurisdição centralizada com competência exclusiva, desde logo quanto a acções de contrafacção e validade da patente (incluindo a aplicação de sanções e a determinação do montante de indemnizações a pagar). De seguida a Comissão Europeia optou por propor o alargamento da competência do TJCE atribuindo-lhe competência exclusiva para decidir litígios relativos à patente comunitária (contrafacção, validade da patente, medidas provisórias, indemnizações, sanções, etc.)[32]. Para o efeito seria criado um Tribunal da Patente Comunitária (sob a égide do TJCE) de cujas decisões poderia haver recurso para uma secção especial do Tribunal de Primeira Instância[33]. Pretendia-se (com fundamento no art. 229.°-A do TCE) centralizar todo o contencioso relativo à patente comunitária num único órgão jurisdicional europeu (o TJCE) alargando-se a sua competência a litígios entre partes privadas. Presentemente a solução para o contencioso relativo à aplicação do Regulamento da patente da UE[34] implica a criação, através de um acordo internacional[35], de um Tribunal das Patentes Europeia e da UE. Trata-se de uma nova jurisdição (composta por um tribunal de primeira instância e um tribunal de recurso) com competência exclusiva, designadamente, quanto aos litígios relacionados com a violação e a validade da patente, incluindo a adopção de medidas provisórias e cautelares e medidas correctivas[36]

---

[31] Proposta de Regulamento do Conselho relativo à patente comunitária (JOCE, C 337, 28-11-2000).

[32] Proposta de Decisão do Conselho que atribui ao Tribunal de Justiça competência para decidir litígios ligados a patentes comunitárias [COM (2003) 827 final].

[33] Proposta de Decisão do Conselho relativa à criação do Tribunal da Patente Comunitária e ao recurso para o Tribunal de Primeira Instância [COM (2003) 828 final].

[34] Proposta de Regulamento do Conselho relativo à patente comunitária (doc. 16113/09 ADD 1, 27-11-2009).

[35] Um acordo internacional a celebrar entre a UE, os seus Estados membros e alguns dos países membros da CPE, ratificado em conformidade com as exigências constitucionais dos Estados membros e destinado a criar um sistema unificado de resolução de litígios em matéria de patentes (doc. Conselho 7928/09 PI 23 COUR 29, 23-3-2009).

[36] A competência deste tribunal é limitada aos conflitos entre particulares. Os litígios de natureza administrativa relacionados com as decisões do Instituto Europeu de Patentes não estão abrangidos na competência deste tribunal. Estes litígios continuam a ser decididos exclusivamente no interior do Instituto Europeu de Patentes (nas suas Câmaras de Recurso).

(quanto à interpretação do direito da UE esta jurisdição poderá solicitar uma decisão prejudicial ao TJUE). Esta proposta (dificilmente compatível com a ordem jurídica da UE desde logo porque nenhuma instância da UE, em especial judicial, tem jurisdição e controlo sobre os actos de concessão[37] ou de recusa de um pedido de patente por parte do Instituto Europeu de Patentes – uma autoridade exterior à UE – *id est*, o poder decisório não é reservado para a UE[38], embora, diga-se, não tem de ser[39]) implica uma transferência de competências para decidir litígios entre partes privadas dos tribunais nacionais para um tribunal internacional exterior à UE – o que não se verificou com os outros títulos europeus de propriedade industrial. Diga-se, por fim, que o presente art. 262.° apenas confere competência ao TJUE para as patentes da UE e não para a patente europeia (o próprio art. 118.° do TFUE refere-se a mercado interno e a regimes centralizados ao nível da União). Acresce que a parte

---

[37] Se a patente europeia for concedida, a sua validade ainda poderá ser discutida nos tribunais nacionais, mas se for recusada não existe mecanismo de recurso judicial. Os países membros da CPE aceitaram a ausência de revisão judicial no caso do Instituto Europeu de Patentes recusar um pedido de protecção. Assim, no domínio da patente da União Europeia – futuramente regida por um Regulamento da União – será contrário à ordem jurídica da União aceitar que uma decisão do Instituto Europeu de Patentes quanto a um pedido de protecção de uma patente da União Europeia não possa ser revista por um tribunal, desde logo pelo TJUE. Acresce que não está assegurada a correcta e uniforme aplicação do direito da União Europeia no processo administrativo perante o Instituto Europeu de Patentes. Por outro lado, na proposta de acordo não está assegurada a inteira aplicação pelo tribunal internacional do direito da União Europeia, desde logo princípios gerais da União Europeia, direitos fundamentais e o respeito pela primazia do direito da União. Por fim, a correcta e a uniforme aplicação do direito da União Europeia pretendem ser asseguradas através do mecanismo de recurso prejudicial para o TJUE. Todavia, é necessário ponderar se este mecanismo é suficiente para assegurar a correcta aplicação do direito de União ou se apenas se conseguirá este objectivo com a consagração da possibilidade de recurso da decisão do tribunal internacional para o TJUE (no que diz respeito naturalmente às decisões sobre a patente da UE).

[38] *Vide* JOCHEN PAHENBERG, «The ECJ on the Draft Agreement for a European Community Patent Court – Hearing of May 18, 2010», *in ICC* Vol. 41, 6/2010, 695, ss.

[39] E não tem de ser, desde logo, porque o TJUE goza apenas de competência de atribuição e os litígios entre particulares são decididos pelos tribunais nacionais. Ora, a criação de um tribunal internacional exterior à UE para decidir tais litígios não viola, por si só, o direito da União. O referido art. 262.° do TFUE, como dissemos, não impõe um recurso obrigatório ao TJUE para decidir litígios em relação a títulos europeus de propriedade industrial. E atendendo à natureza dos litígios em causa, a proposta apresentada não viola o art. 344.° do TFUE.

final da disposição («Essas disposições entram em vigor após a sua aprovação pelos Estados membros, de acordo com as respectivas normas constitucionais») indicia que as disposições em causa terão natureza internacional. O alargamento da competência do TJUE, nos termos *supra* referidos, implica uma transferência de competência dos Estados membros para aquele tribunal.

Existem ainda outras dificuldades, desde logo quanto ao regime de tradução do pedido de protecção da patente da União Europeia ou da língua adoptada no Tribunal das Patentes Europeia e da UE. Temática que ultrapassa o âmbito deste texto. Importa apenas sublinhar que está aqui em causa o respeito por um direito fundamental: o direito de defesa (*vide* arts. 47.°, n.° 2, e 48.°, n.° 2, da Carta dos Direitos Fundamentais da União Europeia).

Num caminho de crescente tutela dos direitos de propriedade industrial importa analisar o modo como a União Europeia tem conseguido essa tutela fora do espaço da União, em especial num momento em que, após um multilateralismo marcante no quadro da propriedade industrial, o bilateralismo surge como um mecanismo privilegiado.

IV. O MULTILATERALISMO E O BILATERALISMO NAS CONVENÇÕES INTERNACIONAIS SOBRE DIREITOS DE PROPRIEDADE INDUSTRIAL

Se a Convenção de Berna e a Convenção da União de Paris constituíram marcos determinantes na evolução do Direito da Propriedade Intelectual, o acordo TRIPS traçou a evolução recente, em especial no plano da tutela da propriedade intelectual. Foi o triunfo do multilateralismo. Todavia, as opções globais no quadro dos direitos de propriedade intelectual devem ter em consideração a diversidade existente, caso contrário podemos estar a impor um regime que não atende às dissemelhanças entre os diversos países e regiões. O grau de desenvolvimento económico e tecnológico é muito diferente. Assim, a globalização das escolhas no domínio dos direitos de propriedade intelectual poderá provocar desequilíbrios, desde logo na busca de um equilíbrio entre o monopólio concedido com o reconhecimento ou a concessão de direitos de propriedade intelectual e o benefício público do livre acesso à informação e ao conhecimento (em especial no domínio das patentes e do direito de autor). Todavia, a balança tem demonstrado um desequilíbrio resultante do alargamento da esfera dominial ou monopolística dos direitos de propriedade intelectual. O acordo TRIPS concluído no quadro da OMC é disso exemplo. As características do regime jurídico instituído por este acordo afastam-se das dos modelos convencionais anteriormente existentes (em particular a Convenção de Paris e a Convenção de Berna). A tutela concedida aos direitos de propriedade intelectual no acordo TRIPS excede (por força da pressão exercida pelas empresas transnacionais junto do governo norte-americano) as intenções iniciais de luta contra a pirataria e desconhece a realidade dos países em vias de desenvolvimento ou menos desenvolvidos. O acordo TRIPS aponta para um modelo único que se impõe eficazmente a todos os países e que, por isso, a todos deve servir. Na verdade, até aqui o desenvolvimento da propriedade intelectual dependia fundamentalmente dos interesses económicos nacionais. Agora os países industrializados (em especial os EUA e a UE) impuseram o seu modelo da propriedade intelectual. Até aqui o desenvolvimento da tutela da propriedade intelectual estava associado ao desenvolvimento económico de cada país. Os ordenamentos jurídicos nacionais apenas protegiam as invenções e criações nacionais de modo a favorecer o seu crescimento económico e o bem-estar das suas populações. Em face de um enfraquecido Estado-nação, os países desenvolvidos ignoraram a realidade dos países em vias de desenvolvimento ou menos desenvolvidos, designadamente quando tocamos o domínio das patentes de produtos farmacêuticos, e impuseram um modelo poderoso de tutela dos direitos de propriedade intelectual em favor dos interesses nacionais, melhor das suas empresas transnacionais. Foi o receio da concorrência das economias de alguns países com custos de produção mais baixos (países em vias de industrialização). É tão evidente este modo de regular a propriedade intelectual no acordo TRIPS que basta comparar o nível de tutela de que beneficia a marca (mesmo simplesmente notória) com a protecção concedida às indicações geográficas, para não referir o "esquecimento" do conhecimento tradicional. Incongruências muito convenientes.

Estas incongruências, bem como nível de protecção alcançado, só são possíveis num quadro negocial multilateral (verdadeiramente merceológico-mercável em que tudo se troca com tudo) desequilibrado, dominado pelo poder das empresas transnacionais e face à incapacidade negocial governamental de muitos países. Modelo que se impôs igualmente pela adesão em "pacote", *id est*, a adesão à OMC implica a aceitação de um pacote de acordos onde se inclui o acordo TRIPS.

Com este modo de regular a propriedade intelectual, a harmonia alcançada no plano nacional – na busca do desejado equilíbrio que a disciplina da propriedade intelectual deve expressar – dificilmente se pode transpor para a esfera internacional ou impor aos ordenamentos jurídicos nacionais de outros países se estamos longe duma globalização da sociedade traduzida em equilíbrios e harmonias semelhantes. Acresce que no plano global do acordo TRIPS, que consagra um modelo de tutela eficaz (seguindo o modelo dos países industrializados), existem poucos mecanismos para corrigir os desequilíbrios que a sua aplicação na esfera jurídica nacional dos países mais pobres pode gerar (essencialmente custos sociais sem a compensação no domínio agrícola ou na abertura dos mercados desejado por estes países e que foi a razão para a sua aceitação do acordo TRIPS). Todavia, o caminho foi irremediavelmente traçado e universalmente estabelecido (embora no próprio seio dos países desenvolvidos se deva questionar a monopolização de certa informação e tecnologia de comunicação), sendo certo que a negociação de períodos transitórios mais longos para a integral aplicação do acordo não assegura o tratamento diferenciado que seria desejável em relação aos países menos desenvolvidos ou em vias de desenvolvimento (diferenciação que se distanciaria das simples limitações aos direitos de propriedade intelectual resultantes de situações verdadeiramente excepcionais, mas que se situaria no plano da protecção dos direitos de propriedade intelectual no interesse dos países mais pobres).

Importa sublinhar – sem agora desenvolvermos – que a globalização no domínio dos direitos da propriedade industrial não se resume ao acordo TRIPS. Sem prejuízo do que referimos a propósito dos títulos europeus de propriedade industrial, a harmonização realizada pelo acordo TRIPS não afastou a territorialidade dos direitos de propriedade industrial. É sempre necessário obter tutela nacional cumprindo os requisitos formais exigidos pelo ordenamento jurídico em causa, designadamente o registo de patentes e de marcas. De modo a facilitar este procedimento de registo, mediante a apresentação de um único pedido de registo, foi celebrado, no que às marcas e patentes diz respeito, o acordo de Madrid relativo ao registo internacional de marcas (e o Protocolo de Madrid de 28-6-1989)[40] e o Tratado de Cooperação em matéria de patentes (feito em Washington

---

[40] *Vide*, entre outros, Guy TRITTON e o., *Intellectual Property in Europe*, Third Edition, Thompson, Sweet & Maxwell, London, 2008, 244, ss.

a 19-6-1970)[41]. São outros instrumentos de globalização da disciplina da propriedade industrial (ou seja, além de uma harmonização de natureza substantiva, designadamente com a CUP, procurou-se estabelecer procedimentos simplificados de obtenção da protecção).

O acordo TRIPS cumpriu o seu desígnio, mas os países industrializados querem ir mais longe. Todavia, a via da OMC parece esgotada. Na verdade, não se tem verificado evolução das negociações após a Declaração de Doha ou Agenda de Doha para o Desenvolvimento (2001)[42]. O processo de decisão da OMC impede alterações ao acordo TRIPS. Só num pacote negocial que incluísse os acordos comerciais poderia o acordo TRIPS ser alterado, ou seja um novo ciclo de negociações multilaterais.

No quadro da União Europeia tem-se feito um uso crescente da via bilateral de modo a alcançar uma tutela reforçada dos direitos de propriedade intelectual[43]. Estas negociações bilaterais ou regionais (que incluem a Coreia do Sul, a Índia, a Ucrânia, a Rússia, diversos países da América Latina e o Mercosul, etc.) pretendem fundamentalmente consagrar mecanismos de aplicação efectiva ou *enforcement*. Estes acordos contêm um capítulo dedicado exclusivamente à propriedade intelectual, estabelecimento de níveis elevados de protecção, medidas de aplicação efectiva, cooperação técnica e acompanhamento da implementação do acordo. Uma das medidas a incluir nos acordos bilaterais ou regionais é a consagração de controlos alfandegários não apenas na importação de produtos, mas também na exportação (actuando na origem da infracção), trânsito e transbordo de mercadorias que infringem certos direitos de propriedade intelectual (além da troca de informações, cooperação alfandegária – com uma especial relação entre a União Europeia e os EUA – formação técnica, etc.). Nestes acordos bilaterais prevê-se habitualmente a adesão da contraparte a convenções internacionais que protegem direitos de propriedade intelectual (por exemplo a Convenção Internacional para a Protecção das Obtenções Vegetais – UPOV e outros acordos internacionais de modo a se

---

[41] *Vide*, entre outros, Guy TRITTON e o., *op. cit.*, 69, ss.

[42] *Vide* Daniel GERVAIS, *The TRIPS Agreement, Drafting History and Analysis*, Third Edition, Sweet & Maxwell, London, 2008, 46, ss.

[43] Refira-se que as alterações introduzidas pelo Tratado de Lisboa facilitaram a negociação de tais acordos (quer bilaterais quer multilaterais) na medida em que a influência dos Estados-membros e dos seus parlamentos nacionais diminuiu de forma significativa. Aumentou, contudo, o papel do Parlamento Europeu. *Vide* os arts. 3.°, n.° 1, 207.°, 218.° e 294.°, todos do TFUE.

obter os níveis mais elevados de protecção da propriedade intelectual[44]) e incluem-se cláusulas específicas sobre a tutela das indicações geográficas.

Mais ambiciosos têm sido os acordos bilaterais ou regionais concluídos pelos EUA (por exemplo com o Chile, Colômbia, Marrocos, Jordânia, Singapura, etc.). Aqui incluem-se diversas disposições sobre a aplicação efectiva (*enforcement*) dos direitos de propriedade intelectual[45].

Importa sublinhar a proliferação de acordos de comércio livre (*Free Trade Agreements – FTA*) como mecanismo de alcançar um *TRIPS-plus*. Estamos perante ciclos de bilateralismo, regionalismo e multilateralismo que conduzem a um incremento da tutela da propriedade intelectual[46]. Aqueles acordos (celebrados numa relação Norte-Sul) podem ser atractivos para os países em vias de desenvolvimento como meio de obterem benefícios tarifários no acesso ao mercado e para os países desenvolvidos constituem, fundamentalmente, um instrumento de obtenção de vantagens não tarifárias – o reforço da tutela dos direitos de propriedade intelectual (que no quadro da OMC nunca obteriam devido à oposição dos países em vias de desenvolvimento). No caso dos acordos de comércio livre celebrados pelos EUA é exigido da contraparte a emanação de medidas de tutela dos direitos de propriedade intelectual em tudo similares às previstas na legislação norte-americana (favorecendo as empresas norte-americanas quando actuam no mercado da contraparte)[47]. Em particular pretende-se a consagração no ordenamento jurídico da contraparte de medidas civis, administrativas e criminais que assegurem uma tutela rápida e eficaz dos direitos de propriedade intelectual, incluindo em especial os sectores mais sensíveis para o país desenvolvido (neste caso os EUA) como sejam os das novas e emergentes tecnologias e o comércio electrónico. O objectivo é que cada acordo de comércio livre celebrado constitua o patamar de referência mínimo para um posterior acordo, conseguindo-se, assim, um constante progresso no nível de protecção dos direitos de propriedade intelectual.

---

[44] Por exemplo o Tratado da Organização Mundial da Propriedade Intelectual sobre Prestações e Fonogramas (WPPT) de 1996 ou o Tratado da Organização Mundial da Propriedade Intelectual sobre Direito de Autor (WCT) de 1996.

[45] *Vide* Duncan MATTHEWS, «The Lisbon Treaty, trade agreements and the enforcement of intellectual property rights», *in EIPR* 2010, 32(3), 109.

[46] *Vide* HUAIWEN HE, «The Development of Free Trade Agreements and International Protection of *Intellectual* Property Rights in the WTO Era – New Bilateralism and Its Future», *in IIC* 2010, 253, ss.

[47] *Vide* HUAIWEN HE, *op. cit.*, 261, 272.

Todavia, as disposições constantes dos acordos de comércio livre relativas a direitos de propriedade intelectual estão a moldar o regime internacional destes direitos. Na verdade, o princípio do tratamento da nação mais favorecida aplica-se aos acordos de comércio livre – *vide* art. 4.° do acordo TRIPS. Este princípio traduz-se no seguinte: «no que diz respeito à protecção da propriedade intelectual, todas as vantagens, favores, privilégios ou imunidades concedidos por um Membro aos nacionais de qualquer outro país serão concedidos, imediata e incondicionalmente, aos nacionais de todos os outros Membros». Assim, qualquer tratamento preferencial reconhecido aos nacionais de um país na sequência de um acordo bilateral é imediatamente estendido aos nacionais de todos os outros Estados-membros, afastando-se qualquer discricionariedade nas relações entre membros[48]. Nestes termos globaliza-se o nível de protecção da propriedade intelectual[49].[50]

---

[48] *Vide* o nosso *A autonomia jurídica da denominação de origem. Uma perspectiva transnacional. Uma garantia de qualidade*, *cit.*, 481, ss.

[49] Em consequência do princípio do tratamento da nação mais favorecida é possível que um país que não é parte do acordo de comércio livre possa beneficiar do nível elevado de protecção dos direitos de propriedade intelectual sem ter de celebrar um acordo bilateral e, por isso, sem necessitar de efectuar concessões tarifárias (será um *free-rider*).

[50] O caminho traçado pelos acordos de comércio livre permitiu a conclusão de um acordo plurilateral independente versando apenas direitos de propriedade intelectual. Estamo-nos a referir ao acordo ACTA (*Anti-Counterfeiting Trade Agreement*). O texto final foi adoptado a 3 de Dezembro de 2010 seguindo-se agora todo o procedimento de ratificação. Participaram na negociação deste acordo a Austrália, a União Europeia e os seus Estados-membros, o Canadá, o Japão, a República da Coreia, o México, o Reino de Marrocos, a Nova Zelândia, a República de Singapura, a Confederação Suíça e os EUA. O objectivo do acordo é incrementar o nível de tutela dos direitos de propriedade industrial (incluindo a sua utilização em meios digitais e nas novas tecnologias) através de medidas de aplicação efectiva eficazes, como sejam, medidas civis (incluindo injunções, indemnizações, acesso a informação, medidas provisórias), medidas na fronteira (incluindo medidas correctivas, acesso a informação e que abrangem as importações e as exportações) e medidas de natureza penal (que criminalizam certas condutas com pena prisão e multa e permitem, nomeadamente, a apreensão, o arresto e a destruição dos produtos). Para as medidas de natureza criminal admite-se uma protecção *ex officio* (art. 26.°). O acordo prevê, ainda, cooperação internacional entre os membros e um comité especial que acompanhará a aplicação do acordo. É importante sublinhar que este acordo estabelece um conjunto de medidas de aplicação efectiva que vão além das previstas no direito da União Europeia e no acordo TRIPS. Por outro lado, no domínio das sanções de natureza criminal não existe harmonização no espaço da UE. Por fim, as medidas na fronteira

V. OS DIREITOS DE PROPRIEDADE INDUSTRIAL ENQUANTO OBJECTO DE ALGUNS NEGÓCIOS JURÍDICOS (BREVE REFERÊNCIA)

Os direitos de propriedade industrial constituem frequentemente objecto de múltiplos negócios jurídicos. Estes direitos transmitem-se e licenciam-se habitualmente através de contrato. A exploração de criações industriais ou a utilização de sinais distintivos no mercado é essencial ao desenvolvimento económico das empresas. A transferência de tecnologia, facilitadora da inovação, entre empresas efectua-se, muitas vezes, através de negócios jurídicos que têm por objecto direitos de propriedade industrial[51]. O desenvolvimento de redes de distribuição de produtos ou serviços realiza-se através de contratos, por exemplo o contrato de franquia, que têm por objecto diversos direitos de propriedade intelectual. Do contrato de franquia constam, habitualmente, cláusulas relativas ao fornecimento pelo franqueador de assistência técnica e comercial, conhecimentos, técnicas ou processos produtivos, regras de organização, produtos ou serviços, planos de comercialização e gestão, informações sobre técnicas de venda e publicidade, planos de formação profissional, etc. Mas é particularmente relevante o conteúdo contratual relativo à utilização pelo franqueado de direitos de propriedade intelectual do franqueador. Na verdade, na comercialização dos produtos (que pode exigir a sua produção por parte do franqueado) e na prestação dos serviços o franqueado vai utilizar direitos de propriedade intelectual do franqueador (em especial na sua função de colectores de clientela). Esta utilização implicará, frequentemente, a consagração no contrato de cláusulas prevendo poderes de fiscalização por parte do franqueador quanto à qualidade ou características dos produtos e serviços e até de aprovação da apresentação dos produtos ou do próprio estabelecimento comercial (incluindo a sua localização), bem como da publicidade que o franqueado pretenda efectuar. É a sua imagem empresarial de sucesso que o franqueador quer preservar.

---

podem ser aplicadas a casos em que existe apenas uma imitação da marca ou um risco de confusão (e não propriamente contrafacção) ou um perigo de diluição de uma marca de prestígio. É, mais uma vez, o equilíbrio entre os interesses em conflito que acima sublinhávamos que está aqui em causa (sem esquecermos os direitos fundamentais ou a protecção de dados pessoais).

[51] *Vide* Adoración Pérez Troya, «Acerca de la aportación a capital de derechos de propiedad industrial», *in Revista de Derecho Mercantil*, 2009(274), 1369, ss.

Importa aqui sublinhar a importância do contrato de licença de exploração de direitos de propriedade industrial. O contrato de franquia (que aqui usaremos como exemplo) integra, no seu conteúdo, uma licença ou conjunto de licenças sobre direitos de propriedade intelectual[52] (embora não se reduza a este conteúdo). Vejamos os direitos de propriedade industrial. Nos termos do disposto no art. 32.° do Código da Propriedade Industrial (CPI)[53] os direitos emergentes de patentes, de modelos de utilidade, de registos de topografias de produtos semi-condutores, de desenhos ou modelos e de marcas podem ser objecto de licença de exploração, total ou parcial[54], a título gratuito ou oneroso, em certa zona ou em todo o território nacional[55], por todo o tempo da sua duração ou por prazo inferior. Estamos em face de uma rentabilização permitida pela natureza incorpórea do objecto daqueles direitos[56]. O contrato de licença está sujeito a forma escrita (o que não deixará de influenciar a forma do contrato de franquia). No nosso ordenamento jurídico a licença não se presume exclusiva (é exclusiva quando o titular do direito renuncia à faculdade de conceder outras licenças para os direitos objecto da licença, enquanto esta se mantiver em vigor – n.° 6 do citado art. 32.°). Acresce que ainda que seja convencionada a exclusividade da licença, o titular do direito pode (salvo convenção em contrário) explorar directamente o direito objecto da licença.[57] O con-

---

[52] Ao lado dos direitos de propriedade intelectual legalmente tipificados, existem segredos de negócios, informações confidenciais e saber-fazer que podem ser essenciais no contrato de franquia. Uma fórmula de produção (por exemplo Coca-Cola ou Pepsi-Cola) ou uma particular receita (por exemplo Nando's chicken ou McDonald's) podem ser os factores de sucesso do negócio. Na verdade, a imagem empresarial não tem de ser protegida por um direito de propriedade intelectual.

[53] Aprovado pelo Decreto-Lei n.° 36/2003, de 5 de Março, com a última redacção introduzida pelo Decreto-Lei n.° 143/2008, de 25 de Julho.

[54] Ou seja, poderá a licença ter por objecto apenas, por exemplo, uma parte dos produtos ou serviços que a marca distingue e para os quais está registada, ou algumas das aplicações da invenção patenteada.

[55] No contrato de franquia a licença de exploração de direitos de propriedade industrial é, em regra, atribuída em exclusividade para o território concedido ao franqueado e pelo período de duração do contrato.

[56] *Vide* REMÉDIO MARQUES, *Licenças (voluntárias e obrigatórias) de Direitos de Propriedade Industrial*, Almedina, Coimbra 2008, 18; António CAMPINOS, COUTO GONÇALVES e o., *Código da Propriedade Industrial Anotado*, Almedina, Coimbra, 2010, 143.

[57] Sobre as modalidades de licença, *vide* REMÉDIO MARQUES, *Licenças (voluntárias e obrigatórias) de Direitos de Propriedade Industrial*, *cit.*, 79, ss.; COUTO GONÇALVES, *Função Distintiva da Marca*, Almedina, Coimbra, 1999, 197.

trato de franquia deverá disciplinar todos estes elementos da licença de exploração de direitos de propriedade industrial. Por sua vez, o titular da licença não pode (salvo consentimento escrito do titular do direito) alienar o direito obtido por meio de licença de exploração nem conceder, nos mesmos termos, sublicenças. Atendendo à natureza *intuitu personae* do contrato de franquia, o franqueado não gozará destas permissões. A concessão de licenças de exploração está sujeita a averbamento no INPI (art. 30.°) e é condição de eficácia em relação a terceiros. Este averbamento é essencial para o licenciado poder gozar das faculdades conferidas ao titular do direito objecto da licença, nos termos do n.° 4 do art. 32.° do CPI (salvo convenção expressa em contrário)[58]. O nosso CPI confere ao licenciado o direito, por exemplo, de agir judicialmente contra actos de violação do direito de propriedade industrial (do qual beneficia de licença) podendo pedir uma indemnização pelos prejuízos sofridos. Ou seja, o licenciado não está dependente do titular do direito para o proteger.

Além do contrato de licença, os direitos de propriedade industrial, no respeito pelos limites estabelecidos pelo ordenamento jurídico, designadamente nos termos do CPI, podem ser objecto de outros direitos reais (de gozo e de garantia), podem ser transmitidos (compra e venda, doação, etc.) juntamente ou não com o estabelecimento comercial e são com frequência envolvidos nos negócios jurídicos que têm por objecto o estabelecimento comercial. O ordenamento jurídico tem progressivamente admitido (veja-se o caso da marca) o princípio da livre circulação dos direitos de propriedade industrial.

VI. CONCLUSÃO

Os direitos de propriedade industrial têm adquirido uma importância crescente – o desenvolvimento da economia intangível é disso expressão. A protecção dos interesses envolta de tais direitos exigiu medidas de tutela

[58] Como nos diz Remédio Marques, *Licenças (voluntárias e obrigatórias) de Direitos de Propriedade Industrial*, *cit.*, 23-24, n. 8-9, «o licenciado goza (...) de todas as faculdades jurídicas concedidas ao titular do direito objecto da licença (...) são faculdades jurídicas *absolutas*, e não meramente *relativas*, oponíveis ao outro contratante (...) a licença de direitos de propriedade industrial origina *direitos absolutos* na esfera jurídica do licenciado (...)».

efectiva no plano transnacional que se impõem aos ordenamentos jurídicos nacionais esquecendo-se, muitas vezes, os fundamentos dos direitos de propriedade industrial e intelectual. A paralisia que se tem verificado na OMC exigiu o regresso ao bilateralismo como mecanismo de incremento da tutela de tais direitos que porventura facilitará o regionalismo e um novo multilateralismo. Neste crescendo de tutela não se pode ignorar os direitos fundamentais do homem, nos quais se inclui a propriedade intelectual – inclusão geradora de conflitos entre diversos direitos fundamentais. A dinâmica dos direitos de propriedade industrial também se manifesta no domínio contratual com o princípio da livre circulação de tais direitos, tão expressa, por exemplo, no contrato de franquia.

BIBLIOGRAFIA

AHUJA, V. K., «Non-traditional trade marks: new dimension of trade marks law», *in EIPR* 2010, 32(11), 575-581.

ALMEIDA, RIBEIRO DE, «Os princípios estruturantes do acordo TRIPS: um contributo para a liberalização do comércio mundial», *in Boletim de Ciências Económicas da Faculdade de Direito de Coimbra*, XVLII, 2004.

ALMEIDA, RIBEIRO DE, *A autonomia jurídica da denominação de origem. Uma perspectiva transnacional. Uma garantia de qualidade*, Coimbra Editora, Coimbra, 2010.

ASCENSÃO, OLIVEIRA, «Direito Industrial e direito penal», *in AA VV, Direito Industrial*, Vol. VII, APDI, Almedina, Coimbra, 2010.

ASCENSÃO, OLIVEIRA, *Direito de Autor e Direitos Conexos*, Coimbra Editora, Coimbra, 1992.

BAKELS, REINIER B., «Software patentability: what are the right questions?», *in EIPR* 2009, 31(10), 514-522.

BURRELL, ROBERT, e GANGJEE, DEV, «Trade Marks and Freedom of Expression – A Call for Caution», *in IIC* 2010, 544, ss.

CAMPINOS, António, GONÇALVES, COUTO, e o., *Código da Propriedade Industrial Anotado*, Almedina, Coimbra, 2010.

CARPENTER, MEGAN M., «Trademarks and Human Rights: Oil and Water? Or Chocolate and Peanut Butter?», *in 99 Trademark Rep.*, 892, ss.

CARVALHO, Maria MIGUEL, «Desenhos e modelos. Carácter singular. Cumulação com marca», *in AA VV, Direito Industrial*, Vol. VII, APDI, Almedina, Coimbra, 2010.

CARVALHO, ORLANDO DE, *Direito das Coisas (do direito das coisas em geral)*, Centelha, Coimbra, 1977.

CORNISH, W., LLEWELYN, D., *Intellectual Property: Patents, Copyright, Trade Marks and Allied Rights*, Sixth Edition, Sweet & Maxwell, London, 2007.

GAUDENZI, Andrea SIROTTI, *Proprietà Intellettuale e Diritto della Concorrenza, I Contratti nel Diritto d'Autore e nel Diritto Industriale*, Volume terzo, UTET Giuridica, Torino, 2010.

GEIGER, Christophe, «Intellectual "property" after the Treaty of Lisbon: towards a different approach in the new European legal order?», *in EIPR* 2010, 32(6), 255-258.

GERVAIS, Daniel, *The TRIPS Agreement, Drafting History and Analysis*, Third Edition, Sweet & Maxwell, London, 2008.

GONÇALVES, COUTO, *Função Distintiva da Marca*, Almedina, Coimbra, 1999.

GONÇALVES, COUTO, *Manual de Direito Industrial*, 2.ª edição, Almedina, Coimbra, 2008.

HE, HUAIWEN, «The Development of Free Trade Agreements and International Protection of Intellectual Property Rights in the WTO Era – New Bilateralism and Its Future», *in IIC* 2010, 253, ss.

HUMPHREYS, GORDON, «Non-conventional trade marks: an overview of some of the leading case law of the Boards of Appeal», *in EIPR* 2010, 32(9), 437-448.

MARQUES, REMÉDIO, «O direito de patentes, o sistema regulatório de aprovação, o direito da concorrência e o acesso aos medicamentos genéricos», *in AA VV, Direito Industrial*, Vol. VII, APDI, Almedina, Coimbra, 2010.

MARQUES, REMÉDIO, *Biotecnologia(s) e propriedade intelectual*, vols. I e II, Almedina, Coimbra, 2007.

MARQUES, REMÉDIO, *Licenças (voluntárias e obrigatórias) de Direitos de Propriedade Industrial*, Almedina, Coimbra, 2008.

MATTHEWS, Duncan, «The Lisbon Treaty, trade agreements and the enforcement of intellectual property rights», *in EIPR* 2010, 32(3), 104-112.

PAHENBERG, Jochen, «The ECJ on the Draft Agreement for a European Community Patent Court – Hearing of May 18, 2010», *in ICC* Vol. 41, 6/2010.

PEREIRA, Alexandre DIAS, «Bases de dados e direito *sui generis*», *in AA VV, Direito Industrial*, Vol. VII, APDI, Almedina, Coimbra, 2010.

TRITTON, Guy, e o., *Intellectual Property in Europe*, Third Edition, Thompson, Sweet & Maxwell, London, 2008.

TROYA, Adoración PÉREZ, «Acerca de la aportación a capital de derechos de propriedad industrial», *in Revista de Derecho Mercantil*, 2009(274), 1369, ss.

Porto, Janeiro de 2011

A PROBLEMÁTICA DO EXAME DE FUNDO PELO INSTITUTO NACIONAL DA PROPRIEDADE INDUSTRIAL

António Côrte-Real Cruz
Advogado
Agente Oficial da Propriedade Industrial

SUMÁRIO:

1. Introdução. Objecto da exposição. 2. Intervenção do Estado no reconhecimento e atribuição dos direitos de propriedade industrial. 3. Exame e procedimento administrativo. 4. Exame formal e exame de fundo. 5. O exame das patentes de invenção e modelos de utilidade. a) Exame formal. Relatório de pesquisa. Publicação. b) Exame de fundo. Modelos de utilidade. c) Apreciação. 6. O exame dos desenhos ou modelos. a) Exame formal. Exame dos fundamentos previstos no art. 197.°, n.os 1 a 3. Publicação. b) Exame de fundo. Concessão do registo. c) Apreciação. 7. O exame das marcas. a) Aspectos gerais. b) Exame formal. c) Exame de fundo. d) Apreciação. 8. Conclusões.

Abreviaturas utilizadas

Ac.	Acórdão
ADPIC/TRIPS	Acordo dos os Aspectos dos Direitos de Propriedade Intelectual relacionados com o Comércio de 15 de Abril de 1994 – Anexo IC ao Acordo que cria a Organização Mundial do Comércio, ratificado pelo Decreto do Presidente da República n.° 82-B/94 de 27 de Dezembro
BPI	Boletim da Propriedade Industrial
CJ	Colectânea de Jurisprudência

CPI	Código da Propriedade Industrial
CPA	Código do Procedimento Administrativo, aprovado pelo DL n.° 442/91, de 15 de Novembro
CPC	Código de Processo Civil
CUP	Convenção de Paris para a Protecção da Propriedade Industrial (Convenção da União de Paris) de 20 de Março de 1883
IEP	Instituto Europeu de Patentes
DM ou Directiva de Marcas	Directiva 2008/95/CE do Parlamento Europeu e do Conselho, de 22.10.2008, de harmonização da legislação dos Estados-Membros relativa a marcas (versão codificada), publicada no JOCE L299, de 8.11.2008
DPI	direitos de propriedade industrial
INPI	Instituto Nacional da Propriedade Industrial
IHMI	Instituto de Harmonização do Mercado Interno
JOCE	Jornal Oficial das Comunidades Europeias
LO	lei orgânica
OMC	Organização Mundial do Comércio
OMPI	Organização Mundial da Propriedade Intelectual
RC	Tribunal da Relação de Coimbra
RDC	Regulamento sobre os Desenhos ou Modelos Comunitários – Regulamento do Conselho (CE) n.° 6/2002, de 12.12.2001, publicado no JOCE L3 de 5.01.2002
RG	Tribunal da Relação de Guimarães
RL	Tribunal da Relação de Lisboa
RMC	Regulamento da Marca Comunitária – Regulamento do Conselho (CE) n.° 207/2009 de 26.02.2009 (versão codificada), publicado no JOCE L78, de 24.3.2009
ROA	Revista da Ordem dos Advogados
RP	Tribunal da Relação do Porto
STJ	Supremo Tribunal de Justiça
UE	União Europeia

Nota: as referências a preceitos legais sem indicação de diploma reportam-se ao Código da Propriedade Industrial vigente (aprovado pelo Decreto-Lei n.° 36/2003, de 5 de Março, com as alterações mais recentes introduzidas pelo Decreto-Lei n.° 143/2008, de 25 de Julho.

1. Introdução. Objecto da exposição

A Associação Portuguesa de Direito Intelectual propôs-me que apresentasse neste Curso Pós-Graduado em Direito Intelectual uma exposição subordinada ao tema "**A Problemática do Exame de Fundo pelo Instituto Nacional da Propriedade Industrial**". Nesta fase do curso, naturalmente, quase parecerá dispensável apresentar o Instituto Nacional da Propriedade Industrial, instituto público em cuja missão se integra a protecção da propriedade industrial em Portugal.[1] Restará, assim, focarmos a nossa atenção sobre o que seja o *exame de fundo* e em que medida este suscita uma problemática.

Trata-se de um tema que apresenta renovados motivos de interesse. É hoje genericamente reconhecido que o Direito Industrial deixou de ser visto como uma área exótica do direito, estudada por um grupo restrito de curiosos. Actualmente os chamados *direitos de propriedade industrial* assumem um papel relevantíssimo em diversos sectores económicos e são cruciais para muitas indústrias de alta tecnologia. Não supreende, por isso, que o processo de reconhecimento e atribuição de tais direitos, os procedimentos necessários para a sua constituição, suscitem interesse e debate.

Além disso, se é certo que uma parte substancial das regras reguladoras da propriedade industrial nos países da União Europeia foi objecto de harmonização legislativa, em resultado de diversos actos de direito internacional e comunitário, também é exacto que as questões relativas ao *procedimento* de reconhecimento e atribuição dos direitos de propriedade industrial, designadamente sobre o exame de fundo, não foram ainda incluídas nesse processo de aproximação. Essa matéria continua, portanto, a ser regulamentada de forma muito heterogénea nas ordens jurídicas de cada país da UE. Em regra, os Estados-Membros mantêm liberdade legislativa para definir, por exemplo, em que medida a autoridade administrativa efectua o exame dos direitos de propriedade industrial, quais os requisitos legais incluídos no exame, se há ou não procedimento de oposição de terceiros, etc..

---

[1] Criado em 1976 na dependência do Ministério do Comércio Externo, em 2007 o INPI deixou de estar enquadrado por um ministério da área económica, tendo passado para a tutela e superintendência do Ministro da Justiça. O INPI rege-se por lei orgânica (Decreto-Lei n.° 132/2007, de 27 de Abril, alterado pelo Decreto-Lei n.° 122/2009, de 21 de Maio) e estatutos próprios (Portaria n.° 523/2007, de 30 de Abril). Ao INPI compete, designadamente, assegurar a *atribuição e protecção dos direitos privativos de propriedade industrial* (art. 3.°, n.° 2, alínea h) da LO).

Pode-se dizer que, na última década e meia, Portugal tem "aproveitado" esta liberdade, quase até aos limites da instabilidade legislativa.[2] A mais recente alteração neste domínio resulta do **Decreto-Lei n.° 143/ /2008, de 25 de Julho**, diploma que revê extensamente o Código da Propriedade Industrial aprovado pelo Decreto-Lei n.° 36/2003, de 5 de Março. As "medidas de simplificação e acesso à propriedade industrial" consagradas nesta revisão, vieram modificar os procedimentos administrativos de concessão das várias modalidades de propriedade industrial. Justifica-se assim, inteiramente, que actualizemos a matéria e apreciemos as principais mudanças introduzidas.

Deste modo, faremos algumas considerações introdutórias e de ordem geral em aproximação ao conceito de exame de fundo dos DPI, após o que, numa incursão à parte especial do CPI, analisaremos o exame de diversas modalidades de propriedade industrial – as patentes de invenção, os modelos de utilidade, os desenhos ou modelos e as marcas[3] – procurando apreciar, em cada caso, as alterações trazidas pelo Decreto-Lei n.° 143/2008, de 25 de Julho.

2. A intervenção do Estado no reconhecimento e atribuição dos direitos de propriedade industrial

Como se sabe, os DPI referem-se a coisas incorpóreas, isto é, cuja realidade é meramente social.[4] A tentativa de exercício de uma protecção física dos DPI resultaria inútil e irrelevante, encontrando-se estes inteiramente dependentes de adequada protecção legal e reconhecimento por parte dos poderes públicos. Na ausência dessa protecção, a facilidade e o custo, geralmente irrisório, da cópia, reprodução ou utilização material dos

---

[2] A evolução histórica da legislação nacional é referida por António Campinos/Luís Couto Gonçalves (co-aut. André Robalo, Carla Albuquerque, Inês Vieira Lopes, João Marcelino, Maria João Ramos e Miguel Gusmão), *Código da Propriedade Industrial Anotado*, 2010, p. 47 e seg..

[3] O registo dos *logótipos*, figura prevista nos artigos 304.°-A a 304.°-S do CPI, é basicamente decalcado do exame das marcas, sendo-lhe aplicável o mesmo procedimento, com as necessárias adaptações (art. 304.°-G). Quanto às *denominações de origem* e *indicações geográficas*, remete-se para os termos do processo de registo nacional de marca, também com as necessárias adaptações (art. 307.°, n.° 2).

[4] J. Oliveira Ascensão, *Direito Civil, Reais*, 4.ª ed., p. 46.

produtos que incorporam os bens intelectuais, acabariam por conduzir ao aniquilamento dos DPI e, em última análise, ao desinteresse pelas actividades de invenção, criação e inovação.

Numa outra ordem de considerações, a intervenção do Estado afigura-se necessária em face do carácter *exclusivo* dos DPI. Com efeito, com o nascimento de um direito de propriedade industrial, cria-se uma zona de actuação reservada ao titular.[5] Esse exclusivo é indispensável. Para poder cumprir a sua função (social), o DPI tem de incluir o poder de impedir que outras pessoas beneficiem do bem intelectual protegido, seja este, uma inovação tecnológica, um novo *design*, ou uma marca prestigiada. Da exclusividade típica dos direitos industriais resultam, assim, limitações à livre iniciativa e ao exercício concorrencial da actividade económica. Recorde-se, aliás, que foi em atenção ao efeito proibitivo e restritivo dos direitos de propriedade industrial sobre a livre circulação de mercadorias e as importações entre os Estados-membros que o Tribunal de Justiça das Comunidades Europeias começou por desenvolver a sua jurisprudência na matéria. Há necessidade, pois, de assegurar que, no reconhecimento e atribuição dos direitos industriais, se conjuga equilibradamente a realização dos interesses antagónicos em presença, de um lado, o interesse particular dos titulares, e do outro, os interesses colectivos que legitimam os direitos industriais.[6]

A este propósito saliente-se que, não obstante o enfoque essencialmente comercial do ADPIC/TRIPS sobre os direitos de propriedade intelectual, o seu art. 7.° traduz, justamente, a exigência de um equilibrio entre interesses. Aí se estabelece que a protecção e aplicação efectiva dos direitos de propriedade intelectual devem contribuir para a promoção da inovação tecnológica e para a transferência e divulgação de tecnologia, *em benefício mútuo dos geradores e utilizadores dos conhecimentos tecnológicos e de um modo conducente ao bem-estar social e económico, bem como para um equilíbrio entre direitos e obrigações.*

A intervenção do Estado no reconhecimento e atribuição dos DPI ocorre ao nível legislativo e ao nível administrativo. As últimas décadas

---

[5] Uma parte importante da doutrina caracteriza os direitos industriais como verdadeiros *direitos de monopólio*; v. COUTO GONÇALVES, *Manual de Direito Industrial*, 2.ª ed., p. 43.

[6] Cfr. J. P. REMÉDIO MARQUES, *Propriedade Intelectual, Exclusivos e Interesse Público*, *Direito Industrial*, *AA.VV.*, vol. IV, 2005, p. 199.

têm, aliás, sido particularmente marcadas pela produção de legislação crescentemente protectora da propriedade industrial.[7] Num segundo plano, o da concessão administrativa de direitos de propriedade industrial, actua a Administração Pública através de um *serviço especializado*. Aliás, podemos constatar que, já na Convenção da União de Paris de 20 de Março de 1883, se procurava assegurar que os Estados não só adoptassem legislação adequada mas também instituíssem um departamento administrativo especializado para a área da propriedade industrial. Assim, estabelece o art. 12.° da CUP que *cada um dos países da União compromete-se a estabelecer um serviço especial da propriedade industrial e uma secretaria central para informar o público acerca das patentes de invenção, modelos de utilidade, desenhos ou modelos industriais e marcas de fábrica ou de comércio* e que, este serviço publicará um *boletim periódico oficial*.

3. **Exame e procedimento administrativo**

Os direitos de propriedade industrial têm na sua génese constitutiva um reconhecimento do Estado que se traduz numa decisão administrativa. Por isso se afirmou no acórdão do Supremo Tribunal de Justiça de 26 de Outubro de 1999, *os «direitos de propriedade industrial» são direitos de natureza privada para cuja constituição e extinção se exige a intervenção ou ingerência do poder público, no exercício da chamada «administração pública do direito privado»*.[8]

Devemos ter presente que as patentes de invenção, os modelos de utilidade e os registos são concedidos pelo INPI no âmbito de um procedimento administrativo, enquadrado e regulado por normas de direito administrativo, mesmo que uma parte importante dessas normas esteja sedeada no CPI. Esse procedimento é iniciado pelo interessado, que formula a pretensão de concessão de um DPI, e a decisão que a concede ou recusa é um *acto administrativo*, com todos os seus elementos caracterizadores.[9]

---

[7] Recorde-se, por exemplo, ao nível internacional global, a imposição de padrões mínimos de protecção através do ADPIC/TRIPS e, na União Europeia, o estabelecimento de mecanismos para uma tutela efectiva com a Directiva n.° 2004/48/CE do Parlamento Europeu e do Conselho, de 29 de Abril de 2004.

[8] BMJ n.° 490, p. 254.

[9] Segundo o art. 120.° do Código do Procedimento Administrativo, acto administrativo é a *decisão de um órgão da Administração que ao abrigo de normas de direito*

Na sequência dos actos que constituem o procedimento administrativo situa-se o exame. O CPI refere-se frequentemente ao *exame* (por ex., quanto às patentes de invenção o art. 65.°, n.° 1, o art. 68.°; quanto aos modelos de utilidade, o art. 127.°, n.° 1, o art. 130.°, n.os 1 e 3, art. 132.°; quanto aos desenhos ou modelos, o art. 188.°; quanto às marcas, o art. 237.°, n.° 1) ou, mais expressivamente, à *fase de exame* (art. 70.°). O exame vem a traduzir-se no conjunto de actos através dos quais o INPI verifica se a pretensão formulada pelo interessado reúne as condições formais e materiais que sejam requisito legal de uma decisão final favorável, isto é, de uma decisão de concessão do direito.[10]

4. Exame formal e exame de fundo

A lei refere-se ao exame formal para designar uma fase de verificação dos requisitos de forma (por exemplo, nos arts. 65.° e 68.° para as patentes, nos arts. 127.° e 132.° para os modelos de utilidade e no art. 188.° para os desenhos ou modelos).

O procedimento de concessão dos direitos de propriedade industrial inicia-se com um requerimento apresentado pelo interessado. O requerimento, num primeiro momento, é examinado pelo INPI quanto a determinados requisitos formais, conforme é expressamente indicado no art. 65.°,

---

público visem produzir efeitos jurídicos numa situação individual e concreta. O INPI está vinculado, como autoridade administrativa que é, a observar os princípios consagrados no capítulo II da parte I do CPA, e, como autoridade procedimental, deve, além desses, observar os princípios contidos no capítulo I da parte III do mesmo código. É ainda importante o Decreto-Lei n.° 135/99, de 22 de Abril (define os princípios gerais de acção a que devem obedecer os serviços e organismos da Administração Pública na sua actuação face ao cidadão, bem como reúne de uma forma sistematizada as normas vigentes no contexto da modernização administrativa). Sobre a qualificação dos actos do INPI como actos administrativos referiu a Relação de Lisboa: "Não pomos em dúvida que o despacho em análise seja um acto administrativo, tal como o define o art. 120.° do CPA. (...) Sendo assim, e porque decidiu duas reclamações no sentido contrário ao das pretensões, tal despacho estava adstrito ao dever de fundamentação imposto pelo art. 124.° do CPA", no ac. RL, BPI n.° 6-95, p. 2536. No mesmo sentido, veja-se ainda a doutrina e jurisprudência referenciadas por CAMPINOS/COUTO GONÇALVES e o., *Código da Propriedade Industrial Anotado*, em anot. ao art. 40.°.

[10] Este *exame* procedimental, distingue-se da diligência instrutória com o mesmo nome prevista no art. 342.°, n.° 3 do próprio CPI, no art. 584.° do CPC ou no art. 171.° do CPP.

n.° 1, no art. 127.°, n.° 1 e no art. 188.°, n.° 1. A inobservância de formalidades, como o pagamento de taxas, a omissão de elementos instrutórios, ou a impossibilidade ou ininteligiblidade do requerimento, em regra conduzirá a um despacho de aperfeiçoamento (art. 24.°, n.° 2) mas podendo, no limite, desembocar numa decisão de recusa da patente, modelo de utilidade ou registo (art. 24.°, n.° 1; cf. também o art. 65.°, n.° 2, para as patentes, o art. 188.°, n.ºs 3 e 6, para os desenhos ou modelos e o art. 237.°, n.° 5 para as marcas).

Diversamente, no exame de fundo, ou exame *substantivo*,[11] o INPI aprecia o mérito da pretensão formulada pelo interessado isto é, verifica se a pretensão do interessado satisfaz os requisitos materiais de que depende a concessão dos direitos.

Munidos destas ideias gerais, vamos seguidamente analisar como se configura o exame na parte especial do CPI nas modalidades nacionais de protecção das invenções, dos desenhos ou modelos e dos sinais distintivos.

5. **O exame das patentes de invenção e modelos de utilidade**

a) Exame formal. Relatório de pesquisa. Publicação

O exame quanto às formalidades é realizado pelo INPI no prazo de um mês após a apresentação do pedido de patente (art. 65.°, n.° 1). O exame formal das patentes afigura-se essencialmente destinado a verificar os requisitos de atribuição de uma data (designadamente, para efeitos de prioridade – cfr. art. 61.°, n.° 3 e art. 12.°, n.° 3) e, em geral, garantir que o pedido está em condições de ser publicado, nos termos do art. 66.°.

O Decreto-Lei n.° 143/2008, de 25 de Julho veio introduzir duas inovações importantes nesta fase: possibilitar a antecipação do exame de certos impedimentos substantivos à patenteabilidade (art. 65.°, n.° 1) e instituir a elaboração de um relatório de pesquisa preliminar (art. 65.°-A).

Com efeito, no mesmo prazo do exame formal, devem ser logo apreciadas as exclusões legais da patenteabilidade referidas no art. 52.° e a licitude do objecto exigida no art. 53.°. Este novo mecanismo terá aplicação, sobretudo, nos pedidos de patente em que, de um modo manifesto, se revele matéria excluída ou proibida. Contudo, nada impede que o INPI rea-

[11] O *substantive examination* na terminologia anglo-saxónica.

precie essa matéria, mais detidamente, no exame de fundo realizado após a publicação do pedido. Caso o INPI verifique a existência de irregularidades formais ou exclusões ou proibições por virtude dos arts. 52.° e 53.°, o requerente é notificado para corrigi-las no prazo de dois meses (art. 65.°, n.° 2) e, se o não fizer, o pedido será imediatamente recusado (art. 65.°, n.° 3).

Uma vez efectuado o referido exame inicial, o INPI executa uma pesquisa ao estado da técnica, destinado a avaliar os requisitos da novidade e actividade inventiva, e elabora um *relatório* que será imediatamente remetido ao requerente (art. 65.°-A, n.° 1 e n.° 2). Trata-se de uma pesquisa preliminar que terá de ser revista em momento posterior, no momento do exame de fundo previsto no art. 68.° e, por isso, o n.° 2 do art. 65.°-A refere que não tem *carácter vinculativo*. Neste relatório, o examinador menciona os documentos localizados na pesquisa que efectuou e classifica-os segundo a relevância dos mesmos para a apreciação dos requisitos de fundo da novidade e actividade inventiva.[12]

Estando em condições regulares, o pedido é publicado no BPI no prazo máximo de dezoito meses a contar da data de apresentação do pedido ou da prioridade reivindicada (art. 66.°). Com a publicação no BPI inicia-se o prazo para eventuais oposições (art. 17.°, n.° 1).[13]

b) Exame de fundo das patentes. Modelos de utilidade

O exame de fundo das patentes é realizado pelo INPI após a publicação e consiste em verificar se o pedido satisfaz todos os requisitos legais da concessão, nomeadamente os requisitos substantivos da patenteabilidade. São requisitos da patenteabilidade da invenção a novidade, a actividade inventiva e a susceptibilidade de aplicação industrial (art. 55.°). Além disso, a invenção não pode ter um objecto excluído pela lei (art. 52.°) ou ilícito (art. 53.°). É ainda um requisito básico da patenteabilidade, a suficiência da divulgação isto é, que a descrição da invenção seja feita

[12] Campinos/Couto Gonçalves e o., *Código da Propriedade Industrial Anotado*, p. 243. Os autores, em anotação ao art. 65.°-A, referem que o INPI envia também ao requerente uma "opinião escrita" destinada a explicar as apreciações feitas no relatório de pesquisa. É uma aproximação ao figurino estabelecido para a patente europeia.

[13] No CPI de 1995 previa-se que a oposição só teria lugar *após* a concessão da patente. Essa via demonstrou-se lenta e burocrática e o procedimento foi alterado no CPI de 2003.

por forma a permitir a sua execução por "qualquer pessoa competente na matéria" (art. 62.°, n.° 4).

O relatório de exame é elaborado, no prazo de um mês, findo o prazo de oposição (se não tiver sido apresentada oposição), ou após a última peça processual a que se refere o art. 17.° (art. 68.°, n.os 2 e 3). Se, do exame, se concluir que a patente pode ser concedida, será publicado o respectivo aviso no BPI (art. 68.°, n.° 4). Concluindo-se que a patente não pode ser concedida, é enviado ao requerente o relatório de exame, acompanhado dos elementos nele citados, com a notificação para, no prazo de dois meses, responder às observações feitas, seguindo-se então a tramitação prevista no art. 68.°, n.os 6 a 9.

Para os *modelos de utilidade* o procedimento de exame é muito similar ao que ficou descrito para as patentes, com duas diferenças importantes.

Primeiro, enquanto que, nas patentes, o exame de fundo prima pela oficiosidade (não tem de ser requerido pelo interessado) e obrigatoriedade (por ser indispensável para o acto de concessão), nos modelos de utilidade, o exame de fundo só é realizado pelo INPI se tal for solicitado pelo requerente ou qualquer interessado (art. 132.°, n.° 1) e tem um carácter facultativo, na medida em que pode haver uma concessão *provisória* do direito sem exame de fundo (art. 130.°). Em segundo lugar, o procedimento poderá ser mais célere uma vez que o modelo de utilidade será publicado, em regra, seis meses após a apresentação do pedido (art. 128.°).

O exame de fundo dos modelos de utilidade poderá ser requerido logo na fase do pedido, havendo então lugar ao relatório de pesquisa preliminar previsto no art. 127.°-A, ou enquanto o modelo de utilidade provisório se mantiver válido, isto é, durante o respectivo período de duração, o qual não pode exceder dez anos (art. 131.°, n.° 1 e art. 142.°, n.° 4). No entanto, se o titular do modelo de utilidade provisório pretender "propor acções judiciais ou arbitrais para defesa dos direitos que o mesmo confere" terá de requerer o exame de fundo no INPI (art. 131.°, n.° 3).

c) Apreciação

As notas precedentes referem-se ao exame das patentes de invenção e modelos de utilidade na via nacional, por ser essa que decorre integralmente sob a autoridade do INPI. No entanto, é um facto que a esmagadora maioria das patentes vigentes em Portugal não são examinadas pelo INPI mas pelo IEP, no âmbito da Convenção da Patente Europeia.[14]

O exame substantivo das patentes ao nível europeu e internacional naturalmente suscita preocupações que em muito extravasam o contexto nacional. Por um lado, o crescente volume de pedidos de patente coloca enormes desafios e dificuldades operacionais às autoridades competentes.[15] Por outro lado, a capacidade de examinar, com qualidade, as patentes de tecnologia mais sofisticada, por exemplo no sector da biotecnologia, não está ao alcance de todos, em termos de suportes de pesquisa e qualificações técnicas e profissionais exigidas aos examinadores. É particularmente crítica a situação dos países em vias de desenvolvimento que, por força da adesão ao ADPIC/TRIPS estão obrigados a conferir uma protecção forte às patentes, mas vêem-se incapazes de realizar um escrutínio independente desses direitos, seguindo até, se adequado, critérios próprios de patenteabilidade.[16]

---

[14] De acordo com os *Anuários Estatísticos INPI* (www.inpi.pt) em 2007 foram concedidas pela via nacional 254 patentes ou modelos de utilidade (192 no ano de 2006). No mesmo ano foram concedidas pelo IEP e validadas em Portugal 4506 patentes europeias (5357 no ano de 2006).

[15] Segundo o Director Geral da OMPI, Francis Gurry, em 2007 existiam em todo o mundo cerca de 4.2 milhões de pedidos de patentes não examinados, notando-se um aumento médio de 8.7% nos cinco anos precedentes (http://www.wipo.int/pressroom). A antiga Presidente do IEP, Alison Brimelow, refere que aparentemente não existe uma correlação entre este crescimento e o aumento da despesa em actividades de investigação e desenvolvimento. Existem causas complexas que pressionam o sistema global de patentes, sendo salientada como uma das principais, a procura crescente de uma protecção geográficamente cada vez mais ampla. Refere Brimelow que "o inventor no seu sotão" foi substituído pela "inovação dirigida baseada em equipas", combinada com uma "apropriação estratégica e sistemática do conhecimento resultante" com ampla cobertura geográfica. Para muitas PME, "as patentes deixaram de ser meios de compensar o investimento em investigação e desenvolvimento, mas sim meios para obter o financiamento necessário para desenvolver e comercializar as inovações". Brimelow opina que, perante os insucessos de uma harmonização global do direito substantivo de patentes, se exigirá um esforço de *cooperação internacional* entre os principais institutos no sentido de partilhar tarefas e evitar a duplicação de trabalho (http://www.epo.org/topics/news/2010/20100302a.html).

[16] Uma das controvérsias nas negociações em curso na OMC sobre o ADPIC/ /TRIPS, e que foram desencadeadas na sequência da Declaração de Doha, diz respeito ao problema da protecção dos *recursos genéticos* e *conhecimentos tradicionais*. Alguns países, liderados pelo Brasil e Índia, defendem a revisão das regras actuais, designadamente, a aplicação de maior exigência quanto ao requisito da *divulgação* da invenção (art. 29.° do ADPIC/TRIPS), com o fim de evitar a ilegítima apropriação de recursos genéticos e conhe-

Na ordem jurídica portuguesa, o procedimento nacional de concessão das patentes de invenção prevê um exame de fundo oficioso e obrigatório, articulado com a possibilidade de oposição, características que têm sido mantidas inalteradas na nossa lei.

A elaboração de um relatório de pesquisa preliminar na fase inicial do procedimento, principal novidade introduzida pelo Decreto-Lei n.° 143//2008, afigura-se um mecanismo interessante e útil para os requerentes. O legislador não entrou em detalhes sobre a forma como deve ser realizado o relatório de pesquisa e o exame substantivo pelo INPI.[17] No entanto, um relatório feito de harmonia com as práticas internacionais, poderá auxiliar o requerente a avaliar mais rapidamente a probabilidade de concessão da patente e, consequentemente, o potencial económico da invenção, dentro e fora do País.[18]

A solução actual para os modelos de utilidade – exame de fundo facultativo e concessão provisória – já resulta da redacção original do CPI adoptada em 2003, em "alinhamento com as mais recentes propostas da Comissão" (preâmbulo do Decreto-Lei n.° 36/2003, de 5 de Março). É uma referência à proposta de directiva que acabou por ser retirada pela Comissão Europeia.[19] Apesar da falta de consenso que a impediu de seguir por diante, os objectivos da proposta não deixavam de interessar a Portugal. Visava-se revitalizar e dar uma resposta, presume-se, às necessidades de protecção das pequenas invenções ténicas, com um ciclo de vida mais

---

cimentos tradicionais valiosos. Sobre esta questão v. http://www.wto.org/english/tratop_e/trips_e/art27_3b_background_e.htm#debate.

Sobre o problema das relações entre os direitos de propriedade intelectual e o *desenvolvimento* ver o relatório produzido pela *Commission on Intellectual Property Rights*: *Integrating Intellectual Property Rights and Development Policy*, London September 2002 (v. http://www.iprcommission.org/)

[17] Nesta como noutras matérias tratadas pelo CPI, nota-se a falta de regras de natureza regulamentar que complementem e desenvolvam o estabelecido no CPI. Aliás, mesmo quando prevista expressamente, essa regulamentação não surge, como é o caso do art. 14.° do Decreto-Lei n.° 36/2003, de 5 de Março que anunciou regulamentação para em matéria de *requerimentos*, *notificações* e *publicidade*.

[18] Não se devendo perder de vista que o benefício da prioridade caduca no prazo de doze meses – art. 4.°, al. C) da Convenção da União de Paris.

[19] Proposta da Comissão Europeia alterada pelo Parlamento Europeu (2000/C 248 E/03, publicada no JOCE-C de 29.08.2000). Uma supreendente "transposição *avant la lettre*", como advertiu M. Moura e Silva, *Modelos de Utilidade – Breves Notas sobre a Revisão do Código da Propriedade Industrial, Direito Industrial, AA.VV., vol. III*, 2002, p. 229.

curto. Ter-se-á pretendido disponibilizar uma protecção das invenções que, relativamente às patentes, reunisse três atractivos: menos exigente quanto a requisitos legais (designadamente quanto ao requisito da actividade inventiva, ao estilo da legislação alemã), mais rápida no procedimento (dispensando, em princípio, o exame de fundo[20]) e menos onerosa nos custos.[21]

De qualquer modo, as alterações no CPI de 2003 não terão sido suficientemente relevantes para gerar um mínimo de entusiasmo entre os principais interessados nesta modalidade de protecção das invenções, designadamente os inventores individuais e as PME portuguesas.[22]

Entendemos que o esquema estabelecido de dispensa do exame de fundo e concessão provisória do modelo de utilidade não trouxe vantagens efectivas. Por um lado, reduziu o controlo da realidade ou merecimento da invenção que é um problema de interesse geral e deveria, como tal, ser exercido pelo INPI.[23] Além disso, não parece aliciante, para o próprio requerente do modelo de utilidade, dispensar o exame de fundo a fim de alcançar um direito (precário) mais rapidamente constituído. O reconhecimento administrativo do mérito da invenção, em termos da sua novidade e actividade inventiva, será normalmente um factor importante para o valor económico e negocial da invenção, designadamente para um potencial licenciamento ou transmissão. Aliás, sendo os requisitos substantivos dos modelos de utilidade menos rigorosos que os das patentes,[24] o exame de fundo também poderá ser mais simples e expedito.[25]

---

[20] Na proposta da Comissão, depois alterada pelo Parlamento Europeu, o exame de fundo não era sequer permitido (art. 15.°, n.° 3). Previa-se apenas que poderia ser elaborado um relatório de pesquisa ao estado da técnica, a pedido do requerente ou outros interessados, e que essa pesquisa seria obrigatória no caso de o titular iniciar um procedimento para defesa do modelo de utilidade (art. 16.°, n.° 4).

[21] Cf. COM (95) 370 final, de 19.07.1995 (Livro Verde da Comissão Europeia – A protecção dos modelos de utilidade no mercado interno).

[22] É o que parece resultar da modestíssima procura de modelos de utilidade que se tem mantido por parte dos nacionais residentes no país: 49 pedidos em 2002, 48 em 2003, 47 em 2004, 47 em 2005, 56 em 2006 (fonte: *Anuários Estatísticos* do INPI em www.inpi.pt.).

[23] Neste sentido, OLIVEIRA ASCENSÃO, *A Reforma do Código da Propriedade Industrial, Direito Industrial, AA.VV.,l vol. I*, 2001, p. 494.

[24] Para além de um âmbito mais restrito (estão excluídas as invenções mais complexas, que incidam sobre matéria biológica e as que incidam sobre substâncias ou processos químicos ou farmacêuticos) o requisito de actividade inventiva é menos exigente (uma

6. O exame dos desenhos ou modelos

a) Exame formal. Exame dos fundamentos previstos no art. 197.°, n.os 1 a 3. Publicação

Apresentado o pedido de registo de desenho ou modelo no INPI, são examinados, no prazo de um mês (art. 188.°, n.° 1), os requisitos básicos estabelecidos no art. 173.° (definição de desenho ou modelo), no art. 174.° (definição de produto), nos n.os 3 e 5 do art. 180.° (indicação de divulgação prévia do desenho ou modelo no "período de graça" e reivindicação de prioridade de exposição internacional oficial), e nos artigos 184.° a 187.° (outros aspectos formais como requisitos do requerimento, documentos a apresentar, etc.).

Dentro do mesmo prazo, o INPI deve ainda examinar o desenho ou modelo (art. 188.°, n.° 2), assegurando-se que este não contém os sinais, expressões ou figuras previstas no art. 197.°, n.os 1 a 3, nomeadamente, sinais abrangidos pelo art. 6.° ter da CUP, sinais com elevado valor simbólico, expressões ou figuras contrárias à lei, moral e ordem pública e bons costumes e a reprodução da bandeira nacional. Trata-se de uma inovação introduzida pelo Decreto-Lei n.° 143/2008, de 25 de Julho. Na redacção original do CPI, o exame anterior à publicação contemplava apenas requisitos de ordem formal (art. 188.°, n.° 1, na redacção adoptada pelo Decreto-Lei n.° 36/2003, de 5 de Março).

Caso o INPI verifique a existência de irregularidades formais ou vícios por violação do disposto no art. 193.°, n.os 1 a 3, o requerente é notificado para os corrigir ou sanar no prazo de um mês (art. 188.°, n.° 3). Se o não fizer, o desenho ou modelo será publicado no BPI e recusado (art. 188.°, n.° 6).

---

vez que bastará que a invenção apresente uma vantagem *prática* para o fabrico ou utilização do produto ou processo – art. 120.°/b).

[25] Outro aspecto criticável é o regime duvidoso da *concessão provisória* em que fica o modelo de utilidade não examinado. Por exemplo, se o titular "pretender propor acções judiciais ou arbitrais para defesa dos direitos que o mesmo confere" terá de requerer no INPI o exame de fundo (art. 131.°, n.° 3). SOUSA E SILVA (*Os Novos Modelos de Utilidade, Direito Industrial, AA.VV., vol. IV*, 2005, p. 337, n. 12) observa que, por maioria de razão, deve também entender-se subordinada ao exame a tutela penal (v. art. 321.°). A lei não esclarece, porém, se há outras iniciativas que ficam dependentes do exame de fundo, designadamente, as medidas de intervenção aduaneira previstas no Regulamento (CE) n.° 1383/ /2003 do Conselho de 22 de Julho ou a oposição a um pedido de patente ou modelo de utilidade (art. 17.°, n.° 1).

Não se verificando as referidas irregularidades ou vícios, o pedido de registo está em condições de ser publicado no BPI com a reprodução do desenho ou modelo e a correspondente classificação internacional (art. 189.°). O Decreto-Lei n.° 143/2008, de 25 de Julho eliminou o período de seis meses anteriormente previsto para a publicação dos desenhos ou modelos, o que permitiu acelerar o procedimento. A publicação pode ser adiada por um período que não exceda trinta meses a contar da data de apresentação do pedido ou da prioridade reivindicada, publicando-se, neste caso, um aviso do adiamento com elementos mínimos de identificação (art. 190.°). Com a publicação no BPI inicia-se o prazo para eventuais oposições (art. 17.°, n.° 1).

b) Exame de fundo. Concessão do registo

Decorrido o prazo para oposições, sem que tenha sido apresentada qualquer reclamação, o registo é concedido pelo INPI, sem qualquer análise aos requisitos da novidade e carácter singular (art. 190.°-A, n.os 1 e 3). Os poderes de exame oficioso do INPI foram consideravelmente limitados. Não obstante, resulta do art. 188.°, n.° 9, que o registo poderá ainda ser recusado, mesmo na ausência de oposições, no caso de o examinador verificar que o desenho ou modelo, afinal, não satisfaz os requisitos previstos no art. 188.°, n.° 1 ou incorre nas proibições previstas no art. 197.°, n.os 1 a 3. De igual modo, o registo poderá sempre ser recusado com base nos fundamentos gerais de recusa previstos no art. 24.° (cf. art. 197.°, n.° 1).

No caso de ser apresentada reclamação, o INPI procede à análise dos fundamentos de recusa invocados pelo reclamante (art. 190.°-A, n.° 2). No entanto, os requisitos da novidade e carácter singular só são analisados pelo INPI se invocados pelo reclamante (art. 190.°-A, n.° 3). Diga-se também que, essa análise, incidirá apenas sobre os *factos* concretamente alegados na reclamação (por exemplo, divulgação ao público de um desenho ou modelo idêntico em data anterior à do pedido reclamado), isto é, no regime actual, o INPI não tem de efectuar uma pesquisa geral às bases de dados dos registos anteriores. O registo será concedido ou recusado, total ou parcialmente, consoante a reclamação seja considerada improcedente ou procedente (art. 190.°-A, n.os 4 a 6).

c) Apreciação

O procedimento de exame dos desenhos ou modelos é, no respeitante à intervenção do INPI, o que mais alterações tem sofrido desde o CPI de

1995. A cada alteração legislativa tem-se evidenciado uma diminuição do papel do INPI quanto ao exame substantivo dos desenhos ou modelos e a correlativa transferência do respectivo controlo de conformidade legal para os particulares.

As causas dessa política legislativa são de diversa ordem. Haverá a necessidade de compatibilizar esta modalidade de propriedade industrial com as exigências actuais de celeridade e simplificação. Mas convergem nesse sentido outros factores como a dificuldade técnica de realização das pesquisas de objectos e o carácter fragmentário das bases de dados dos registos face à amplitude mundial do conceito de novidade.[26]

O regime do desenho ou modelo comunitário também terá influenciado as mais recentes opções do legislador português, não apenas devido ao seu carácter modelar mas também pela possibilidade empírica de funcionar como alternativa de protecção mais atractiva que a via nacional.

No CPI de 1995 o procedimento dos "modelos e desenhos industriais" previa, para além da possibilidade de oposições, o exame oficioso e obrigatório da novidade relativamente aos modelos ou desenhos anteriormente registados. Pressupunha-se, portanto, que para cada novo pedido de registo, o INPI realizava, pelo menos, uma pesquisa no repositório de modelos e desenhos anteriormente registados e um exame comparativo em função do requisito da novidade.[27]

No CPI de 2003 o processo tornou-se um pouco menos moroso mas mais complexo: o exame de fundo deixou de ser obrigatório, caso em que o registo era provisoriamente concedido, mantendo-se, contudo, a possibilidade de o requerente ou qualquer interessado requererem exame ao INPI, na fase de pedido ou enquanto o registo provisório se mantiver em vigor.[28]

---

[26] Campinos/Couto Gonçalves e o., *Código da Propriedade Industrial Anotado* (p. 398) salientam que "a nova medida não foi alheia ao facto de se encontrarem disponíveis no INPI, gratuitamente e on-line, as bases de dados nacionais e internacionais, permitindo que os requerentes possam realizar pesquisas para aferir da viabilidade do registo e, por outro, que os titulares de registos possam vigiar e acompanhar as actividades da concorrência...". Porém, os principais problemas desta consulta e vigilância, mais que o custo, são a sua complexidade técnica, a fiabilidade e a interpretação dos resultados.

[27] Artigos 154.°, n.° 1 e 158.°, n.° 1, al. b) do CPI de 1995.

[28] Artigos 194.°, n.° 1 e 193.°, n.° 1 do CPI de 2003. O legislador de 2003 eliminou o exame de fundo oficioso dos desenhos ou modelos, contudo, o art. 194.°, n.° 3, na sua redacção original, deixava entender que, havendo oposição, haveria sempre lugar à elaboração de um relatório de exame (apoiado em pesquisa aos registos anteriores), independentemente dos fundamentos da oposição, e mesmo que esse exame não fosse expressamente requerido na oposição.

Todavia, esse exame tornava-se indispensável quando o titular do registo provisório pretendesse "intentar acções judiciais para defesa dos direitos que o mesmo confere".[29]

O regime instituído pelo Decreto-Lei n.° 143/2008, de 25 de Julho, veio clarificar e alterar profundamente o procedimento de exame e concessão dos registos de desenhos ou modelos.

Em primeiro lugar, a revogação do prazo de seis meses anteriormente previsto no n.° 2 do art. 189.°, aumentou significativamente a celeridade do procedimento. A publicação passou a ser imediata após o exame formal. Caberá ao requerente avaliar os casos em que uma publicação precipitada poderá trazer-lhe desvantagens e usar a faculdade de adiamento (art. 189.°, n.° 2).

Em segundo lugar, estabeleceu-se um exame oficioso do desenho ou modelo, logo no período de exame formal, limitado aos requisitos formais, à possibilidade do objecto constituir um desenho ou modelo, e à licitude do objecto no respeitante à violação da ordem pública, bons costumes e proibições relativas a certos sinais ou símbolos. Este tipo de fundamentos, na lei anterior apenas seria analisado no exame de fundo final, após a publicação.

Por último, o INPI deixou de efectuar qualquer tipo de controlo oficioso sobre os requisitos de concessão previstos no art. 176.° a 180.° (novidade e carácter singular). O exame desses requisitos passou a depender, exlusivamente, da eventual iniciativa de um reclamante (art. 197.°, n.° 4). Aliás, ao contrário do que sucede no exame das marcas, mesmo o fundamento geral da *concorrência desleal*, passou a estar dependente de reclamação (art. 197.°, n.° 5).

Note-se que o regime agora instituído erradicou o direito de o titular do registo, ou de qualquer interessado, requererem o exame de fundo do desenho ou modelo.[30] Ou seja, o INPI não tem de efectuar pesquisas aos registos anteriores de desenhos ou modelos protegidos para aferir da novidade e carácter singular de um desenho ou modelo registando.

Já tem sido questionado o sistema agora adoptado, de concessão do registo sem qualquer controlo prévio da novidade do desenho o modelo. Receiam-se situações abusivas e a colocação em risco da segurança na actividade económica. Por isso, sob o prisma do desenho ou modelo comu-

[29] Art. 193.°, n.° 3 do CPI de 2003.

[30] Sobre o regime aplicável aos desenhos ou modelos concedidos provisoriamente ao abrigo da lei anterior, ver o art. 8.° do Decreto-Lei n.° 143/2008, de 25 de Julho.

nitário, foi sustentada a tese de uma "redução teleológica" do âmbito da presunção de validade estabelecida no art. 85.° do RDC, para circunscrevê-la aos requisitos efectivamente examinados pelo IHMI. O problema foi analisado no acórdão do Tribunal da Relação de Guimarães de 15 de Dezembro de 2009.[31] O tribunal entendeu, porém, que o regulamento comunitário não é compatível tal interpretação: no RDC prevaleceu antes um "sistema de controlo *a posteriori*, do cumprimento dos requisitos substanciais da protecção", quer através de um pedido de declaração de nulidade no IHMI, quer através de uma acção judicial proposta pelo titular do direito registado contra o alegado violador.

Pode-se concluir que, em linha com a opção que reduz a intervenção do INPI, o procedimento beneficiou em celeridade e simplicidade das alterações decorrentes do Decreto-Lei n.° 143/2008, de 25 de Julho, tornando-o mais apelativo, designadamente para as PME e *designers* individuais. A principal objecção que, em nossa opinião, poderá colocar-se é a ausência de um procedimento que permita a revogação ou invalidação do direito ao desenho ou modelo ao *nível administrativo*. Uma vez concedido o registo, apenas os tribunais, judiciais ou arbitrais, poderão pronunciar-se sobre questões de validade, visto que a lei não conferiu esse poder ao INPI.[32] O direito é concedido após um controlo administrativo relativamente fugaz e sem exame da respectiva novidade e carácter singular. Poderá, desde logo, suscitar dúvidas que o legislador se tenha preocupado em conceder, muito rapidamente, um direito privativo dotado de importantes faculdades (por ex. a proibição do fabrico, colocação no mercado, importação ou exportação – art. 203.°) e até meios de defesa criminal (art. 322.°), mas não tenha curado do interesse dos concorrentes em reagirem,

[31] CJ, Tomo V/2009, p. 255. A tese teria relevância para as regras da *prova*, como aliás se refere no texto do acórdão: "Vale tudo isto dizer que, uma vez impugnada a novidade ou singularidade do desenho ou modelo comunitário registado, cabe à parte que pretende exercer os direitos conferidos pelo registo, o ónus de provar tais caracerísticas da aparência e que, no caso de dúvida sobre a sua existência, a acção deve ser julgada contra esta parte".

[32] No regime do desenho ou modelo comunitário também não há qualquer exame aos requisitos substantivos da novidade e carácter singular. Contudo, está prevista a possibilidade de requerer a declaração de nulidade pelo IHMI (art. 52.° do RDC). É certo que, o regime nacional, ao contrário do RDC, prevê um período para oposições e ainda configura a possibilidade de um controlo posterior ao registo no quadro do art. 23.° (modificação do despacho por superior hierárquico). Porém, o controlo que possa ser exercido por essas vias é escasso e temporalmente limitado.

de uma forma célere e simplificada, contra o eventual registo de banalidades ou de desenhos ou modelos caídos no chamado domínio público (que, note-se, o INPI, por si só, não tem meios legais de impedir).

Além de poder onerar a posição dos concorrentes, a solução adoptada não deixa de surpreender face à intenção de promover a utilização de meios extrajudiciais para dirimir os litígios, designadamente os relativos à propriedade industrial (cf. artigos 48.° a 50.°), preocupação essa, aliás, que foi reforçada pelo Decreto-Lei n.° 143/2008, de 25 de Julho. Acresce que desaproveita-se uma instância administrativa de resolução de conflitos, particularmente informada e bem colocada para decidir. Na verdade, o INPI é a entidade que detém uma experiência acumulada em casos similares, e que conhece, até por dever de ofício, os elementos constantes do processo no qual recaíu o despacho de concessão do registo.[33]

7. O exame das marcas

a) Aspectos gerais

Em Portugal o direito à marca adquire-se pelo registo, tal como sucede, de forma dominante, em diversos outros países europeus e também no quadro da marca comunitária.[34] O sucesso e reforço do registo constitutivo está essencialmente associado à *segurança jurídica* que proporciona e que se tornou uma exigência do desenvolvimento e complexidade crescentes na vida económica. Refere Couto Gonçalves que o sistema de registo é o que permite *a melhor garantia da observância dos*

[33] A lei nacional acaba assim por afastar-se, radicalmente diríamos, do que no preâmbulo do Decreto-Lei n.° 143/2008, de 25 de Julho, se considerou ser a "tendência dominante", pelo menos, a nível comunitário. Com efeito, além de prever o procedimento de invalidação administrativa, o RDC estabelece mecanismos que tendem a centralizar no IHMI as questões atinentes à validade: i) Em regra, o tribunal nacional apenas poderá conhecer dessa matéria por via reconvencional (art. 85.° do RDC), e ii) a pedido do titular do desenho ou modelo comunitário registado e após audição das outras partes, o tribunal pode suspender o processo e convidar o requerido a apresentar um pedido de declaração de nulidade no Instituto (art. 86.°, n.° 3 do RDC). Além disso, não é admissível qualquer pedido reconvencional de declaração de nulidade de um desenho ou modelo comunitário registado se um pedido com o mesmo objecto e o mesmo fundamento, e envolvendo as mesmas partes, tiver já sido resolvido pelo Instituto por decisão transitada em julgado (art. 86.°, n.° 5 do RDC).

[34] Cfr. COUTO GONÇALVES, *Manual...*, p. 199-215.

demais interesses envolvidos (interesse público, interesse dos consumidores, interesse dos concorrentes em geral) por lhe estar subjacente um procedimento administrativo de registo público (por regra integrado por exame prévio oficial, total ou parcial, e/ou por uma oposição por parte dos interessados) acompanhado de publicitação e delimitação dos direitos atribuídos.[35]

A conformidade legal do pedido de registo da marca é assegurada através de um procedimento de exame prévio ao registo, conjugado com a possibilidade de oposição de quaisquer interessados. Distingue-se habitualmente o exame dos fundamentos *absolutos* e dos fundamentos *relativos* de recusa do registo da marca.[36]

Reconduzem-se aos fundamentos absolutos de recusa as circunstâncias que impedem o registo da marca, por razões intrínsecas à própria marca e independentes da existência de direitos prioritários de terceiros. É o caso, por exemplo, da insusceptibilidade de representação gráfica ou da falta de capacidade distintiva do sinal submetido a registo, da marca que contenha expressões ou figuras contrárias à lei, moral, ordem pública e bons costumes, ou da marca susceptível de induzir o público em erro. Este tipo de impedimentos visam, fundamentalmente, a protecção do interesse público ou de determinados interesses colectivos homogéneos (concorrentes ou consumidores). Aos fundamentos relativos de recusa do registo reconduzem-se os impedimentos emergentes de direitos ou interesses prioritários de terceiros. É o caso, por exemplo, da confundibilidade com marca anteriormente registada, da infracção de desenhos ou modelos, da utilização ilícita de nomes individuais ou retratos, ou da infracção de direitos de autor. Visa-se neste caso, primariamente, a protecção de interesses individuais.[37]

b) Exame formal

Apresentado o pedido de registo da marca o Insituto verifica o cumprimento das formalidades legais, nomeadamente a regularidade do requerimento (art. 233.°) e dos elementos que o devem acompanhar (art. 234.°). Se forem detectadas irregularidades, o requerente é notificado para proce-

---

[35] Cfr. COUTO GONÇALVES, *Manual...*, p. 210.

[36] A distinção surge nos artigos 7.°, 8.°, 51.° e 52.° do Regulamento (CE) n.° 40/94 de 20 de Dezembro que instituíu a marca comunitária.

[37] Cfr. COUTO GONÇALVES, *Manual...*, p. 213-215.

der às regularizações necessárias, sem as quais o pedido é recusado (art. 14.° e art. 24.°). Estando em condições de prosseguir, é publicado aviso da apresentação do pedido no BPI (art. 236.°), iniciando-se então o prazo de dois meses para apresentação de reclamações (art. 236.°, n.° 1 e art. 17.°, n.° 1).

Na lei portuguesa, a fase de oposição precede o exame de fundo e a decisão, podendo ter por base, tanto os motivos absolutos como os motivos relativos de recusa do registo.[38]

c) Exame de fundo

Segue-se o exame de fundo. Estabelece o art. 237.°, n.° 1 que *o Instituto Nacional da Propriedade Industrial procede ao estudo do processo, o qual consiste no exame da marca registanda e sua comparação com outras marcas e sinais distintivos de comércio.*

Inclui-se neste estudo do INPI, que é oficiosamente efectuado, antes de mais, a averiguação de eventuais motivos absolutos de recusa. Contudo, ao contrário do que sucede no procedimento da marca comunitário, certos motivos relativos de recusa do registo também têm de ser examinados pelo INPI.

A distinção entre motivos absolutos e motivos relativos é hoje mais clara no CPI. Coube ao Decreto-Lei n.° 143/2008, de 25 de Julho, o mérito de ter procedido a uma arrumação sistemática das disposições. O art. 238.° é agora a disposição que concentra os motivos absolutos de recusa. Houve também um esforço de concentração dos motivos relativos no art. 239.°, embora continuem a existir disposições separadas para determinadas situações específicas (é o caso dos artigos 241.° e 242.° relativos, respectivamente às marcas notórias e às marcas de prestígio).[39]

Outra nota inovadora da reforma de 2008 foi distinguir os motivos relativos que são de conhecimento oficioso do INPI dos que, pelo contrário, dependem de alegação do interessado, através da apresentação da reclamação prevista no art. 236.°, n.° 1.

---

[38] Sucede diversamente noutros países e, em particular, no sistema comunitário. Neste último, o exame dos motivos absolutos é realizado *antes* da publicação e aos oponentes é vedada a invocação de motivos absolutos. Os interessados poderão apenas apresentar as *observações* previstas no art. 41.° do RMC.

[39] Cf. CAMPINOS/COUTO GONÇALVES e o., *Código da Propriedade Industrial Anotado*, p. 460 e p. 466.

Assim, no âmbito dos motivos relativos, é oficioso o exame comparativo da marca registanda com as outras marcas e *sinais distintivos do comércio* (art. 237.°, n.° 1). Nesta categoria inserem-se os *logótipos*.[40] No entanto, não é claro se outras modalidades estão incluídas, desde logo, porque o art. 239.°, n.° 2 vem relegar a reprodução ou imitação de *outros sinais distintivos* para o grupo dos motivos dependentes de reclamação.[41] Em qualquer caso, pelo elevado número de registos a pesquisar e pela importância prática, no exame de fundo das marcas avultará a sua comparação com as marcas anteriormente registadas [art. 239.°, n.° 1, al. a)].[42]

Num segundo grupo situam-se os motivos de recusa relativa que o INPI só pode examinar quando invocados em reclamação (art. 239.°, n.° 2). É o caso da reprodução ou imitação de firma, denominação social (al. a) do art. 239.°, n.° 2) a infracção de direitos de autor (al. b) do art. 239.°, n.° 2), e a infracção ao disposto no art. 226.°, isto é, o registo requerido por agente ou representante do titular de marca registada noutro país (al. d) do art. 239.°, n.° 2). Relativamente a estas situações, o Decreto-Lei n.° 143/2008, de 25 de Julho veio, na realidade, consagrar uma prática que

---

[40] Devendo reconduzir-se à mesma categoria os antigos nomes e insígnias de estabelecimento "sobreviventes", nos termos do regime transitório previsto no arts. 11.° e 12.° do Decreto-Lei n.° 143/2008, de 25 de Julho.

[41] Campinos/Couto Gonçalves e o., *Código da Propriedade Industrial Anotado*, p. 458 indicam que os *sinais distintivos* visados no art. 237.°, n.° 1 são apenas os referidos no art. 239.°, n.° 1, ou seja, marcas e logótipos. Face ao art. 239.°, n.° 2, al. a) é óbvio que a firma, figura que tem sido considerada um sinal distintivo de comércio (cf. Carlos Olavo, *Propriedade Industrial*, vol. I, 2.ª ed., 2005, p.28) não está incluída. Mas já nos parece que outros sinais distintivos, sobretudo, as *denominações de origem* e as *indicações geográficas*, por não serem defendidas por um interesse particularizado, poderiam e deveriam ser incluídos no âmbito da pesquisa realizada no exame oficioso das marcas (art. 237.°, n.° 1). Porventura, na expressão *outros sinais distintivos* que consta do art. 239.°, n.° 2, al. a), poderão enquadrar-se sinais como o *nome comercial* protegido nos termos previstos pelo art. 8.° da CUP.

[42] Por *marca anteriormente registada* terá de se entender a marca registada por via nacional ou internacional e também a marca comunitária. A marca registada em Portugal pela via *internacional* tem protecção idêntica a de um registo nacional directo (art. 4.°, n.° 1 do Acordo de Madrid e art. 4.°, n.° 1 do Protocolo Relativo ao Acordo de Madrid). Quanto à marca comunitária, dir-se-ia que seria tentador, numa lógica de "reciprocidade", que os Institutos nacionais com exame oficioso não fossem obrigados a comparar as marcas registandas com as marcas comunitárias (excepto quando existisse uma oposição) dado ser esse o sistema consagrado no procedimento comunitário. No entanto, essa tese esbarraria com a Directiva de Marcas que, no art. 4.°, n.° 2, estabelece que "marca anteriormente registada" compreende a marca comunitária.

já era seguida pelo INPI uma vez que só eram objecto de exame quando o interessado reclamasse. Pelo contrário, a previsão, na al. c), do *emprego de referências a determinada propriedade rústica ou urbana que não pertença ao requerente* constitui um fundamento de recusa que a lei anterior não previa.[43]

Deste modo, após a alteração legislativa efectivada pelo Decreto-Lei n.° 143/2008, de 25 de Julho, distinguem-se os motivos de recusa relativa que o INPI *deve* examinar oficiosamente, dos fundamentos que o INPI *só pode* examinar após reclamação do interessado.

Contudo, existe um terceiro grupo, de fundamentos de recusa que o INPI *pode* examinar e suscitar, em função da marca concreta que foi submetida a registo e independentemente de ter sido apresentada reclamação por terceiro. É o caso do importante fundamento da *concorrência desleal* [art. 239.° do n.° 1, al. e)][44], da utilização de *nomes* (individuais), *retratos ou quaisquer expressões ou figurações* [art. 239.° do n.° 1, al. d)] e da infracção de *outros direitos de propriedade industrial* [art. 239.° do n.° 1, al. c)].[45]

O exame de fundo termina com uma decisão de concessão do registo caso não tenha sido detectado qualquer fundamento de recusa e a reclamação, se a houver, for considerada improcedente (art. 237.°, n.° 2). Se existirem fundamentos para objecção ao registo e a reclamação, se a houver, for considerada improcedente, será comunicada ao requerente uma decisão de recusa provisória (art. 237.°, n.° 5) que este poderá tentar ultrapassar, sob cominação de a recusa se tornar definitiva (art. 237.°, n.ºs 6 e 7).

---

[43] Não cabe aqui a análise detalhada da questão, porém entendemos que a previsão deste novo fundamento relativo de recusa é susceptível de chocar com a natureza exaustiva dos fundamentos de recusa do registo (que, recorde-se, são, igualmente, causas de invalidade) enumerados pela Directiva de Marcas. A al. c) do n.° 2 do art. 239.° terá resultado da revogação da al. f) do n.° 2 do art. 234.° (Campinos/Couto Gonçalves e o., *Código da Propriedade Industrial Anotado* p. 453). Simplesmente, cremos que uma coisa é lei exigir uma formalidade para assegurar que da marca não constam *sinais susceptíveis de induzir o público em erro*, outra bem diversa é o que foi vertido na al. c) do n.° 2 do art. 239.°.

[44] O reconhecimento de que o requerente pretende fazer concorrência desleal ou de que esta é possível independentemente da sua intenção estava anteriormente previsto no art. 24.°, n.° 1, al. d) como fundamento geral de recusa. Ao contrário do que sucede com os desenhos ou modelos (art. 197.°, n.° 5), optou-se, no caso das marcas, por não condicionar à invocação pelo interessado. Sobre a matéria da concorrência desleal v. Oliveira Ascensão, *Concorrência Desleal*, 2002.

[45] Poderão aqui considerar-se, designadamente, os desenhos ou modelos (e, possivelmente, as denominações de origem e indicações geográficas).

O registo será recusado quando a reclamação for considerada procedente (art. 237.°, n.° 5).

c) Apreciação

O exame oficioso dos fundamentos relativos de recusa do registo das marcas é uma questão que divide os países da UE. Em Portugal, foi de certo modo colocada na "agenda" da propriedade industrial pelo Decreto-Lei n.° 36/2003, de 5 de Março, no preâmbulo do qual se sugere que, a legislação portuguesa poderia evoluir para "o abandono do estudo oficioso dos motivos relativos de recusa".[46]

No que refere aos fundamentos relativos, o controlo da conformidade legal do registo da marca pode ser feito basicamente por dois sistemas: por iniciativa da autoridade de registo (é a regra para as proibições absolutas) e por iniciativa, exclusiva ou não, dos titulares de direitos prioritários oponíveis.

No direito de alguns países da UE, tecnicamente mais próximos do sistema da marca comunitária, os conflitos entre registos de marcas sempre dispensaram o exame oficioso, prevendo-se apenas o mecanismo da oposição (por ex., França, Alemanha, BENELUX), sendo certo que a DM não impõe opção em determinado sentido.

Outros países da UE evoluíram legislativamente no sentido de dispensar o exame oficioso (foi o caso na Dinamarca, Espanha e Reino Unido). Essa evolução parece ter sido a resposta encontrada para a situação de aparente desvantagem a que os requerentes dos registos nacionais estão sujeitos por força do registo da *marca comunitária*. Verificava-se que os registos nacionais, por via do exame oficioso, eram frequentemente recusados devido a marcas comunitárias prioritárias, mas já o contrário não sucedia porque a marca comunitária não é objecto de exame oficioso. O crescente volume de registos comunitários, muito acima de todas as previsões, colocou maior tensão na articulação entre os dois sistemas, tanto

[46] Refere-se no preâmbulo do diploma: *Importa ainda salientar que o presente Código veicula o compromisso de uma nova dinâmica administrativa, consagrada numa redução dos prazos de intervenção do Instituto Nacional da Propriedade Industrial, em termos que não ponham em causa a certeza e a segurança do sistema; tal opção não exclui, porém, que se continuem a ponderar, nomeadamente, através da análise dos resultados de experiências estrangeiras a nível do abandono do estudo oficioso dos motivos relativos de recusa, outras modalidades de tramitação dos processos de registos que permitam reduzir ainda mais os respectivos prazos de concessão.*

mais que o conflito pode, por vezes, ser aparente, devido ao diferente âmbito territorial do sistema comunitário e nacional. Acresce que a eliminação do exame oficioso seria uma via fácil de conferir maior celeridade ao procedimento de concessão (apesar de ser previsível um aumento relativo no número de oposições).

Em alguns sistemas procurou-se, de algum modo, "compensar" a falta do exame comparativo oficioso (com as marcas já registadas), com uma informação ao requerente sobre as marcas prioritárias, elaborando um relatório de pesquisa. No procedimento comunitário esse relatório é sempre elaborado mas apenas no respeitante às *marcas comunitárias* anteriores (art. 38.°, n.° 1 do RMC). Mediante o pagamento de uma taxa o requerente poderá solicitar a elaboração de relatório similar no respeitante às *marcas nacionais* (art. 38.°, n.° 2 a 6 do RMC). Além disso, é fornecida informação aos titulares dos direitos anteriores no momento em que se detecta uma potencial colisão (nos termos do n.° 7 do art. 38.° do RMC; é o caso também do sistema espanhol e inglês).[47]

Parece-nos que, ao manter a regra de um exame de fundo oficioso às marcas, o Decreto-Lei n.° 143/2008, de 25 de Julho, tomou a opção mais adequada à nossa realidade social e económica. Em Portugal, país de micro, pequenas e médias empresas, mantém-se muito a ideia de que o registo da marca é garantido por esta espécie de "escudo passivo" que constitui o exame de fundo oficioso e que a intervenção da autoridade de registo *certifica* que a marca adoptada não infringe direitos anteriores. Tenderá a existir, pelo menos, uma maior segurança jurídica no direito à marca.[48]

---

[47] Estes mecanismos de informação, na prática, revelam-se insatisfatórios. Desde logo, as pesquisas baseiam-se em programação informática inadequada, uma vez que, não sendo o exame oficioso obrigatório, também não existe estímulo para investir em meios de pesquisa actualizados e capazes. Além disso, não parece aceitável que seja a autoridade administrativa que atribui os DPI, sujeita à imparcialidade e equidistância relativamente aos interesses dos particulares, a remeter notificações de alerta para um potencial conflito que ela própria terá de resolver, caso haja oposição do titular da marca anterior. Em qualquer caso, essa informação não satisfaz as PME pois, como o controlo do respeito de direitos prioritários é exclusivamente efectuado por via de oposição, coloca a vigilância do registo e a defesa da marca inteiramente a seu cargo.

[48] Recorde-se também que o registo nacional "consolida-se" (face a invalidades resultantes de motivos relativos) o que não se verifica no registo comunitário: se afectado por um motivo relativo de recusa, a marca comunitária pode ser invalidada a todo o tempo, enquanto que, a acção de anulação da marca nacional só pode ser proposta no prazo de dez

Há, por outro lado, razões de ordem mais geral. Numa perspectiva político-económica, afigura-se vantajoso que a autoridade da propriedade industrial apoie as empresas, na sua busca da diferenciação perante os consumidores, dizendo-lhes muito claramente o que podem ou não podem usar como marcas. Por outro lado, pode presumir-se que o exame oficioso tenderá a minimizar o número de oposições ao nível administrativo e a reduzir a litigiosidade judicial. Finalmente, na prática, Portugal e o seu INPI já demonstraram, cabalmente, que não é necessário eliminar o exame comparativo oficioso para que o procedimento seja célere.[49]

8. Conclusões

Não obstante a tendência de aproximação legislativa que se verifica no plano do direito industrial substantivo, os países da UE mantêm liberdade legislativa quanto à conformação do procedimento administrativo de reconhecimento e concessão dos DPI, competindo-lhes definir, entre outros aspectos, os termos em que a autoridade administrativa efectua o exame dos direitos de propriedade industrial. Através do exame dos DPI, a autoridade competente verifica, no âmbito de um procedimento administrativo, se a pretensão formulada pelo interessado reúne as condições formais e materiais que sejam requisito legal de uma decisão final favorável.

Em Portugal, a mais recente alteração nesse domínio resulta do Decreto-Lei n.° 143/2008, de 25 de Julho que introduziu numerosas modificações aos procedimentos de exame formal e de fundo nas várias modalidades de propriedade industrial previstas no CPI.

Ao nível europeu e internacional, o exame de fundo das patentes suscita questões complexas colocada pela crescente quantidade dos pedidos de patente e pela exigência de recursos técnicos e humanos. No plano nacional, tem-se mantido o regime de exame de fundo oficioso e obrigatório, articulado com a possibilidade de oposição. A principal novidade introduzida pelo Decreto-Lei n.° 143/2008, de 25 de Julho, foi a elaboração

---

anos após a concessão do registo (cfr. art. 266.°, n.° 4). V. OLIVEIRA ASCENSÃO, *A Marca Comunitária, Direito Industrial, AA.VV., vol. II*, p. 21 e seg..

[49] Em 2008 decidiram-se 54,5% dos processos regulares de marcas em menos de 3 meses e 81,4% em menos de 4. V. *Instituto Nacional da Propriedade Industrial, Relatório de Actividades e Contas 2008*, em www.inpi.pt.

de um relatório de pesquisa preliminar na fase inicial do procedimento, mecanismo que poderá auxiliar o requerente a avaliar mais rapidamente a probabilidade de concessão da patente e, consequentemente, o potencial económico da invenção, dentro e fora do País. Diversamente, nos modelos de utilidade, o exame de fundo pode ser dispensado, dando lugar à concessão provisória do direito, esquema que já era previsto no CPI de 2003. Reduziu-se o controlo do merecimento da invenção por parte do INPI mas não se afigura ser aliciante para o requerente dispensar o exame de fundo a fim de alcançar um direito (precário) mais rapidamente constituído.

No tocante aos desenhos ou modelos, o Decreto-Lei n.° 143/2008, de 25 de Julho introduziu diversas alterações que favorecem a celeridade e simplicidade do procedimento. No regime agora instituído, o INPI já não efectua qualquer tipo de controlo oficioso sobre os requisitos substantivos da novidade e carácter singular, tal como sucede na disciplina do desenho ou modelo comunitário. O exame de tais aspectos, e também da eventual verificação de uma situação de concorrência desleal, passou a depender, exlusivamente, da eventual iniciativa de um reclamante e será realizado apenas em função das razões por este invocadas. Não obstante, o regime nacional afastou-se do procedimento comunitário ao não prever a revogação ou invalidação do direito ao nível administrativo, o que poderá onerar a posição dos concorrentes.

Quanto às marcas o Decreto-Lei n.° 143/2008, de 25 de Julho, introduziu uma melhor arrumação sistemática das disposições e distinguiu os motivos relativos que são de conhecimento oficioso do INPI dos que, pelo contrário, dependem de alegação do interessado, através da apresentação da reclamação. Optou-se, neste caso, por não abandonar o exame oficioso dos motivos relativos, designadamente a comparação da marca registanda com as marcas anteriormente registadas, solução que parece mais consentânea com a realidade portuguesa, verificando-se até, em termos empíricos, que o exame comparativo oficioso efectuado pelo INPI não prejudica a celeridade do procedimento.

DEFESA DA MARCA

António Côrte-Real Cruz
Advogado
Agente Oficial da Propriedade Industrial

O presente trabalho tem por base a exposição proferida no III Curso de Verão de Propriedade Industrial organizado pela Associação Portuguesa de Direito Intelectual e pela Faculdade de Direito de Lisboa em Julho de 2010.

As referências a preceitos legais sem indicação de diploma reportam-se ao Código da Propriedade Industrial vigente (aprovado pelo Decreto-Lei n.° 36/ /2003, de 5 de Março, com as alterações introduzidas pela Lei n.° 16/2008 de 1 de Abril e pelo Decreto-Lei n.° 143/2008, de 25 de Julho).

Abreviaturas utilizadas

ADPIC	Acordo sobre os Aspectos dos Direitos de Propriedade Intelectual relacionados com o Comércio de 15 de Abril de 1994 – Anexo IC ao Acordo que cria a Organização Mundial do Comércio, ratificado pelo Decreto do Presidente da República n.° 82-B/94 de 27 de Dezembro

CPI	Código da Propriedade Industrial
CPC	Código de Processo Civil
CUP	Convenção de Paris para a Protecção da Propriedade Industrial (Convenção da União de Paris) de 20 de Março de 1883
DM	Directiva 2008/95/CE do Parlamento Europeu e do Conselho, de 22.10.2008, de harmonização da legislação dos Estados-Membros relativa a marcas (versão codificada), publicada no JOCE L299, de 8.11.2008
INPI	Instituto Nacional da Propriedade Industrial
IHMI	Instituto de Harmonização do Mercado Interno
JOCE	Jornal Oficial das Comunidades Europeias
RDC	Regulamento sobre os Desenhos ou Modelos Comunitários – Regulamento do Conselho (CE) n.° 6/2002, de 12.12.2001, publicado no JOCE L3 de 5.01.2002
RMC	Regulamento da Marca Comunitária – Regulamento do Conselho (CE) n.° 207/2009 de 26.02.2009 (versão codificada), publicado no JOCE L78, de 24.3.2009
RRNPC	Regime do Registo Nacional de Pessoas Colectivas, aprovado pelo Decreto-Lei n.° 129/98, de 13 de Maio
TJ	Tribunal de Justiça da União Europeia
UE	União Europeia

1. **Introdução**

Num ambiente económico em que a concorrência entre as empresas surge crescentemente influenciada e condicionada por factores imateriais, a defesa eficaz e efectiva dos direitos de propriedade intelectual tornou-se um aspecto da maior relevância.

Não é de estranhar, por isso, que as questões relativas à tutela dos direitos de propriedade intelectual, nos últimos tempos, tenham sido objecto de particular atenção por parte das instituições europeias. A mais importante intervenção normativa comunitária nesse domínio – a Directiva 2004/48/CE, do Parlamento Europeu e do Conselho, de 29 de Abril, transposta para o direito interno português através da Lei n.° 16/2008, de 1 de Abril – assume, sem inibições, o objectivo de reforço das sanções e dos instrumentos considerados necessários para uma aplicação efectiva de todo o direito material da propriedade intelectual, no sentido de criar um *enquadramento favorável à inovação e ao investimento.*

No respeitante aos direitos industriais, que aqui, por razões históricas, designaremos indiferentemente por *direitos de propriedade industrial*, recorde-se que já tinham sido estabelecidas as condições mínimas da harmonização entre as legislações nacionais e criados diversos instrumentos de constituição de direitos supranacionais, unitariamente válidos em todos os territórios integrantes da Comunidade, com relevo para a marca comunitária e o desenho ou modelo comunitário.

A circunstância destes direitos unitariamente regulados pelo direito comunitário verem a sua tutela concretizada por formas que variam de Estado para Estado, segundo o respectivo direito interno, tornou mais evidente a possibilidade de distorções no mercado interno. A matéria dos meios de defesa passou, assim, a ser o nó Górdio seguinte a desatar. Além disso, o tema surgiu ainda como uma resposta desejada para o problema crescente do combate à contrafacção, aspecto sensível em particular para as marcas.

A presente exposição centra-se nos meios de defesa que a ordem jurídica hoje coloca à disposição do titular do direito à marca, na sequência das alterações introduzidas por virtude da referida directiva comunitária.

2. **Tipos de meios de defesa. Objecto**

Partindo da realidade social, podemos, antes de mais, constatar que os possíveis atentados ao direito à marca assumem contornos bastante heterógeneos.

Existe o fenómeno da chamada contrafacção "profissional" que tem sido referenciada como uma actividade ligada ao crime organizado, com um certo nível de planeamento e sofisticação e que pode surgir a uma escala global. Hoje o problema afecta não apenas produtos de luxo ou vestuário, mas bens sensíveis para a saúde e segurança dos consumidores, como géneros alimentícios, medicamentos, cosméticos, peças de automóveis ou brinquedos.[1]

No entanto, o direito à marca também pode ser violado em situações bem distintas colocando em jogo, primacialmente, o interesse individual

[1] O número de apreensões de mercadorias contrafeitas nas fronteiras da União Europeia nunca foi tão elevado. As estatísticas podem ser consultadas em: http://ec.europa.eu/taxation_customs/customs/customs_controls/counterfeit_piracy/.

do titular. Assim, mesmo no âmbito de uma actividade económica legítima, pode ser ilícita a utilização de uma dada marca se existir risco de confusão com uma marca anteriormente registada por terceiro. E até aquele que transaciona produtos genuínos, isto é, que foram realmente fabricados pelo titular da marca, pode estar a fazê-lo em condições que objectivamente violam o direito à marca.

Em consequência dessa heterogeneidade de situações, podemos encontrar na ordem jurídica uma muito ampla gama de meios de defesa da marca.

Como é sabido, a doutrina distingue dois tipos de meios de defesa da ordem jurídica, quanto à respectiva finalidade: meios preventivos e meios repressivos. São *preventivos* os meios que afastam o perigo mais ou menos iminente da ilicitude evitando, assim, que ela chegue a produzir-se. A utilização dos meios preventivos não pressupõe nem exige que se verifique historicamente uma infracção. Os meios *repressivos*, pelo contrário, supõem que uma violação já foi praticada e visam a imposição coactiva do preceito infringido. E a repressão da ilicitude pode ser prosseguida por diversos modos: pelo restabelecimento da situação concreta anterior à infracção, pela reparação dos prejuízo sofridos pela vítima (indemnização) ou, ainda, pela aplicação de uma pena ao infractor.[2]

Quanto à categoria das normas e ao tipo de entidades envolvidas na sua aplicação, poderemos ainda distinguir os meios de natureza *administrativa*, dos meios de natureza *civil* ou *criminal*.

Os meios de natureza administrativa competem, em primeira sede, a uma autoridade administrativa e têm um carácter fundamentalmente antecipatório ou preventivo. Vamos adiante referir dois meios administrativos de defesa da marca: os procedimentos de defesa na concessão de outros direitos exclusivos e os pedidos de intervenção aduaneira.

A defesa antecipatória de tipo administrativo é muito relevante, de um ponto de vista prático. Geralmente, o titular da marca tem mais interesse em evitar que as infracções ocorram do que em perseguir as violações efectivas. Estas tendem sempre a perturbar, em grau incerto, aquela que é a atractividade própria da marca. Além disso, a repressão completa da infracção poderá ser difícil de conseguir e as eventuais indemnizações compensatórias debatem-se com a tradicional dificuldade de prova dos danos.

---

[2] Cf. I. Galvão Teles, *Introdução ao Estudo do Direito*, vol. 2.°, 1995, p. 302.

Os meios de natureza civil abrangem, praticamente, todo o tipo de violações do direito à marca. Podem ter fins preventivos (é o caso, por exemplo, de uma providência cautelar requerida para prevenir uma violação iminente) ou repressivos (é o caso de uma acção de cessação da violação). Poderemos distinguir ainda modalidades de carácter *geral* ou *específico*, consoante se tratem de meios previstos na lei geral de processo civil para todos os direitos (a acção de simples apreciação, por exemplo) ou de meios previstos no Código da Propriedade Industrial, especificamente concebidos para a defesa dos direitos industriais (é o caso das medidas previstas no art. 338.°-M e no art. 338.°-N).

O arsenal dos meios de natureza civil foi ampliado e profundamente alterado em consequência da já referida Directiva 2004/48/CE, do Parlamento Europeu e do Conselho, de 29 de Abril, relativa ao respeito dos direitos de propriedade intelectual (em diante apenas *Directiva 2004/48/CE* ou *Directiva*). Por isso, antes de passarmos em revista os meios de natureza civil para defesa da marca, vamos desenvolver algumas notas de enquadramento a esta directiva.

Os meios de natureza criminal de defesa da marca visam fundamentalmente as situações de violações mais gritantes, designadamente a chamada *contrafacção*. Enquanto actividade criminosa organizada e de grande escala, a contrafacção tem sido objecto de uma preocupação crescente, nomeadamente por parte das instituições comunitárias.[3] Assim, faremos também o ponto da situação no respeitante às sanções penais de defesa da marca e ao ilícito contra-ordenacional, contemplado na nossa lei para certas actuações.

3. Vulnerabilidade da marca

A marca registada confere, como se sabe, um direito absoluto (oponível *erga omnes*) que configura um direito de exclusivo, caracterizado pela

---

[3] Assinale-se que a Comissão Europeia divulgou uma proposta de directiva para harmonização das sanções criminais, nomeadamente quanto ao tipo de penas previstas em cada legislação dos Estados-membros para as pessoas singulares e pessoas colectivas (*proposta de directiva do Parlamento Europeu e do Conselho relativa às medidas penais destinadas a assegurar o respeito pelos direitos de propriedade intelectual* – COM/2005/0276 final).

faculdade de proibição. Esse exclusivo concretiza-se, segundo o legislador, no direito de impedir terceiros de usar, no exercício de actividades económicas, "qualquer sinal igual ou semelhante, em produtos ou serviços idênticos ou afins daqueles para os quais a marca foi registada, e que possa causar um risco de confusão ou associação no espírito do consumidor" (art. 258.°).

À partida, a faculdade de proibir a outrém a utilização de um dado sinal distintivo em certos produtos ou para referenciar determinados serviços, faculdade que, aliás, assiste ao titular da marca independentemente da verificação de qualquer dano ou prejuízo, parece configurar uma posição bastante poderosa e condicionadora da vida económica. Apesar de o bem tutelado ser imaterial, não se confundindo com o suporte físico que o materializa, a verdade é que bastará a mera possibilidade de proibição para, o mais das vezes, se tornarem inviáveis os negócios relativos às coisas que essa marca distingue.

Não obstante, há que reconhecer que também existem factores, de ordem factual e jurídica, que colocam em relevo uma maior vulnerabilidade da marca.

Por ser um sinal distintivo, a marca pode ser facilmente reproduzida. Pode ser utilizada por diferentes pessoas, em simultâneo, em diferentes locais, contínua ou repetidamente. E mesmo depois de o infractor já ter cessado o comportamento lesivo, os suportes que materializam a violação podem permanecer em circulação e depreciar a marca, nas associações positivas que os consumidores pudessem dela ter retido.

Além disso, actualmente a marca pode ser utilizada no comércio electrónico com uma quase imediata visibilidade para milhões de consumidores. O ambiente digital trouxe dificuldades novas aos direitos privativos tipicamente territoriais, como a marca.[4] As possibilidades de distribuição globalizada de produtos colocaram, por exemplo, a necessidade de lidar com um número elevado de territórios e diferentes ordens jurídicas. E os obstáculos na identificação dos infractores ou na eliminação do acesso à informação armazenada em servidor terão levado os titulares das

[4] Não houve, quanto às marcas, a definição de regras específicas para lidar com o desenvolvimento da *sociedade de informação*, como se verificou no plano do direito de autor e dos direitos conexos com a Directiva *InfoSoc* (Directiva 2001/29/CE do Parlamento Europeu e do Conselho de 22 de Maio de 2001, relativa à harmonização de certos aspectos do direito de autor e dos direitos conexos na sociedade da informação, JOCE L 167).

marcas a pretender a responsabilização dos chamados *prestadores intermediários* de serviços.[5]

Por outro lado, há aspectos jurídicos que parecem contribuir para uma certa fragilidade da marca. Desde logo, a própria delimitação do direito na lei sustenta-se em conceitos cujas fronteiras são fugidias e difíceis de traçar (a *semelhança* dos produtos ou dos sinais, ou o *risco de confusão*).

Acresce que a questão fundamental de saber quais os actos de utlização da marca que estão juridicamente reservados ao titular não é clara. Como salienta o Professor Oliveira Ascensão, os pontos duvidosos sobre o conteúdo do direito à marca "são muitos e estão longe de estar apaziguados".[6] Para além dos actos em que tipicamente se manifesta um atentado à marca, por exemplo, a aposição da marca nos produtos, a comercialização sob essa marca ou a comunicação publicitária (situações mencionadas no n.° 3 do art. 5.° da DM e no n.° 2 do art. 9.° do RMC), muitas outras situações carecem de averiguações jurídicas mais ou menos complexas o que, naturalmente, poderá dificultar a demonstração da violação do direito.[7]

4. **Coexistência de ordenamentos**

Um aspecto de ordem geral que importa ter presente para a defesa da marca é o da coexistência entre a marca de âmbito nacional e a marca comunitária.

---

[5] V. o acórdão do TJ de 23 de Março de 2010, *Google France e Google*, C-236/08 a C-238/08, ainda não publicado na Colectânea.

[6] *As Funções da Marca e os Descritores (Metatags) na Internet*, Direito Industrial vol. III, p. 5.

[7] O TJ já se debruçou sobre diversas situações de utilização "atípica" da marca: o uso da marca alheia como denominação social ou nome comercial (ac. de 11 de Setembro de 2007, *Céline*, C-17/06, Colect., p. I-7041), o uso da marca alheia para mera manifestação de apoio ou lealdade a um clube de futebol (ac. de 12 de Novembro de 2002, *Arsenal Football Club*, C-206/01, Colect., p. I-10273), o uso da marca alheia em listagens comparativas para identificar o produto genuíno (ac. de 18 de Junho de 2009, *L'Oréal e o.*, C-487/07, Colect., p. I-5185) ou, mais recentemente, o uso de marca alheia como palavra-chave ou descritor de um serviço de referenciamento na Internet (ac. de 23 de Março de 2010, *Google France e Google*, C-236/08 a C-238/08, ainda não publicado na Colectânea).

Como é sabido, o sistema da marca comunitária não substituíu os direitos de marcas dos Estados-Membros. Quando foram elaborados os textos preparatórios do Regulamento da Marca Comunitária não pareceu justificável obrigar todas as empresas na Comunidade a registarem as suas marcas como marcas comunitárias, "uma vez que as marcas nacionais continuam a ser necessárias às empresas que não pretendem que as suas marcas sejam protegidas à escala comunitária".[8]

A coexistência entre ambos os sistemas obrigou a prever mecanismos complexos de correlação entre as marcas registadas ao nível nacional e as marcas comunitárias. Essa correlação pauta-se pelos princípios da *equiparação* e da *complementaridade*.

A *equiparação* é a grande consequência da coexistência. Significa que a marca de registo nacional (e, no caso português, a marca de registo internacional com efeitos em Portugal) é equiparada à marca de registo comunitário. Esta, só por ser comunitária, não prevalece sobre aquela. O que é fundamental é saber se o titular goza da prioridade temporal: a marca nacional prioritária pode constituir um obstáculo ao registo comunitário e vice-versa. Assim, o registo da marca comunitária não pode ser concedido em caso de oposição fundada num direito prioritário relativo a marca nacional incompatível (n.os 1 e 2 do art. 8.° do RMC). E a marca comunitária fica sujeita a invalidação fundada em direito sobre uma marca nacional prioritária (n.° 1 do art. 53.° do RMC).

A equiparação entre a marca nacional e a marca comunitária manifesta-se, depois, em caso de infracção, na aplicação *complementar* do direito nacional (n.° 1 do art. 14.° do RMC). Ou seja, os efeitos da marca comunitária são exclusivamente determinados pelo RMC, porém, as infracções a marcas comunitárias são reguladas pelo direito nacional em

---

[8] V. o considerando n.° 6 do RMC, hoje Regulamento (CE) n.° 207/2009. Na preparação do RMC havia a ideia de que, apesar de essencial ao funcionamento do sistema comunitário, a "coexistência" deveria ser encarada como um "mal menor" de carácter transitório. Neste sentido, v. FRIEDRICH-KARL BEIER, *Objectives and Guiding Principles of the Future European Trademark Law*, IIC, vol. 8, No.1/1977, p. 16: "Um dia, os limites territoriais dos direitos de propriedade industrial terão de ser completamente eliminados e os sistemas nacionais de marcas substituídos por um sistema unitário de marca para todo o Mercado Comum. Contudo, este objectivo só poderá atingir-se de modo gradual e ponderado, em consonância com a contínua integração dos mercados nacionais num só mercado Europeu." (tradução nossa). V. também ALEXANDER V. MÜHLENDAHL, *Unitary Character and Problems of Coexistence in the Future European Trademark System*, IIC, Vol. No. 2/1976, p. 173.

matéria de infracções a marcas nacionais. No entanto, esta aplicação complementar deverá fazer-se "nos termos do disposto no título X", a parte do Regulamento onde se estabelecem importantes regras, designadamente de competência e procedimento, no que se refere a acções judiciais relativas a marcas comunitárias.

Por conseguinte, devemos advertir que quando se equacionam os meios de defesa da *marca comunitária* em Portugal, haverá que perguntar, em princípio, qual a tutela prevista na lei nacional para as marcas nacionais, considerando porém, ao mesmo tempo, as disposições que imponham soluções específicas no regime uniforme do RMC.

5. **Meios administrativos**

a) Defesa nos procedimentos de concessão de outros direitos

A concessão de outros direitos industriais a terceiros, em especial os referentes a sinais distintivos, pode naturalmente afectar um direito anteriormente adquirido relativo a uma marca similar e confundível.

Por isso, a lei nacional e comunitária prevêm impedimentos à concessão do registo de *marcas* que sejam incompatíveis com marcas anteriormente registadas [al. a) do n.° 1 do art. 239.° do CPI; n.° 1 do art. 8.°, do RMC].

Contrariamente ao que sucede no registo da marca comunitária, no caso da lei nacional o exame comparativo com as marcas anteriormente registadas é de conhecimento oficioso (n.° 1 do art. 237.°). Mas em qualquer dos casos é conferido, ao titular de uma marca anteriormente registada, o *direito de oposição*, isto é, a possibilidade de intervir nos procedimentos administrativos de concessão a fim de se opôr à pretensão de registo (n.° 1 do art. 236.° do CPI; art. 41.° do RMC). Ao pretender que a decisão da autoridade assuma um determinado sentido, geralmente o da recusa do registo requerido, o "reclamante" assume a posição de um *interessado facultativo* no procedimento administrativo.[9]

Além disso, a lei estabeleceu impedimentos à concessão de outros direitos de exclusivo. Assim, o registo do *logótipo* deverá ser recusado

[9] O CPI refere-se por vezes aos interessados como "partes" (por ex., no n.° 5 do art. 10.°, no n.° 1 do art. 16.°, no n.° 4 do art. 17.° e no n.° 1 do art. 17.°-A). Não se trata, porém, de um processo *entre partes* em sentido próprio.

caso se verifique a reprodução ou imitação, no todo ou em parte, de marca anteriormente registada por outrem para produtos ou serviços idênticos ou afins aos abrangidos no âmbito da actividade exercida pela entidade que se pretende distinguir, se for susceptível de induzir o consumidor em erro ou confusão ou se criar o risco de associação com a marca registada [al. b) do n.° 1 do art. 304.°-I]. É igualmente reconhecido o direito de oposição (n.° 1 do art. 304.°-F).

Há ainda a considerar, fora do âmbito dos sinais distintivos, o motivo de recusa do registo dos desenhos ou modelos *nacionais* previsto na al. d) do n.° 4 do art. 197.°. No caso dos desenhos ou modelos *comunitários* é uma causa de nulidade que pode ser invocada em processo próprio perante o IHMI [cf. art. 24.° e art. 25.°, n.° 1, e) do RDC]. Assim, se num desenho ou modelo for reproduzida uma marca anteriormente registada o titular desta poderá reagir com base nestas disposições.

A defesa administrativa da marca manifesta-se também no regime das *firmas e denominações*. Prevê-se que, para observância do princípio da novidade das firmas e denominações, deve ser considerada a existência de marcas que sejam de tal forma semelhantes que possam induzir em erro sobre a titularidade desses sinais distintivos (n.° 5 do art. 33.° do RRNPC – Decreto-Lei n.° 129/98, de 13 de Maio – na redacção dada pelo artigo 26.° do Decreto-Lei n.° 247-B/2008, de 30 de Dezembro). E o n.° 4 do art. 4.° do CPI prevê que a marca registada constitui fundamento de recusa ou anulação de denominações sociais ou firmas. Neste caso, não se reconhece ao titular da marca a faculdade de oposição prévia ao acto praticado pelo RNPC. Mas o titular da marca pode manifestar um interesse se fizer "a prova do seu direito" (v. art. 33.°, n.° 5 do RRNPC). Nessa hipótese, o titular da marca poderá, após a certificação de uma firma ou denominação que julgue prejudicial, requerer a declaração administrativa de perda do direito ao uso de firma ou denominação (art. 60.° do RRNPC) e recorrer hierarquicamente (art. 63.° do RRNPC).

Poderá perguntar-se se o não exercício da oposição, quando prevista, acarreta algum tipo de limitação para a defesa da marca.

As consequências imediatas da falta de oposição do titular de uma marca incompatível com um novo direito são diferentes consoante os regimes que forem considerados. No tocante às marcas nacionais e logótipos, deve existir sempre um exame oficioso por parte do INPI. Assim, mesmo na falta de qualquer oposição, o INPI poderia recusar provisoriamente o registo quando o exame revelasse um fundamento de recusa, designadamente uma marca anteriormente registada (n.° 5 do art. 237.°, disposição também aplicável ao processo de registo dos logótipos por força do art. 304.°-G). Pelo contrário, no procedimento comunitário, caso não seja apresentada qualquer oposição ao pedido de marca comunitária, deverá ser logo concedido o registo (art. 45.° do RMC).

Em qualquer caso, a ausência de oposição administrativa não prejudica a utilização de outros meios de defesa, nomeadamente, no regime da marca nacional, o direito de impugnar o acto definitivo de concessão por meio de recurso judicial (art. 39.°) ou a acção para anulação do direito (art. 266.°). No regime da marca comunitária, o titular de uma marca anterior que não tenha apresentado oposição poderá sempre iniciar um procedimento de invalidação (art. 56.° do RMC) ou, em certas situações, reagir pelos meios judiciais nacionais (por exemplo, um pedido reconvencional de anulação, conforme referido no art. 96.°, al. d) e no art. 100.° do RMC).

b) Pedidos de intervenção aduaneira

i) Fontes

Remonta à Convenção de Paris a previsão de medidas de apreensão para a importação de produtos ilicitamente assinalados por uma marca (art. 9.° da CUP).

Em 1986 foi criado o primeiro procedimento administrativo de controlo da entrada de mercadorias em contrafacção provenientes de países terceiros nos Estados-membros da Comunidade Europeia.[10] Previa-se a faculdade de o titular da marca registada requerer à autoridade aduaneira a recusa do desembargo de mercadorias quando existissem razões fundadas de suspeita de contrafacção.

Entretanto, o Acordo ADPIC veio exigir o mesmo tipo de medidas relativamente à importação de "mercadorias pirateadas em desrespeito do direito de autor" (art. 51.° do ADPIC).

O mecanismo está actualmente consagrado no Regulamento (CE) n.° 1383/2003 de 22 de Junho de 2003, de forma ampla, para mercadorias que violem não apenas as marcas mas também outros direitos industriais (desenhos ou modelos, patentes, variedades vegetais, denominações de

[10] Regulamento (CEE) n.° 3842/86 do Conselho de 1.12.1986 (medidas destinadas a proibir a colocação em livre prática de mercadorias em contrafacção).

origem e indicações geográficas) para além dos direitos de autor ou direitos conexos.[11]

O Regulamento (CE) n.° 1383/2003 é a quarta revisão do mecanismo da intervenção aduaneira neste domínio, sucedendo ao Regulamento (CE) n.° 3295/94 do Conselho, de 22.12.1994[12], por seu turno alterado pelo Regulamento n.° 241/1999 (CE) de 25.01.1999.[13] Em 2010 a Comissão Europeia desencadeou um novo processo de revisão do Regulamento n.° 1383/2003, ainda em curso.

No plano interno foram adoptadas regras de execução através do Decreto-Lei n.° 360/2007, de 2 de Novembro, concretizando determinadas disposições do referido regulamento que remetem para o direito de cada Estado-membro a definição das condições de aplicação (por exemplo, o *procedimento simplificado de destruição* das mercadorias previsto no art. 11.° do Regulamento). Este diploma alterou ainda o artigo 319.° do CPI, com a epígrafe "apreensões pelas alfândegas", para as reconduzir à noção e formato próprio da intervenção aduandeira.

ii) Funcionamento geral

O elemento central das providências previstas pelo Regulamento (CE) n.° 1383/2003 é o "pedido de intervenção". No caso português, trata-se de um requerimento apresentado pelo titular do direito ao Director-Geral das Alfândegas e dos Impostos Especiais sobre o Consumo.

O pedido deve conter, além da prova do direito de propriedade intelectual, informações sobre as mercadorias em causa que possibilitem o seu fácil reconhecimento pela autoridade aduaneira (informações de que o titular possa ter conhecimento sobre os rótulos das mercadorias, os países de origem, os importadores ou os exportadores, etc.).

A decisão que defere o pedido de intervenção fixa o período aplicável (no máximo um ano), o qual pode ser prorrogado. Caso os serviços

---

[11] JOCE L 196 de 2.08.2003. O Regulamento (CE) n.° 1891/2004 da Comissão de 21.10.2004 (JOCE L 328, de 30.10.2004) veio estabelecer regras de desenvolvimento do Regulamento (CE) n.° 1383/2003. O mecanismo estende-se às patentes de invenção. Recorde-se que em 1995, o TJ considerou que as patentes não são uma área "reservada" aos Estados membros e que à Comunidade não está vedada a adopção de regras de harmonização nesse domínio (ac. de 13.07.1995, *Espanha v. Conselho*, proc. C-350/92, Col. 1995, p. I-1985).

[12] JOCE L 341 de 30.12.1994.

[13] JOCE L 27 de 02.02.1999.

aduaneiros suspeitem que determinadas mercadorias violam um direito de propriedade intelectual abrangido pela decisão que deferiu um pedido de intervenção, devem "suspender a autorização de saída das referidas mercadorias ou proceder à sua detenção" (art. 9.°, n.° 1 do Regulamento).

A questão da violação do direito de propriedade intelectual é regulada, de acordo com o princípio da territorialidade, pela lei do Estado em cujo território as mercadorias se encontrem (art. 10.° do Regulamento). Esta análise poderá exigir a consideração do direito interno e do direito comunitário quando o requerente seja titular do direito de uma marca comunitária.[14] Neste caso, além da intervenção das autoridades aduaneiras do Estado-Membro em que é apresentado o pedido, o requerente pode solicitar a intervenção das autoridades aduaneiras de outros Estados-Membros (art. 5.°, n.° 4 do Regulamento).

As autoridades aduaneiras devem notificar a suspensão ou detenção, quer ao declarante ou o detentor das mercadorias, quer ao titular do direito envolvido, podendo comunicar a este a quantidade (real ou estimada), e a natureza (real ou suposta) das mercadorias e outras informações relevantes (como a identificação do destinatário e do expedidor) e proceder à recolha de amostras para que este possa efectuar o exame das mesmas (art. 9.°, n.os 2 e 3 do Regulamento).

O titular do direito disporá de dez dias úteis[15] para notificar os serviços aduaneiros de que iniciou um processo judicial com fundamento na violação do direito de propriedade intelectual, sob pena de caducidade da intervenção aduaneira (art. 8.°, n.° 2 do Decreto-Lei n.° 360/2007, de 2 de Novembro).

Este processo geralmente consiste na apresentação de uma denúncia criminal, porém, não é imperativo que o seja. As mercadorias de *contrafacção*, na óptica do regulamento, não são apenas aquelas em que se manifesta um ilícito penal. O que interessa é que seja um processo destinado a "determinar se houve violação de um direito de propriedade intelectual ao abrigo do direito nacional" (art. 13.°, n.° 1 do Regulamento).

---

[14] Ou de um desenho ou modelo comunitário, variedade vegetal protegida ao nível comunitário, denominação de origem ou indicação geográfica protegidas pelo direito comunitário.

[15] O legislador comunitário estabeleceu que esse prazo é prorrogável "em determinados casos" (art. 13.°, n.° 1 do Regulamento). O CPI pouco acrescentou ao referir que a prorrogação aplica-se em "casos devidamente justificados" (art. 319.°, n.° 5). O prazo é de 3 dias úteis improrrogáveis para mercadorias perecíveis (art. 13.°, n.° 2 do Regulamento).

Com o fenómeno crescente da contrafacção organizada, a regulamentação comunitária expandiu-se no sentido de permitir uma actuação *oficiosa* da autoridade aduaneira, característica introduzida pelo art. 4.° do Regulamento (CE) n.° 3295/94. Em Portugal a oficiosidade está prevista desde o CPI 1995 para os casos em que a *violação for manifesta* (cf. n.° 2 do art. 319.°, na redacção anterior à alteração resultante do Decreto-Lei n.° 360/2007, de 2 de Novembro).

O Regulamento prevê ainda, no art. 11.°, um *procedimento simplificado de destruição* das mercadorias, modalidade cuja implementação é opcional (aparentemente, devido a limitações de ordem constitucional em alguns países).

Portugal adoptou o procedimento de destruição na sua lei interna, aliás, com um figurino bastante penalizador dos interessados nas mercadorias. Assim, as mercadorias que apresentem indícios de infracção podem ser consideradas pela autoridade aduaneira como *abandonadas para destruição*, sem que seja necessário determinar se houve violação, desde que haja acordo nesse sentido entre o titular do direito e o interessado nas mercadorias (art. 6.° do Decreto-Lei n.° 360/2007, de 2 de Novembro).

Esse acordo deve ser formalizado por escrito e comunicado às autoridades dentro do prazo de dez dias úteis (ou três dias se forem mercadorias perecíveis) a contar da notificação já referida. No entanto, em caso de silêncio do interessado nas mercadorias, a lei faz presumir que há consentimento (n.° 4 do art. 6.° do Decreto-Lei n.° 360/2007, de 2 de Novembro e art. 11.°, n.° 1 do Regulamento), invertendo-se assim o princípio geral da lei civil portuguesa (v. art. 218.° do Cód. Civ.).

Além disso, as próprias despesas da destruição devem ser suportadas, não pelo titular do direito (como está supletivamente previsto no art. 11.° do Regulamento), mas pelo declarante, possuidor ou proprietário das mercadorias, salvo convenção em contrário (art. 10.°, n.° 1 do referido decreto-lei).

6. **Directiva 2004/48/CE**

a) Aspectos gerais

A Directiva 2004/48/CE veio estabelecer um conjunto de regras aplicáveis a praticamente todas as categorias dos direitos de propriedade intelectual, nas suas várias modalidades, incluindo a propriedade industrial, com o propósito de assegurar o respeito desses direitos.[16] Nesse sentido, a Directiva veio complementar o outro meio de protecção horizontal já existente, embora de acção limitada ao campo da intervenção aduaneira, estabelecido pelo Regulamento (CE) n.° 1383/2003, e que analisámos no ponto anterior deste trabalho.

Até à Directiva 2004/48/CE, quer a harmonização do direito substantivo ao nível nacional (designadamente nas marcas e nos desenhos ou modelos) quer os regimes de direitos unitários, directamente aplicáveis em toda a Comunidade (marca, desenhos ou modelos, variedades vegetais) tinham-se diferenciado, verticalmente, em função de cada modalidade de propriedade industrial.

A Directiva visa ainda, inovadora e ambiciosomente, aproximar as legislações dos Estados-Membros no domínio processual, em particular do processo civil, área que, em geral, não era tocada pelos instrumentos anteriores. Para esse fim, terão servido de modelo alguns dos procedimentos civis que, segundo a Comissão, demonstraram ser eficazes em certos Estados-membros.[17] O objectivo geral terá sido estabelecer um patamar de protecção "elevado, equivalente e homogéneo" no mercado interno europeu.

b) Antecedentes

A Directiva 2004/48/CE tem o seu ponto de partida numa consulta aos meios interessados promovida pela Comissão Europeia em 1998, o designado *Livro Verde* sobre o combate à contrafacção e pirataria no mercado único,[18] com o qual se pretendia determinar o impacto económico do fenómeno no mercado único, avaliar a eficácia da legislação aplicável e sugerir novos caminhos para melhorar a situação. Temia-se que o fenómeno pudesse causar a perda de confiança nos meios empresariais, distorções da concorrência e a redução do investimento.

---

[16] Saliente-se que a Comissão Europeia emitiu uma declaração com a lista dos direitos de propriedade intelectual que considera abrangidos pelo âmbito de aplicação da directiva (Declaração 2005/295/CE, publicada no JOCE L 94, p. 37).

[17] São mencionados nos trabalhos preparatórios da directiva, entre outros, o procedimento francês *da saisie-contrefaçon*, os procedimentos *Mareva* ou *Anton Piller* do direito inglês, e o *kort geding* previsto no processo civil holandês.

[18] COM(98) 569 final de 15.10.1998.

Esta consulta conduziu à apresentação, no ano 2000, de um *Plano de Acção*.[19] Como uma das medidas mais urgentes, preconizava-se a preparação de uma directiva, visando reforçar os meios de defesa dos direitos de propriedade intelectual.[20] A aprovação da directiva foi ainda precedida de uma declaração escrita do Parlamento Europeu em 2003 sobre "o combate contra a pirataria e a contrafacção na UE alargada". Nela apelava-se à adopção a nível comunitário de "sanções civis fortes" para qualquer infracção da propriedade intelectual e "penalidades criminais duras para a contrafacção à escala comercial".[21]

Efectivamente, na proposta inicial da directiva[22] previa-se a obrigação de adoptar sanções penais para a "violação grave" de um direito de propriedade intelectual (art. 20.° da proposta). Porém, tais disposições viriam a cair no Parlamento Europeu, aparentemente devido a "incertezas jurídicas" e à "relutância" dos Estados membros.[23]

A Directiva 2004/48/CE foi aprovada em 29 de Abril de 2004 e publicada em 30 de Abril de 2004.[24]

c) A Directiva e o Acordo ADPIC

A directiva intervém num domínio em que o Acordo ADPIC estabelecia já padrões obrigatórios para todos os Estados-membros da Comunidade Europeia. Aliás, a própria Comunidade o tinha subscrito.[25] Conse-

---

[19] COM(2000) 789 de 17.11.2000.

[20] Paralelamente, previa-se a necessidade de um instrumento harmonizador das sanções penais. Foi divulgada uma proposta, neste momento, ainda não aprovada. V. nota 3.

[21] P5_TA(2003) 0275, disponível no sítio do PE (www.europarl.europa.eu).

[22] COM(2003) 46 final de 30.1.2003.

[23] As sanções criminais deveriam, porventura, enquadrar-se nas matérias da justiça e dos assuntos internos (*Terceiro Pilar*, segundo o Tratado de Maastricht).

[24] JOCE L 157, de 30.04.2004. A Directiva foi rectificada e republicada no JOCE L 195, de 2.6.2004.

[25] O TJ no seu parecer 1/94 de 15.11.1994 (Col. Jurisp. 1994 p. I-05267) declarou que a Comunidade e os Estados-membros partilham a competência para concluir o acordo ADPIC: "No que respeita às medidas a adoptar para garantir uma protecção eficaz dos direitos de propriedade intelectual, a Comunidade tem inequivocamente competência para harmonizar as normas nacionais sobre estas matérias no âmbito do artigo 100.° do Tratado, mas, até ao presente, as instituições comunitárias praticamente não exerceram as suas competências neste domínio."

quentemente, a Comissão não poderia propor regras novas sobre a mesma matéria sem atender ao conteúdo das disposições desse Acordo, em particular a sua parte III (artigos 41 a 61).

No entanto, o ADPIC é um Acordo que define padrões *mínimos*. Os seus membros podem prever nas respectivas legislações uma protecção "mais vasta", isto é, níveis adicionais de protecção, desde que essa protecção não seja contrária às disposições do Acordo (n.° 1 do art. 1.° do ADPIC).

A Comissão Europeia entendeu que o ADPIC era insuficiente pois não previa certos meios necessários para o respeito efectivo dos direitos de propriedade intelectual[26] e, outros, embora previstos, eram facultativos (é o caso do direito de informação, consagrado no art. 47.° do ADPIC). Além disso, dada a liberdade legislativa reconhecida aos membros do Acordo, designadamente quanto ao método adequado para a execução das suas disposições (cf. n.° 1 do art. 1.° do ADPIC), as regras de aplicação das medidas e dos procedimentos previstos pelo Acordo variavam substancialmente de um país para outro.[27]

Terá sido objectivo da Comissão dotar os países da Comunidade de um instrumento harmonizador das legislações nacionais neste domínio e que, sem desrespeitar os padrões mínimos do Acordo ADPIC, assegurasse um nível mais elevado e homogéneo de protecção no mercado interno. Várias disposições e conceitos utilizados na directiva são claramente emprestados do texto do Acordo. Este não pode, assim, deixar de ser considerado na interpretação das disposições da directiva. Por outras palavras, e conforme foi julgado pelo TJ, a directiva deverá ser interpretada, na medida do possível, à luz das disposições do Acordo ADPIC sobre a mesma matéria.[28]

Em qualquer caso, note-se que a Directiva 2004/48/CE não é, ela própria, um quadro fechado e exaustivo dos meios de defesa dos direitos de propriedade intelectual. A directiva estabelece padrões mínimos de protec-

---

[26] Refere-se, no preâmbulo da Directiva 2004/48/CE, que em alguns Estados-Membros não existem medidas, procedimentos e recursos como o direito de informação e a retirada, a expensas do infractor, das mercadorias litigiosas introduzidas no mercado.

[27] Salientam-se as disparidades, por exemplo, no domínio das medidas provisórias para preservar elementos de prova ou em matéria de cálculo das indemnizações.

[28] V. acórdãos do TJ de 14 de Dezembro de 2000, *Dior e o.*, C-300/98 e C-392/98, Colect., p. I-11307, n.° 47, e de 11 de Setembro de 2007, *Merck Genéricos – Produtos Farmacêuticos*, C-431/05, Colect., p. I-7001, n.° 35).

ção, isto é, podem os Estados-Membro prever ou ter disponibilizado mais ou melhores meios, para além dos expressamente consgrados na directiva, desde que que sejam mais favoráveis aos titulares de direitos (art. 2.°, n.° 1 da Directiva 2004/48/CE).

d) Princípios a observar

A Directiva 2004/48/CE estabeleceu princípios a observar pelos Estados-Membros na transposição para o direito nacional. Aparentemente, o facto de as suas disposições terem um carácter monolítico e horizontal, podendo ser aplicadas a situações muito variadas, levou a conferir uma maior margem de apreciação e critérios gerais e flexíveis na definição das medidas de transposição.

Assim, o n.° 1 do seu art. 3.°, estabelece que as medidas, procedimentos e recursos devem ser *justos e equitativos, não devendo ser desnecessariamente complexos ou onerosos, comportar prazos que não sejam razoáveis ou implicar atrasos injustificados.* Inspira-se, neste ponto, no n.° 2 do art. 41.° do Acordo ADPIC.[29]

Para além disso, no n.° 2 do art. 3.° há a exigência de que as medidas, procedimentos e recursos sejam *eficazes, proporcionados e dissuasivos e aplicados de forma a evitar que se criem obstáculos ao comércio lícito e a prever salvaguardas contra os abusos.* Com uma redacção diversa, reitera-se aqui a obrigação geral já prevista no n.° 1 do art. 41.° do Acordo ADPIC, isto é, a legislação deve permitir uma acção eficaz contra as violações dos direitos de propriedade intelectual e as medidas que forem adoptadas devem ser dissuasivas de novas infracções.

É ainda importante a consideração da *proporcionalidade* que se impõe ao legislador nacional na definição dos meios de defesa mas prolonga-se, depois, na interpretação e aplicação das medidas. Refira-se, por exemplo, a obrigação de considerar nas decisões sobre medidas correctivas, a proporcionalidade entre a gravidade da violação e as sanções ordenadas, (n.° 3 do art. 10.° da Directiva) ou a previsão opcional de uma compen-

[29] Aparentemente o art. 42.° do Acordo ADPIC vem enumerar as características fundamentais dos procedimentos *justos* (na versão portuguesa do ADPIC, mais certeiramente substituído pelo termo *"leais"*) e *equitativos*, designadamente, o acesso à acção judicial civil para tutela de qualquer dos direitos de propriedade intelectual abrangidos, o direito a notificação prévia dos requeridos, o direito ao patrocínio judiciário ou o direito à protecção das informações confidenciais.

sação pecuniária à parte lesada quando a violação tenha sido efectuada sem dolo nem negligência e sempre que as medidas correctivas ou inibitórias previstas na presente directiva sejam desproporcionadas (art. 12.° da Directiva). Competirá às autoridades e aos órgãos jurisdicionais dos Estados-Membros não só interpretar o seu direito nacional em conformidade com esta directiva mas também seguir uma interpretação destas que não entre em conflito com os direitos fundamentais protegidos pelo direito comunitário ou com os outros princípios gerais do direito comunitário, como o princípio da proporcionalidade (cf. o acórdão do TJ, *Promusicae*, de 29 de Janeiro de 2008).[30]

7. **Meios judiciais civis**

a) Acções

À defesa da marca podem interessar diversos tipos de acções judiciais.

As acções de simples apreciação são definidas pela alínea a) do n.° 2 do art. 4.° do CPC como as que têm por fim "obter unicamente a declaração de existência ou inexistência de um direito ou um facto". A acção de simples apreciação poderá ser negativa se tiver por fim obter a declaração de inexistência dum direito ou facto. Será uma acção de simples apreciação positiva, quanto tem por fim obter a declaração de existência dum direito ou dum facto.

A *acção de simples apreciação* não está especialmente prevista nas leis da propriedade industrial, designadamente nos meios de defesa considerados essenciais no âmbito do ADPIC ou da Directiva 2004/48/CE. Porém, é de admitir a sua utilização no âmbito da defesa da marca. Aliás, veja-se que a alínea b) do art. 96.° do RMC estabelece a competência dos tribunais de marcas comunitárias para uma acção de simples apreciação negativa, destinada a comprovar que determinada actividade não comporta a violação de uma marca comunitária, quando prevista na legislação nacional.[31]

---

[30] Processo C-275/06, Colect., p. I-271.

[31] Numa tradução muito discutível, a versão portuguesa do RMC refere-se às "acções de verificação de não contrafacção". O texto de outras línguas é mais claro (por exemplo, no texto espanhol, "acciones de comprobación de inexistencia de violación" ou,

A acção de simples apreciação, embora de rara utilização prática, poderá ser útil como instrumento de antecipação ou defesa preventiva de um terceiro *contra* o titular da marca (como na referida situação prevista no RMC). Imagine-se que o titular de uma marca registada ameaça processar o usuário de uma marca semelhante. Este pode ter vantagem em antecipar-se, através da acção de simples apreciação, para que se declare que o uso do seu sinal distintivo não viola aquela marca.

Através de uma *acção de abstenção*, o titular da marca pode agir preventivamente contra quem se prepara para desencadear actos de infracção do direito à marca, pedindo ao tribunal que proíba a prática de tais actos. Na acção de abstenção o demandante não tem de provar que se praticaram actos ofensivos do seu direito, contudo, terá de demonstrar que existe um risco de violação da marca. Tendo o tribunal verificado que é procedente a pretensão de abstenção deverá reconhecer o direito do demandante e condenar o demandado proibindo-o de prosseguir os actos que colocam em risco a marca nacional ou comunitária em causa.

A acção de abstenção encontra apoio genérico no n.° 2 do art. 2.° do CPC, o qual esclarece que a todo o direito corresponde uma acção adequada a fazê-lo reconhecer em juízo e a prevenir a sua violação. Além disso, note-se que o CPI reconhece, no art. 338.°-I, n.° 1, al. a), a tutela cautelar destinada a inibir "qualquer violação iminente" de um direito de propriedade industrial. No regime da marca comunitária encontramos também na al. a) do art. 96.° do RMC referência às acções de "ameaça de contrafacção" a par das acções (de cessação) por violação da marca comunitária.

Na *acção de cessação* o titular da marca pretende que o demandado seja condenado pelo tribunal a cessar a prática dos actos em que se manifesta a infracção. O uso ilícito de uma marca traduz-se geralmente num acto ou num conjunto de actos que se inserem numa actividade económica tendendo, por isso, a perdurar no tempo e a repetir-se no futuro, sobretudo, quando daí advêm vantagens económicas para aquele que viola o direito.

A acção de cessação visa responder aquela que, habitualmente, é a principal preocupação do titular da marca colocado perante uma infracção

---

no texto inglês, "actions for declaration of non-infringement"). Aparentemente o tradutor terá seguido a versão francesa sem atender ao sentido amplo ou unitário do termo "contrefaçon" em França.

ao seu direito: a cessação da violação. Para tanto, não se exige que o demandado tenha actuado com culpa, isto é, dolosa ou negligentemente. Nem é pressuposto da pretensão de cessação que se tenham produzido danos. Apenas é necessário que o demandado tenha praticado e tenha intenção de continuar a praticar no futuro, actos que objectivamente ofendem o direito do demandante.

b) Pedidos acessórios

Tão importante como condenar o réu a cessar a conduta ofensiva da marca é assegurar que tal injunção seja efectivamente cumprida e, quando necessário, eliminar os vestígios do comportamento ilícito de modo a lograr a plena reintegração do direito violado.

O regime comunitário refere-o expressamente: quando verifique a violação ou a ameaça de violação de uma marca comunitária, o tribunal comunitário deve não só proibir a continuação dos actos ilícitos, mas também tomar as *medidas adequadas* para garantir o respeito dessa proibição, nos termos da lei nacional (v. n.° 1 do art. 102.° do RMC).

Parece ser esse o objectivo principal das "medidas decorrentes da decisão de mérito" previstas na secção 6 do capítulo II da Directiva e transpostas para o art. 338.°-M (com a epígrafe *sanções acessórias*) e para o art. 338.°-N (com a epígrafe *medidas inibitórias*).[32] Note-se, contudo, que as medidas contempladas nestes artigos não poderão ser ordenadas numa acção de abstenção pois pressupõem sempre uma violação efectivamente verificada.

Prevê-se a possibilidade de o tribunal decretar vários tipos de providências acessórias. Muito relevante para a defesa da marca é o direito de o lesado requerer *medidas relativas ao destino dos bens* em que se tenha verificado a violação, sem prejuízo da indemnização por perdas e danos a que haja lugar (art. 338.°-M). Estão aqui em causa não apenas produtos ou outros objectos que materializem a infracção (como embalagens, etiquetas ou materiais publicitários) mas também instrumentos que tenham servido para os fabricar.

[32] Não foram adoptadas em Portugal as *medidas alternativas* previstas no art. 12.° da Directiva. Trata-se de uma disposição opcional para os Estados-Membros, inspirada na lei alemã do direito de autor. Em casos de violação sem culpa, o art. 12.° permite estabelecer que a reparação à parte lesada se efective sob a forma de uma remuneração forfetária razoável em vez da aplicação das sanções e medidas inibitórias.

Essas medidas podem incluir a destruição, a retirada ou a exclusão definitiva dos circuitos comerciais, sem atribuição de qualquer compensação ao infractor.[33] Caberá sempre ao julgador verificar, no caso concreto, se as medidas requeridas são *proporcionais* à gravidade da violação (n.° 2 do art. 338.°-M e n.° 3 do art. 10.° da Directiva)[34] e considerar os *legítimos interesses de terceiros* (n.° 3 do art. 338.°-M). As despesas envolvidas deverão ser suportadas pelo infractor (n.° 1 do art. 338.°-M).[35]

O tribunal pode também ordenar as *medidas inibitórias da continuação da infracção* previstas no art. 338.°-N: a interdição temporária do exercício de certas actividades ou profissões, a privação do direito de participar em feiras ou mercados e o encerramento temporário do estabelecimento. Esta enumeração não consta da Directiva e, na verdade, eram conhecidas no nosso ordenamento como sanções acessórias no campo da criminalidade económica (v. art. 8.° do Decreto-Lei n.° 28/84, de 20 de Janeiro).[36] Embora neste artigo, e ao contrário do que sucede no n.° 2 do art. 338.°-M, o legislador não o tenha referido expressamente, parece indispensável que estas medidas estejam igualmente subordinadas ao princípio da proporcionalidade e sejam aplicadas de forma a evitar que se criem obstáculos ao comércio lícito ou abusos (cf. art. 3.° da Directiva).

O n.° 4 do art. 338.°-N prevê ainda que, nas decisões de condenação à cessação da actividade ilícita, o tribunal pode aplicar uma *sanção pecuniária compulsória*.

A *publicação ou divulgação da decisão final* é outra das medidas acessórias que pode ser requerida ao tribunal, nos termos do art. 338.°-O.

---

[33] A simples eliminação da marca ilicitamente aposta num produto, em regra, não deve ser considerada suficiente para permitir a introdução nos circuitos comerciais (art. 46.° do ADPIC).

[34] O legislador português exigiu ainda que sejam as medidas *adequadas* e *necessárias* (n.° 2 do art. 338.°-M) o que nos parece pressupor que, se possível, o tribunal deverá dar preferência às medidas não destrutivas. O facto de, na lei nacional, a ordem dos termos "destruição", "retirada" e "exclusão" não coincidir com a do n.° 1 do art. 10.° da Directiva não significa que a destruição deva ser a primeira opção.

[35] O texto da Directiva é menos taxativo que o CPI e terá de ser considerado na interpretação deste: o lesante pode opôr-se à atribuição das despesas se invocar razões específicas que a tal se oponham (n.° 2 do art. 10.° da Directiva).

[36] O art. 20.° da proposta de Directiva previa, apenas como sanções penais, o *encerramento total ou parcial, definitivo ou temporário, do estabelecimento que tenha predominantemente servido para cometer a violação em causa* e a *proibição permanente ou temporária de exercício de actividades comerciais.*

Não se trata de um efeito automático da sentença condenatória. Pode ser ordenada, a expensas do infractor, a publicação no Boletim da Propriedade Industrial ou a divulgação em qualquer meio de comunicação que se considere adequado.

c) Providências cautelares

As providências cautelares são meios admitidos, em geral, sempre que alguém mostre fundado receio de que outrem cause lesão grave e dificilmente reparável ao seu direito para assegurar a efectividade do direito ameaçado (art. 381.°, n.° 1 do CPC).

O procedimento cautelar é sempre dependência de uma causa que tenha por fundamento o direito acautelado (art. 383.°, n.° 1 do CPC). Essa dependência manifesta-se, designadamente, na extinção da providência que ocorre quando concedida uma providência como preliminar de uma acção, esta não for proposta dentro de trinta dias após a notificação da decisão ou o processo estiver parado mais de trinta dias devido a negligência ou a acção definitiva vier a ser julgada improcedente [art. 389.°, n.° 1, als. a), b) e c) do CPC)].

São meios importantes para a defesa da marca pois, ainda que provisoriamente, permitem concretizar com celeridade a faculdade de proibição que é própria do direito à marca.

No regime do CPI de 2003, e até à alteração introduzida pela Lei n.° 16/2008 de 1 de Abril, as providências cautelares em matéria de ilícitos previsos no CPI eram fundamentalmente reguladas nos termos gerais estabelecidos pelo Código de Processo Civil (cf. o art. 339.° que remetia para as providências cautelares não especificadas). No caso das marcas (e desenhos ou modelos), e quando a finalidade da providência fosse a apreensão judicial de produtos ou outro objectos, previa-se especialmente o *arresto* (art. 340.°), mas mandando aplicar subsidiariamente as disposições relativas ao arresto previstas no CPC.

A Lei n.° 16/2008 de 1 de Abril, adoptada para transposição do art. 9.° da Directiva 2004/48/CE, veio alterar significativamente esta situação, dadas as exigências do normativo comunitário. Tenha-se presente, no entanto, que as medidas específicas da propriedade industrial previstas no CPI, não impedem o recurso a outros procedimentos de defesa em geral, designadamente os estabelecidos no CPC (cf. n.° 2 do art. 1.° da Lei n.° 16/2008, de 1 de Abril, e o art. 338.°-P).

Vamos apenas elencar os tipos de providências agora previstos no CPI (capítulo III da parte III) distinguindo as providências cautelares, específicas da propriedade industrial, que interessam particularmente à defesa da marca. Nesse contexto, o tribunal pode decretar, a pedido do interessado:

- as *providências adequadas a inibir uma violação iminente ou a proibir a continuação da violação* [alíneas a) e b) do n.° 1 do art. 338.°-I];[37]
- o *arresto (repressivo) de bens suspeitos de violarem o direito à marca*, para impedir que prossiga ou que se verifique uma violação (n.° 2 do art. 338.°-J);
- o *arresto (preventivo) de bens do infractor* para salvaguarda da cobrança da indemnização por perdas e danos na acção principal, no caso de infracções actuais ou iminentes à escala comercial (n.° 1 do art. 338.°-J).[38]

As referidas providências correspondem à categoria de "medidas cautelares e provisórias" prevista no art. 9.° da Directiva e são sujeitas à mesma tramitação e termos, desde logo, os previstos nos artigos 338.°-E a 338.°-G, conforme decorre expressamente do disposto no n.° 5 do art. 338.°-I e n.° 4 do art. 338.°-J.

---

[37] Estas pressupõem ou uma *violação* ou o *fundado receio de que outrém cause lesão grave e dificilmente reparável*. No que se refere à situação de violação de direitos, em que a lesão já ocorreu ou está em curso, o decretamento da medida cautelar *não depende da apreciação da sua gravidade ou da dificuldade da sua reparação* (neste sentido sobre disposição paralela do Código do Direito de Autor e dos Direitos Conexos, o art. 210.°-G: o Ac. RL de 10-2-09, Col. Jur., I, p. 112, o Ac. RC de 10.03.2009, Col. Jur., II, p. 11, o Ac. RE de 7.10.2009, Col. Jur., IV, p. 248 e o Ac. RE de 28.10.2009, Col. Jur., IV, p. 253).

[38] Entende-se que são praticados à *escala comercial* os actos que violem direitos de propriedade industrial e tenham por finalidade uma vantagem económica ou comercial, directa ou indirecta (art. 338.°-A, n.° 1). Com esta definição dificilmente se distinguirão as infracções com e sem escala comercial. Mesmo os actos dos consumidores ficaram abrangidos, salvo os praticados de boa fé (art. 338.°-A, n.° 2). O legislador nacional decidiu transformar em definição legal uma indicação (não vinculativa) que consta do considerando 14 da Directiva. Na verdade, a noção de "escala comercial" tinha surgido no art. 61.° do ADPIC, para delimitar os casos de infracções mais graves em que seria possível (e obrigatório, nomeadamente para a contrafacção dolosa de marcas) adoptar sanções criminais. DANIEL GERVAIS considera que esta expressão não é sinónimo de "qualquer actividade comercial", antes deverá ser uma actividade com um impacto comercial significativo e demonstrável (*The TRIPS Agreement, Drafting History and Analysis*, 3.ª ed., p. 492).

Para além destas providências, o legislador estabeleceu *medidas de preservação da prova de uma alegada violação* (n.° 1 do art. 338.°-D), as quais corresponderão à transposição do art. 7.° da Directiva.[39]

As medidas de preservação da prova podem ser requeridas sempre que haja violação ou fundado receio de que outrem cause lesão grave e dificilmente reparável do direito de propriedade industrial, podendo incluir, nomeadamente, a descrição pormenorizada, com ou sem recolha de amostras, e a apreensão efectiva dos bens suspeitos, dos materiais e instrumentos utilizados na produção ou distribuição desses bens ou dos documentos a eles referentes (art. 338.°-D, n.° 1 e n.° 2). Cremos que, muito embora o CPI não aluda expressamente a essa exigência, uma interpretação conforme com a Directiva implica que as medidas só poderão ser descretadas pelo tribunal se for salvaguardada a protecção das informações confidenciais (art. 7.° da Directiva).

d) Figuras processuais especiais

A transposição da Directiva deu lugar a novas figuras processuais, aplicáveis unicamente em sede de procedimentos destinados a garantir o respeito pelos direitos de propriedade industrial. É o caso das *medidas para obtenção da prova* (art. 338.°-C) e da *obrigação de prestar informações* (art. 338.°H), ambas referindo-se a actividades da natureza probatória.

O art. 338.°-C veio estabelecer a possibilidade de serem requeridas medidas para obtenção da prova sempre que elementos de prova estejam na posse ou sob o controlo da parte contrária ou de terceiro e sejam apresentados indícios suficientes de violação do direito de propriedade industrial.

---

[39] O art. 50.° do Acordo ADPIC elencou dois tipos de medidas provisórias "imediatas e eficazes": medidas para impedir uma infracção e medidas para preservar elementos de prova relevantes no que diz respeito à alegada infracção. A Directiva regulou separadamente as "medidas provisórias e cautelares" (art. 9.°) e as "medidas de preservação da prova" (art. 7.°) configurando estas, contudo, como medidas prévias a acções de mérito (art. 7.°, n.° 1: *Antes de se intentar uma acção relativa ao mérito da causa...*). O CPI seguiu a Directiva separando as matérias, respectivamente, na subsecção IV (artigos 338.°-I e 338.°-J) e na subsecção II (art. 338.°-D). No entanto, mais amplamente que a Directiva, o art. 338.°-F veio admitir que estas medidas não se configurem como um processo cautelar mas como "medida preliminar" das providências cautelares previstas no art. 338.°-I.

A fonte mais directa deste artigo é o art. 6.° da Directiva que, por sua vez, é baseado no art. 43.° do ADPIC.[40]

Quando estejam em causa actos praticados *à escala comercial*,[41] esses elementos de prova podem abranger documentos bancários, financeiros, contrabilísticos ou comerciais que se encontrem na posse, dependência ou sob controlo da parte contrária ou de terceiro.

Em qualquer caso, é indispensável que o tribunal assegure a protecção das *informações confidenciais* (n.° 3 do art. 338.°-C). Apesar de o art. 42.° do Acordo ADPIC estabelecer que "o processo deverá prever um meio de identificar e proteger informações confidenciais", a verdade é que, infelizmente, o legislador não estabeleceu o procedimento a seguir para esse efeito, o que nos parece constituir uma lacuna grave, considerando até que se trata de uma garantia essencial para que o procedimento seja leal e equitativo (cf. art. 42.° do ADPIC).

O art. 338.°-H introduziu regras detalhadas e enérgicas sobre a *obrigação de prestar informações* (cf. o art. 8.° da Directiva e a disposição opcional do art. 47.° do ADPIC). O interessado pode requerer ao tribunal que o demandado ou um terceiro preste *informações detalhadas* sobre a origem e rede de distribuição dos produtos ou serviços que se suspeite violarem o direito de propriedade industrial. A Directiva refere que este pedido tem de ser "justificado e razoável" o que não foi transposto para o art. 338.°-H, mas deve considerar-se aplicável, por força do princípio da interpretação conforme. As informações que podem ser obtidas são enumeradas, a título exemplificativo, nas alíneas do n.° 1: os nomes e endereços dos produtores, fabricantes, distribuidores, fornecedores, e outros possuidores, grossistas e retalhistas destinatários dos bens ou serviços, as quantidades produzidas, fabricadas, entregues, recebidas ou encomendadas, e os preços dos bens ou serviços em causa.

---

[40] No quadro da Directiva e do Acordo ADPIC (art. 43.°, n.° 1), as medidas de obtenção de prova, referindo-se aos elementos de prova na dependência ou sob controlo da *parte contrária*, foram concebidas, a nosso ver, como regras processuais especiais para defesa dos direitos de propriedade intelectual e não como procedimentos autónomos. Contudo, o art. 338.°-F admite que as medidas de obtenção da prova podem constituir ou um procedimento cautelar ou uma "medida preliminar" das providências previstas no art. 338.°-I.

[41] V. nota 38.

f) Responsabilidade civil

O CPI de 2003, na sua redacção inicial, não continha quaisquer normas específicas sobre a indemnização por perdas e danos em caso de violação dos direitos de propriedade industrial.[42] Portanto, essa matéria era tratada nos termos gerais previstos pelo Código Civil, designadamente o regime estabelecido nos artigos 483.° e seguintes.

A transposição do art. 13.° da Directiva alterou esta situação relativamente aos direitos de propriedade industrial, tendo o art. 338.°-L sido dedicado à matéria, com a epígrafe "indemnização por perdas e danos".

Trata-se de um dos domínios em que as disparidades nas legislações dos Estados-Membros seriam mais significativas. Como era de esperar, a matriz do art. 13.° da Directiva encontramo-la no Acordo ADPIC (art. 45.°). Há dois preceitos distintos: um comando imperativo e outro opcional para os Estados-Membros. O comando imperativo (n.° 1) prevê a responsabilidade civil subjectiva, isto é aquela que se baseia na ideia de culpa, ou seja, de um nexo psicológico entre o facto ilícito e a vontade do lesante. Como opção, a Directiva abre a hipótese de se prever uma obrigação de indemnização independente da culpa (n.° 2).[43]

O legislador português reiterou os pressusupostos gerais da responsabilidade civil subjectiva no n.° 1 do art. 338.°-L, não tendo sido estabelecida a responsabilidade objectiva por violações de um direito de propriedade industrial. As principais inovações situaram-se no plano da determinação do montante da indemnização (n.ºs 2 a 7) que não nos cabe aqui analisar.

Segundo a Directiva, a indemnização deve ser *adequada* ao prejuízo efectivamente sofrido podendo revestir uma de duas modalidades alternativas. A primeira modalidade prevista na Directiva é uma indemnização em função dos prejuízos económicos concretos sofridos pelo lesado (a título de danos emergentes ou lucros cessantes) e outros factores como os benefícios auferidos pelo infractor (*lucros indevidos obtidos pelo in-*

[42] Havia apenas uma referência à indemnização no art. 5.° sobre a protecção provisória: o pedido de registo (tal como o pedido de patente ou de modelo de utilidade) confere provisoriamente ao requerente, a partir da respectiva publicação no Boletim da Propriedade Industrial, protecção idêntica à que seria atribuída pela concessão do direito, *para ser considerada no cálculo de eventual indemnização.*

[43] A redacção deste n.° 2 na versão portuguesa da Directiva é pouco feliz quando comparada com as outras versões linguísticas da Directiva ou com a versão portuguesa do n.° 2 do art. 45.° do Acordo ADPIC.

fractor)[44] e os danos morais. A segunda modalidade, que terá sido estabelecida por ser frequentemente difícil determinar todos os prejuízos resultantes da violação,[45] consistirá numa quantia fixa que tenha por base, no mínimo, o montante das remunerações que teriam sido auferidos pelo lesado se o lesante tivesse solicitado autorização para utilizar a marca em questão.[46]

8. **Contra-ordenações e sanções penais**

O ilícito contra-ordenacional penetrou no domínio da propriedade industrial através do CPI adoptado em 1995 (artigos 269.° a 272.°). Previa-se que a instrução dos processos competeria à Inspecção-Geral das Actividades Económicas e a decisão de aplicação ao presidente do INPI. No entanto, essa alteração visou o estabelecimento de sanções para ilícitos específicos e não propriamente a tutela dos direitos de propriedade industrial.[47] No que se refere a estes, a preferência pela criminalização manteve-se nos artigos 261.° a 268.° e até com agravamento das penas, relativamente ao que previa o CPI de 1940.

No CPI de 2003, a alteração mais notável foi a despenalização e a aplicação da figura do ilícito contra-ordenacional à concorrência desleal

---

[44] Sobre os lucros obtidos pelo lesante, diz a proposta de directiva: *trata-se, aqui, de prever um elemento dissuasor contra, por exemplo, as infracções intencionais cometidas à escala comercial*, v. COM(2003) 46 final de 30.1.2003, p. 26.

[45] V. a proposta de directiva COM(2003) 46 final de 30.1.2003, p. 26.

[46] Refere-se no preâmbulo da Directiva (n.° 26) quanto à indemnização por quantia fixa que *trata-se, não de introduzir a obrigação de prever indemnizações punitivas, mas de permitir um ressarcimento fundado num critério objectivo que tenha em conta os encargos, tais como os de investigação e de identificação, suportados pelo titular*. O ressarcimento objectivo era, na proposta de Directiva, fixado no *dobro* do montante das remunerações ou dos direitos que teriam sido auferidos se o infractor tivesse solicitado autorização.

[47] Alguns dos ilícitos estão relacionados com a marca: o art. 269.° previa coimas para a utilização de certos sinais ou marcas cujo registo, em princípio, seria proibido (por exemplo, o uso de marcas com expressões ou figuras contrárias à lei e à ordem pública ou ofensiva dos bons costumes); o art. 270.° previa coimas para o fabrico, comercialização ou importação de produtos ou a prestação de serviços sem marca quando esta fosse obrigatória; e o art. 272.° sancionava certas situações de invocação ou uso indevido (a indicação de marca registada autorizada apenas ao titular do direito, prevista no art. 206.°).

(art. 331.°), aliás como vinha sendo proposto na doutrina.[48] A tendência estendeu-se à tutela dos nomes e insígnias de estabelecimento, logótipos e recompensas, cuja violação passou a ser punível com coimas (respectivamente, os artigos 333.°, 334.° e 332.°).

No contexto da defesa da marca, a figura da contra-ordenação manteve uma relevância muito limitada. Transitaram do CPI de 1995, com ligeiras modificações, as contra-ordenações previstas para o uso de *marcas ilícitas* ou sinais proibidos (art. 336.°) e para certas *invocações ou uso* indevidos (arts. 337.° e 338.°). Para além disso, foram despenalizados apenas certos *actos praticados com intenção de preparar* a execução dos crimes de *contrafacção, imitação e uso ilegal de marca*, os quais passaram a estar previstos como contra-ordenações. Assim, segundo o art. 335.°, quem, com a referida intenção fabricar, importar, adquirir ou guardar para si ou para outrem sinais constitutivos de marcas registadas, será punido com coima de € 3 000 a € 30 000, caso se trate de pessoa colectiva, e de € 750 a € 7 500, caso se trate de pessoa singular.

Aos ilícitos de contra-ordenação aplicam-se subsidiáriamente as normas do Decreto-Lei n.° 28/84 de 20 de Janeiro (infracções contra e economia e saúde pública), conforme estipula o art. 320.°. Além disso, haverá que considerar ainda o regime geral das contra-ordenações constante do Decreto-Lei n.° 433/82, de 27 de Outubro. A instrução dos processos de contra-ordenação compete hoje à Autoridade de Segurança Alimentar e Económica e a decisão final ao conselho directivo do INPI (arts. 343.° e 344.°).

A lei portuguesa estabelece também sanções criminais, como reacção a certas violações do direito à marca. As disposições relevantes constam dos artigos 323.° e 324.° nos quais se tipificam fundamentalmente quatro espécies de crimes: a contrafacção de marca, a imitação de marca, o uso ilegal de marca e a venda, colocação em circulação ou ocultação de produtos contrafeitos.

A tipificação reflecte uma abordagem analítica: os vários actos materiais de utilização de uma marca podem envolver ilícitos diferenciados. A reprodução material de uma marca registada constitui, em si mesma, uma contrafacção mesmo que esse acto não seja seguido de uma utiliza-

[48] V. J. DE OLIVEIRA ASCENSÃO, *A segunda versão do projecto de Código da Propriedade Industrial*, RFDUL, XXXIII, 1992, n.° 79, e *Observações ao projecto de alterações ao Código da Propriedade Industrial da CPI e da CCI*, RFDUL, XXXIX, n.° 2, 1998, n.° 26.

ção comercial da marca; e o mero uso de uma marca contrafeita é ilícito, mesmo que a reprodução da marca tenha sido executada por outra pessoa.

O procedimento criminal está dependente de queixa (art. 329.°). Têm legitimidade para intervir como assistentes no processo penal, além das pessoas previstas no Código de Processo Penal (designadamente, os ofendidos) as *associações empresariais legalmente constituídas* (art. 341.°).

Como vimos, apesar de a Directiva 2004/48/CE ser apresentada como um instrumento de combate à contrafacção organizada, acabou por não tocar nas disposições nacionais em matéria penal. O art. 16.° da Directiva esclarece que os Estados-Membros *podem* aplicar outras sanções adequadas em caso de violação de direitos de propriedade intelectual, sem prejuízo dos meios previstos na Directiva.[49]

Poderá, por isso, colocar-se a questão de saber se o Estado poderia dispensar qualquer sanção criminal para defesa da marca. Responde negativamente o art. 61.° do Acordo ADPIC nos termos do qual é obrigatório estabelecer, no mínimo, penas criminais, de prisão e/ou multa, para casos de *contrafacção deliberada de marca numa escala comercial.* Para este efeito, o conceito de contrafacção de marca parece dever ser recolhido no art. 51.°, nota c) do ADPIC, abrangendo quer a reprodução quer a imitação de uma marca registada. Essas sanções deverão ser suficientemente *disuassivas* e em conformidade com o nível de penas aplicadas a delitos de gravidade correspondente.[50]

---

[49] Entretanto, reconhecendo a existência de diferenças consideráveis não só quanto ao nível das penas previstas pelas legislações nacionais, mas também quanto à metodologia do cálculo das multas, a Comissão Europeia apresentou um proposta de directiva do Parlamento Europeu e do Conselho relativa às medidas penais destinadas a assegurar o respeito pelos direitos de propriedade intelectual – COM/2005/0276 final, não publicado no JOCE.

[50] O legislador nacional foi muito além do que seria o mínimo obrigatório definido pelo ADPIC. Quanto às marcas, parece-nos, por exemplo, bastante discutível a tipificação de infracções a marcas ainda não registadas [alíneas d) e e) do art. 323], considerando que, na generalidade dos países, a protecção específica conferida às marcas notórias e às marcas que gozam de prestígio tem carácter excepcional. Em França, por exemplo, fora do princípio da especialidade, não há sequer que falar em contrafacção de marca.

VIOLAÇÃO DE DIREITOS INDUSTRIAIS E RESPONSABILIDADE CIVIL

ANTÓNIO SANTOS ABRANTES GERALDES
(Juiz Desembargador no Tribunal da Relação de Lisboa)

ÍNDICE:

1. **Introdução**[1]

1.1. O direito da propriedade intelectual abarca tanto os direitos industriais como os direitos de autor e direitos conexos regulamentados, respectivamente, no Código da Propriedade Industrial (CPI)[2] e no Código de Direitos de Autor e de Direitos Conexos (CDADC).

---

[1] O texto serviu de base à intervenção, com o mesmo título, realizada no âmbito do *Curso Intensivo de Verão de Direito Industrial*, na Faculdade de Direito da Universidade de Lisboa, no dia 8-7-2011.

[2] Segundo JAIME ANDREZ, "a propriedade industrial designa um conjunto de direitos exclusivos inicialmente associados à actividade industrial e, posteriormente, também comercial, visando, por isso, a protecção de invenções, criações estéticas (*designs*) e sinais usados para distinguir produtos e empresas no mercado (em "*Propriedade industrial e concorrência*", na *Revista da Concorrência e Regulação*, ano I, n.° 2, pág. 30).

Apesar da opção pela autonomização de cada um dos sectores da propriedade intelectual, existem áreas em que a regulamentação praticamente se sobrepõe. Tal acontece com a obrigação de indemnização por perdas e danos, matéria que sofreu importante modificação impulsionada pela Directiva 2004/48/CE (Directiva de *Enforcement*) orientada pela necessidade de tutelar eficazmente os direitos de propriedade intelectual.[3]

1.2. Dispunha o art. 211.° do CPI de 1940 que "*a propriedade industrial tem as garantias estabelecidas por lei para a propriedade em geral e será especialmente protegida, nos termos do presente diploma e demais leis e convenções em vigor*". Em concretização de tal objectivo, prescrevia o art. 227.° que "*a aplicação das penas cominadas não isenta os delinquentes da obrigação de reparar as perdas e danos causados, fixando-se a respectiva indemnização nos termos gerais de direito*", solução que, embora em termos mais genéricos, também constava do art. 222.°.

O CPI de 1995 também se limitava a enunciar no seu art. 257.° que "*a propriedade industrial tem as garantias estabelecidas por lei para a propriedade em geral e é especialmente protegida nos termos do presente diploma e demais leis e convenções em vigor*". O CPI de 2003 nada adiantava, reproduzindo este último normativo no art. 316.°.

Ainda assim, em qualquer dos regimes jurídicos, através do princípio da equiparação dos direitos de propriedade intelectual aos direitos reais, nos termos previstos no art. 1303.° do CC, poderia aceder-se, além do mais, ao instituto da responsabilidade civil extracontratual ou aquiliana, verificados que fossem actos ilícitos causadores de danos.[4]

---

[3] Refere ADELAIDE MENEZES LEITÃO que "o princípio da tutela dos direitos subjectivos, assentes sobre pilares do dano e da ilicitude, pode estar actualmente pervertido pela dificuldade em exercer jurisdicionalmente as faculdades inerentes aos direitos subjectivos subsequentes à sua violação" (em "*A tutela dos direitos de propriedade intelectual na Directiva 2004/48/CE*", no vol. VII do *Direito da Sociedade de Informação*, pág. 174), tema também abordado no trabalho intitulado "*O reforço da tutela da propriedade intelectual na economia digital através de acções de responsabilidade civil*", no vol. VII do *Direito Industrial*, págs. 239 e segs.

[4] No domínio do CPI de 1940, PATRÍCIO PAÚL (citado por ABÍLIO NETO em *Propriedade Industrial*, pág. 269), em abordagem à responsabilidade civil, escrevia que "a indemnização dada ao lesado deve restabelecer o equilíbrio patrimonial perturbado

1.3. Tratava-se, contudo, de uma solução que se revelou inadequada tendo em conta a especificidade dos *direitos industriais*, os interesses que lhes subjazem e a multiplicidade ou amplitude das infracções. A mera remissão para regras gerais colocava dificuldades quando se tratava de operar a efectiva reparação dos danos, designadamente quanto aos factores que deveriam ser ponderados. Na prática, os direitos industriais eram colocadas a par de quaisquer outros direitos absolutos, sem se atentar na sua especificidade e sem concretização de elementos relacionados com respectivas infracções, designadamente no que concerne à ponderação dos *lucros ilicitamente obtidos* pelo infractor.[5]

É verdade que algumas vozes já admitiam esta ponderação que, aliás, encontrava eco em ordenamentos jurídicos de matriz anglo-saxónica que apostavam na tutela eficaz dos direitos de exclusivo como forma de garantir os elevados investimentos aplicados, por exemplo, na descoberta de novas patentes ou modelos. Mas, entre nós, a ponderação dos lucros do infractor estava longe de ser pacífica tanto no campo doutrinal como jurisprudencial.[6] Ainda que na jurisprudência já fossem feitas alusões no sentido de ampliar a função da responsabilidade civil para além dos objectivos ressarcitivos, as mesmas eram de pendor demasiado genérico, geralmente para justificar a especial reprovabilidade de determinadas violações

---

pelo acto ilícito, aproximando a situação real do lesado, ou seja, a que ele tem depois da lesão, daquela situação hipotética em que ele provavelmente se encontraria, no momento em que é julgada a acção de indemnização, se não tivesse sido cometido o acto causador do prejuízo".

[5] Era também este o sistema que regia na generalidade dos ordenamentos jurídicos continentais, designadamente em França, onde, de acordo com JOANNA SCHMIDT-SZALEWKY e JEAN-LUC PIERRE, deveria aplicar-se o direito comum da responsabilidade civil, reparando o prejuízo, mas só o prejuízo certo e directamente imputável à contrafacção, concluindo que a indemnização não poderia ultrapassar o prejuízo e que não existia no direito francês indemnização "*de dommages et interêts punitifs*" (*Droit de la Propriété Industrielle*, 2.ª ed., pág. 89).

No mesmo sentido DENIS COHEN quando refere que "*le préjudice subi doit être réparé intégralement, mais l'indemnité de contrefaçon ne serait en aucun cas être une source de profit pour les titulaires des droits*" (*Le Droit des Dessins et Modèles*, pág. 183).

[6] Sobre a vertente punitiva da responsabilidade civil cfr. PAULA MEIRA LOURENÇO, *A Função Punitiva da Responsabilidade Civil*. Em face do anterior art. 209.° do CDADC, advogava, quanto aos direitos de autor, que "a assunção da função punitiva da responsabilidade civil permitiria o pagamento ao lesado de um montante punitivo correspondente ao lucro obtido pelo autor do facto ilícito culposo" (pág. 319).

de direitos de personalidade concretizadas através de meios de comunicação social ou para quantificar indemnizações por danos de natureza não patrimonial em casos especialmente graves.[7] No mais, não se conhece qualquer decisão judicial que, em termos expressos, tenha assumido o lucro do agente como elemento autónomo para efeitos de quantificação da indemnização respeitante aos danos patrimoniais, sendo esta obtida através do critério assente na teoria da diferença que aflora no art. 566.°, n.° 2, do CC. Aliás, o art. 564.°, n.° 1, releva para o efeito o prejuízo causado (danos emergentes) e os benefícios que o lesado deixou de obter (lucros cessantes), nada referindo acerca dos lucros obtidos pelo infractor que porventura superem a soma daquelas parcelas.

1.4. Também nos *direitos de autor* a regulamentação da responsabilidade civil era parca, verificando-se a mesma necessidade de reforçar os meios de tutela cível na vertente da indemnização dos danos.

Sem embargo de normas dispersas pelo CDADC (*v.g.* o art. 112.°), para as típicas infracções valia essencialmente o que dispunha o art. 203.°, nos termos do qual *"a responsabilidade civil emergente da violação dos direitos previstos neste Código é independente do procedimento criminal..."*, e bem assim, o art. 211.° ao prescrever que "*para cálculo da indemnização devida ao autor lesado, atender-se-á à importância da receita resultante do espectáculo ou espectáculos ilicitamente realizados*".[8]

---

[7] Cfr. o Ac. do STJ, de 14-5-98, CJSTJ, tomo III, pág. 101, a respeito da ofensa de direitos de personalidade. Cfr. ainda o Ac. do STJ, de 30-10-96, BMJ 460.°/444.

No recente Ac. do STJ, de 19-5-10 (*www.dgsi.pt*), assume-se claramente que a atendibilidade do grau de censurabilidade da actuação ilícita "não equivale a incluir na compensação por tais danos os denominados *punitive damages* do direito anglo-saxónico".

[8] Para OLIVEIRA ASCENSÃO, o anterior art. 211.° do CDADC mandava "ter em conta a receita para efeitos de cálculo da indemnização por lucros cessantes, e não para dar o direito à totalidade das receitas", acrescentando que "a lei diz que «*se atende*», logo, que entra em conta, o que é incompatível com uma apropriação". Conclui que o titular apenas pode exigir "todo o lucro obtido enquanto se demonstrar que foi à custa do titular, portanto que este o teria obtido se não fosse a intervenção do terceiro" (*Direito de Autor e Direitos Conexos*, págs. 626 e 628).

2. **Reforço da tutela dos direitos de propriedade intelectual em matéria de reparação dos danos**

2.1. Num contexto de tutela deficitária de direitos de propriedade intelectual que, aliás, não era problema exclusivo do ordenamento jurídico nacional, houve a necessidade de se introduzirem novos instrumentos tendentes a alcançar mais ampla protecção.

No âmbito da OMC, tal objectivo foi prosseguido através do Acordo ADPIC/TRIPS, cujo art. 45.°, sob a epígrafe "*indemnização*", tem o seguinte teor:

> "*1. As autoridades judiciais serão habilitadas a ordenar ao infractor que pague ao titular do direito uma indemnização por perdas e danos adequada para compensar o prejuízo sofrido pelo titular do direito devido à infracção do direito de propriedade intelectual dessa pessoa por parte de um infractor que sabia ou deveria saber que estava a desenvolver uma actividade ilícita.*
>
> *2. As autoridades judiciais serão igualmente habilitadas a ordenar ao infractor que pague ao titular do direito o montante das despesas que poderão incluir os honorários de advogado apropriados.*
>
> *Em determinados casos, os Membros podem autorizar as autoridades judiciais a ordenar a restituição dos lucros e/ou o pagamento de indemnização por perdas e danos pré-estabelecidas, mesmo no caso de o infractor não saber nem dever ter sabido que estava a desenvolver uma actividade ilícita*".

Ao nível da União Europeia, o reforço dos direitos de exclusivo concretizou-se através da *Directiva 2004/48/CE* (Directiva de *Enforcement*),[9] em cujo art. 13.°, sob a epígrafe "*indemnização por perdas e danos*", se consignou que:

> "*1. Os Estados-membros devem assegurar que, a pedido da parte lesada, as autoridades judiciais competentes ordenem ao infractor que,*

[9] Sobre a *harmonização comunitária* em sede de direitos de propriedade intelectual cfr. MOURA VICENTE, *A Tutela Internacional da Propriedade Intelectual*, págs. 118 e segs.

Segundo COUTO GONÇALVES, "a Directiva vem na linha da orientação vertida na Parte III do Acordo ADPIC/TRIPS (arts. 41.° a 61.°) que consagra um regime de aplicação efectiva dos direitos de propriedade intelectual dirigido à legislação dos Estados-membros, de modo a permitir uma efectiva acção eficaz contra qualquer acto de infracção dos direitos de propriedade intelectual previstos no Acordo, incluindo medidas correctivas dissuasoras de novas infracções" ("*A protecção nacional da propriedade industrial (à luz da evolução recente*", in *Scientia Iuridica*, n.° 316, págs. 671 e segs.).

sabendo-o ou tendo motivos razoáveis para o saber, tenha desenvolvido uma actividade ilícita, pague ao titular do direito uma indemnização por perdas e danos adequada ao prejuízo por este efectivamente sofrido devido à violação.

Ao estabelecerem o montante das indemnizações por perdas e danos, as autoridades judiciais:

a) Devem ter em conta todos os aspectos relevantes, como as consequências económicas negativas, nomeadamente os lucros cessantes, sofridas pela parte lesada, quaisquer lucros indevidos obtidos pelo infractor e, se for caso disso, outros elementos para além dos factores económicos, como os danos morais causados pela violação ao titular do direito; ou

b) Em alternativa à alínea a), podem, se for caso disso, estabelecer a indemnização por perdas e danos como uma quantia fixa, com base em elementos como, no mínimo, o montante das remunerações ou dos direitos que teriam sido auferidos se o infractor tivesse solicitado autorização para utilizar o direito de propriedade intelectual em questão.

2. Quando, sem o saber ou tendo motivos razoáveis para o saber, o infractor tenha desenvolvido uma actividade ilícita, os Estados-Membros podem prever a possibilidade de as autoridades ordenarem a recuperação dos lucros ou o pagamento das indemnizações por perdas e danos, que podem ser preestabelecidos".

2.2. O Preâmbulo da Directiva tem a função de explicitar as soluções consagradas no texto normativo e dos respectivos Considerandos constam, além de outras, as seguintes ideias-força determinantes das medidas de tutela:

a) Proteger a propriedade intelectual como elemento essencial para o êxito do mercado interno (1) e (8);

b) Fazer respeitar os direitos de propriedade intelectual através de meios eficazes que encorajem a inovação e a criação e incentivem os investimentos (3);

c) Dar seguimento a Convenções Internacionais de que os Estados-Membros são signatários (6);

d) Harmonizar os regimes que se destinam a fazer respeitar os direitos, evitando as disparidades de tratamento da matéria referente ao cálculo das indemnizações por perdas e danos (7) e assegurando um nível de protecção homogéneo em todos os Estados-Membros (10);

e) Distinguir as actuações dolosas das actuações meramente negligentes e das actuações sem dolo nem negligência (17) e (25);

f) No que concerne à quantificação da indemnização, especificam--se factores que, assentando fundamentalmente nos prejuízos patrimoniais e não patrimoniais do lesado, levam à ponderação dos lucros indevidos do infractor, ainda que quanto a estes se observe que se trata de "*permitir o ressarcimento fundado num critério objectivo que tenha em conta os encargos, tais como os de investigação e de identificação, suportados pelo titular*" e não de "*introduzir a obrigação de prever indemnizações punitivas*" (26).[10]

2.4. Para além do art. 13.°, a matéria das indemnizações é aflorada ainda nas seguintes normas:

a) Artigo 1.°: necessidade de assegurar o respeito pelos direitos de propriedade intelectual que traduz a função preventiva especial e geral da responsabilidade civil;

b) Artigo 2.°, n.° 1: prevalência do direito interno que se mostre mais favorável, atribuindo relevo ao direito já constituído e legitimando o legislador nacional a reforçar ainda mais a tutela dos direitos de propriedade intelectual, sendo apenas vedado ficar aquém das medidas de protecção mínimas nela previstas; [11]

c) Artigo 3.°: necessidade de os meios de tutela serem justos, equitativos, eficazes, proporcionados e dissuasivos;

d) Artigo 4.°: legitimidade activa concedida aos titulares dos direitos, às pessoas autorizadas a utilizá-los e aos organismos de gestão de direitos colectivos e organismos de defesa da profissão;

---

[10] Apesar disso, ADELAIDE MENEZES LEITÃO assevera que, "ao consagrar o enriquecimento ilegítimo como elemento relevante para o estabelecimento da obrigação de indemnizar, habilita-se uma indemnização superior ao dano, e neste ponto, parece-nos incontornável a utilização pelo legislador comunitário do instituto da responsabilidade civil com um papel sancionador e preventivo, além do reconstitutivo (em "*A tutela do direito de propriedade industrial na Directiva 2004/48/CE*", no vol. VII do *Direito da Sociedade de Informação*, pág. 194). Ideia desenvolvida pela mesma autora, já depois da transposição da Directiva, em trabalho intitulado "*O reforço da tutela da propriedade intelectual na economia digital através de acções de responsabilidade civil*", no vol. VII do *Direito Industrial*, págs. 256 e 257.

[11] Como refere ADELAIDE MENEZES LEITÃO, o teor da Directiva corresponde aos *standards* mínimos que devem ser respeitadas por cada Estado-Membro (em "*A tutela do direito de propriedade industrial na Directiva 2004/48/CE*", no vol. VII do *Direito da Sociedade de Informação*, pág. 175).

e) Artigos 6.° e 8.°: expressa previsão do dever de cooperação da parte contrária no que concerne à instrução do processo, perante a alegação sustentada de direitos por parte do lesado;
f) Artigo 9.°: previsão de medidas cautelares de natureza inibitória que impeçam a violação ou a continuação da violação de direitos;
g) Artigos 10.° a 12.°: previsão de medidas definitivas de reparação destinadas a impedir a consumação ou a continuação da violação, com possibilidade de fixação de sanção pecuniária compulsória, podendo ser adoptadas medidas específicas para actuações sem dolo nem negligência.

2.5. A redacção de actos normativos emanados de órgãos internacionais ou supranacionais obedece a uma técnica legislativa que naturalmente não é coincidente com a que é comummente usada nos ordenamentos jurídicos nacionais. As dificuldades que isso suscita revelam-se sobremaneira em face de actos normativos que, como as Directivas, têm de ser transpostos por cada um dos Estados-Membros da União Europeia. O facto de esta integrar uma multiplicidade de Estados com sistemas jurídicos diversos amplia as dificuldades de formulação de preceitos abstractos, o que está bem patente nas normas transcritas. Com efeito, por um lado, faz apelo à reparação do "*prejuízo efectivamente sofrido*" pelo lesado, mas, por outro, manda atender também aos "*lucros indevidos obtidos pelo infractor*", factor que, até então, era estranho à maioria dos ordenamentos jurídicos nacionais, com excepção dos de matriz anglo-saxónica.[12]

Em concreto: se o ressarcimento dos danos efectivamente sofridos não suscita qualquer espécie de dificuldade, carecendo apenas de ajustamento às especificidades das situações que envolvem direitos de propriedade intelectual, já a possibilidade de ser feita a ponderação dos lucros do infractor constitui um elemento inovador e que rompe com a estrutura clássica do instituto da responsabilidade civil regulado nos sistemas de direito continental.

---

[12] MOURA VICENTE assinala a existência de diferenças consideráveis entre sistemas jurídicos nacionais a respeito da tutela de direitos de propriedade intelectual (*A Tutela Internacional da Propriedade Intelectual*, pág. 321).

2.6. Ainda que com um atraso de cerca de dois anos em relação ao prazo fixado,[13] Portugal procedeu à *transposição* da Directiva através da Lei n.° 16/08, de 1-4, com alteração simultânea do CPI e do CDADC.

Ao CPI foi aditado o art. 338.°-L, com a epígrafe *"indemnização por perdas e danos"* e com a seguinte redacção:

> *"1 – Quem, com dolo ou mera culpa, viole ilicitamente o direito de propriedade industrial de outrem, fica obrigado a indemnizar a parte lesada pelos danos resultantes da violação.*
>
> *2 – Na determinação do montante da indemnização por perdas e danos, o tribunal deve atender nomeadamente ao lucro obtido pelo infractor e aos danos emergentes e lucros cessantes sofridos pela parte lesada e deverá ter em consideração os encargos suportados com a protecção, investigação e a cessação da conduta lesiva do seu direito.*
>
> *3 – Para o cálculo da indemnização devida à parte lesada, deve atender-se à importância da receita resultante da conduta ilícita do infractor.*
>
> *4 – O tribunal deve atender ainda aos danos não patrimoniais causados pela conduta do infractor.*
>
> *5 – Na impossibilidade de se fixar, nos termos dos números anteriores, o montante do prejuízo efectivamente sofrido pela parte lesada, e desde que esta não se oponha, pode o tribunal, em alternativa, estabelecer uma quantia fixa com recurso à equidade, que tenha por base, no mínimo, as remunerações que teriam sido auferidas pela parte lesada caso o infractor tivesse solicitado autorização para utilizar os direitos de propriedade industrial em questão e os encargos suportados com a protecção do direito de propriedade industrial, bem como com a investigação e cessação da conduta lesiva do seu direito.*
>
> *6 – Quando, em relação à parte lesada, a conduta do infractor constitua prática reiterada ou se revele especialmente gravosa, pode o tribunal determinar a indemnização que lhe é devida com recurso à cumulação de todos ou de alguns dos aspectos previstos nos n.os 2 a 5.*
>
> *7 – Em qualquer caso, o tribunal deve fixar uma quantia razoável destinada a cobrir os custos, devidamente comprovados, suportados pela parte lesada com a investigação e a cessação da conduta lesiva do seu direito".*

---

[13] Refere-se no Relatório publicado no D.A.R., II Série, de 16-7-07 (pág. 13), que Portugal, Alemanha, França, Luxemburgo e Suécia eram os únicos Estados-Membros que ainda não haviam procedido à transposição da Directiva, motivo por que a Comissão Europeia iniciara o procedimento tendentes à fase contenciosa.

No CDADC foi introduzido o art. 211.°, sob a epígrafe *"indemnização"*, com o seguinte teor:

> *"1 – Quem, com dolo ou mera culpa, viole ilicitamente o direito de autor ou os direitos conexos de outrem, fica obrigado a indemnizar a parte lesada pelas perdas e danos resultantes da violação.*
>
> *2 – Na determinação do montante da indemnização por perdas e danos, patrimoniais e não patrimoniais, o tribunal deve atender ao lucro obtido pelo infractor, aos lucros cessantes e danos emergentes sofridos pela parte lesada e aos encargos por esta suportados com a protecção do direito de autor ou dos direitos conexos, bem como com a investigação e cessação da conduta lesiva do seu direito.*
>
> *3 – Para o cálculo da indemnização devida à parte lesada, deve atender-se à importância da receita resultante da conduta ilícita do infractor, designadamente do espectáculo ou espectáculos ilicitamente realizados.*
>
> *4 – O tribunal deve atender ainda aos danos não patrimoniais causados pela conduta do infractor, bem como às circunstâncias da infracção, à gravidade da lesão sofrida e ao grau de difusão ilícita da obra ou da prestação.*
>
> *5 – Na impossibilidade de se fixar, nos termos dos números anteriores, o montante do prejuízo efectivamente sofrido pela parte lesada, e desde que este não se oponha, pode o tribunal, em alternativa, estabelecer uma quantia fixa com recurso à equidade, que tenha por base, no mínimo, as remunerações que teriam sido auferidas caso o infractor tivesse solicitado autorização para utilizar os direitos em questão e os encargos por aquela suportados com a protecção do direito de autor ou direitos conexos, bem como com a investigação e cessação da conduta lesiva do seu direito.*
>
> *6 – Quando, em relação à parte lesada, a conduta do infractor constitua prática reiterada ou se revele especialmente gravosa, pode o tribunal determinar a indemnização que lhe é devida com recurso à cumulação de todos ou de alguns dos critérios previstos nos n.os 2 a 5".*

2.7. Outros países deram seguimento ao mesmo dever de transposição da Directiva, destacando-se, por ora, os seguintes:

I – Em Espanha foram alterados, além de outros dispositivos, o art. 140.° da *Lei de Propriedade Intelectual*, o art. 66.° da *Lei de Patentes*, o art. 43.° da *Lei de Marcas* e o art. 55.° da *Lei de Protecção Jurídica do Desenho Industrial*.

Segundo o actual art. 140.° da *Lei de Propriedade Industrial*:

> *"1. La indemnización por daños y perjuicios debida al titular del derecho infringido comprenderá no sólo el valor de la pérdida que haya*

sufrido, sino también el de la ganancia que haya dejado de obtener a causa de la violación de su derecho.

La cuantía indemnizatoria podrá incluir, en su caso, los gastos de investigación en los que haya incurrido para obtener pruebas razonables de la comisión de la infracción objeto del procedimiento judicial.

2. La indemnización por daños y perjuicios se fijará, a elección del perjudicado, conforme a alguno de los criterios siguientes:

a) Las consecuencias económicas negativas, entre ellas la pérdida de beneficios que haya sufrido la parte perjudicada y los beneficios que el infractor haya obtenido por la utilización ilícita.

En el caso de daño moral procederá su indemnización, aun no probada la existencia de perjuicio económico.

Para su valoración se atenderá a las circunstancias de la infracción, gravedad de la lesión y grado de difusión ilícita de la obra.

b) La cantidad que como remuneración hubiera percibido el perjudicado, se el infractor hubiera pedido autorización para utilizar el derecho de propiedad en cuestión.

.../...".

O n.° 2 do art. 66.° da *Lei de Patentes* passou a ter a seguinte redacção:

"2. Para fijar la indemnización por perdas y daños se tendrán en cuenta, a elección del perjudicado:

a) Las consecuencias económicas negativas, entre ellas los beneficios que el titular habría obtenido previsiblemente de explotación de la invención patentada si no hubiera existido la competencia del infractor y los beneficios que este último haya obtenido de la explotación del invento patentado.

En el caso de daño moral procederá su indemnización, aun no probada la existencia de perjuicio económico.

b) La cantidad que como precio el infractor hubiera debido pagar al titular de la patente por la concesión de una licencia que le hubiera permitido llevar a cabo su explotación conforme el derecho.

Para su fijación se tendrá en cuenta especialmente, entre otros factores, da importancia económica del invento patentado, la duración de la patente en el momento en que comenzó da violación y número y clase de licencias concedidas en ese momento".

As demais normas modificadas apresentam uma redacção muito semelhante, com ligeiras diferenças justificadas apenas pelo objecto da protecção.

O art. 43.° da *Lei de Marcas* prescreve a atendibilidade de:[14]

> *"Las consecuencias económicas negativas, entre ellas los beneficios que el titular habría obtenido mediante el uso de la marca si no hubiera tenido lugar la violación y los beneficios que haya obtenido el infractor como consecuencia de la violación".*

O art. 55.° da *Lei de Protecção Jurídica do Desenho Industrial* determina que se tenham em conta:

> *"Las consecuencias económicas negativas, entre ellas los beneficios que el titular habría obtenido de la explotación del diseño si no hubiera tenido lugar la violación de su derecho y los beneficios obtenidos por el infractor como consecuencia de la violación del derecho del titular del diseño registrado".*

II – No Luxemburgo foi modificado o art. 43.° da *Lei sobre Direitos de Autor* que passou a ter a seguinte redacção:

> *"La partie lésée a droit à réparation de tout préjudice qu'elle subit du fait d'une atteinte à un droit d'auteur, un droit voisin ou un droit sui generis sur une base de données.*
>
> *La jurisdiction qui fixe les dommages et intérêts:*
>
> *a) Prend en considération tous les aspects appropriés tels que les conséquences économiques négatives, notamment le manque à gagner, subies para la partie lésée, les bénéfices injustement réalisés par le contrevenant et, dans les cas appropriés, des éléments autres que des facteurs économiques, como le préjudice moral causé aux titulaires du droit du fait de l'atteinte;*
>
> *b) À titre d'alternative, la jurisdiction peut décider, dans les cas appropriés, de fixer un montant forfaitaire de dommages-intérêts, sur la base d'éléments tels que, au moins, le montant des redevances ou droits qui auraient été dus si le contrevenant avait demandé l'autorisation d'utiliser le droit de proprieté intellectuelle en question".*

Foi também modificado, em termos semelhantes, o art. 80.° da *Lei sobre Propriedade Industrial.*

---

[14] Sobre a acção de indemnização relativa à violação do anterior regime do direito de marcas em Espanha, cfr. FERNÁNDEZ-NÓVOA, *Tratado de Derecho de Marcas*, págs. 402 e segs.

III – Em Itália a transposição levou, além do mais, à modificação do art. 158.°, n.° 2, da *Lei de Direitos de Autor*, passando a ter a seguinte redacção:[15]

> *"Il ressarcimento dovuto al danneggiato é liquidato secondo le disposizioni degli articoli 1223.°, 1226.° e 1227.° del Codice Civile.*
>
> *Il lucro cessante é valuato dal giudice ai sensi dell'articolo 2056.°, secondo comma, del codice civile, anche tenuto conto degli utili realizzati in violazione del diritto.*
>
> *Il giudice puo liquidare il danno in via forfettaria sulla base quanto meno dell'importo dei diritti che avrebbero dovuto essere riconosciuti, qualora l'autore della violazione avesso chiesto al titolare l'autorizzazione per l'utilizzazione del diritto".*

Foi modificado o art. 125.° do *Código da Propriedade Industrial*, sob a epígrafe *"risarcimento del danno e restituzione dei profitti dell'autore della violazione"*, passando a ter a seguinte redacção:

> *1. Il risarcimento dovuto al danneggiato é liquidato secondo le disposizioni degli articoli 1223.°, 1226.° e 1227.° del Codice Civile, tenuto conto di tutti gli aspetti pertinenti, quali le conseguenze economiche negative, compreso il mancato guadagno, del titolare del diritto leso, i benefici realizzati dall'autore della violazione e, nei casi appropriati, elementi diversi da quelli economici, come il danno morale arrecato al titolare del diritto dalla violazione.*
>
> *2. La sentenza che provvede sul risarcimento dei danni può farne la liquidazione in una somma globale stabilita in base agli atti della causa e alle presunzioni che ne derivano.*
>
> *In questo caso il lucro cessante é comunque determinato in un importo non inferiore a quello dei canoni che l'autore della violazione avrebbe dovuto pagare, qualora avesse ottenuto una licenza dal titolare del diritto leso.*
>
> *3. In ogni caso il titolare del diritto leso può chiedere la restituzione degli utili realizzati dall'autore della violazione, in alternativa al risarcimento del lucro cessante o nella misura in cui essi eccedono tale risarcimento".*

---

[15] Sobre o novo regime vigente em Itália cfr. MÁRIO BARBUTO, em "*Il risarcimento dei danni da contraffazione di brevetto e la restituzione degli utili*", na *Rivista do Diritto Industriale*, 2007, págs. 172 e segs.

3. **Análise do actual regime de responsabilidade civil extracontratual**

3.1. O regime da quantificação de indemnizações por infracções à propriedade industrial constitui uma das manifestações da oponibilidade de direitos subjectivos. Gozando o interessado da exclusividade do direito (art. 1.° do CPI), para além de poder impedir a sua violação ou a continuação da violação, pode reclamar uma indemnização ou compensação pelos danos causados.

Assim, o n.° 1 do art. 338.°-L do CPI acaba por concretizar, com mais desenvolvimento, ainda que com menor clareza, o que, em termos genéricos, está previsto no art. 483.° do CC:

a) O *evento*: o facto que traduz a infracção;

b) A *ilicitude*: a contrariedade ao direito, pressuposto essencial da responsabilidade civil;[16]

c) A natureza *dolosa* ou *negligente* da conduta, com regime mais gravoso para a primeira modalidade, nos termos que resultam do n.° 6 do art. 338.°-L do CPI. E se as condutas dolosas não deixam dúvidas quanto à sua projecção para efeitos de responsabilidade civil, também assim ocorre com as condutas negligentes, importando ponderar que a tutela dos direitos industriais é fortalecida pelo específico regime de registo e de publicidade (art. 29.° do CPI), elevando o grau de exigibilidade em relação a terceiros no que concerne à averiguação da sua titularidade e das circunstâncias que inibem ou limitam o seu uso;[17]

---

[16] Defende Oliveira Ascensão que às violações não ilícitas se reage com a pretensão de cessação e eventualmente nos termos do enriquecimento sem causa (*Direito de Autor e Direitos Conexos*, pág. 623).

No Ac. da Rel. do Porto, de 16-12-09, CJ, tomo V, pág. 185, a violação de direito privativo relacionado com modelo registado foi integrada nas regras da concorrência desleal, concluindo-se que "o acto só é ilícito quando possa originar um prejuízo a outra pessoa, através da subtracção da sua clientela efectiva ou potencial" e que "incorre no dever de indemnizar a ré que viola o direito privativo da autora relacionado com a utilização de modelos registados no âmbito da propriedade industrial, por fabricar e colocar no mercado mobiliário para além das quantidades autorizadas, fazendo-o passar por originário da autora, assim conquistando mercado à custa da autora, causando-lhe prejuízo".

[17] Não há, no entanto, lugar a responsabilidade objectiva, tendo em conta a ausência de norma especial exigida pelo art. 483.°, n.° 2, do CC, sem embargo da eventual aplicação subsidiária do instituto do enriquecimento sem causa (arts. 473.° e segs. do CC), na modalidade do enriquecimento por intervenção. Também segundo Oliveira Ascensão

d) Naturalmente é necessária a verificação de um *dano* de natureza patrimonial ou não patrimonial;[18]

e) Por fim, deve existir um *nexo de causalidade* entre a violação e o dano.

3.2. O sistema de *quantificação das indemnizações* confronta-se com as normais dificuldades emergentes da ponderação de cada um dos critérios ou factores enunciados no art. 338.°-L do CPI.

No que respeita aos factores comuns à responsabilidade civil em geral, o recurso à doutrina e à jurisprudência bastará para a resolução das dúvidas, embora devam ter-se em conta as especificidades da matéria de facto inerente aos direitos de exclusivo. Mas tendo o legislador respondido à necessidade de transpor para o direito interno determinações da Directiva, impunha-se uma técnica legislativa mais adequada, em vez de se abrir o campo a escusados debates na doutrina e a dúvidas na jurisprudência. Era dispensável uma técnica legislativa tão errática e tão confusa que, na prática, acaba por entregar aos tribunais, aos quais deveriam ser dadas indicações precisas potenciadoras de segurança e de certeza jurídica, uma larga margem de arbítrio no que concerne ao restabelecimento do equilíbrio violado com a prática das infracções aos direitos de propriedade intelectual.

Compreende-se o critério previsto no n.° 5 para os casos de impossibilidade de quantificação exacta através de critérios objectivos que re-

---

não há responsabilidade objectiva em matéria de direitos de autor (*Direito de Autor e Direitos Conexos*, pág. 623).

Por falta de prova do pressuposto da culpa, no Ac. da Rel. de Guimarães, de 15-12-09, CJ, tomo V, pág. 255, foi considerada improcedente a acção de indemnização num caso em que estava em causa um desenho ou modelo registado.

[18] Refere Oliveira Ascensão que "não há nenhuma correspondência unívoca entre a qualificação do direito violado e a qualificação do dano produzido. De uma violação de um direito de utilização pode resultar para o autor grave dano pessoal. Cabe ao autor, nos termos gerais, fazer a demonstração desse dano. Pelo contrário, da violação de um direito pessoal podem resultar despesas extraordinárias para o autor, que consistirão em danos patrimoniais, e não em danos morais" (*Direito de Autor e Direitos Conexos*, pág. 624). O mesmo autor afirma que a violação de um direito de propriedade intelectual não comporta necessariamente um dano, devendo este ser provado pelo interessado (pág. 625).

Por falta de prova de um dano no caso de utilização ilegítima de uma marca, no Ac. da Rel. de Coimbra, de 9-2-10, CJ, tomo I, pág. 33, negou-se a atribuição de indemnização por responsabilidade civil, sem embargo da aplicação de sanção pecuniária compulsória como instrumento visando a eficácia da proibição do uso da marca.

flictam verdadeiramente a realidade, consideração que deve estender-se ao n.° 4, no que respeita à tutela dos danos de natureza não patrimonial. O que de modo algum se compreende é a solução consignada nos n.os 2 e 6, deixando em aberto resultados para os quais deveriam concorrer factores precisos e bem delimitados, atenuando a margem de incerteza e de insegurança jurídica que continuará a pairar sobre o regime das indemnizações.

3.3. O maior relevo ao nível da responsabilidade civil é reservado aos *danos de natureza patrimonial* que mais evidentemente se revelam nos casos de infracção a direitos de propriedade industrial.

Tomando por base o *direito de patente*, são designadamente *danos emergentes* os seguintes:[19]

a) Os danos que decorrem da sub-utilização da capacidade produtiva instalada, na pressuposição da exploração da patente em regime de exclusivo e sem a concorrência ilegítima do infractor; os que resultam da inutilização de uma parte da capacidade produtiva existente; os custos indirectos devidos a despedimentos de

[19] Referindo-se à indemnização por violação de direitos de modelos e desenhos, DENIS COHEN apresenta a seguinte metodologia para cálculo dos prejuízos sofridos (*Le Droit des Dessins et Modeles*, pág. 184):

a) Determinar a extensão da contrafacção, tendo em conta o número de exemplares contrafeitos que foram vendidos, o preço de venda, o período durante o qual se desenrolou a prática de contrafacção, a natureza dos pontos de venda, número e localização e a natureza dos produtos em que foi materializada a contrafacção;

b) Atender aos prejuízos de natureza comercial (ganhos perdidos e repercussão nos ganhos futuros, tendo em conta, por exemplo, a vulgarização da marca ou do modelo) e de natureza moral (violação da paternidade da obra, da reputação, etc);

c) Nexo de causalidade entre a actuação e os prejuízos, demonstrando, por exemplo, que a redução das vendas é directamente imputável à contrafacção.

Sobre a determinação dos danos em casos de infracção a direitos de propriedade intelectual e reportando-se ao direito de marcas, POLLAND-DULLIAN defende que o proprietário sofre um prejuízo mais ou menos extenso em função da importância e da duração do acto de contrafacção e dos efeitos negativos que produziram sobre a sua própria actividade e sobre o valor da marca (*Droit de la Propriété Industrielle*, págs. 688 e 689). Cfr. ainda ALBERT CHAVANNE e JEAN-JACQUES BRUST, *Droit de la Propriété Industrielle*, 3.ª ed., págs. 303, 304 e 565 e segs.

trabalhadores que tenham sido dispensados por causa da correspondente redução da actividade produtiva;[20]

b) Os danos que se revelam através do desprestígio da marca ou do produto, da perda do crédito ou da afectação da imagem, designadamente quando da actuação do infractor resulte uma desconfiança em relação à qualidade dos bens protegidos; as despesas necessárias para recuperação do prestígio da marca ou do produto ou clarificação de dúvidas que a actuação tenha causado;

c) As despesas com iniciativas que visem a cessação da conduta infractora, designadamente as custas processuais, os custos com advogados ou as despesas de peritagens;[21]

d) Dificilmente se encaixariam no conceito tradicional de danos emergentes as despesas com a investigação assim como as despesas com a protecção dos direitos (registo, publicidade legal, etc.). Mas, ultrapassando de forma pragmática tais dificuldades e privilegiando a tutela eficaz dos direitos industriais, o legislador impõe que sejam atendidas tais despesas antecipadamente realizadas.

Em relação aos *lucros cessantes*, é corrente a enunciação de quatro tipos de situações (assentando de novo na violação do *direito de patente*):[22]

a) Quando o titular explora ou pretende explorar directamente o direito e comercializar os produtos, o lucro cessante mede-se atra-

---

[20] Cfr. PORTELLANO DÍEZ, *La Defensa del Derecho de Patente*, pág. 137.

CARLOS GUERRA aponta como danos emergentes os maiores custos de fabrico ou o menor preço de venda dos produtos a fim de poder competir com os produtos falsificados (*Derecho de Patentes*, pág. 384).

Para FERNÁNDEZ-NÓVOA, são danos emergentes os gastos efectuados pelo interessado em consequência da violação do direito, incluindo as despesas para investigar a existência e violação da marca ou relacionadas com a informação da clientela acerca da violação do direito (*Tratado Sobre Derecho de Marcas*, pág. 404).

[21] Para este efeito importará ponderar em que medida tais custos são ou não total ou parcialmente compensados pelo regime de responsabilidade pelas custas processuais ou por sanções cíveis (litigância de má fé e taxa de justiça excepcional), nos termos dos arts. 446.° e segs. e 456.° e segs. do CPC, conjugados com as disposições do Regulamento das Custas Processuais.

[22] OLIVEIRA ASCENSÃO, reportando-se aos direitos de autor, aponta como exemplos de *lucros cessantes* o disco contrafeito que tirou o interesse ao disco autêntico, a edição ilí-

vés da redução do preço ou do volume de vendas em consequência da concorrência ilegítima;

b) Quando a exploração é feita através de terceiros licenciatários, o lucro cessante é medido através do preço das licenças que deveriam ter sido solicitadas pelo infractor;

c) Combinação entre a exploração directa e a exploração através de terceiros, casos em que são aplicáveis as anteriores alíneas a) e b);

d) Quando ainda não se iniciou nem se esperava iniciar a exploração, os lucros cessantes medir-se-ão através do preço das licenças que hipoteticamente seriam autorizadas se infractor as tivesse solicitado.[23]

3.4. Deve ser considerada a possibilidade de valorar os danos de natureza *não patrimonial* a que também se alude no art. 13.°, n.° 1, al. a), da Directiva.[24]

---

cita que esgotou o mercado da edição lícita, o plágio que diminuiu o prestígio do autor (*Direito de Autor e Direitos Conexos*, pág. 625).

Sobre a matéria cfr. PORTELLANO DÍEZ, *La Defensa del Derecho de Patente*, pág. 105, e JOANNA SCHMIDT-SZALEWKY e JEAN-LUC PIERRE, *Droit de la Propriété Industrielle*, 10.ª ed., pág. 90.

Abordando a problemática em face do direito argentino, CARLOS CORREA advoga que "existe uma relação definida entre os ganhos do demandado e as perdas do autor, ambas atribuídas ao desvio de vendas que resultam da conduta do primeiro", concluindo que há uma saudável tendência para concluir que o prejuízo é representado pelos ganhos do infractor (*Derecho de Patentes*, pág. 387).

[23] PORTELLANO DÍEZ conclui que, nestes casos, não existe dano, remetendo a situação para as regras do enriquecimento sem causa (*La Defensa del Derecho de Patente*, pág. 105). Porém, tal afirmação foi feita em face do regime jurídico anterior ao que resultou da transposição da Directiva, não podendo aceitar-se em face do que, entre nós, agora decorre do art. 338.°-L, n.° 5, do CPI, que regula especificamente as situações em que não seja possível fixar a indemnização a partir de outros critérios.

[24] Decidiu-se no Ac. da Rel. de Lisboa, de 2-3-04, CJ, tomo II, pág. 71, que o desgosto causado pelo facto da ter sido usado para fins publicitários um determinado grafismo criado para um jornal de qualidade, e não para mensagens publicitárias, configura um dano de carácter não patrimonial susceptível de reparação.

ADELAIDE MENEZES LEITÃO, em face do texto da Directiva, defende que é tutelado qualquer dano moral independentemente da gravidade, argumento que usa para defender que o novo regime admite que o lesado seja beneficiado à custa do infractor (em *"A tutela do direito da propriedade industrial na Directiva 2004/48/CE"*, no vol. VII do *Direito da Sociedade de Informação*, pág. 196).

Diversa é a posição de CARLOS CORREA para quem apenas interessam os danos morais de "uma certa magnitude", desconsiderando os que não atinjam suficiente gravidade

Mas também aqui se revela a deficiência na construção normativa, na medida em que, malgrado a diversa natureza, os danos patrimoniais e não patrimoniais surgem amalgamados, como se estes constituíssem apenas um dos factores a atender na determinação do montante global daqueles.

Malgrado as aparências, impõe-se uma distinção de ordem metodológica, de modo a separar os factos e as correspondentes pretensões que respeitam aos danos patrimoniais e aos danos de natureza não patrimonial. Ainda que algumas circunstâncias relevem para a valoração e quantificação de ambas as espécies de danos, parece aconselhável que sejam alegadas e apreciadas com autonomia, circunstanciando os aspectos que exercem influência tanto na gravidade da infracção como no montante da compensação devida ao titular do direito.

3.5. A alusão aos *lucros especificamente obtidos pelo infractor*, como factor que pode ser usado para determinar a indemnização nos casos referidos nos n.os 2 e 6 do art. 338.°-L do CPI, merece considerações adicionais.

Como já se disse, o resultado da transposição da Directiva para o ordenamento jurídico nacional não abona em matéria de técnica legislativa. A um regime de ressarcimento dos danos que praticamente deixava em branco tudo quanto respeitasse às consequências cíveis de infracções de direitos industriais, dependentes, como a generalidade das situações, das regras gerais da responsabilidade civil extracontratual, sucedeu outro que colocou à disposição dos interessados e à ponderação dos tribunais uma série de normativos cuja redacção ou concatenação é de tal modo complexo e confusa que se adivinham as dificuldades de aplicação prática.

Se antes a crítica assentava na falta de especificação dos factores determinativos das indemnizações ou das compensações, agora confrontamo-nos com uma multiplicidade de elementos sem que tenham sido deixados sinais claros acerca do modo de aplicação.

A dúvida principal que ressalta do texto gira em torno de saber se o legislador pretende ou não que na fixação da indemnização a atendibilidade de *todo o lucro obtido* pelo infractor fique condicionada pelo que decorre

---

(*Derecho de Patentes*, pág. 388), solução que também perpassa pelo Ac. da Rel. do Porto, de 27-1-09 (*www.dgsi.pt*), onde se concluiu que a "compensação por danos não patrimoniais apenas pode operar relativamente ao lesado e se este provar que sofreu graves afectações decorrentes da prática do facto ilícito, não sendo suficiente alegar-se que esta indemnização é necessária por razões de prevenção de futuras infracções e que se despende esforço em inúmeras acções judiciais que se instauram".

do n.° 1, com limitação da indemnização ao valor dos danos causados na esfera do titular do direito medidos pelos *prejuízos efectivamente sofridos*.

Uma *solução negativa* encontra argumentos que podem ser recolhidos do Preâmbulo da Directiva, onde expressamente se nega a atribuição à responsabilidade civil de uma função punitiva sem tradição jurídica dos ordenamentos de matriz continental. Neste contexto, é pertinente observar que uma modificação de paradigma na sede específica das infracções de direitos da propriedade industrial deveria ser assumida de modo inequívoco.

Já uma *resposta positiva* encontra apoio no facto de, nos termos do n.° 2, ao lado dos danos emergentes e dos lucros cessantes, se aludir também ao *"lucro obtido pelo infractor"*, factor que mais se evidencia nas situações previstas no n.° 6, onde a possibilidade da cumulação, visando casos de maior gravidade, é expressamente acautelada. Solução que será óbvia para quem já anteriormente defendia, a partir do regime geral da responsabilidade civil, que esta também pode desempenhar uma função punitiva. Sob esta perspectiva, o legislador ter-se-ia limitado a explicitar, em sede dos direitos da propriedade industrial, a necessidade de se atender ao lucro do infractor que se somaria ao valor dos danos provocados na esfera jurídica do lesado.[25]

3.6. Para além das dificuldades de detectar todos os passos do processo legislativo, os *Trabalhos Preparatórios* a que pudemos aceder (essencialmente os que constam do Diário da Assembleia da República, acessível através de *www.parlamento.pt*) pouco adiantam à resolução daquela dúvida.

Segundo o Preâmbulo da *Proposta do Governo, n.° 141/X* (§ 21.°):

> *"A matéria de indemnização por perdas e danos a fixar a favor do direito lesado inclui os danos patrimoniais e morais. O presente acto de transposição respeita o disposto no art. 13.° da Directiva, passando o CDADC e o CPI a prever que, no cômputo da indemnização, sejam tidos em consideração todos os aspectos adequados: para além dos lucros cessantes sofridos pelo titular dos direitos de propriedade intelectual, os lucros indevidamente obtidos pelo infractor e, em caso de impossibilidade de aferição do prejuízo sofrido, as remunerações que teriam sido auferidas se o infractor tivesse solicitado autorização para utilizar o direito de propriedade intelectual*".

[25] Outro argumento pode encontrar-se a partir do art. 45.° do Acordo ADPIC/TRIPS quando nele se prevê a possibilidade de ser prevista nos ordenamentos jurídicos nacionais a *"restituição dos lucros"* em termos cumulativos ou alternativos com o pagamento de indemnização por perdas e danos.

Em concretização desses objectivos, propunha-se para o art. 211.°, n.° 1, do CDADC (semelhante ao n.° 3 do art. 338.°-L do CPI) que *"na determinação do montante da indemnização por perdas e danos, patrimoniais e não patrimoniais, o juiz deve atender ao lucro indevidamente obtido pelo infractor, aos lucros cessantes sofridos pelo autor lesado e, sempre que se justifique, aos encargos por este suportados na investigação e na cessação da conduta lesiva do seu direito"*.

No *campo doutrinal*, a legitimidade de uma solução em que os lucros auferidos pudessem reverter para o titular, ainda que superando o montante dos danos, já tinha defensores entre nós em face da legislação anterior.

Paula Meira Lourenço defendia que "a partir do momento em que o legislador prevê a ponderação das receitas obtidas pelo agente, como critério de determinação do montante da indemnização, afasta-se do clássico conceito de dano como diferença no património do lesado e consagra uma manifestação da função punitiva da responsabilidade civil".[26] Referia ainda, a respeito da concorrência desleal, que "só a exigência de restituição do lucro do agente (montante punitivo ou dano punitivo) pode evitar a actuação baseada num critério de pura racionalidade económica lesiva de bens jurídicos valiosos e punir o agente".[27]

A defesa da atribuição ao titular de direitos industriais do lucro obtido à sua custa, independentemente do dano efectivamente sofrido, também era defendida por Júlio Gomes.[28] Outrossim por Henrique Sousa Antunes.[29]

---

[26] *A Função Punitiva da Responsabilidade Civil*, pág. 320, acrescentando que, "tendo em vista a punição do agente de uma forma clara e explícita, o legislador teve de prever que o infractor era obrigado a pagar ao titular do direito de autor uma quantia que acrescesse aos danos efectivamente sofridos por este, independentemente da receita obtida, atribuída mesmo que o agente não conseguisse obter quaisquer lucros (montante punitivo)".

[27] *A Função Punitiva da Responsabilidade Civil*, pág. 411.

[28] Em *O Conceito de Enriquecimento*, págs. 778 e segs., desenvolvendo a matéria a partir de soluções adoptadas noutros ordenamentos jurídicos de matriz anglo-saxónica. Sustenta ainda que nos anteriores arts. 209.° e 211.° do CDADC aflorava de forma tímida a função punitiva da responsabilidade civil.

[29] Em *Da Inclusão do Lucro Ilícito e de Efeitos Punitivos entre as Consequências da Responsabilidade Civil Extracontratual: a sua Legitimação pelo Dano*, pág. 651, onde conclui que "as insuficiências do enriquecimento sem causa, quanto ao seu objecto, e a respeito das suas consequências... a amplitude com que a indemnização dos danos não patrimoniais foi acolhida no direito português, adaptável à evolução das circunstâncias sociais, o fim de satisfazer o lesado que àquele é reconhecido, reagindo à infirmação do seu direito, a natureza do bem que é ofendido, o sentimento de justiça, deve habilitar o juiz, nesta sede, a restituir ao lesante as receitas líquidas imputáveis ao seu comportamento".

Ainda antes da transposição da referida Directiva, já Adelaide Menezes Leitão referia que "não se afirma um princípio de total correspondência entre indemnização e prejuízo, mas antes um princípio de adequação entre o dano e a indemnização" e que "no que concerne aos lucros indevidamente obtidos pelo infractor, o legislador comunitário utiliza o instituto da responsabilidade civil de forma a englobar o enriquecimento injusto. Trata-se, neste ponto, de avaliar o lucro de intervenção, isto é, o lucro de ingerência do infractor em bens jurídicos alheios". Concluía que, "ao consagrar o enriquecimento ilegítimo como elemento relevante para o estabelecimento da obrigação de indemnizar habilita-se uma indemnização superior ao dano".[30]

A observação de alguns ordenamentos jurídicos para os quais foi feita a transposição da Directiva revela a consagração da atendibilidade específica dos lucros auferidos pelo infractor, como ocorre em Espanha, no Luxemburgo e em Itália,[31] em sentido diverso daquilo para que apontavam as respectivas tradições jurídicas avessas à atribuição à responsabilidade civil de uma função punitiva complementar.

3.7. É verdade que nem o Acordo ADPIC/TRIPS, nem a Directiva impuseram que a responsabilidade civil por factos ilícitos a regular internamente em cada Estado determinasse a reversão para o lesado de todos os lucros auferidos do infractor. Mas, além de não ficar vedada uma tal iniciativa interna, no sentido mais favorável aos interessados (art. 3.°, n.° 2, da Directiva), o legislador nacional não poderia deixar de prever a ponderação de tais lucros em sede de quantificação da indemnização.[32] Servindo a Directiva como elemento integrador e auxiliar da interpretação do direito interno, à compreensão do direito nacional sobre a norma que se reporta à atendibilidade dos lucros auferidos pelo infractor pode convir a ponderação do disposto no art. 13.°, n.° 2, nos termos do qual os lucros do infrac-

[30] Em "*A tutela do direito de propriedade industrial na Directiva 2004/48/CE*", no vol. VII do *Direito da Sociedade de Informação*, pág. 194.

[31] Sobre a defesa da função punitiva atribuída pelo novo regime italiano da responsabilidade civil em matéria de direitos de propriedade intelectual cfr. Mário Barbuto em "*Il risarcimiento dei danni da contraffazione di brevetto e la restituzione degli utili*", na *Rivista di Diritto Industriale*, 2007, págs. 172 e segs.

[32] Segundo o Ac. do STJ, de 13-1-10 (*www.dgsi.pt*), "a Directiva afasta expressamente qualquer intenção de, assim, introduzir a obrigação de prever indemnizações punitivas, mas de permitir um ressarcimento fundado num critério objectivo".

tor constituem um dos elementos, entre os demais exemplificados, a ter em consideração quando se trata de fixar uma indemnização cujo valor permita restabelecer o adequado equilíbrio económico rompido ou perturbado pela prática da infracção.

Não se trata propriamente de aceitar a introdução no ordenamento jurídico nacional das chamadas indemnizações punitivas, antes de ponderar os lucros auferidos pelo infractor à custa do interessado para efeitos de reconstituição da situação que existiria se não tivesse havido infracção aos direitos industriais.

Importa ainda observar que a restituição dos lucros constituirá sempre uma medida que encontra justificação nas regras da *equidade* a que o legislador manda atender, pois que não pareceria equitativo que o infractor ficasse a beneficiar com a sua actividade ilícita, na parte em que excede o montante dos danos que foram causados na esfera do interessado.

Basta que, através da fixação de uma indemnização se consiga privar o infractor dos benefícios obtidos à custa do titular do direito, ponderando, designadamente, o custo efectivo de licenças que porventura seriam concedidas pelo interessado se acaso as mesmas fossem solicitadas, as receitas brutas e também as despesas inerentes à produção, utilização ou distribuição.

Ademais, se os danos na esfera do lesado não têm necessária correspondência com os lucros auferidos pelo infractor, estes não serão elemento estranho aos prejuízos que aquele sofreu e que decorrem, por exemplo, da redução das vendas dos produtos sujeitos a regime de exclusivo, devendo servir de elemento de quantificação da indemnização, tendo em conta não só a o valor da receita bruta, como o das remunerações que seriam devidas ao titular do direito se acaso o infractor tivesse seguido os procedimentos normais.[33]

Os lucros servirão de *elemento auxiliar e complementar* para efeitos de quantificação da indemnização, já que, naturalmente, num sistema concorrencial, os ganhos auferidos por um agente económico se repercutem, em regra, negativamente, nos ganhos da concorrência, o que se revela espe-

---

[33] Já em face da legislação anterior relativa aos direitos de autor Oliveira Ascensão defendia, quanto à reversão das receitas, que "o prejuízo do autor está muito ligado à receita do espectáculo. É muito presumível que o interesse pela obra tenha diminuído por força daquela apresentação em medida possivelmente equivalente à da receita obtida pela apresentação ilícita" (*Direito de Autor e Direitos Conexos*, pág. 626)

cialmente quando no exercício dessa actividade tenham sido violados direitos de exclusivo.

3.8. *Em conclusão*, parece-nos que os lucros indevidamente auferidos pelo infractor poderão constituir um factor adicional a acrescer ao valor dos danos emergentes e dos lucros cessantes na medida em que se apurem dados objectivos a esse respeito.[34]

No entanto, podendo existir sobreposição entre os lucros cessantes (*v.g.* receitas que deixaram de ser recebidas com a venda dos direitos ou dos produtos) e aqueles lucros ilicitamente auferidos pelo infractor (*v.g.* resultante da produção e venda de produtos sem licença ou da utilização de direitos de outrem), o quantitativo referente aos lucros indevidos apenas terá relevo se e na medida em que não esteja já incluído na parcela dos lucros cessantes, evitando a duplicação.

4. Análise de cada uma das situações previstas no art. 338.°-L do CPI

4.1. O destaque em matéria de regulação do direito de indemnização vai para os casos que, não sendo de qualificar como especialmente graves, permitam a quantificação da indemnização mediante o recurso aos critérios gerais referidos nos n.os 2 a 4 do art. 338.°-L do CPI.

Segundo tal preceito, o tribunal deve ponderar os seguintes aspectos:

- Danos emergentes;
- Lucros cessantes;
- Lucro obtido pelo infractor (atendendo, além do mais, à importância das receitas resultantes da conduta ilícita);

---

[34] Neste sentido cfr. Adelaide Menezes Leitão, em *"O reforço da tutela da propriedade intelectual na economia digital através de acções de responsabilidade civil"*, no vol. VII do *Direito Industrial*, onde defende que a legislação nacional assumiu o alargamento conceptual do dano, parecendo "promover um afastamento da teoria da diferença no cômputo do dano e dar relevância a outros critérios no cálculo indemnizatório" (pág. 256), não devendo escamotear-se "a presença de uma forte dimensão sancionatória, ao nível deste sistema de responsabilidade civil por violação de direitos industriais" (pág. 257), numa polarização entre dano, prejuízos e lucros indevidos do infractor.

No mesmo sentido cfr. Lopes Rocha e Lourenço Carretas, aludindo ao confisco dos benefícios alcançado pelo infractor a favor do titular do direito (em *"Portugal: Trois années d'application de la loi concernant le respect des droits de propriété intellectulle"*, em *Proprietés Intellectuelles*, n.° 39, pág. 260).

– Encargos suportados com a protecção do direito e com a investigação[35] e cessação da conduta;
– Danos não patrimoniais.

Assim, em relação ao cômputo da indemnização decorrente da generalidade das infracções de direitos industriais:

a) O objectivo é o de ressarcir as "*perdas e danos*" do lesado (n.° 1), ponderando tanto os danos de natureza patrimonial como os de natureza não patrimonial;
b) Importam os danos emergentes e os lucros cessantes e ainda o lucro obtido pelo infractor (n.° 2), para cuja determinação importa considerar, como factor objectivo, a importância das receitas;
c) Relevam ainda os encargos suportados com a protecção do direito violado e os relacionados com a investigação da infracção e com a cessação da conduta lesiva (n.° 2).[36]

A quantificação da indemnização deve ser encontrada a partir da ponderação dos elementos enunciados de forma exemplificativa, por forma a que seja restabelecido o equilíbrio económico posto em causa pela prática da infracção, sendo de notar que a Directiva se basta com a atribuição ao lesado de uma "*indemnização por perdas e danos adequada ao prejuízo por este efectivamente sofrido*" (art. 13.°, n.° 1).

4.2. Mas pode ocorrer que, através dos diversos mecanismos de alegação e de prova, sem exclusão dos factos indiciários ou de presunções judiciais, não seja possível apurar o montante da indemnização (danos emergentes, lucros cessantes, despesas conexas, lucros do infractor, etc.).

Para estes casos admite-se que o tribunal fixe a indemnização com recurso à *equidade*, arbitrando uma quantia que corresponda, no mínimo, às remunerações que teriam sido auferidas pelo interessado se acaso o infractor lhe tivesse solicitado a licença ou a autorização, acrescida dos encargos suportados com a protecção do direito e com a investigação e cessação da conduta.

---

[35] Trata-se de despesas com a investigação dos factos correspondentes à infracção e aos danos, não se confundindo com as despesas com a investigação em torno dos direitos de exclusivo, *maxime* o direito de patente.

[36] Previsão que escusadamente surge repetida nos n.os 2 e 7 do art. 338.°-L do CPI.

Ainda que em termos literais tal solução seja apresentada como *alternativa* à primeira, do que verdadeiramente se trata é de uma opção *subsidiária* submetida a duas condições:

1.ª – Impossibilidade (a que deve equiparar-se a grave dificuldade) de determinação da indemnização mediante o recurso ao critério básico contido nos n.os 2 a 4;

2.ª – Concordância do interessado.

Não havendo elementos para quantificar objectivamente a indemnização e não podendo esta ser quantificada com recurso a juízos de equidade, por manifestação de oposição expressa ou tácita do interessado (ou por falta de elementos que permitam assentar neles os juízos equitativos), a sentença será de condenação total ou parcialmente ilíquida, nos termos do art. 661.°, n.° 2, do CPC.[37]

Tem sido objecto de discussão na doutrina saber se o direito de indemnização deve ser atribuído mesmo nos casos em que, havendo infracção ao direito privativo, o interessado não pretendesse fazer uso lucrativo desse direito (*v.g.* quando incida sobre patente não explorada comercialmente) ou, pelas mais diversas razões, não estivesse disposto a conceder licenças de exploração.

Sem embargo da eventual integração da situação nas regras do enriquecimento sem causa, a doutrina tradicional não reconhecia o direito de indemnização ao abrigo da responsabilidade civil extracontratual,[38] solução que deverá ser revista em face do direito vigente, sustentado e integrado pela Directiva, arbitrando-se a indemnização com base no valor da licença que hipoteticamente fosse concedida, nos termos do n.° 5 do art. 338.°-L do CPI.

4.3. Resta a situação decorrente de *práticas reiteradas* ou *especialmente gravosas*, nos termos do art. 338.°-L, n.° 6, do CPI, prevendo a lei que a indemnização seja fixada *"com recurso à cumulação de todos ou de alguns dos aspectos previstos nos n.os 2 a 5"*.

---

[37] Repare-se que o autor não está vinculado a apresentar na petição inicial um pedido líquido, podendo optar pela formulação de pedido genérico, nos termos do art. 569.° do CC e do art. 471.°, n.° 1, al. b), do CPC. Por outro lado, confrontado com uma situação de total ou parcial iliquidez da obrigação, o tribunal pode proferir condenação no pagamento da quantia que se liquidar, sem prejuízo da condenação imediata no pagamento da quantia já liquidada (art. 661.°, n.° 2, do CPC).

[38] Neste sentido cfr. PORTELLANO DIEZ, *La Defensa de Derecho de Patente*, págs. 83 e 84.

Cabendo ao autor invocar os factos ou circunstâncias que preencham cada um dos referidos conceitos, relevando em especial a censurabilidade da conduta, a dimensão ou amplitude da violação ou a sofisticação dos meios ou instrumentos empregues para a consumação da violação, a quantificação da indemnização nunca ficará aquém da que resultar da aplicação, respectivamente, dos critérios previstos no n.° 2 e dos que decorrem da aplicação singela do n.° 5. Não faria sentido que para situações de maior gravidade se alcançasse uma indemnização inferior à arbitrada em casos que não apresentam essa qualificação.

Duvidoso é se o preceito admite que, através da acumulação de todos os factores elencados nos n.os 2 a 5, se atinja, naquelas situações mais graves uma indemnização acrescida, como manifestação da vertente punitiva da responsabilidade civil, objectivo que, sendo defensável em termos sistemáticos (ao aludir à cumulação), deveria ter ficado explícito.

5. A subsidiariedade do enriquecimento sem causa

5.1. Nos termos do art. 473.° e segs. do CC, aquele que injustamente enriquecer à custa de outrem é obrigado a restituir aquilo com que se locupletou, merecendo especial atenção, no contexto dos direitos industriais, o enriquecimento por intervenção que decorre da intromissão em bens ou direitos alheios.

O enriquecimento sem causa, com a sua vocação generalista, ainda que de pendor subsidiário, não é figura estranha aos direitos industriais, cobrindo situações que não encontram sustentação nas regras da responsabilidade civil, designadamente quando não exista culpa do agente. Sendo os direitos de propriedade intelectual marcados pela exclusividade, os lucros da sua exploração devem, em princípio, reverter para o seu titular.

Para Luís Menezes Leitão, é legítimo o recurso subsidiário ao enriquecimento sem causa para tutelar situações que não preencham os pressupostos da responsabilidade civil, ainda que, em lugar da restituição de todo o lucro, advogue que apenas deve reverter para o interessado o valor correspondente ao preço remuneração que normalmente poderia ser obtida no mercado.[39]

[39] Em *O Enriquecimento sem Causa no Direito Civil*, págs. 701 e 709, citando Pereira Coelho. Noutro local (*Direito das Obrigações*, vol. I, pág. 413) a respeito da

5.2. Ao nível da nossa *jurisprudência*, o recurso subsidiário ao enriquecimento sem causa tem sido debatido com mais frequência a respeito dos direitos de propriedade, como o revela, por exemplo, o Ac. do STJ de 31-3-04, CJSTJ, tomo I, pág. 151 (fazendo uso da doutrina expressa no Ac. do STJ, de 23-3-99, CJSTJ, tomo I, pág. 172). Tratava-se de utilização indevida de prédio alheio para colocação de postes de electricidade, nele se afirmando ser devida ao proprietário a quantia correspondente ao valor de uso, quantia que no Ac. da Rel. de Évora, de 3-2-03, CJ, tomo I, pág. 241, se determina com base no valor que o utilizador teria de pagar ou estaria disposto a pagar pela utilização do prédio numa situação de arrendamento.[40]

O Ac. do STJ, de 24-2-05 (*www.dgsi.pt*), incidiu sobre o uso de um sinal distintivo do estabelecimento comercial, nele se referindo que no enriquecimento por intervenção, em que alguém enriquece através da ingerência em bens alheios, usando-os ou fruindo-os, sem consentimento do seu titular, o elemento central do instituto é a obtenção do enriquecimento à custa de outrem, podendo este ocorrer sem que exista dano patrimonial do lesado. Gozando o interessado do exclusivo da insígnia do seu estabelecimento, o uso da mesma feito por terceiro na publicidade do seu estabelecimento, sem autorização do titular, confere o direito de ser ressarcido do enriquecimento obtido à sua custa, correspondendo o montante ao valor

---

exploração de bens alheios (a que podemos equiparar a exploração ou a utilização de bens de propriedade intelectual alheios), conclui que "o que deve ser restituído é sempre o valor de exploração e não os ganhos patrimoniais do interventor", de modo que, por exemplo, em relação à ocupação de um imóvel ou extracção de areias que se inscrevam nas regras do enriquecimento sem causa (na modalidade de enriquecimento por intervenção) "o objecto da restituição será o valor locativo da casa ou o preço da areia subtraída".

Ao nível do enriquecimento sem causa, a ponderação do lucro de intervenção é acolhida por JÚLIO GOMES, em *O Conceito de Enriquecimento*, págs. 778 e segs.

Em relação ao direito espanhol anterior à transposição da *Directiva*, a mesma posição era defendida por PORTELLANO DÍEZ, *La Defensa de Derecho de Patente*, págs. 159 e segs., e por FERNÁNDEZ-NÓVOA, na monografia *El Enriquecimiento Injustificado en el Derecho Industrial*. Noutro local, este autor afirma que, ao abrigo da acção de enriquecimento sem causa, o titular da marca pode exigir ao infractor a entrega dos benefícios que este haja obtido em consequência da violação da marca, para o que importa fixar o valor das vendas efectuadas abatido dos gastos que tiveram de ser feitos (*Tratado sobre Derecho de Marcas*, pág. 409).

[40] No mesmo sentido cfr. HENRIQUE MESQUITA, RLJ, ano 125.°, págs. 86 e segs., em comentário ao Ac. do STJ, de 29-4-92, e ainda o Ac. do STJ, de 5-6-01, CJSTJ, tomo II, pág. 124. Cfr. ainda os Acs. do STJ, de 31-1-06 e de 24-6-04 (*www.dgsi.pt*).

de uso desse sinal distintivo, ou seja, ao preço que o terceiro pagaria pela utilização da referida insígnia, na publicidade do seu empreendimento.

No Ac. da Rel. do Porto, de 26-10-09 (*www.dgsi.pt*), referente a um desenho industrial, também se considerou subsidiariamente aplicável o regime do enriquecimento sem causa, com restituição do lucro.

5.3. O novo regime continua a admitir o *recurso subsidiário* ao enriquecimento sem causa. Se dúvidas existissem, deveriam considerar-se definitivamente superadas pela intervenção integradora do art. 13.°, n.° 2, da Directiva, que expressamente prevê que *"quando, sem o saber ou tendo motivos razoáveis para o saber, o infractor tenha desenvolvido uma actividade ilícita, os Estados-Membros podem prever a possibilidade de as autoridades ordenarem a recuperação dos lucros ou o pagamento das indemnizações por perdas e danos, que podem ser pré-estabelecidos"*.

Contêm-se na previsão normativa as seguintes situações:

a) Quando o infractor, *"sem o saber"*, tenha desenvolvido uma actividade objectivamente ilícita;

b) Quando tivesse *"motivos razoável para saber"* que a sua actividade era ilícita, abarcando ainda implicitamente as condutas lícitas que tenham dado azo a enriquecimento injustificado.[41]

Aplicando a cada uma destas situações as regras do enriquecimento sem causa, a obrigação de restituição implica a devolução dos lucros obtidos à custa do interessado, correspondendo, no mínimo, ao valor que teria de pagar ou que estaria disposto a pagar se acaso tivesse obtido a autorização ou a licença para o uso do direito industrial.[42]

---

[41] Assim o defendia já Oliveira Ascensão, segundo o qual "o enriquecimento sem causa levará o autor a poder exigir em qualquer caso o preço da licença que teria podido obter em condições normais e levará ainda a permitir exigir todo o lucro obtido enquanto se demonstrar que foi à custa do titular, portanto que este não o teria obtido se não fosse a intervenção do terceiro" (*Direitos de Autor e Direitos Conexos*, págs. 628 e 629).

[42] No Ac. do STJ, de 3-11-09 (*www.dgsi.pt*) decidiu-se que, provada a utilização indevida da marca da autora, a comercialização de produtos fabricados com o padrão propriedade exclusiva da mesma, está demonstrada a obtenção da mencionada vantagem patrimonial. Não se provando qualquer empobrecimento no património da autora, isso não impede a verificação do enriquecimento das rés, porquanto a deslocação patrimonial que se traduz no aumento do património destas não tem necessariamente de sair do património da primeira. O enriquecimento deveu-se à ingerência ou intromissão das rés no uso e fruição de um direito da autora, devendo reverter para o titular do direito ou dono das coisas

6. Medidas instrumentais do direito de indemnização

6.1. No âmbito da tutela reforçada dos direitos industriais foi introduzido no CPI o art. 338.°-I com o seguinte teor:

"Sempre que haja violação ou fundado receio de que outrem cause lesão grave e dificilmente reparável do direito de propriedade industrial pode o tribunal, a pedido do requerente, decretar as providências adequadas a:

a) Inibir qualquer violação iminente; ou

b) Proibir a continuação da violação."[43]

O preceito foi acompanhada da introdução do art. 338.°-P segundo o qual *"em tudo o que não estiver especialmente regulado na presente secção, são subsidiariamente aplicáveis outras medidas e procedimentos previstos na lei, nomeadamente no CPC"*.

6.2. A eficácia de sentenças condenatórias pode ser especialmente assegurada através do arresto.

Para os casos mais graves rege o art. 338.°-J do CPI:

"1. Em caso de infracção à escala comercial, actual ou iminente, e sempre que o interessado prove a existência de circunstâncias susceptíveis de comprometer a cobrança da indemnização por perdas e danos, pode o tribunal ordenar a apreensão preventiva dos bens móveis e imóveis do alegado infractor, incluindo os saldos das suas contas bancárias, podendo o juiz ordenar a comunicação ou acesso aos dados e informações bancárias, financeiras ou comerciais respeitantes ao infractor.

2. Sempre que haja violação de direitos de propriedade industrial pode o tribunal, a pedido do interessado, ordenar a apreensão dos bens que

---

todo o lucro obtido por quem se intromete no uso ou fruição da coisa ou direito, de acordo com a teoria da destinação ou da afectação.

O Ac. da Rel. de Guimarães, de 15-12-09, CJ, tomo V, pág. 255, julgou improcedente o pedido com base no enriquecimento sem causa pelo facto de nessa acção, com base na responsabilidade civil, não se ter provado a culpa do agente.

[43] Para mais desenvolvimentos, cfr. ABRANTES GERALDES, *Temas da Reforma do Processo Civil (Procedimentos Cautelares Especificados)*, vol. IV, 4.ª ed., págs. 353 e segs., e em *"Tutela Cautelar da Propriedade Intelectual"*, divulgado em *www.cej.mj.pt/formação.*

Como refere MOURA VICENTE, o recurso a providências cautelares constitui um dos importantes meios de tutela dos *direitos de autor e de propriedade industrial*, tendo em vista fazer valer o princípio da exclusão e impedir a utilização ilegítima (*A Tutela Internacional da Propriedade Intelectual*, pág. 402).

se suspeite violarem esses direitos ou dos instrumentos que apenas possam servir para a prática do ilícito".

O decretamento de *arresto preventivo* depende dos seguintes requisitos:

a) Infracção à escala comercial definida no art. 338.°-A do CPI como aquela que decorre de actos que *"violem direitos de propriedade industrial e que tenham por finalidade uma vantagem económica ou comercial, directa ou indirecta"*, excluindo-se os *"actos praticados por consumidores finais agindo de boa fé"*;

b) A infracção actual ou iminente, de tal modo que, em relação a créditos decorrentes de infracções já inteiramente consumadas, resta o recurso ao arresto repressivo;

c) Titularidade de um direito de indemnização por perdas e danos decorrentes daquela violação;

d) Existência de circunstâncias susceptíveis de comprometerem a cobrança da indemnização, abarcando não apenas as situações gerais de justo receio de perda da garantia patrimonial, mas ainda aquelas em que, independentemente do motivo e da situação patrimonial do devedor, seja de considerar comprometida a eficácia da sentença que venha a reconhecer o direito de indemnização;

e) O arresto consistirá na apreensão de bens susceptíveis de serem penhorados (móveis, imóveis ou direitos, incluindo saldos bancários);

f) Pode servir também para a recolha provas da amplitude da infracção, a partir das informações bancárias, financeiras ou comerciais obtidas.

Já o decretamento do *arresto repressivo* depende dos seguintes requisitos:

a) Abarca qualquer violação de direitos industriais, independentemente da sua amplitude, incluindo as que não atinjam escala comercial e até as que sejam imputáveis a consumidores finais que estejam a agir de boa fé;

b) Tem por objecto os próprios bens que violem os referidos direitos ou os instrumentos que sirvam para a prática do ilícito.

Acresce ainda a possibilidade de recurso ao *arresto comum*, nos termos dos arts. 406.° e segs. do CPC (expressamente prevista, para os direitos de autor, no art. 210.°-H, n.° 5, do CDADC), a qual que pode ser remissivamente sustentada no art. 338.°-P do CPI.[44]

6.3. Em resultado da transposição do art. 7.°, n.° 1, da Directiva, admite-se que sejam requeridas medidas *provisórias e urgentes* destinadas a preservar provas para demonstração da ocorrência de violação dos direitos industriais (arts. 338.°-D do CPI), com algumas diferenças em relação à regulamentação do incidente regulado nos arts. 520.° e 521.° do CPC, quer quanto aos seus requisitos, quer quanto à tramitação.

A lei identifica algumas medidas que podem ser requeridas:

a) Descrição pormenorizada da situação, com ou sem recolha de amostras;

b) Apreensão efectiva de bens ou dos materiais ou ainda dos instrumentos empregues na sua produção.

Trata-se enunciação não exaustiva, nada obstando a que sejam requeridas outras diligências reportadas a factos pertinentes para a acção, tais como a inspecção judicial ou a perícia. Outrossim a apreensão de documentos em perigo de desaparecimento, em moldes semelhantes ao que, para o arrolamento documental, prescreve o art. 421.°, n.° 1, do CPC.[45]

Para além de justificar o seu direito e a alegada situação de violação ou fundado receio de lesão, o requerente deve justificar o recurso à providência probatória, concretizando os factos que fazem temer pelo desaparecimento das provas que interessam à defesa dos seus interesses.

A lei não estabelece o condicionalismo previsto no art. 387.°, n.° 2, do CPC. Em compensação, admite que o juiz condicione a execução da providência à prestação de caução (arts. 338.°-G do CPI), a qual garantirá o eventual direito de indemnização que venha a ser reconhecido ao requerido se acaso a providência se revelar injustificada ou caducar, ou se se constatar que não existia o direito ao abrigo da qual foi deferida.[46]

---

[44] Para mais desenvolvimentos, cfr. ABRANTES GERALDES, *Temas da Reforma do Processo Civil (Procedimentos Cautelares Especificados)*, vol. IV, 4.ª ed., págs. 353 e segs.

[45] O art. 7.°, n.° 1, da Directiva, alude explicitamente a *"documentos"*.

[46] Para mais desenvolvimentos, cfr. ABRANTES GERALDES, *Temas da Reforma do Processo Civil (Procedimentos Cautelares Especificados)*, vol. IV, 4.ª ed., págs. 353 e segs., e SALVADOR DA COSTA, em *"Alterações processuais. Novos procedimentos para tutela da propriedade industrial"*, no vol. VII do *Direito Industrial*, págs. 119 e segs.

7. Acção de indemnização

7.1. No que concerne concretamente à acção de indemnização os *aspectos essenciais* a considerar são os seguintes:

a) Enquanto não forem instalados juízos de propriedade intelectual (previstos no art. 122.° da nova LOFTJ), a competência material pertence sucessivamente aos juízos de comércio, nas respectivas áreas de jurisdição, aos juízos cíveis ou aos tribunais de competência genérica.[47]

b) Em lugar da referência de âmbito mais lato a "*requerente*" constante do art. 210.°-G, n.° 1, do CDADC, na defesa de direitos de propriedade industrial ganha relevo a expressão "*interessado*" (art. 338.°-I, n.° 1, do CPI). Assim, a legitimidade activa pertence a qualquer pessoa com interesse directo (art. 338.°-B do CPI), em moldes semelhantes aos que decorrem do art. 26.° do CPC: aos titulares dos direitos e, salvo estipulação em contrário, aos titulares de licenças nos termos previstos nos respectivos contratos.[48]
No lado passivo estará aquele a quem sejam imputados os actos que traduzam a violação, podendo ainda ser demandados os intermediários cujos serviços estejam a ser utilizados por terceiros, nos termos do art. 338.°-I, n.° 3, do CPI.

c) Na petição inicial o autor deve alegar os *factos constitutivos* do direito que invoque e que sirvam de substrato aos pedidos formulados.
Importa ter em atenção a necessidade de concretização dos factos, designadamente os relacionados com a titularidade do direito (art. 7.° do CPI) ou com a infracção, assim como os atinentes aos danos, nas suas diversas dimensões, concretizando, na medida do possível, cada um dos elementos a que a lei manda atender para a fixação da indemnização.
Cumpre em especial trazer ao processo factos reveladores da gravidade da conduta (especialmente quando a violação tenha ocor-

---

[47] Sobre a *competência internacional* cfr. Moura Vicente, *A Tutela Internacional da Propriedade Intelectual*, págs. 363 e segs.

[48] Sobre o pressuposto da *legitimidade* cfr. Adelaide Menezes Leitão, em "*A tutela do direito de propriedade industrial na Directiva 2004/48/CE*", no vol. VII do *Direito da Sociedade de Informação*, pág. 185.

rido à escala comercial, nos termos do art. 338.°-A do CPI), das receitas brutas, do lucro obtido ou das consequências que a actuação do agente determinou ao nível dos danos emergentes e dos lucros cessantes.

Importam ainda as despesas com a investigação e cessação da violação e os encargos suportados com a protecção dos direitos (agentes de propriedade industrial, registos, etc.).

Sendo caso disso, é relevante que se invoquem factos reveladores de danos de natureza não patrimonial.

d) Funcionando em pleno o princípio do dispositivo, cabe ao autor a formulação do *pedido* a que o tribunal ficará necessariamente sujeito. Para o efeito, tanto pode formular pedido líquido como optar por pedido genérico, nos termos do art. 569.° do CC e do art. 471.° do CPC.

Ainda que o pedido de indemnização possa ser isoladamente formulado, nada obsta a que surja cumulado com outros pedidos a que correspondam:[49]

– *Medidas inibitórias* (de prevenção especial): *v.g.* interdição temporária do exercício de certas actividades, privação do direito de participar em feiras e mercados ou encerramento temporário ou definitivo do estabelecimento (art. 338.°-N do CPI). Estas medidas podem ser acompanhadas da fixação de sanção pecuniária compulsória destinada a assegurar a execução das medidas inibitórias;

– *Medidas acessórias*: *v.g.* destruição, retirada ou exclusão dos circuitos comerciais dos objectos em que se tenha traduzido a violação ou dos instrumentos utilizados para a sua produção, nos termos do art. 338.°-M do CPI;

– *Medida complementar* (prevenção geral): publicitação da sentença (art. 338.°-O do CPI).

Se a acção respeitar a diversas infracções, nada obsta a que sejam formulados pedidos parcelares que se reportem à indemnização devida por qualquer delas.[50]

---

[49] Cfr. SALVADOR DA COSTA, em *"Alterações processuais. Novos procedimentos para tutela da propriedade industrial"*, no vol. VII do *Direito Industrial*, págs. 119 e segs.

[50] OLIVEIRA ASCENSÃO, *Direitos de Autor e Direitos Conexos*, pág. 623.

e) São evidentes as dificuldades com que o autor se defronta no que concerne à alegação de factos que, de forma directa ou indirecta, integram cada um dos factores legalmente relevantes para a quantificação da indemnização. Mas é no capítulo da *prova dos factos* controvertidos que tais dificuldades mais se revelam, o que serviu de pretexto para o legislador nacional, em transposição da Directiva, aprovar medidas específicas.[51]

7.2. A especial natureza dos direitos industriais, a diversidade de formas que podem assumir, a multiplicidade e a amplitude das infracções, as dificuldades de penetração nos circuitos de produção, de distribuição, de utilização ou de consumo dos bens ou produtos e outras circunstâncias levaram o legislador a adoptar *medidas específicas* tendentes a facilitar o cumprimento do ónus da prova a cargo do autor.

Sem prejuízo dos elementos de prova antecipadamente recolhidos, no âmbito de diligências probatórias *"ad perpetuam rei memoriam"*, o art. 338.°-C do CPI dispõe que o autor pode requerer a notificação do réu ou de terceiro para efeitos de apresentação elementos de prova que estejam na sua posse, na sua dependência ou sob o seu controlo. Para tanto é necessário que existam indícios suficientes apreciados em face das posições assumidas pelas partes e dos elementos constantes dos autos, designadamente dos documentos já apresentados.[52]

Tal direito e o correspondente ónus pode ser mais alargado quando se esteja face a infracções praticadas à *escala comercial*, nos termos dos arts. 338.°-C, n.° 2, e 338.°-A do CPI, podendo em tais situações o requerimento dirigir-se à apresentação de documentação bancária, financeira, contabilística ou comercial.

Em qualquer das situações, o tribunal deve *"assegurar a protecção das informações confidenciais"*, engendrando uma solução que, dando acolhimento ao interesse da parte relacionado com a recolha de provas, proteja a contraparte da devassa quanto a elementos que podem revelar-se

[51] Cfr. SALVADOR DA COSTA, em "*Alterações processuais. Novos procedimentos para tutela da propriedade industrial*", no vol. VII do *Direito Industrial*, págs. 119 e segs.

[52] Segundo o art. 6.° da Directiva, pode estabelecer-se que *"as autoridades judiciais competentes considerem uma amostra razoável de um número substancial de cópias de uma obra ou de qualquer outro objecto protegido constitui um elemento de prova razoável"*.

essenciais para o exercício da sua actividade e cujo conhecimento externo, ilimitado e incondicionado possa ser causa de graves danos.

Em face da ausência de um mecanismo que expressamente regule a situação, deve ser adoptada a solução que concretamente se revele mais ajustada (se necessário, com recurso ao princípio da adequação formal, nos termos do art. 265.°-A do CPC), tendo em conta, além do mais, a maior ou menor resistência revelada pelo requerido no que concerne à apresentação e exposição dos elementos relevantes.

Assim, a protecção de informações poderá ser acautelada através de uma correcta identificação dos elementos que devem ser disponibilizados, sem necessidade de exibição ou revelação indiscriminada de elementos. É esta cautela que, aplicada, por exemplo, a elementos bancários permite que o réu ou a entidade bancária forneçam apenas os elementos estritamente conexos com os factos controvertidos, ficando inacessíveis os demais. O mesmo se diga em relação aos elementos contabilísticos, financeiros ou comerciais das empresas visadas, sejam ou não directamente demandadas.

Quanto aos elementos constantes da escrituração comercial, decorre dos arts. 29.° e segs. do Cód. Comercial que o seu acesso é limitado. Sem embargo da sua disponibilização espontânea pelo detentor, *"só pode proceder-se a exame da escrituração e dos documentos dos comerciantes, a instâncias da parte ou oficiosamente, quando a pessoa a quem pertençam tenha interesse ou responsabilidade na questão em que tal apresentação for exigida"*. Nestes casos, *"o exame da escrituração e dos documentos do comerciante ocorre no domicílio profissional ou sede deste, em sua presença, e é limitado à averiguação e extracção dos elementos que tenham relação com a questão"* (art. 43.°).[53]

Ora, se, como parece ajustado, a análise da *escrita comercial* for feita no âmbito de prova pericial requerida por alguma das partes ou oficiosamente determinada, os peritos estão obrigados a cumprir deveres de diligência que os inibem, por exemplo, de revelar a terceiros factos de que tomaram conhecimento no âmbito das suas funções (arts. 570.° e 581.° do CPC). Desta forma se assegura a compatibilização entre o dever de colaboração da contraparte e o seu direito de reserva, de tal modo que apenas sejam trazidos para o processo judicial os elementos que se revelem neces-

---

[53] Este preceito não foi revogado pelo art. 519.° do CPC, como se decidiu no Ac. de Uniformização de Jurisprudência do STJ n.° 2/98, de 22-4-1997.

sários para prova dos factos controvertidos, protegendo os demais da devassa que resultaria da sua integração nos autos.

Quanto a elementos cobertos por *sigilo profissional* (*v.g.* actividade bancária, advocacia, etc.), nos termos do art. 519.°, n.° 3, do CPC, a recusa de colaboração é legítima quando importar violação desse sigilo, o qual pode ser quebrado nos casos previstos no art. 135.° do CPP.

Assim, perante a recusa de colaboração apresentada pela contraparte, caberá ao tribunal apreciar a sua legitimidade e, se for o caso, promover a *quebra do segredo profissional*, tomando as cautelas necessárias, de tal modo que apenas sejam recolhidos para os autos os elementos que se mostrem relevantes para a decisão da matéria de facto controvertida.

Outras diligências de prova especificamente aplicáveis em acções referentes a direitos industriais decorrem do art. 338.°-H do CPI, permitindo-se que seja requerida a *notificação do infractor* ou de outras pessoas ligadas à infracção com vista ao *fornecimento de elementos* relacionados com as quantidades produzidas, fabricadas, entregues, recebidas ou encomendadas ou sobre o preço dos bens ou serviços.

7.3. O resultado final da acção de indemnização está condicionado, em grande parte, pelas opções do próprio autor no que concerne à alegação dos factos reveladores dos danos e dos diversos critérios para a sua determinação e à apresentação dos meios de prova necessários para o seu apuramento.

Não havendo qualquer regime especialmente previsto para as acções de indemnização em matéria de direitos industriais, é exclusivamente sobre o autor que recai o ónus de alegação dos respectivos factos constitutivos, *maxime* os que integram cada um dos diversos factores reveladores da dimensão qualitativa e quantitativa dos danos. [54]

No que concerne aos meios de prova, o interessado pode ainda beneficiar do uso por parte dos tribunais dos poderes de investigação. Mas tal actividade é de natureza complementar, servindo apenas para completar ou aprofundar diligências de prova que tenham sido promovi-

[54] Portellano Díez afirma que o escolho mais importante que se apresenta ao interessado em termos de determinação do lucro cessante é de natureza probatória, para o que se torna difícil encontrar provas líquidas, de modo que o tribunal deve assentar as suas conclusões em provas indiciárias e fazer uso de presunções judiciais, desde que exponha detalhadamente as bases de cálculo da indemnização (*La Defensa del Derecho de Patente*, págs. 81 e 82).

das, não podendo traduzir-se em pura substituição do ónus probatório a cargo das partes.

É claro que na acção de indemnização por infracção a direitos industriais existirão vastos motivos para uso de *presunções judiciais* que permita, a partir da prova de certos factos, concluir pela demonstração de outros cuja prova directa se mostra mais difícil.[55]

Não existe na legislação especial qualquer preceito que se dirija à apreciação dos meios de prova e elaboração da sentença. Assim, como resulta das regras gerais, a decisão da matéria de facto controvertida deve assentar na apreciação ou na valoração dos meios de prova apresentados ou oficiosamente recolhidos.

Importa para o efeito ter em consideração as especiais circunstâncias que rodeiam a produção e valoração das provas em áreas tão diversificadas como aquelas em que se inscrevem os diversos industriais.

Sendo comum a todas as situações a dificuldade de circunscrição da matéria de facto reveladora da realidade que cumpre integrar, cabe ponderar especialmente o recurso a presunções judiciais em relação a factos controvertidos cuja demonstração se faça por indução a partir de factos indiciários e das regras da experiência.

Muito raramente se conseguirá uma equiparação absoluta entre a realidade e o que é reflectido pelos factos considerados provados, tanto mais que se joga muitas vezes com factos hipotéticos (*v.g.* vendas que poderiam ser efectuadas) ou de prova directa difícil (*v.g.* quantidade de produtos vendidos, preço unitário, receitas globais, etc). Mas o objectivo da acção de indemnização não tem que corresponder a um resultado absolutamente correspondente ao prejuízo, bastando que se encontre um valor que razoável e adequadamente restabeleça o equilíbrio económico.

O teor da *sentença* dependerá quer dos factos apurados acerca de cada um dos pedidos, quer dos pedidos formulados. Mesmo nos casos

---

[55] Especificamente quanto à prova dos factos relacionados com o lucro cessante em matéria de violação de direitos de patente, PORTELLANO DÍEZ dá especial relevo à prova indiciária tanto para demonstração da existência do dano como da sua quantificação (*La Defensa del Derecho de Patente*, pág. 81).

Como factor relevante para efeitos de apreciação da prova deve contar-se também o próprio comportamento processual do infractor, pois que estando na sua posse os elementos que porventura poderiam ser importantes para a prova dos factos, a falta de colaboração, se não puder reconduzir-se a uma inversão do ónus da prova, ao menos deve ser considerada para efeitos de atenuação do ónus da prova imposto ao autor.

em que seja formulado pedido líquido, o tribunal pode confrontar-se com a ausência de condições para proferir condenação em quantia certa, quer em função dos factos provados e não provados, quer da posição assumida pelo autor em relação ao recurso à equidade, nos termos do art. 338.°-L, n.° 5, do CPI, devendo então optar por uma condenação total ou parcialmente ilíquida, nos termos do art. 661.°, n.° 2, do CPC.

Devem detalhar-se com precisão as bases de cálculo da indemnização por referência aos factores que concretamente foram atendidos, ainda que entre esses factores se inscreva também a equidade.[56]

A sentença poderá ser objecto de publicação a expensas do infractor, nos termos do art. 338.°-O do CPI.

---

[56] Cfr. PORTELLANO DÍEZ, *La Defensa del Derecho de Patente*, pág. 82.

É maior a exigência que é imposta pelo nosso sistema do que a sugerida, quanto ao sistema francês, por DENIS COHEN, segundo o qual *"les juges ne sont pas tenus de préciser les éléments que leur ont servi pour déterminer le quantum de l'indemnité. Leur puvoir d'appréciation est souverain"* (*Le Droit dês Dessins et Modeles*, pág. 188), ou por JOANNA SCHMIDT-SZALEWSKY e JEAN-LUC PIERRE, para quem *"les juges du fond apprécient souverainement le montant du préjudice résultant de la contrefaçon"* (*Droit de la Propriété Industrielle*, pág. 90). Uma tal metodologia não encontra acolhimento no art. 158.° do CPC que prescreve sempre o dever de fundamentação das decisões judiciais.

O ACORDO ADPIC/TRIPS NO DIREITO PORTUGUÊS A PERSPECTIVA DO ACESSO A MEDICAMENTOS E DA SAÚDE PÚBLICA

AQUILINO PAULO ANTUNES
*Director do gabinete jurídico e de contencioso do INFARMED**

SUMÁRIO:

1. Considerações iniciais

O Tratado que criou a Organização Mundial do Comércio (doravante, Tratado) foi celebrado em Marraquexe na sequência do *Uruguay Round*. O mesmo Tratado tem por objecto a liberalização do comércio de mercadorias, o reforço dos direitos de propriedade intelectual relacionados com

---

* As opiniões manifestadas neste documento apenas vinculam o seu autor.

o comércio, o comércio de serviços, os concursos públicos e as medidas de investimento relacionadas com o comércio[1].

O Tratado entrou em vigor na ordem jurídica portuguesa em 1 de Janeiro de 1995[2-3].

O Anexo IC do Tratado é constituído pelo Acordo sobre os Aspectos dos Direitos de Propriedade Intelectual relacionados com o Comércio (doravante, Acordo ADPIC/TRIPS ou Acordo), que consagra as normas de reforço dos direitos de propriedade intelectual.

Mais tarde, no quadro da Agenda de *Doha* para o Desenvolvimento, foi proferida uma declaração ministerial, em 14 de Novembro de 2001, que inclui em anexo uma declaração específica sobre o Acordo ADPIC/ /TRIPS e a Saúde Pública. Nesta declaração específica (doravante, Declaração), afirma-se, em resumo, que os outorgantes do Tratado devem explorar as margens de flexibilidade consagradas no mesmo Acordo, para garantirem o acesso a medicamentos. Esta Declaração configura ainda um princípio interpretativo das disposições do Acordo, que deve ser observado pelos seus Membros.

Pretende-se, pois, saber se e em que medida é que Portugal aproveitou, ou não, tais margens de flexibilidade no domínio da propriedade industrial, bem como se e como consagrou outras medidas permitidas pelo Acordo, tendo em conta aquele princípio interpretativo.

Como questão prévia, cabe apenas recordar que, nos termos do n.° 2 do artigo 8.° da Constituição da República Portuguesa, as normas constantes de convenções internacionais, regularmente ratificadas ou aprovadas, vigoram na ordem interna após a sua publicação oficial e enquanto vincularem internacionalmente o Estado Português.

Independentemente da posição que possa perfilhar-se quanto à natureza supra constitucional ou supra legal do direito internacional, importa apenas reter que o direito interno infraconstitucional, por estar em posição hierarquicamente inferior, deve conformar-se com as normas do Tratado

[1] Sell, S.K. (2003), 7.

[2] Como é sabido, nos termos do n.° 2 do artigo 8.° da Constituição da República Portuguesa, as normas constantes de convenções internacionais regularmente ratificadas ou aprovadas vigoram na ordem interna após a sua publicação oficial e enquanto vincularem internacionalmente o Estado Português.

[3] O Tratado foi ratificado pelo Presidente da República através do Decreto n.° 82-B/ /94, de 27 de Dezembro, e aprovado pela Assembleia da República através da Resolução n.° 75-B/94, de 27 de Dezembro.

que institui a Organização Mundial do Comércio e, em particular, com as normas do Acordo[4].

Este entendimento é, aliás, reforçado pelo teor do próprio Acordo que, pelo menos nalguns preceitos, permite aos Estados alguma liberdade de conformação do seu direito, muito próxima daquilo que estamos habituados a encontrar nas directivas comunitárias. É, por exemplo, o caso dos artigos 1.°, n.° 1, segunda parte, 8.°, n.° 1, e 15.°, n.° 3, do Acordo. Ora, tal margem de conformação evidencia, por conseguinte, uma supremacia das normas do Acordo relativamente ao direito interno, na medida em que a formulação utilizada nos preceitos em causa não se justificaria se essa supremacia não existisse.

2. **Acordo ADPIC/TRIPS e medicamentos**

Conforme resulta do seu primeiro considerando, o Acordo teve por objectivos principais, nomeadamente: (i) reduzir as distorções e os entraves ao comércio internacional; (ii) promover uma protecção adequada e eficaz dos direitos de propriedade intelectual; (iii) garantir que as medidas e processos destinados a assegurar a protecção efectiva dos direitos de propriedade intelectual não sejam eles próprios obstáculos ao comércio legítimo internacional. Há quem defenda que o Acordo tem objectivos opostos aos do Tratado, porque permite a manutenção de monopólios, quando o Tratado visa a liberalização do comércio[5].

O Acordo reforça os direitos emergentes da propriedade intelectual e constitui um fórum importante de exercício do poder privado[6].

Os medicamentos estiveram na génese deste Acordo, sendo certo que em grande medida o mesmo terá ficado a dever-se à pressão de alguns responsáveis de companhias farmacêuticas americanas, entre os quais o *CEO* da *Pfizer*[7].

---

[4] Existe jurisprudência do Tribunal da Relação de Lisboa que tem reconhecido aplicabilidade directa de normas do Acordo ADPIC/TRIPS no direito interno, nomeadamente no que se refere ao prazo de validade das patentes. Contudo, ver Marques, J.P.R. (2008), 347 e ss.

[5] Pugatch, M.P. (2004), 1.

[6] Sell, S.K. (2003), 7.

[7] Sell, S.K. (2003), 82. Pugatch, M.P. (2004), 4. Bellmann, C. & G. Dutfield, R. Meléndez-Ortiz (2003), 24.

Com efeito, além de globalizar a patente de produto – que, nalguns países, entre os quais Portugal, não era permitida para especialidades farmacêuticas – o Acordo veio consagrar, no n.° 3 do seu artigo 39.°, a protecção de dados de ensaios relativos a novas entidades químicas, quando necessários à comercialização de produtos farmacêuticos, matéria que especificamente diz respeito a medicamentos.

Porém, como contraponto da evidente preocupação de incentivar e remunerar a investigação e desenvolvimento, inclusive dos medicamentos, que se desprende do Acordo[8], temos a questão da acessibilidade a medicamentos a custos comportáveis e da sustentabilidade orçamental.

De facto, logo com a implementação do Acordo, os países em desenvolvimento perceberam que o mesmo era desequilibrado a favor da indústria farmacêutica produtora de medicamentos originais, designadamente porque generalizou a patente de produto para especialidades farmacêuticas nos Estados subscritores. Permitiu assim que as companhias farmacêuticas, recorrendo a práticas de captura de renda, pudessem cobrar preços elevados, bem como pressionar os Governos a perseguir as empresas nacionais produtoras de cópias ou similares provenientes de países onde não existe patente de produto, ao mesmo tempo que direccionavam os seus investimentos em investigação e desenvolvimento para doenças de menor interesse para os menos favorecidos, ou seja, o investimento em *"lifestyle drugs"* em vez do investimento em *"lifesaving drugs"*[9].

2.1. *A Declaração de* Doha *sobre o Acordo ADPIC/TRIPS e a Saúde Pública*

Por tudo isto, de imediato surgiram críticas ao Acordo, pelo facto de impor aos países em desenvolvimento um regime de patentes mais robusto do que os mesmos podem suportar, em termos do impacto negativo desse regime no acesso a medicamentos e à saúde pública[10-11]. Esta questão

---

[8] Cfr. neste sentido, Velásquez, G. & P. Boulet (1999), p. 19.

[9] Roffe, P. & C. Spennemann, J.V. Braun (2006), 10. Deere, C. (2009), 95 e ss. A questão do "enforcement" dos direitos de propriedade industrial é, como se sabe, um tema muito caro das empresas produtoras de medicamentos originais e à qual o Acordo ADPIC/TRIPS dedica a sua Parte III (artigos 41.° e seguintes).

[10] Pugatch, M.P. (2006), 178. Abbott, F.M. (2001). Abbott, F.M. (2005). Leach, B. & P. Munderi, J.E. Paluzzi (2005), 70.

[11] Abbott, F.M. (2001). Abbott, F.M. (2005).

subiu de tom com o aumento da necessidade de assistência farmacêutica motivada pelo crescimento do número de doentes com SIDA ocorrido na segunda metade da década de 90 do século passado[12].

A África do Sul e o Brasil fizeram uma transposição para o seu direito nacional das matérias das licenças obrigatórias e das importações paralelas, no primeiro caso, e a das licenças obrigatórias, no segundo, que suscitou reacção dos Estados Unidos por considerá-la desconforme[13].

Este estado de coisas conduziu à adopção, no âmbito da Organização Mundial do Comércio e da Conferência Ministerial de *Doha*, de medidas que visassem clarificar e equilibrar a situação. Por isso, a declaração ministerial de *Doha*, de 14 de Novembro de 2001, inclui uma declaração específica sobre o Acordo TRIPS e a saúde pública[14].

Esta Declaração tornou-se necessária porque a interpretação do Acordo com base no texto, contexto, âmbito e objectivo, à luz dos ditames da boa-fé, não solucionou as divergências de interpretação que logo se desenharam[15].

A Declaração aborda e acolhe a maioria das matérias que preocupavam os países em desenvolvimento[16]. Entre outros aspectos, é reconhecido, no seu n.° 4, aos Membros da Organização, o poder-dever de explorarem todas as flexibilidades concedidas pelas disposições do Acordo, no sentido da protecção da saúde pública e da promoção do acesso generalizado aos medicamentos[17].

Esta Declaração alicerça-se no artigo 8.° do Acordo, segundo o qual: *"Os membros podem, aquando da elaboração ou alteração das respectivas disposições legislativas e regulamentares, adoptar as medidas ne-*

---

[12] Devereaux, C. & R.Z. Lawrence, M. Watkins (2006), 77-78.

[13] Roffe, P. & C. Spennemann, J.V. Braun (2006), 16-17. Devereaux, C. & R.Z. Lawrence, M. Watkins (2006), 77-78.

[14] Cfr. *"Essential Drugs in Brief"*, Issue n.° 13, Junho de 2004, Department of Essencial Drugs and Medicines Policy, World Health Organisation.

[15] Attaran, A. (2002).

[16] Pugatch, M.P. (2006), 179.

[17] O texto é o seguinte: *"4. We agree that the TRIPS Agreement does not and should not prevent members from taking measures to protect public health. Accordingly, while reiterating our commitment to the TRIPS Agreement, we affirm that the Agreement can and should be interpreted and implemented in a manner supportive of WTO members' right to protect public health and, in particular, to promote access to medicines for all.*

In this connection, we reaffirm the right of WTO members to use, to the full, the provisions in the TRIPS Agreement, which provide flexibility for this purpose."

cessárias para proteger a saúde pública e a nutrição e para promover o interesse público em sectores de importância crucial para o seu desenvolvimento sócio-económico e tecnológico, desde que essas medidas sejam compatíveis com o disposto no presente acordo".

Ou seja, a protecção da saúde pública é uma das matérias que permite a adopção de medidas necessárias por parte dos Membros do Acordo. Com a Declaração, ficou mais evidente esta possibilidade, bem como o respectivo sentido e alcance.

Tem-se discutido qual o valor jurídico da Declaração à luz da alínea a) do § 3.° do artigo 31.° da Convenção de Viena sobre o Direito dos Tratados, designadamente se constitui um acordo subsequente, ou prática subsequente que evidencie o entendimento das partes, ou se constitui apenas uma declaração de compromisso sem valor jurídico [18]. Há ainda quem defenda que a Declaração é obrigatória para os Membros da OMC e que dispõe de força interpretativa dos Acordos no âmbito da Organização, especialmente no caso de resolução de litígios[19].

Parece-nos que, tendo a Declaração sido aprovada por unanimidade de todos os Membros da OMC, a mesma tem, pelo menos, o valor de interpretação autêntica do Acordo, que assim fica moldado por essa manifestação de vontade dos próprios subscritores. Os mesmos não poderão, de boa-fé, após essa Declaração, defender entendimento contrário ao que desta resulta.

Os pontos da Declaração com maior relevância para a nossa análise são o 4. e o 5. O primeiro deles, numa tradução livre, refere o seguinte:

> *"4. Concorda-se que o Acordo TRIPS não impede e não deve impedir que os membros tomem medidas para protecção da saúde pública. Em conformidade, reiterando-se o compromisso com o Acordo TRIPS, afirma-se que o Acordo pode e deve ser interpretado e implementado de forma a apoiar o direito dos membros da OMC de protegerem a saúde pública e, particularmente, de promoverem o acesso a medicamentos para todos.*
>
> *Neste contexto, reafirma-se o direito dos membros da OMC usarem ao máximo as normas do Acordo TRIPS, que permitem flexibilidade com esse objectivo"*.

[18] Malbon, Justin (2008), 103. Gathii, James Thuo (2002).

[19] Bellmann, C. & G. Dutfield, R. Meléndez-Ortiz (2003), 151.

Por seu turno, o ponto 5. dá alguns exemplos de matérias incluídas nas flexibilidades do Acordo[20]:

- Na aplicação das regras consuetudinárias de direito internacional público, a obrigatoriedade de leitura de cada norma do Acordo TRIPS à luz do objecto e da finalidade do Acordo, tal como definido, especialmente, nos seus objectivos e princípios;
- O direito de cada Membro conceder licenças compulsórias e definir os respectivos fundamentos;
- O direito de cada Membro definir o que constitui emergência nacional ou outras circunstâncias de extrema urgência, entendendo-se que crises de saúde pública como as relacionadas com a Sida, tuberculose, malária e outras epidemias podem representar uma emergência nacional;
- No quadro das disposições do Acordo sobre o esgotamento dos direitos de propriedade intelectual, permitir que cada Membro defina o seu próprio regime de esgotamento do direito, sem que tal possa constituir objecto de litígio a dirimir no âmbito da OMC.

Sobre a Declaração, o Director Geral da OMC referiu em Genebra, em discurso proferido em 9 de Dezembro de 2008, no âmbito da 11.ª Conferência Anual da Aliança Farmacêutica de Genéricos, que a *"declaração de Doha/2001 sobre o Acordo TRIPS e a saúde pública apoiou o equilíbrio cuidadosamente negociado dos direitos e obrigações no Acordo TRIPS. Essa declaração forneceu um número de confirmações e de esclarecimentos importantes, incluindo o direito dos membros da OMC à concessão de licenças compulsórias, a liberdade de determinar os fundamentos de tais licenças e a definição de emergências nacionais, bem como a liberdade de adoptar o regime apropriado de esgotamento do direito sem litígio. Desde a sua adopção em 2001, houve exemplos concretos do uso das flexibilidades incorporadas no Acordo TRIPS a nível nacional, incluindo a permissão de importações paralelas, a definição de critérios de patenteabilidade, e a permissão de excepções aos direitos de patente, tal como a excepção da autorização regulatória"*[21].

---

[20] Leach, B. & P. Munderi, J.E. Paluzzi (2005), 70 e ss.

[21] Cfr. *Press release* disponível em http://www.wto.org/english/news_e/sppl_e/spp1111_e.htm.

Há quem interprete a Declaração de *Doha* de uma forma redutora, resumindo-a às importações paralelas, às licenças compulsórias e à moratória da aplicação do Acordo para os países em desenvolvimento[22]. Porém, entendemos que pode retirar-se da Declaração em causa um princípio de interpretação e aplicação do Acordo no sentido mais favorável ao acesso aos medicamentos e à saúde pública, não apenas nestas mas também noutras matérias em que pelo Acordo seja concedida aos Membros uma margem de conformação.

Só assim se compreende o discurso do Director Geral da OMC quando realça o facto de alguns Membros terem intervindo ao nível dos critérios de patenteabilidade e das excepções aos direitos de patente e da autorização regulatória.

Ou seja, não se trata apenas de explorar ao máximo apenas as margens de flexibilidade do Acordo mas também de o interpretar e aplicar em termos que visem a promoção do acesso aos medicamentos e a protecção da saúde pública.

Nesta perspectiva, será contrário ao espírito do Acordo uma interpretação ou aplicação que, longe de promover tal acesso, o dificulte.

Assim, o alcance da Declaração específica de *Doha* na interpretação e aplicação do Acordo é muito maior do que aquele que geralmente lhe é reconhecido e aplica-se a todo o articulado desse Acordo.

Além disso e tal como resulta da Declaração, não são apenas os países em desenvolvimento ou os países menos desenvolvidos que podem prevalecer-se do Acordo ADPIC/TRIPS interpretado e aplicado à luz da Declaração de *Doha*. De facto, qualquer Membro da OMC pode fazê-lo, visto que não existe restrição do seu âmbito de aplicação.

2.2. *As margens de flexibilidade e outras questões em prol do acesso a medicamentos*

Vejamos agora algumas disposições do Acordo que conferem margens de flexibilidade aproveitáveis no sentido de facilitar o acesso aos medicamentos. Algumas têm carácter geral e outras são específicas sobre patentes.

As normas gerais do Acordo que ora nos interessam são os artigos 6.° e 8.°. O artigo 6.° prevê o esgotamento do direito para efeitos de importações paralelas.

[22] Pugatch, M.P. (2004), 221 e ss. Mota, P.I. (2005), 497-506.

O n.° 1 do artigo 8.° permite que os Estados adoptem medidas para proteger a saúde pública e promover o interesse público, em sectores de importância crucial para o desenvolvimento sócio-económico e tecnológico, desde que compatíveis com o Acordo. Por seu turno, o n.° 2 do mesmo artigo prevê a possibilidade de adopção de medidas que impeçam a utilização abusiva de direitos da propriedade intelectual ou o recurso a práticas que restrinjam o comércio de forma não razoável.

Ou seja, o referido artigo 8.° do Acordo ADPIC/TRIPS não só prevê, no seu n.° 1, a adopção pelos Membros de medidas positivas que promovam a protecção da saúde pública como permite, no seu n.° 2, a adopção de medidas negativas, que visem reprimir a utilização abusiva dos direitos de propriedade industrial ou a adopção de práticas restritivas do comércio, em termos não razoáveis[23].

No grupo de disposições sobre patentes em especial contam-se, em primeiro lugar, o n.° 1 e o n.° 2 do artigo 27.° do Acordo, que permitem aos Membros, no primeiro caso, redigirem a sua legislação nacional – e especialmente o requisito de patenteabilidade que é a novidade – no sentido de não considerarem novas as invenções que tenham por objecto usos novos ou secundários de medicamentos, e, no segundo, de excluírem da patenteabilidade as invenções cuja exploração comercial deva ser impedida para protecção da vida e da saúde das pessoas, desde que essa exclusão não fique a dever-se apenas ao facto de a exploração ser proibida pela sua legislação. O n.° 3 do mesmo artigo 27.° permite a exclusão da patenteabilidade dos métodos diagnósticos, cirúrgicos ou terapêuticos de pessoas ou animais, bem como a de plantas e animais[24].

Em segundo lugar, cabe referir o artigo 30.° do mesmo Acordo, que permite aos Membros preverem excepções ao que nele se estabelece em matéria de patentes, desde que as mesmas (i) não colidam de modo injustificável com a exploração normal da patente e (ii) não prejudiquem de modo injustificável os legítimos interesses do titular da patente, tendo em conta os legítimos interesses de terceiros. É esta a base legal da excepção de uso experimental ou "Cláusula Bolar", a que se referem a alínea c) do artigo 102.° do Código da Propriedade Industrial e o n.° 1 do artigo 19.° do Decreto-Lei n.° 176/2006, de 30 de Agosto, respectivamente, bem como das licenças compulsórias[25].

---

[23] Deere, C. (2009), 94 e ss.

[24] Deere, C. (2009), 77 e ss.

[25] Deere, C. (2009), 80 e ss. Abbott, F.M. & R.V.V. Puymbroeck (2005), 9 e 22.

Em terceiro lugar, o artigo 31.° do Acordo prevê, em certas condições, a possibilidade de utilização da patente sem obtenção do consentimento do titular, nos casos de extrema urgência, como acontece em situação de emergência nacional, e nos casos de utilização pública não comercial.

Em quarto lugar, o artigo 34.° do Acordo prevê no seu n.° 3 a protecção da informação comercialmente sensível do alegado infractor da patente.

Enfim, o artigo 39.° do Acordo prevê a possibilidade de protecção da informação comercialmente sensível, de forma a evitar a concorrência desleal, prevendo-se a possibilidade de estabelecimento pelos Membros de um período de tempo durante o qual as autoridades competentes não poderão apoiar-se em informação de que disponham em arquivo – resultados de ensaios pré-clínicos, clínicos e toxicológicos – relativa a medicamentos originais, para autorizar a introdução no mercado de medicamentos genéricos. Esta questão é relevante, na medida em que é susceptível de retardar o acesso dos medicamentos genéricos ao mercado[26].

Estas são as referidas margens de flexibilidade. No entanto, existem outras questões que, a par das margens de flexibilidade, são sensíveis em matéria de acesso a medicamentos e que devem ser interpretadas e aplicadas no sentido de facilitar esse acesso.

Assim, cabe salientar, em primeiro lugar, o artigo 34.° do Acordo. Este artigo prevê no seu n.° 1 a inversão do ónus da prova nas patentes de processo, para efeitos de "processos civis", nos casos em que o (i) produto obtido pelo processo patenteado seja novo e em que (ii) exista forte probabilidade de o produto idêntico ter sido obtido pelo processo patenteado e o titular da patente não tiver logrado apurar, apesar de ter realizado esforços razoáveis nesse sentido, qual o processo utilizado. O n.° 2 do mesmo artigo permite que os Estados contratantes prevejam a inversão do ónus da prova mesmo que apenas um dos casos esteja preenchido.

Em segundo lugar, salientamos o disposto no artigo 28.° do Acordo. O mencionado preceito estabelece aquilo que já referimos como sendo o âmbito da protecção conferida pela patente, ou seja, os direitos conferidos pela patente ao seu titular.

Além da faculdade de alienação de licenças e do direito de cedência ou transmissão *mortis causa*, esses direitos são, em resumo, os de impedir que qualquer terceiro, sem o consentimento do titular, fabrique, utilize, ponha à venda, venda ou importe para qualquer destes efeitos o produto

---

[26] Deere, C. (2009), 84 e ss.

patenteado, sendo que, no caso de patente de processo, aqueles actos se referem ao produto obtido directamente pelo processo patenteado.

Assim e em resumo, temos:

a) Margens de flexibilidade:

- O esgotamento do direito nas importações paralelas (artigo 6.°);
- A adopção de medidas para proteger a saúde pública e promover o interesse público (n.° 1 do artigo 8.°);
- A adopção de medidas anti-abuso (n.° 2 do artigo 8.°);
- A recusa da patenteabilidade de usos novos ou secundários de medicamentos (n.° 1 do artigo 27.°);
- A recusa da patenteabilidade de invenções cuja exploração comercial deva ser impedida para protecção da vida e da saúde das pessoas (n.° 2 do artigo 27.°);
- A exclusão da patenteabilidade dos métodos diagnósticos, cirúrgicos ou terapêuticos de pessoas (n.° 3 do artigo 27.°);
- A previsão de excepções limitadas aos direitos conferidos pela patente (artigo 30.°);
- A derrogação para utilização da invenção sem o consentimento do titular, nos casos de extrema urgência e nos casos de utilização pública não comercial (artigo 31.°);
- A protecção da informação comercialmente sensível do alegado infractor da patente (n.° 3 do artigo 34.°);
- O estabelecimento de um período de protecção de dados relativos a medicamentos originais (artigo 39.°).

b) Outras questões sensíveis:

- A inversão do ónus da prova nas patentes de processo (n.os 1 e 2 do artigo 34.°);
- O âmbito da protecção conferida pela patente (artigo 28.°).

3. **A aplicação do Acordo no Direito Português**

Vejamos agora como é que os preceitos do Acordo a que fizemos alusão foram transpostos para o direito nacional.

Como se verá de seguida, algumas das referidas disposições não têm alcance prático, dada a excessiva rigidez dos respectivos regimes, e outras não traduzem exactamente o espírito ou a letra do Acordo. Outras ainda, foram totalmente omitidas.

3.1. *As licenças obrigatórias*

No direito interno, as licenças obrigatórias estão previstas nos artigos 107.° a 110.° do Código da Propriedade Industrial e nos artigos 92.°, n.° 1, a) e b), e 93.°, n.° 4, do Decreto-Lei n.° 176/2006, de 30 de Agosto[27]. Quanto a esta matéria, foi de algum modo seguido de perto o que consta do Acordo, no que respeita aos requisitos. Porém, foi reduzido o âmbito da sua aplicação, limitando as situações em que se permite o recurso a estas licenças.

Esta opção tem dois inconvenientes, que tornam a sua aplicação prática inexistente ou quase inexistente. Por um lado, o extenso elenco de requisitos burocráticos a que deve obedecer este tipo de autorizações, que constitui um sério obstáculo à aplicação do regime.

Por outro, o facto de a aplicabilidade desta solução estar confinada a um conjunto reduzido de casos, a saber: falta ou insuficiência da exploração da invenção patenteada, dependência entre patentes ou motivos de interesse público (n.° 1 do artigo 107.° do Código da Propriedade Industrial). Sucede que, no caso dos medicamentos, e por transposição do direito da União Europeia, estes motivos de interesse público se resumem às situações em que o medicamento não disponha de autorização de introdução no mercado em Portugal[28].

Parece, por conseguinte, que, para os casos de medicamentos possuidores de autorização de introdução no mercado no nosso país, está vedada a possibilidade de concessão de licenças compulsórias apenas com o objectivo de fomento da acessibilidade a medicamentos, através da redução do preço, restando apenas o recurso àquela possibilidade nos casos de insuficiente ou inexistente exploração ou de patentes dependentes.

---

[27] Este decreto-lei, por sua vez, transpõe para o direito nacional a Directiva 2001/83//CE, do Parlamento Europeu e do Conselho, de 6 de Novembro de 2001, já por diversas vezes alterada. Na parte que interessa, trata-se da alteração introduzida pela Directiva 2004/27/CE do Parlamento Europeu e do Conselho, de 31 de Março de 2004.

[28] Os artigos 92.°, n.° 1, a) e b), e 93.°, n.° 4, do Decreto-Lei n.° 176/2006, parecem apontar nesse sentido.

Por isso, não só o Estado não pode tomar a iniciativa de conceder licenças, como forma de fazer baixar os preços dos medicamentos, como também os operadores económicos não poderão tomar a iniciativa de requererem a sua concessão, dado o reduzido âmbito do regime.

A prova destas dificuldades e do carácter restrito desta solução é o facto de não haver notícia de uma única licença compulsória na área dos medicamentos em Portugal.

Julga-se que, também neste caso, o regime de concessão das licenças compulsórias deveria ter sido estabelecido com o âmbito máximo permitido pelo Acordo, não se procedendo a restrições limitadoras do acesso a medicamentos.

3.2. *As importações paralelas. O âmbito do esgotamento do direito e os requisitos*

Uma outra forma de promover a acessibilidade a medicamentos a custos comportáveis é através da importação paralela[29]. A filosofia desta figura é a de permitir que um produto legalmente colocado em certo mercado seja daí importado com o objectivo de ser colocado noutro mercado.

Desde logo importa apurar se o âmbito do esgotamento do direito é nacional, regional ou internacional[30]. O primeiro é o mais restritivo do recurso às importações paralelas e o último é o mais permissivo, na medida em que basta a colocação no mercado de um qualquer país, para ocorrer aquele esgotamento.

O regime do esgotamento do direito resulta do n.° 1 do artigo 103.° do Código da Propriedade Industrial, que estabelece que os direitos conferidos pela patente não permitem ao seu titular proibir os actos relativos aos produtos por ela protegidos, após a sua comercialização, pelo próprio ou com o seu consentimento, no Espaço Económico Europeu.

Assim, o nosso regime de esgotamento do direito é apenas regional e confina-se ao Espaço Económico Europeu, embora pudesse ser internacional. Esta solução configura já um reduzido aproveitamento da margem de flexibilidade conferida pelo Acordo, porque restringe o campo de importação dos medicamentos apenas aos Estados membros daquele Espaço Económico.

---

[29] Deere, C. (2009), 75.
[30] Deere, C. (2009), 75.

No caso dos medicamentos, temos uma dificuldade adicional: a importação paralela depende de uma autorização administrativa específica, a conceder pelo INFARMED, e do cumprimento de determinadas obrigações relacionadas com a qualidade, segurança e eficácia do produto, com a rotulagem e folheto informativo e com o respeito dos direitos de marca (cfr. artigos 80.° e seguintes do Estatuto do Medicamento na sua redacção inicial). Além disso, o preço deve ser 5% inferior ao do medicamento considerado e dos demais medicamentos essencialmente similares (artigo 11.° do Decreto-Lei n.° 65/2007, de 14 de Março).

Dada a falta de interesse dos agentes económicos, o Decreto-Lei n.° 182/2009, de 7 de Agosto, introduziu alterações a vários artigos do Decreto-Lei n.° 176/2006, de 30 de Agosto, no sentido de simplificar e agilizar o processo de autorização, dispensando algumas das formalidades exigidas pelo direito anterior e remetendo para o requerente da autorização de importação paralela a responsabilidade pelo cumprimento de algumas das obrigações, designadamente as de comunicação aos interessados.

Permaneceu, porém, intocada a obrigatoriedade de o preço ser 5% mais barato que o similar de preço mais reduzido do mercado, tal como já resultava do direito anterior. Esta questão, embora aparentemente favorável aos utentes, constitui um forte desincentivo às importações paralelas, porque se tornam pouco atractivas para os operadores económicos.

Que se saiba, até ao momento o INFARMED ainda só concedeu uma autorização de importação paralela em mais de quatro anos de vigência do Estatuto do Medicamento.

Por estes motivos, parece continuar comprometida esta via de promoção do acesso a medicamentos a custos comportáveis.

3.3. *O acesso à informação. Protecção de dados e informação comercialmente sensível dos genéricos*

Além da protecção geral da informação não divulgada consagrada no artigo 318.° do Código da Propriedade Industrial, que reflecte o n.° 3 do artigo 39.° do Acordo, a problemática do acesso a informação comercialmente relevante em matéria de medicamentos assume duas vertentes. Por um lado, a dos medicamentos de referência, que beneficiam do prazo de protecção de dados e de comercialização; por outro, a informação comercialmente sensível dos medicamentos genéricos.

Quanto aos prazos de protecção de dados e de comercialização, cabe referir que os mesmos constituem matéria harmonizada ao nível do direito da União Europeia e visam, em bom rigor, garantir ao medicamento de referência um determinado período de exclusivo de comercialização.

O regime geral resulta do direito da União Europeia e do direito nacional e consiste no seguinte[31]:

- Existe um medicamento de referência que está ou esteve autorizado pela Comissão Europeia ou por qualquer dos Membros (artigo 19.°, n.° 1, do Decreto-Lei n.° 176/2006, de 30 de Agosto)[32];
- O mesmo medicamento goza de 8 anos de protecção de dados, contados da data da primeira autorização no espaço comunitário (mesmo preceito);
- Goza ainda do "exclusivo de mercado" de 10 anos, contados da data da mesma autorização (alínea *a)* do n.° 3 do mesmo artigo 19.°);
- Este "exclusivo do mercado" pode ser de 11 anos, desde que, nos 8 anos contados da obtenção da autorização de introdução no mercado, seja concedida autorização para uma ou mais novas indicações, que tragam benefício clínico significativo em comparação com as terapias existentes e que este benefício seja reconhecido na avaliação científica prévia à mesma autorização (alínea *b)* do n.° 3 do artigo 19.° citado);
- Pode ainda ser concedido 1 ano de "protecção de dados" quando seja pedida autorização para uma nova indicação de uma substância de uso médico bem estabelecido – isto é, que seja usada pelos médicos na Comunidade há pelo menos 10 anos, com eficácia reconhecida e um nível de segurança aceitável (artigo 20.° do Decreto-Lei n.° 176/2006, de 30 de Agosto, doravante Estatuto do Medicamento) – e desde que tenham sido realizados ensaios pré-clínicos ou clínicos relativos à nova indicação (n.° 7 do mesmo artigo 19.°);

---

[31] Directivas n.os 2001/83/CE, do Parlamento Europeu e do Conselho, de 6 de Novembro de 2001 e 2004/27/CE, do Parlamento Europeu e do Conselho, de 31 de Março de 2004, e Regulamento (CE) 726/2004, de 31 de Março de 2004. Decreto-Lei n.° 176/2006, de 30 de Agosto.

[32] Logicamente, desde que a cessação da autorização ocorra por razões que não tenham a ver com a qualidade, segurança ou eficácia do medicamento. Esta norma do artigo 19.°, n.° 1, destinou-se a obstar à repetição de situações como a do *"Losec"* em que a respectiva titular retirou a dosagem de 40 mg do medicamento do mercado com o objectivo de obstar a que o mesmo fosse usado como referência para genéricos.

– Pode também ser concedido 1 ano de "protecção de dados", no caso de alteração da classificação quanto à dispensa ao público – por exemplo, passagem de medicamento sujeito a receita médica para não sujeito a receita médica – quando essa alteração tenha sido fundamentada em ensaios pré-clínicos e clínicos (n.° 6 do artigo 113.° do Decreto-Lei n.° 176/2006, de 30 de Agosto).

Deve salientar-se que, ao contrário do que resulta do artigo 39.°, n.° 3, do Acordo, os legisladores comunitário e nacional não restringiram a protecção de dados apenas contra a utilização comercial desleal.

Outro aspecto que causa evidentes constrangimentos é a sobreposição dos direitos de propriedade industrial com os prazos de protecção de dados e de comercialização, tal como se mostram configurados no direito da União Europeia e nacional. De facto, temos situações em que, decorridos os prazos de protecção dados e de comercialização, ainda subsistem direitos de propriedade industrial, o que constitui um evidente factor de incerteza no acesso dos genéricos ao mercado e tem gerado significativa litigiosidade.

A par deste regime geral, ainda temos dois regimes especiais. O primeiro consta do Regulamento (CE) n.° 141/2000[33], sobre medicamentos órfãos, segundo o qual, quando o medicamento esteja validamente autorizado em todos os Membros e sem prejuízo do disposto no direito de propriedade intelectual ou em qualquer outra disposição de direito da União Europeia, a Comunidade e os Membros abster-se-ão, durante 10 anos, em relação a um medicamento similar com a mesma indicação terapêutica, de: (i) aceitar outro pedido de autorização de introdução no mercado; (ii) conceder uma autorização de introdução no mercado; (iii) dar seguimento a um pedido da extensão[34] de uma autorização já existente (cfr. n.° 1 do artigo 8.°).

Os 10 anos contam-se da concessão da autorização para o medicamento órfão. No entanto, este período de "exclusividade de mercado" pode ser reduzido a apenas 6 anos se, no final do quinto ano, "se comprovar" que o medicamento deixou de cumprir os requisitos de que depende

[33] Regulamento (CE) n.° 141/2000, do Parlamento Europeu e do Conselho de 16 de Dezembro de 1999 relativo aos medicamentos órfãos.

[34] Sobre o conceito e o regime das extensões, vejam-se a alínea t) do n.° 1 do artigo 3.° e o Anexo IV do Decreto-Lei n.° 176/2006, de 30 de Agosto.

a designação como medicamento órfão[35] ou se for autorizado um medicamento similar, em três casos, a saber: (i) com consentimento do titular da AIM do medicamento órfão original[36]; (ii) por insuficiência do abastecimento ao mercado pelo titular da AIM do medicamento órfão original ou (iii) quando o requerente demonstre que o similar é mais seguro, mais eficaz ou clinicamente superior noutros aspectos significativos ao original (n.° 3 do artigo 8.°).

O segundo regime especial consta do Regulamento (CE) n.° 1901/ /2006[37], alterado, sobre medicamentos para uma indicação pediátrica. Este Regulamento consagra, além da prorrogação do certificado complementar de protecção já referida, privilégios especiais da área regulamentar, que são os seguintes:

- Protecção de dados pelo período de 1 ano quando, tratando-se de medicamento protegido por patente ou por certificado complementar de protecção, o pedido conduzir à autorização de uma indicação pediátrica que traga um benefício clínico significativo, relativamente às terapias existentes (n.° 5 do artigo 36.°);
- Alargamento de 10 para 12 anos do período de "exclusivo de mercado" previsto no n.° 1 do artigo 8.° do Regulamento (CE) n.° 141/ /2000 para os medicamentos órfãos, quando o pedido inclua os resultados de todos os estudos realizados em conformidade com o plano de investigação pediátrica aprovado e a AIM inclua a certi-

---

[35] Os destinados ao diagnóstico, prevenção ou tratamento de patologias que, na comunidade:

- Coloquem em perigo a vida ou sejam cronicamente debilitantes de até 5 pessoas por cada 10 000; ou
- Coloquem em perigo a vida, sejam cronicamente debilitantes ou sejam graves e crónicas e que seja pouco provável que, sem incentivos, a sua comercialização gere receitas que justifiquem o investimento necessário,

desde que, em qualquer dos casos, não exista autorizado na Comunidade qualquer método satisfatório de diagnóstico, prevenção ou tratamento de tal patologia ou, quando exista, os medicamentos em questão apresentem um benefício significativo para os doentes (artigo 3.°, n.° 1).

[36] Cfr. também, em termos gerais, o artigo 22.° do Decreto-Lei n.° 176/2006, de 30 de Agosto, sobre o consentimento do titular.

[37] Regulamento (CE) n.° 1901/2006 do Parlamento Europeu e do Conselho de 12 de Dezembro de 2006, alterado pelo Regulamento (CE) n.° 1902/2006 do Parlamento Europeu e do Conselho de 20 de Dezembro de 2006, relativo a medicamentos para uso pediátrico e que altera o Regulamento (CE) n.° 726/2004.

ficação dessa conformidade, ou quando, apesar de não ser autorizada uma indicação pediátrica, os resultados dos referidos estudos se reflictam no resumo das características do medicamento e, caso se justifique, no folheto informativo do medicamento em causa (cfr. artigo 37.°).

Quando a estes dois regimes especiais, subsistem também os problemas de compatibilização entre os prazos de protecção de dados e os direitos de propriedade industrial, na medida em que os mesmos poderão ter durações não coincidentes, conduzindo a que, uma vez expirados os primeiros, ainda subsistam os segundos, o que causa evidentes dificuldades de acesso ao mercado.

Temos para nós que, na área dos medicamentos, esta incerteza e conflitualidade poderia resolver-se se a duração máxima dos direitos de propriedade industrial não excedesse a duração máxima dos prazos de protecção de dados e de comercialização. Esta sobreposição de durações permitiria, em regra, ao INFARMED limitar-se a verificar o cumprimento dos prazos de 8 e 10 anos – ou outro prazo que fosse definido por lei – não restando qualquer dúvida de que, decorridos esses prazos, igualmente estariam extintos os direitos de propriedade industrial incidentes sobre o medicamento de referência, podendo o medicamento genérico ter tudo pronto – incluindo o armazenamento das quantidades do medicamento genérico necessárias à entrada no mercado – para iniciar a comercialização no dia seguinte à extinção dos direitos de propriedade industrial.

O regime vigente em Portugal nesta matéria não permite, por conseguinte, aproveitar toda a flexibilidade admitida pelo Acordo, o que tem evidente impacto negativo no acesso a medicamentos.

No que respeita à informação comercialmente sensível dos medicamentos genéricos, podemos realçar, a título de exemplo, os resultados dos estudos de biodisponibilidade e de bioequivalência e a informação sobre os Estados em que o requerente da autorização de introdução no mercado de um genérico pretende comercializá-lo. No primeiro caso, do que se trata é de informação que implicou investimento por parte da companhia produtora do genérico. Pelo que, se um concorrente a ela aceder, ficará a dispor dessa informação, que tem valor comercial e poderá ser comercializada, sem ter de pagar mais do que o preço de uma mera certidão.

No segundo, o que está em causa é o acesso por parte do concorrente, produtor do medicamento de referência, a informação de natureza estratégica do produtor do medicamento genérico, na posse da qual o produtor do medicamento de referência ficará a saber em que Estados membros da União Europeia é que o medicamento será comercializado. Esta informação é extremamente importante, na medida em que permite que o produtor do medicamento de referência desenvolva medidas que, de algum modo, obstaculizem o acesso do genérico ao mercado nesses Estados.

O que acontece na prática é que, em Portugal, os pedidos de acesso à informação sobre medicamentos são apreciados ao abrigo da legislação geral sobre acesso a documentos administrativos e a informação procedimental[38]. Embora existam algumas disposições específicas no Estatuto do Medicamento que permitem que o INFARMED, I.P., regulamente a questão da confidencialidade, o certo é que, na falta desta regulamentação, o regime aplicável é o geral (cfr. artigo 188.°, n.os 2 a 5, do Estatuto do Medicamento).

A prática jurisprudencial nesta matéria é considerar que o princípio da Administração Aberta tem plena aplicação e que não se está perante informação comercialmente relevante, não havendo, assim, qualquer motivo para recusar o acesso do concorrente à informação constante do processo de autorização de introdução no mercado do medicamento genérico.

Trata-se, naturalmente, de um entendimento que, além de altamente discutível, tendo em conta o que se deixou dito, parece manifestamente contrário ao preceituado no n.° 3 do referido artigo 34.° do Acordo ADPIC/ /TRIPS.

No entanto, até ao momento, não só não existe clarificação legal desta matéria, como a aplicação que os nossos tribunais vêm fazendo não tem sequer em conta a existência do referido n.° 3 do artigo 34.° do Acordo ADPIC/TRIPS. Desta omissão do poder legislativo e da actuação do poder judicial resulta evidente prejuízo para o acesso a medicamentos a custos comportáveis, na medida em que obstaculiza ou, pelo menos, dificulta e encarece o acesso ao mercado por parte dos genéricos.

---

[38] N.° 3 do artigo 188.° do Decreto-Lei n.° 176/2006, de 30 de Agosto: *"A consulta de processos e a passagem de certidões rege-se pelo disposto nos artigos 61.° a 63.° do Código do Procedimento Administrativo, aprovado pelo Decreto-Lei n.° 442/91, de 15 de Novembro, na redacção resultante do Decreto-Lei n.° 6/96, de 31 de Janeiro, no que respeita à informação procedimental, e, nos restantes casos, pelo disposto nos artigos 12.° e seguintes da Lei n.° 65/93, de 26 de Agosto, na redacção resultante da Lei n.° 8/95, de 29 de Março, e da Lei n.° 94/99 de 16 de Julho"*.

3.4. *O problema do ónus da prova nas patentes de processo*

Quanto à inversão do ónus da prova, o artigo 98.° do Código da Propriedade Industrial, na sua redacção actual, estabelece que, se uma patente tiver por objecto um processo de fabrico de um produto novo, o mesmo produto fabricado por um terceiro será, salvo prova em contrário, considerado como fabricado pelo processo patenteado.

O indicado preceito tem um conteúdo muito mais amplo do que o que resulta do citado n.° 1 do artigo 34.° do Acordo. Com efeito, enquanto neste a inversão do ónus da prova se limita aos "processos civis", já naquele artigo do Código a inversão não se mostra limitada, pelo menos em termos explícitos.

Este pormenor tem permitido que a jurisprudência dos nossos tribunais administrativos venha considerando que (i) a exibição do certificado emitido pelo Instituto Nacional da Propriedade Industrial, I.P., é suficiente para, pelo menos em sede cautelar, demonstrar a aparência do direito e que (ii) compete à entidade administrativa demandada, ou ao requerido particular, o ónus de demonstrar que, nas patentes de processo, o produto que este fabrica não é produzido pelo processo patenteado.

Julga-se, todavia, que um tal entendimento é incorrecto. Com efeito e em primeiro lugar, esta inversão só se aplica no caso de um produto novo, o que geralmente não acontece naqueles casos.

Em segundo lugar, a inversão do ónus da prova é limitada aos "processos civis", não aos processos administrativos. E não se diga que a expressão "processos civis" abrange também os administrativos, na medida em que o Acordo também se refere a este tipo de processos, nomeadamente nos artigos 42.° e seguintes. Por isso, e tendo em conta que a inversão do ónus da prova está limitada aos processos civis, consideramos que nos processos administrativos, é àquele que invoca a patente de processo que caberá de demonstrar que o produto do alegado infractor é produzido pelo processo patenteado.

É que, como vimos, à luz do princípio da hierarquia das fontes do direito, as normas de direito internacional constantes de tratados regularmente ratificadas e aprovadas estão em posição superior ao direito ordinário, como é o caso do Código da Propriedade Industrial. Por isso, o Código só poderá dispor em sentido diverso do que resulta do Acordo quando este expressamente o consinta.

Não parece que seja o caso, visto que o referido artigo não deixa aos Membros qualquer liberdade de conformação. Também não parece que a inversão do ónus da prova possa configurar um alargamento da protecção conferida ao titular da patente e, por esta via, seja permitida pelo n.° 1 do artigo 1.° do Acordo[39]. Com efeito, temos para nós que a protecção conferida pelo Acordo relativamente às patentes é a que consta do preceituado no artigo 28.° do Acordo e que veremos de seguida.

Entendemos, por isso, que o regime da inversão do ónus da prova consagrado no artigo 98.° do Código da Propriedade Industrial terá de ser interpretado restritivamente no sentido de conformar o seu sentido com o alcance do n.° 1 do artigo 34.° do Acordo.

3.5. *O elenco dos direitos conferidos pela patente*

Também no que se refere ao elenco dos direitos conferidos pela patente, existe discrepância entre o preceituado no artigo 28.° do Acordo e o estabelecido no n.° 1 do artigo 101.° do Código da Propriedade Industrial.

Este artigo 101.° estipula que a patente confere ao seu titular o direito de impedir a terceiros, sem o seu consentimento, o fabrico, a oferta, a armazenagem, a introdução no comércio ou a utilização de um produto objecto de patente, ou a importação ou posse do mesmo, para algum dos fins mencionados.

Pelo confronto com o artigo 28.° do Acordo, desde logo se verifica que, pelo menos, são introduzidos no direito nacional três elementos que daquele não constam, a saber: a armazenagem, a utilização e a posse do produto patenteado. Este preceito tem de ser lido, na parte que ora interessa, em conjugação com a alínea c) do artigo 102.° do mesmo Código, segundo a qual os direitos conferidos pela patente não abrangem os actos realizados exclusivamente para fins de ensaio ou experimentais, incluindo experiências para preparação dos processos administrativos necessários à aprovação de produtos pelos organismos oficiais competentes, não podendo, contudo, iniciar-se a exploração industrial ou comercial desses produtos antes de se verificar a caducidade da patente que os protege.

Ou seja, parece que daquelas três inovações sobra apenas o problema da armazenagem, na medida em que a utilização e posse do medicamento para a preparação do procedimento administrativo tendente à autorização

[39] "Os Membros podem, embora a tal não sejam obrigados, prever na sua legislação uma protecção mais vasta do que a prescrita no presente Acordo".

da colocação do medicamento no mercado é permitida pela alínea c) do artigo 102.° do Código da Propriedade Industrial.

Ora, quanto à armazenagem, é certo que o já referido n.° 1 do artigo 1.° do Acordo permite que os Estados contratantes alarguem o âmbito da protecção resultante do mesmo Acordo.

Não obstante, ao adoptar a redacção que consta do n.° 2 do artigo 101.° do Código, o legislador português ofende um princípio basilar em matéria de acesso aos medicamentos, que é o de que o concorrente produtor de um medicamento genérico deve poder ter tudo preparado para entrar no mercado no dia seguinte ao da extinção dos direitos de propriedade industrial incidentes sobre o medicamento. De facto, ao conferir ao titular da patente o direito de impedir a armazenagem do produto objecto de patente[40], o legislador português parece ter contribuído para dificultar a vida a quem carece de dispor de um lote de medicamentos, devidamente produzido e armazenado para, no dia seguinte ao da extinção dos direitos de propriedade industrial, entrar no mercado.

O órgão competente em matéria de composição de litígios e de interpretação do Acordo ADPIC/TRIPS entendeu no caso Canadá/União Europeia que é conforme com este Acordo uma norma jurídica segundo a qual a empresa produtora de genéricos pode obter a autorização de introdução no mercado e produzir aprovisionar as quantidades necessárias do seu medicamento, tendo em vista a obtenção da autorização administrativa de que depende a sua comercialização, com o objectivo de entrar com o medicamento no mercado imediatamente após a extinção dos direitos de propriedade industrial incidentes sobre o medicamento de referência, porque o mesmo órgão considerou que esta é uma excepção limitada aos direitos de exclusivo, que não colide de modo injustificável com a exploração normal da patente e não prejudica de firma injustificável os legítimos interesses do titular da patente, tendo em conta os legítimos interesses de terceiros[41].

---

[40] É certo que poderia fazer-se uma leitura mais fina do teor do preceito e considerar que o "produto objecto de patente" é apenas aquele sobre o qual incide a patente e não o produto genérico, pelo que o direito de impedir aqueles actos apenas diria respeito ao produto A e não ao seu genérico B, mas uma tal leitura – que apesar de tudo é legítima, na medida em que se trata de matéria de restrição de direitos dos concorrentes e, por isso, deve ser interpretada restritivamente – retiraria alcance prático ao que estamos a analisar.

[41] Cfr. também neste sentido Marques, J.P.R. (2008), 99 e ss. Cfr. "WORLD TRADE ORGANIZATION, WT/DS114/R, 17 March 2000, (00-1012), CANADA – PATENT PROTECTION OF PHARMACEUTICAL PRODUCTS", pp. 157 e seguintes, disponível em http://www.wto.org/english/tratop_e/dispu_e/7428d.doc

O mesmo órgão entendeu que uma outra norma jurídica que visava permitir o fabrico e armazenagem, com intuito comercial, nos últimos seis meses de vigência da patente não era uma excepção limitada, pelo seu impacto nos direitos conferidos pela patente[42]. Não obstante, o órgão de composição de litígios, embora admita que a prorrogação "de facto" dos direitos conferidos pela patente pode ser uma consequência dos direitos estabelecidos no artigo 28.° do Acordo, acaba por não excluir totalmente esta possibilidade de fabrico e armazenagem antes da extinção da patente. Com efeito, o órgão de composição de litígios apenas considera que o "prazo" de seis meses previsto na norma canadiana não é suficiente para constituir uma excepção limitada aos direitos conferidos pela patente. Este facto deixa em aberto a possibilidade de, por exemplo, se permitir o fabrico e armazenagem no último mês antes da extinção da patente.

Independentemente de se considerar que a posição adoptada pelo órgão de composição de litígios acaba por ser, pelo menos em parte, contraditória com os fundamentos pelos quais o mesmo órgão considerou a "excepção regulatória" conforme com o Acordo, cabe realçar que, apesar de tudo, o órgão de composição de litígios considera que a prorrogação "de facto" dos direitos conferidos pela patente não configura um interesse legítimo do respectivo titular.

Parece, por isso, poder respigar-se desta decisão que, se a armazenagem, mesmo com intuitos comerciais, constituir uma excepção suficientemente limitada aos direitos conferidos pela patente, a mesma é conforme com o artigo 30.° do Acordo, visto que a prorrogação da protecção conferida pela patente, além da data da cessação dos efeitos desta, não configura um direito legítimo do titular.

Julga-se que este entendimento do órgão de composição de litígios, proferido em 2000, deve agora ser ainda mais relativizado, à luz da Declaração de *Doha* a que vimos fazendo referência e do princípio da interpretação e aplicação favorável ao acesso a medicamentos e à protecção da saúde pública que dela resulta.

Com efeito, porque na ponderação da adequação da excepção ao abrigo do artigo 30.° do Acordo, este preceito manda ter em conta os "legítimos interesses de terceiros" e tendo em conta que, tanto os interesses dos concorrentes que pretendem aceder ao mercado como os interesses dos

---

[42] Loc. cit., pp. 153 e ss.

cidadãos em aceder a medicamentos a custos comportáveis e dos Estados em garantir a sustentabilidade orçamental são manifestamente legítimos, entende-se que a autorização da armazenagem apenas com a finalidade de permitir que o concorrente inicie a comercialização do medicamento no dia seguinte ao da extinção dos direitos de propriedade industrial é compatível com o Acordo. Além disso, é também um corolário lógico do princípio que preside à permissão da excepção regulatória e que justifica que nesta sede seja também produzida, detida e armazenada a quantidade de medicamento necessária à obtenção da autorização administrativa de que depende comercialização.

Acresce que, como se referiu, o artigo 28.° do Acordo não confere expressamente ao titular da patente a faculdade de proibir a armazenagem – embora, como se salientou, o Acordo permita a sua consagração pelos Membros nos respectivos ordenamentos jurídicos, por via extensão admitida pelo n.° 1 do artigo 1.°. Ora, o facto de a proibição da armazenagem, não constar do elenco dos direitos conferidos pela patente tem de revestir também relevância interpretativa, no quadro do Acordo, no sentido de que esse não é o cerne da protecção conferida pela patente. Com efeito, à excepção da colocação à venda e da venda, os demais direitos previstos no artigo 28.° do Acordo destinam-se apenas a reduzir o risco de comercialização – este, sim, o facto susceptível de verdadeiramente violar os direitos de exclusivo conferidos pela patente.

Esta discrepância do direito nacional, que consiste na previsão da proibição da armazenagem como direito conferido pela patente, embora constitua, como se salientou, o exercício de uma faculdade permitida pelo Acordo no n.° 1 do seu artigo 1.°, é, naturalmente, contrária à orientação decorrente da Declaração de *Doha* sobre o Acordo TRIPS e a saúde pública, na medida em que poderá ser interpretada em termos que dificultam o acesso a medicamentos e prorrogam de facto, que não de direito, os privilégios conferidos pela patente, que, tal como o próprio órgão de composição de litígios reconhece, não constituem interesses legítimos do titular de direitos de propriedade industrial.

3.6. *A faculdade anti-abuso*

O Acordo consagra no n.° 2 do artigo 8.° a possibilidade de adopção de medidas que impeçam a utilização abusiva de direitos da propriedade intelectual ou o recurso a práticas que restrinjam o comércio de forma não razoável[43]. Todavia, na legislação nacional em vigor em matéria de propriedade industrial, não encontrámos norma, ou regime, especificamente destinada a impedir este tipo de comportamentos.

Apenas existe no Código da Propriedade Industrial o artigo 338.° que pune até € 7 500 ou até € 30 000, consoante o agente seja pessoa singular ou colectiva, a usurpação da qualidade de titular de direito de propriedade industrial que não lhe pertença ou que tenha sido declarado nulo ou caduco.

Naturalmente que, para além do valor irrisório das coimas previstas, esta norma não abarca, por exemplo, as situações em que a empresa que invoca a patente bem sabe que a mesma é nula por falta dos requisitos de patenteabilidade, embora a nulidade ainda não esteja judicialmente declarada, e incorre em práticas censuráveis e abusivas que, no interesse da saúde pública e do acesso a medicamentos, importaria fazer cessar[44].

Aliás, a prova mais evidente dessa utilização abusiva é o recente Relatório do Inquérito da Comissão Europeia ao Sector Farmacêutico, que concluiu que as companhias em causa têm vindo a desenvolver um conjunto de estratégias, com o confessado objectivo de retardar ou bloquear a entrada dos genéricos no mercado[45].

A nível nacional temos como exemplo destas práticas a deslocação da discussão da validade das patentes da sua sede própria, que são os tribunais de comércio e, mais recentemente, os tribunais da propriedade industrial, para o foro administrativo, onde, por virtude do menor apetrechamento técnico destes tribunais nesta área tão específica, a companhias produtoras de originais têm vindo a alcançar algum sucesso, pelo menos através do retardamento do acesso dos genéricos ao mercado mediante a obtenção de providências cautelares.

Um outro exemplo deste tipo de práticas abusivas é o facto de as empresas produtoras de medicamentos originais estarem, de há algum tempo a esta parte, a litigar em Portugal invocando patentes que inicialmente foram requeridas como patentes de processo dados os condicionalismos legais da

---

[43] Deere, C. (2009), 94 e ss.

[44] Poderia defender-se que estes comportamentos estão cobertos pelas normas em vigor em matéria de concorrência, no entanto, esta solução sempre esbarraria com o princípio da tipicidade a que estão sujeitas as normas sancionatórias, mantendo-se a situação de impunidade.

[45] Disponível em http://ec.europa.eu/competition/sectors/pharmaceuticals/inquiry/communication_pt.pdf

época, mas que noutros países eram patentes de produto. Trata-se de patentes que, em número significativo, têm vindo a ser julgadas nulas por falta de requisitos de patenteabilidade e por desconformidade entre a epígrafe e o conteúdo das reivindicações. Não obstante, as referidas empresas esgrimem essas patentes, bem sabendo da sua invalidade, apenas com o intuito de retardar o acesso dos concorrentes ao mercado, dificultando simultaneamente o acesso a medicamentos a custos comportáveis.

Trata-se de práticas que podem ser proibidas ao abrigo do Acordo. Ao não lançar mão da faculdade de legislar em matéria de abuso deste tipo de práticas, o Estado Português não só está a dificultar o acesso aos medicamentos como está a incorrer em maiores encargos com os preços dos medicamentos para si, que os comparticipa, e para o contribuinte do Orçamento de Estado, bem como para os doentes, que poderiam comprar medicamentos mais baratos, se houvesse mais concorrência dos genéricos.

Esta omissão do legislador contraria um dos objectivos do Acordo, que, como referimos, é garantir que as medidas e processos destinados a assegurar a protecção efectiva dos direitos de propriedade intelectual não sejam eles próprios obstáculos ao comércio legítimo internacional.

4. **Conclusões**

Naturalmente, conhecemos as dificuldades próprias do processo legislativo português, decorrentes, designadamente, da obrigatoriedade de audição dos parceiros sociais e dos grupos de interesses e do facto de os projectos não serem acompanhados desde a preparação até à aprovação pelos mesmos técnicos. Compreende-se, assim, que, de uma maneira geral, os diplomas legais que vemos publicados em Diário da República não sejam isentos de críticas e por vezes não correspondam com a fidelidade minimamente exigível ao diploma que visam transpor. De facto, basta uma ou outra pequena modificação cujo alcance não seja imediatamente apreendido para um diploma poder ficar desvirtuado num ou mais institutos.

De todo o modo, como a publicação é condição de existência do acto legislativo, compete-nos apenas apreciar e, sendo o caso, criticar os diplomas publicados.

Também não se ignora que, mesmo que o legislador pretenda alterar estes regimes jurídicos, contará, naturalmente, com a resistência daqueles parceiros e grupos, além de que, nalgumas matérias, poderá esbarrar com dificuldades ao nível do direito da União Europeia.

Assim e em conclusão:

a) À luz da Declaração de *Doha,* o Acordo deve ser interpretado e aplicado de forma a apoiar o direito de todos os Membros da OMC de protegerem a saúde pública e, em especial, de promoverem o acesso a medicamentos para todos a custos comportáveis;
b) O referido Acordo, enquanto parte integrante de um Tratado internacional, encontra-se colocado, para efeitos do que ora interessa, numa posição hierarquicamente superior à do direito interno infraconstitucional, pelo que este deve ser interpretado e aplicado nos termos impostos e permitidos por aquele;
c) Assim, não se trata apenas de explorar as margens de flexibilidade do Acordo mas também de o interpretar e aplicar em termos que visem a promoção do acesso aos medicamentos e a protecção da saúde pública. A esta luz, será contrário ao espírito do Acordo uma interpretação ou aplicação que, longe de promover tal acesso, o dificulte;
d) No que respeita às licenças obrigatórias e às importações paralelas, os regimes vigentes em Portugal, pela sua rigidez, têm conduzido a que não haja recurso a estas figuras. Mesmo a recente simplificação do regime jurídico das importações paralelas, por ter mantido o regime de fixação do preço dos medicamentos importados, não contribuirá para o incremento desta via de acesso a medicamentos a custos comportáveis;
e) Quanto ao acesso à informação, a não sobreposição integral da vigência dos direitos de propriedade industrial e dos prazos de protecção de dados e comercialização, conduz a uma incerteza geradora de grande litigância e a desconsideração pela jurisprudência do relevo comercial da informação referente aos medicamentos genéricos, potencia a sua utilização pelos concorrentes para obstaculizar o acesso ao mercado;
f) O modo como o ónus da prova nas patentes de processo se encontra consagrado no nosso Direito, além de desconforme com o Acordo, tem conduzido a decisões judiciais que igualmente impedem o acesso dos genéricos ao mercado;
g) A inclusão, entre os direitos conferidos pela patente, do direito de impedir a armazenagem é manifestamente contrária a um dos princípios do Acordo, segundo o qual os produtores de genéricos podem ter tudo preparado, inclusive a armazenagem de lotes, de

forma a entrarem no mercado no dia seguinte ao da extinção dos direitos de propriedade industrial;

h) Por último, o legislador português não adoptou qualquer norma preventiva do uso abusivo dos direitos de propriedade industrial, o que contraria um dos objectivos expressos do Acordo e tem permitido todo um conjunto de práticas reprováveis;

i) A "transposição" para o direito português das normas do Acordo não é consentânea com os n.os 4. e 5. da Declaração de *Doha*, porque não explora devidamente todas as margens de flexibilidade que o mesmo concede nem permite uma aplicação do direito nacional conforme com os objectivos daquele Acordo e com as orientações da referida Declaração.

Lisboa, 19 de Março de 2011

BIBLIOGRAFIA

ABBOTT, Frederick M. & Rudolph V. Van PUYMBROECK (2005), *Compulsory licensing for public health: A guide and model documents for implementation of the Doha Declaration paragraph 6 decision*, World Bank working paper no. 61, Washington, D.C., World Bank.

ABBOTT, Frederick M. (2001), *The TRIPS Agreement, Access to Medicines and the WTO Doha Ministerial Conference*, FSU College of Law, Public Law Working Paper No. 36 and QUNO Occasional Paper No. 7, disponível em SSRN: http://ssrn.com/abstract=285934 ou DOI: 10.2139/ssrn.285934.

ABBOTT, Frederick M. (2005), *The WTO Medicines Decision: World Pharmaceutical Trade and the Protection of Public Health*, American Journal of International Law, Vol. 99, FSU College of Law, Public Law Research Paper No. 164, FSU College of Law, Law and Economics Paper No. 05-19, disponível em SSRN: http://ssrn.com/abstract=763224.

ARAÚJO, Fernando (2005), *Introdução à Economia*, 3.ª Edição, Coimbra, Almedina.

ASCENSÃO, José de Oliveira & Dário Moura VICENTE (2008), *Direito da Propriedade Industrial: Colectânea de Textos Legislativos e Regulamentares*, 1.ª Edição, Coimbra, Coimbra Editora.

ASCENSÃO, José de Oliveira (2003), *Legislação de Direito Industrial e Concorrência Desleal*, Lisboa, Associação Académica da Faculdade de Direito de Lisboa.

ASCENSÃO, José de Oliveira (2008), "Direitos Intelectuais: Propriedade ou Exclusivo?", *Themis, Revista da Faculdade de Direito da UNL*, Ano VIII, Coimbra, Almedina.

ASCENSÃO, José de Oliveira & Luís Silva MORAIS (2010), "A fixação dos preços dos medicamentos genéricos: questões de direito industrial e direito da concorrência", *Separata de Estudos em Homenagem ao Prof. Doutor Sérvulo Correia*, Edição da Faculdade de Direito da Universidade de Lisboa, Coimbra, Coimbra Editora.

ATTARAN, Amir (2002), *The DOHA Declaration on the TRIPS Agreement and Public Health, Access to Pharmaceuticals, and Options Under WTO Law*, Fordham Intellectual Property, Media & Entertainment Law Journal, Vol. 12, disponível em SSRN: http://ssrn.com/abstract=333363 ou DOI: 10.2139/ssrn.333363.

BASHEER, Shamnad (2006), *Protection of Regulatory Data Under Article 39.3 of Trips: The Indian Context*, Intellectual Property Institute (IPI), Forthcoming, disponível em SSRN: http://ssrn.com/abstract=934269.

BELLMANN, Christophe & Graham DUTFIELD, Ricardo MELÉNDEZ-ORTIZ (2003), *Trading in knowledge: development perspectives on TRIPS, trade, and sustainability*, London, UK, Earthscan.

CANOTILHO, J.J. Gomes & VITAL MOREIRA (2007), *Constituição da República Portuguesa Anotada: Artigos 1.° a 107.°*, Volume I, 4.ª Edição Revista, Coimbra, Coimbra Editora.

CARVALHO, Nuno Pires de (2005), *The TRIPS regime of patent rights*, 2nd ed, The Hague, Kluwer Law International.

CHATTERJEE, Ms. S. (2007), *Flexibilities Under Trips [Compulsory Licensing]: The Pharmaceutical Industry in India and Canada,* disponível em SSRN: http://ssrn.com/abstract=1025386.

DEERE, Carolyn (2009), *The implementation game: The TRIPS agreement and the global politics of intellectual property reform in developing countries*, Oxford, New York, Oxford University Press.

DEVEREAUX, Charan & Robert Z. LAWRENCE, Michael WATKINS (2006), *Case studies in US trade negotiation*, Washington, D.C., Institute for International Economics.

DINWOODIE, Graeme B. & Rochelle DREYFUSS (2004), *TRIPS and the Dynamics of Intellectual Property Lawmaking. Case Western Reserve*, Journal of International Law, Vol. 36, disponível em SSRN: http://ssrn.com/abstract=616664.

GABLE, Lance (2007), *Legal aspects of HIV/AIDS: A guide for policy and law reform*, Washington, D.C., World Bank.

GAMHARTER, Katharina (2004), *Access to Affordable Medicines: Developing Responses under the TRIPS Agreement and EC Law*, Series: Europainstitut Wirtschaftsuniversität Wien Publication Series, Vol. 25, Wien, New York, Springer.

GANSLANDT, Mattias & Keith E. MASKUS (1999), *Parallel Imports of Pharmaceutical Products in the European Union*, World Bank Policy Research Working Paper No. 2630, disponível em SSRN: http://ssrn.com/abstract=632698.

GATHII, James Thuo (2002), *The Doha Declaration on Trips and Public Health Under the Vienna Convention of the Law of Treaties,* Harvard Journal of Law and Technology, Vol. 15, No. 2, 2002, disponível em SSRN: http://ssrn.com/abstract=315371 or DOI: 10.2139/ssrn.315371.

GENDREAU, Ysolde (2008), *An emerging intellectual property paradigm: Perspectives from Canada*, Queen Mary studies in intellectual property, Cheltenham, UK, Edward Elgar.

HENCKELS, Caroline (2006), *The Ostensible Flexibilities in TRIPS: Can Essential Pharmaceuticals Be Excluded from Patentability in Public Health Crises?*, Monash University Law Review, Vol. 32, U of Melbourne Legal Studies Research Paper No. 254, disponível em SSRN: http://ssrn.com/abstract=1009373.

LEACH, Beryl & Paula MUNDERI, Joan E. PALUZZI (2005), *Prescription for healthy development Increasing access to medicines*, London, Earthscan.

MALBON, Justin (2008), *Interpreting and implementing the TRIPS agreement: Is it fair?* Cheltenham, Elgar.

MARQUES, João Paulo Remédio (2008), *Medicamentos versus Patentes: Estudos de Propriedade Industrial*, Coimbra, Coimbra Editora.

MARQUES, João Paulo Remédio (2008b), *Licenças (voluntárias e Obrigatórias) de Direitos de Propriedade Industrial*, Coimbra, Coimbra Editora.

MOTA, Pedro Infante (2005), *O Sistema Gatt/OMC Introdução Histórica e Princípios Fundamentais*, Coimbra, Almedina.

NANDA, Nitya (2008), Expanding frontiers of global trade rules: the political economy dynamics of the international trading system, Volume 74 of Routledge studies in the modern world economy, Milton Park, Abingdon, Oxon, USA, Routledge.

NUNN, Amy (2009), *The Politics and History of AIDS Treatment in Brazil*, Center for AIDS Research, Brown University Medical School, Providence, Springer.

OLIVEIRA, Mário Esteves & Pedro Costa GONÇALVES, J. Pacheco de AMORIM (1999), *Código do Procedimento Administrativo Comentado*, 2.ª Edição, Coimbra, Almedina.

OSEWE, Patrick Lumumba & Yvonne K. NKRUMAH, Emmanuel K. SACKEY (2008), *Improving access to HIV/AIDS medicines in Africa: Trade-Related Aspects of Intellectual Property Rights flexibilities utilization*, Washington, DC, World Bank.

OUTTERSON, Kevin (2008), *Should Access to Medicines and TRIPS Flexibilities Be Limited to Specific Diseases?*, American Journal of Law and Medicine, Vol. 34, Boston Univ. School of Law Working Paper No. 08-06, disponível em SSRN: http://ssrn.com/abstract=1090270.

PINHEIRO, Paulo & Miguel GORJÃO-HENRIQUES (2009), *Direito do Medicamento*, Centro de Direito Biomédico, Faculdade de Direito da Universidade de Coimbra, Coimbra, Coimbra Editora.

PUGATCH, Meir Perez (2004), *The International Political Economy of Intellectual Property Rights*, UK, Edward Elgar Publishing.

PUGATCH, Meir Perez (2006), *The Intellectual Property Debate: perspectives from law, economics and political economy*, Cheltenham, UK, Northampton, MA: Edward Elgar Publishing.

ROFFE, Pedro & Christoph SPENNEMANN, Johanna Von BRAUN (2006), "From Paris to Doha: The WTO Doha Declaration on The TRIPS Agreement and Public Health", [Pedro Roffe & Geoff Tansey, David Vivas Eugui, (org)], *Negotiating Health: Intellectual Property and Access to Medicines*, Londres, Earthscan.

SAMUELSON, Paul A. (1982), *Economia*, 5.ª Edição, Lisboa, Fundação Gulbenkian.

SELL, Susan K. (2003), *Private power, public law: The globalization of intellectual property rights*, Cambridge studies in international relations, Cambridge, UK, Cambridge University Press.

SERRA, Narcís & Joseph E. STIGLITZ (2008), *The Washington Consensus reconsidered: Towards a new global governance*, Initiative for policy dialogue series, Oxford, Oxford University Press.

SHAFFER, Gregory C. (2004), *Recognizing Public Goods in WTO Disputes Settlement: Who Participates? Who Decides? The Case of TRIPS and Pharmaceutical Patent Protection*, Journal of International Economic Law, Vol. 7, No. 2, disponível em SSRN: http://ssrn.com/abstract=528243.

SHANKER, Daya (2003), *Access to Medicines, Article 30 of TRIPS in the Doha Declaration and an Anthropological Critique of International Treaty Negotiations*, disponível em SSRN: http://ssrn.com/abstract=391540 or DOI: 10.2139/ssrn.391540.

SOUSA, Marcelo Rebelo de & José de Melo ALEXANDRINO (2000), *Constituição da República Portuguesa Comentada*, Lisboa, Lex.

SRINIVAS, Krishna Ravi (2006), *Test Data Protection, Data Exclusivity and TRIPS: What Options for India*, disponível em SSRN: http://ssrn.com/abstract=935847.

SRINIVAS, Krishna Ravi (2006b), *TRIPS, Access to Medicines and Developing Nations: Towards an Open Source Solution*, disponível em SSRN: http://ssrn.com/abstract =952435.

SURANA, Abhinav (2006), *Using TRIPS Flexibilities to Promote Access to Medicines with Special Reference to Indian Product Patent Regime*, disponível em SSRN: http:// ssrn.com/abstract=956257.

VELÁSQUEZ, Germán & Pascale BOULET (1999), *Globalization and Access to Drugs: Implications of the WTO/TRIPS Agreement*, World Health Organisation.

VICENTE, Dário Moura (2008), *A Tutela Internacional da Propriedade Intelectual*, Coimbra, Almedina.

OUTROS TEXTOS CONSULTADOS:

Pharmaceutical Inovation: A New R&D Strategy in the EU; "EU2007.pt" (Memórias), INFARMED;

Jornal do INPI, Ano XII, n.° 3, Outubro de 1997;

Essential Drugs in Brief, Issue n.° 13, Junho de 2004, Department of Essencial Drugs and Medicines Policy, World Health Organisation.

State_of_Innovation_EC_SI_Factsheet_25_Nov-20080923-002-EN-v1

Relatório do Inquérito da Comissão Europeia ao Sector Farmacêutico, disponível em http:// ec.europa.eu/competition/sectors/pharmaceuticals/inquiry/communication_pt.pdf

CONCORRÊNCIA DESLEAL: DIVERSIDADE DE LEIS E DIREITO INTERNACIONAL PRIVADO*

DÁRIO MOURA VICENTE
Professor Catedrático da Faculdade de Direito da Universidade de Lisboa

SUMÁRIO:

---

* Conferência proferida na Faculdade de Direito de Lisboa, 13 de Março de 2010, no *I Curso Pós-Graduado de Direito Intelectual.*

I. Introdução

Apesar da sua enorme relevância social, a concorrência desleal não constitui objecto de uma disciplina uniforme nos sistemas jurídicos nacionais. Nos países de *Common Law*, por exemplo, não se encontra, nem na lei nem nos precedentes judiciais, uma proibição genérica da concorrência desleal. E mesmo nos sistemas jurídicos que disciplinam *ex professo* esta matéria há diferenças de tomo entre os respectivos regimes.

Vem daqui que nas situações potencialmente constitutivas de concorrência desleal que se encontrem conexas com mais do que um sistema jurídico nacional (*hoc sensu*, situações internacionais ou plurilocalizadas) se suscita não raro o problema do Direito aplicável.

Suponhamos, a fim de exemplificar, a seguinte hipótese (que se baseia num caso julgado pelos tribunais alemães nos anos 60, ao qual voltaremos adiante[1]). Uma empresa norte-americana fabrica e distribui mundialmente biberões com a marca X. Uma empresa portuguesa fabrica e distribui em países africanos, com a marca Y, biberões que imitam os da empresa americana. A empresa americana demanda a portuguesa perante os tribunais nacionais, imputando-lhe a prática de actos de concorrência desleal. Invoca, em apoio da sua pretensão, o art. 317.°, n.° 1, alínea *a)*, do Código da Propriedade Industrial português. A ré contrapõe que a lei portuguesa não é aplicável ao caso, pois os biberões que produz e comercializa não são distribuídos no mercado nacional, mas tão-somente em países estrangeiros, que não sancionam a imitação servil. *Quid iuris?*

Consideremos agora estoutro exemplo, baseado num caso julgado pela Cassação francesa em 1997, que será igualmente analisado a seguir[2]: uma empresa norte-americana faz publicar num periódico editado nos Estados Unidos anúncios denegrindo um concorrente seu, também estabelecido nos Estados Unidos. O periódico é distribuído em Portugal. A empresa afectada por essa prática demanda a sua rival perante os tribunais portugueses, invocando o disposto no art. 317.°, n.° 1, alínea *b)*, do Código da Propriedade Industrial. A ré defende-se, alegando que, uma vez que ambas as partes se encontram estabelecidas nos Estados Unidos, a lei portuguesa não é aplicável ao caso. Quem tem razão?

---

[1] Cfr. *infra*, nota 40 e texto correspondente.

[2] Cfr. *infra*, nota 34 e texto correspondente.

É deste tipo de problemas que se ocupa o Regulamento (CE) n.° 864/ /2007 do Parlamento Europeu e do Conselho, de 11 de Julho de 2007, relativo à lei aplicável às obrigações extracontratuais (Regulamento de «Roma II»)[3], aplicável desde 11 de Janeiro de 2009, cujo art. 6.° consagra uma regra de conflitos relativa à concorrência desleal e aos actos que restrinjam a livre concorrência.

Procuraremos dar conta no presente estudo das soluções consignadas nesse acto jurídico da União Europeia quanto a estes problemas e dos seus pressupostos. Antes, porém, importará identificar as grandes linhas de orientação adoptadas pelos principais sistemas jurídicos nacionais no tocante à repressão da concorrência desleal. É o que passamos a fazer em seguida.

II. A diversidade dos sistemas jurídicos nacionais em matéria de concorrência desleal

1. *Interesses protegidos*

As diferenças entre os sistemas jurídicos nacionais nesta matéria referem-se, desde logo, aos interesses protegidos pelas regras sobre a concorrência desleal.

Na generalidade dos sistemas jurídicos, o regime da concorrência desleal visa prevenir e reprimir os abusos da liberdade de concorrência.

Contudo, nalguns países, como a França[4], a Itália[5] e Portugal[6], procura-se essencialmente resolver conflitos entre concorrentes individualmente considerados: é o denominado *modelo profissional* da concorrência desleal em que esta tutela sobretudo interesses privados.

---

[3] *In Jornal Oficial da União Europeia*, série L, n.° 199, de 31 de Julho de 2007, pp. 40 ss.

[4] Onde, como se verá a seguir, a base normativa da acção fundada na concorrência desleal é constituída pelas regras gerais sobre a responsabilidade civil delitual, constantes dos arts. 1382 e 1383 do Código Civil.

[5] Cfr. o art. 2598 do Código Civil.

[6] *Vide* o art. 317.° do Código da Propriedade Industrial, que define a concorrência desleal como todo o acto de concorrência contrário às normas e usos honestos de qualquer ramo de actividade.

Noutros países, como a Alemanha, esse regime tutela também interesses dos consumidores e dos demais participantes no mercado[7]: trata-se do chamado *modelo social*, em que a repressão da concorrência desleal tem por objectivo instituir uma ordenação geral das condutas no mercado.

Esta diversidade de concepções quanto aos interesses protegidos conduz, além do mais, a diferenças de regime no tocante à legitimidade para as acções fundadas na concorrência desleal e aos critérios de valoração da publicidade enganosa.

Assim, nos sistemas que seguem o modelo profissional, essa legitimidade cinge-se em princípio aos concorrentes directamente afectados pelo acto de concorrência desleal e às associações que os representem; nos demais, ela estende-se a todos os que ofereçam no mercado produtos ou serviços de natureza idêntica ou similar aos do infractor.

Por outro lado, naqueles primeiros sistemas, a procedência de um pedido indemnizatório fundado nas regras que proscrevem a publicidade enganosa pressupõe a demonstração pelo autor de um dano causado à sua empresa pela conduta imputada a um concorrente; nos segundos, uma vez que se entende que essas regras operam também em benefício dos consumidores e dos concorrentes em geral, é desnecessária a prova de que a conduta em causa lesou especificamente o autor.

2. *Fontes de regulação*

As diferenças que se registam entre os sistemas jurídicos nacionais nesta matéria dizem também respeito às fontes da regulação da concorrência desleal.

Assim, nalguns países recorre-se fundamentalmente, a fim de sancioná-la, às disposições gerais sobre a responsabilidade civil: é o que sucede em França (a «pátria» da concorrência desleal), onde a *action en*

[7] Cfr. o § 1 da *Gesetz Gegen den Unlauteren Wettbewerb*, de 2004, nos termos do qual essa lei visa proteger os concorrentes, os consumidores e os demais participantes no mercado perante a concorrência desleal, bem como o interesse geral numa concorrência não falseada («Dieses Gesetz dient dem Schutz der Mitbewerber, der Verbraucherinnen und Verbraucher sowie der sonstigen Marktteilnehmer vor unlauteren geschäftlichen Handlungen. Es schützt zugleich das Interesse der Allgemeinheit an einem unverfälschten Wettbewerb»).

concurrence déloyale se baseia nos arts. 1382 e 1383 do Código Civil[8], entendendo a jurisprudência que a *faute* a que o primeiro desses preceitos alude consiste nestes casos numa actuação contrária aos usos honestos da vida económica. O Direito francês sobre a matéria é hoje sobretudo de fonte jurisprudencial, posto que o integrem também disposições constantes de diplomas legais[9].

Noutros países, a concorrência desleal é objecto de regras legais específicas: é o caso, como se referiu acima, da Alemanha, da Itália e de Portugal, onde a matéria é disciplinada, respectivamente, na Lei Contra a Concorrência Desleal, no Código Civil e no Código da Propriedade Industrial.

Num terceiro grupo de países, entre os quais se inclui o Reino Unido, não existe, nem na lei nem na jurisprudência, uma proibição genérica da concorrência desleal.

Este conceito é, de resto, estranho à terminologia jurídica inglesa; e a ideia que lhe subjaz foi há muito repudiada pela jurisprudência daquele país. Assim, por exemplo, no caso *Mogul Steamship*[10], em que se estabeleceram os fundamentos da orientação que ainda hoje prevalece em Inglaterra a respeito do tema, a Câmara dos Lordes rejeitou a pretensão indemnizatória deduzida por diversos proprietários de navios ingleses contra uma associação formada por concorrentes seus, à qual imputavam diversas práticas concertadas (que incluíam a concessão de reduções excepcionais de preços aos clientes que se comprometessem a negociar em exclusivo com os membros dessa associação e a recusa de contratar com os agentes que se dispusessem a negociar também com os seus rivais), tendentes a impedir os autores de obterem carregamentos de mercadorias para os seus navios entre portos chineses e ingleses e a reservar deste modo para os réus a totalidade dos benefícios dessa actividade comercial. Em abono da tese que fez vencimento nessa sentença, aduziu Lorde Morris:

> «Nestes tempos de comunicação instantânea com quase todas as partes do mundo, a concorrência é a vida do comércio e não tenho conheci-

---

[8] Que dispõem respectivamente: «Tout fait quelconque de l'homme, qui cause à autrui un dommage, oblige celui par la faute duquel il est arrivé, à le réparer»; «Chacun est responsable du dommage qu'il a causé non seulement par son fait, mais encore par sa négligence ou par son imprudence».

[9] Tal o caso, nomeadamente, da lei sobre a publicidade comparativa, de 1992, que referiremos adiante.

[10] Cfr. *Mogul Steamship Company, Limited, v. McGregor, Gow & Co et al.*, House of Lords, [1892] A.C. 25.

mento de qualquer estádio da concorrência denominado "leal", intermédio entre o lícito e o ilícito. A questão da "lealdade" seria deixada às idiossincrasias dos juízes. Não vejo qualquer limite à concorrência, excepto na medida em que não se devem violar os direitos de outrem.»[11]

Algumas das práticas comerciais que no Continente europeu são tidas como desleais são hoje, todavia, accionáveis em Inglaterra como ilícitos extracontratuais (*torts*) sancionados pelo *Common Law*. Entre estes sobressai o *tort of passing off*[12]. A ele são reconduzíveis as condutas que, cumulativamente, reúnam os seguintes requisitos:

- Uma falsa declaração (*misrepresentation)*;
- Feita por um comerciante no decurso da sua actividade comercial;
- Dirigida aos seus prospectivos clientes ou aos consumidores finais dos seus produtos ou serviços;
- Visando lesar a actividade comercial ou a reputação dos produtos ou serviços de outro comerciante; e
- Que haja causado um dano ao comerciante que intenta a acção.

Entre as declarações susceptíveis de integrarem o conceito de *passing off* inclui-se a oferta ao público de mercadorias ou serviços próprios como se fossem os de um concorrente, utilizando para o efeito, *v.g.*, uma marca ou o nome comercial deste.

A orientação prevalecente na jurisprudência inglesa no que respeita à aferição dos pressupostos do *passing off* é, em todo o caso, assaz restritiva.

As razões dessa orientação foram expostas por Lorde Diplock no caso *Erven Warnink v. Townend*, julgado pela Câmara dos Lordes em 1979[13]:

---

[11] «In these days of instant communication with almost all parts of the world competition is the life of the trade, and I am not aware of any stage of competition called "fair" intermediate between lawful and unlawful. The question of "fairness" would be relegated to the idiosyncrasies of individual judges. I can see no limit to competition, except that you shall not invade the rights of another».

[12] Ver Christopher Wadlow, *The Law of Passing-Off.Unfair Competition by Misrepresentation*, 3.ª ed., Londres, 2004, pp. 6 ss.; William Cornish/David Llewelyn, *Intellectual Property: Patents, Copyright, Trade Marks and Allied Rights*, 6.ª ed., Londres, 2007, pp. 627 ss.

[13] Cfr. *Erven Warnink Besloten Venootschap v. J. Townend & Sons Ltd.*, [1979] A.C. 731.

aí alertou aquele magistrado para os riscos que adviriam para um sistema económico assente na concorrência se se concedesse tutela civil a todos os concorrentes que houvessem sofrido prejuízos em consequência de declarações inexactas feitas pelos seus rivais acerca dos respectivos produtos; seria justamente para evitá-los que o *Common Law* não estabeleceu uma tal tutela[14].

Além do *passing off*, também o *tort* de *injurious falsehood* abrange em Inglaterra algumas situações que são caracterizadas como de concorrência desleal nos sistemas continentais. São elementos deste *tort*:

- Uma falsa afirmação, *v.g.* a respeito dos produtos ou da actividade empresarial de um concorrente;
- Feita maliciosamente; e
- Que haja causado um dano ao autor.

Enquanto que no *passing off* através da afirmação em causa o infractor se apropria do *goodwill* de um concorrente (*maxime* fazendo passar os seus produtos ou serviços pelos desse concorrente), no *injurious falsehood* a afirmação feita visa depreciar o concorrente[15].

A ausência de uma disciplina normativa da concorrência desleal em Inglaterra é, em todo o caso, temperada pelo maior relevo que aí assume a *auto-regulação* levada a cabo pelas associações empresariais. Entre os instrumentos de auto-regulação relevantes nesta matéria sobressai o *British Code of Advertising, Sales Promotion and Direct Marketing*[16].

Nos Estados Unidos, o *passing off* integra o conceito mais amplo de *unfair competition*. A orientação que a este respeito tem prevalecido na jurisprudência norte-americana é, de todo o modo, claramente restritiva, revelando uma forte relutância em admitir a qualificação como ilícitas de condutas que não estejam já tipificadas como tais na lei ou nos precedentes judiciais. No conflito entre a liberdade de concorrência e a protecção

---

[14] «[I]n an economic system which has relied on competition to keep down prices and to improve products there may be practical reasons why it should have been the policy of the common law not to run the risk of hampering competition by providing civil remedies to every one competing on the market who has suffered damage to his business or goodwill in consequence of inaccurate statements of whatever kind that may be made by rival traders about their own wares».

[15] Ver Wadlow, ob. cit., pp. 13 ss.; Cornish/Llewelyn, ob. cit., pp. 664 ss.

[16] De que existe 11.ª edição, de 2003, disponível em http://www.cap.org.uk.

do mercado contra condutas desleais, os tribunais deste país têm geralmente dado primazia à primeira[17].

Compreendem-se no conceito de *unfair competition*, de acordo com o *Restatement* do Direito da Concorrência Desleal adoptado pelo *American Law Institute* em 1995, três categorias fundamentais de ilícitos:

- A comercialização enganosa de produtos ou serviços *(deceptive marketing)*;
- A violação do direito à marca *(infringement of another's trademark)*; e
- A apropriação indevida de certos valores comerciais incorpóreos *(misappropriation of intangible trade values)*, como os segredos de negócio *(trade secrets)* e o valor comercial da identidade de uma pessoa *(commercial value of a person's identity* ou *right of publicity)*[18].

A insuficiência das regras jurisprudenciais em matéria de concorrência desleal levou o Congresso norte-americano a incluir no *Lanham Trade-Mark Act* certas disposições relativas à concorrência desleal, que codificam e complementam aquelas regras. Delas se dará conta a seguir.

3. *Técnica legislativa*

Há ainda diferenças de tomo quanto à técnica legislativa adoptada pelos sistemas jurídicos nacionais na disciplina da concorrência desleal.

Em alguns desses sistemas, consagra-se na lei uma *cláusula geral*, porventura complementada por um enunciado exemplificativo de situações que lhe são reconduzíveis (como fazem a lei alemã, nos §§ 3 e 4, e o Código português, nos arts. 317.° e 318.°).

---

[17] Ver, neste sentido, Victoria L. Knight, «Unfair Competition: a Comparative Study of its Role in Common and Civil Law Systems», *Tulane Law Review*, 1978, pp. 164 ss.

[18] Cfr. *Restatement of the Law Unfair Competition. As Adopted and Promulgated by the American Law Institute at Washington, D.C., May 11, 1993*, St. Paul, Minnesota, 1995. Ver ainda, sobre o conceito de *unfair competition*, *Prosser and Keeton on the Law of Torts*, 5.ª ed., por W. Page Keeton, Dan Dobbs, Robert Keeton e David Owen, St. Paul, Minnesota, 1984, pp. 1013 ss.; e Charles R. McManis, *Intellectual Property and Unfair Competition*, 5.ª ed., St. Paul, Minnesota, 2004, p. 7.

Noutros, tipificam-se na lei os actos susceptíveis de serem sancionados a este título. É o que sucede nos Estados Unidos, onde a secção 43 (a) (1) do *Lanham Act* estabelece a obrigação de indemnizar os danos causados por qualquer pessoa mediante falsas indicações de origem ou falsas descrições ou declarações relativas a produtos ou serviços que:

- Possam gerar confusão ou erro quanto à conexão ou associação dessa pessoa com outra ou quanto à origem, patrocínio ou aprovação dos seus produtos, serviços ou actividades por um terceiro; ou
- Na actividade publicitária ou promocional, deturpem a natureza, características, qualidades ou origem geográfica dos seus produtos, serviços ou actividades comerciais ou dos de outra pessoa[19].

4. *Actos sancionados*

Existem também diferenças relevantes quanto aos actos susceptíveis de serem sancionados através da concorrência desleal. É o que sucede, por exemplo, em matéria de publicidade comparativa[20].

Antes da transposição da Directiva 97/55/CE, de 6 de Outubro de 1997, que liberalizou a publicidade comparativa na Comunidade Europeia[21], esta forma de publicidade era em geral proibida na Alemanha e aí sancionada através da concorrência desleal[22].

Também em França a publicidade comparativa começou por ser tida pela jurisprudência como uma forma de denegrir os concorrentes e, por conseguinte, como uma prática atentatória dos usos honestos do comércio, só tendo passado a ser permitida após a publicação da lei de reforço da defesa do consumidor de 1992[23].

---

[19] Ver, sobre esta disposição, Roger E. Schechter, *Intellectual Property, Intellectual Property*, 3.ª ed., St. Paul, Minnesota, 2006, pp. 334 ss.

[20] Cfr., sobre o tema, Adelaide Menezes Leitão, «Publicidade comparativa e concorrência desleal», *in* AAVV, *Direito Industrial*, vol. IV, Coimbra, 2005, pp. 239 ss.

[21] *In JOCE* n.° L 290, de 23 de Outubro de 1997, pp. 18 ss. Essa Directiva foi entretanto revogada pela Directiva 2006/114/CE do Parlamento Europeu e do Conselho, de 12 de Dezembro de 2006, relativa à publicidade enganosa e comparativa, *in Jornal Oficial da União Europeia* (*JOUE*) n.° L 376, de 27 de Dezembro de 2006, pp. 21 ss.

[22] Cfr. Volker Emmerich, *Unlauterer Wettbewerb*, 7.ª ed., Munique, 2004, pp. 124 ss.

[23] *Loi no. 92-60 du 18 janvier 1992 renforçant la protection des consommateurs*, art. 10.

Em Portugal, a publicidade comparativa era porém consentida, ainda que dentro de certos limites, à data da adopção da referida Directiva[24].

Em Inglaterra, os tribunais mostram-se tradicionalmente mais relutantes em sancionar a publicidade comparativa: requer-se para o efeito que haja uma depreciação (*disparagement*) ou uma falsa declaração (*misrepresentation*) acerca dos bens oferecidos pelo autor, que uma pessoa razoável tomaria como séria[25].

É, porém, nos Estados Unidos – de onde esta prática é, aliás, originária – que tradicionalmente se admite com maior amplitude a publicidade comparativa, a qual goza aí inclusivamente de protecção constitucional[26]. Ao contrário do que sucede na Europa continental, não existem no Direito norte-americano disposições legais que proíbam a publicidade comparativa ou que enunciem as condições da respectiva admissibilidade: a publicidade comparativa sujeita-se, tão-somente, à proibição da publicidade falsa ou enganosa constante da secção 43 do *Lanham Act*.

5. *Meios de tutela civil*

Divergem ainda consideravelmente as regras nacionais relativas aos meios de tutela civil da concorrência desleal[27].

A circunstância, por exemplo, de certos países, como a Alemanha, se terem dotado de leis especiais sobre esta matéria teve como consequência que os pressupostos gerais da decretação de medidas provisórias puderam ser neles adaptados à natureza específica dos ilícitos em questão, flexibilizando-se designadamente as exigências a satisfazer pelo requerente no tocante à demonstração da urgência da medida, a qual é presumida em matéria de concorrência desleal[28].

Por outro lado, prevalecem nesta matéria diferentes orientações quanto à admissibilidade da condenação do infractor a entregar ao lesado

---

[24] Cfr. o Código da Publicidade aprovado pelo Decreto-Lei n.° 330/90, de 23 de Outubro, art. 16.° (entretanto alterado pela Lei n.° 31-A/98, de 14 de Julho, que praticamente reproduziu o art. 3.°-A da Directiva 97/55/CE).

[25] Cfr. Cornish/Llewelyn, *Intellectual Property*, cit., p. 668.

[26] Nos termos do I Emenda à Constituição, que consagra a liberdade de expressão.

[27] Sobre o ponto, *vide*, em especial, Pierre-Dominique Ollier/Jean-Pierre Le Gall, «Various Damages», *in International Encyclopaedia of Comparative Law (IECL)*, vol. XI, *Torts*, capítulo 10, especialmente pp. 105 ss.

[28] Ver Emmerich, ob. cit., pp. 516 s.

dos lucros por si auferidos através de actos de concorrência desleal. Embora se admita hoje nos sistemas de *Civil Law* que, em certos casos, o lesado pode optar pelo lucro do infractor como forma de reparação[29], a entrega do correspondente valor não é em princípio cumulável com a indemnização do dano sofrido, como já se tem admitido nos sistemas de *Common Law,* no âmbito do chamado *account of profits* ou *disgorgment of profits*[30].

6. *Conclusão*

Pode dizer-se, em face do exposto, que é mais restrito o âmbito da repressão da concorrência desleal nos sistemas de *Common Law* do que nos romano-germânicos, em particular por isso que é mais limitado o espectro dos actos sancionáveis ao abrigo das respectivas regras.

Esta diversidade de regimes está em consonância com o âmbito, também ele mais restrito, conferido aos direitos intelectuais naqueles primeiros sistemas[31].

Ela prende-se, além disso, com a maior ou menor medida em que nesses sistemas jurídicos se procura preservar a liberdade de actuação dos agentes económicos no mercado e se admite uma intervenção reguladora dos órgãos do Estado neste domínio – intervenção essa que tende a ser mais limitada nos sistemas referidos em primeiro lugar do que nos segundos.

III. **O Direito aplicável à concorrência desleal**

1. *A competência da* **lex mercatus**

Passemos à questão do Direito aplicável. Nos actos de concorrência desleal não está em jogo, como se sabe, a violação de um direito subjec-

[29] Cfr. Emmerich, ob. cit., pp. 488 s., e, entre nós, Adelaide Menezes Leitão, *Estudo de Direito Privado sobre a cláusula de concorrência desleal,* Coimbra, 2000, pp. 164 ss.

[30] Cfr. Robert Goff/Gareth Jones, *The Law of Restitution,* Londres, 1993, pp. 720 ss.; Cornish/Llewelyn, ob. cit., pp. 79 s.

[31] Ver, sobre o ponto, o nosso *A tutela internacional da propriedade intelectual,* Coimbra, 2008, pp. 35 ss.

tivo, mas tão-só de disposições legais ou de regras jurisprudenciais ou consuetudinárias destinadas a proteger interesses alheios[32].

Por conseguinte, não teria cabimento, na regulação desta matéria pelo Direito Internacional Privado, um *dépeçage* análogo ao estabelecido no tocante às obrigações extracontratuais resultantes da violação de direitos privativos da propriedade industrial, a respeito das quais se distinguem, por um lado, o direito subjectivo violado e, por outro, as obrigações de indemnizar e de restituir o enriquecimento sem causa que decorrem dessa violação[33].

Os actos de concorrência desleal são, do ponto de vista do Direito Internacional Privado, qualificáveis como ilícitos civis.

Na falta de disposições especiais, valeriam assim, quanto à determinação da lei que lhes é aplicável, as regras de conflitos relativas à responsabilidade extracontratual e ao enriquecimento sem causa, *maxime* as que submetem a imputação delitual de danos à *lex loci delicti* (como o art. 45.° do Código Civil português) e as que subordinam a obrigação de restituir o enriquecimento à lei com base na qual se verificou a transferência patrimonial a favor do enriquecido ou à lei do lugar onde se verificou a ofensa de um interesse protegido do empobrecido (cfr. o art. 44.° do Código Civil português).

Neste sentido se pronunciou a Cassação francesa no *arrêt de principe* de 14 de Janeiro de 1997: à indemnização dos danos causados pela difusão em França de periódicos contendo artigos que visavam denegrir um concorrente, seria aplicável a lei francesa, enquanto lei do lugar do facto gerador do dano, não obstante ambas as partes serem entidades norte-americanas e a publicação dos periódicos ter tido lugar originariamente nos Estados Unidos[34].

Contudo, a reparação dos danos causados a outrem mediante actos de concorrência desleal, assim como a restituição do enriquecimento sem causa através dela obtido, acham-se estreitamente conexas com as normas

---

[32] Cfr. José Oliveira Ascensão, *Concorrência desleal*, Coimbra, 2002, p. 199; *idem*, *Portugal*, *in* Eugen Ulmer/Gerhard Schricker/Joseph Straus (orgs.), *Das Recht des unlauteren Wettbewerbs in den Mitgliedstaaten der Europäischen Wirtschaftsgemeinschaft*, vol. VIII, Munique, 2005, pp. 166 ss.

[33] Ver, por exemplo, os arts. 45.° e 48.° do Código Civil português.

[34] Cfr. o caso *Société Gordon and Breach Science Publishers et autres c. Association The American Institute of Physics et autres*, *RCDIP*, 1997, pp. 504 ss.

que reprimem esses actos, visto que é em parte através delas que tais normas adquirem eficácia nas relações entre privados[35].

Essa conexão justifica que, na definição da lei aplicável às obrigações extracontratuais emergentes de actos de concorrência desleal, se atenda primordialmente aos interesses tutelados através das normas relativas a esta última[36].

Nesta medida, a concorrência desleal deve ter autonomia, no plano dos conflitos de leis no espaço, relativamente ao regime comum dos ilícitos civis.

Ora, as normas relativas à concorrência desleal instituem uma ordenação de condutas, essencialmente negativa ou proibitiva, destinada a assegurar a igualdade de oportunidades aos concorrentes (*par conditio concurrentium*).

Indirectamente, protegem também os *interesses dos consumidores* contra actos fraudulentos.

Nelas estão implicados, além disso, *interesses públicos* relativos ao funcionamento regular da economia.

A função social dessas normas reclama, pois, a sua aplicação às condutas que sejam susceptíveis de produzir efeitos no *mercado* em que vigoram[37].

---

[35] Razão por que se alude, a este propósito, a um *private enforcement* das normas sobre a concorrência desleal.

[36] *Vide*, na mesma linha fundamental de orientação, Christian Joerges, «Die klassische Konzeption des internationalen Privatrechts und das Recht des unlauteren Wettbewerbs», *Rabels Zeitschrift für ausländisches und internationales Privatrecht* (*RabelsZ*), 1972, pp. 421 ss. (especialmente pp. 467 ss.).

[37] Neste sentido se pronunciou já Wilhelm Wengler, nos estudos «Die Gesetze über unlauteren Wettbewerb und das internationale Privatrecht», *RabelsZ*, 1954, pp. 401 ss. (pp. 415 s.), e «Laws Concerning Unfair Competition and the Conflict of Laws», *American Journal of Comparative Law*, 1955, pp. 167 ss. (p. 180). Vejam-se também, preconizando *de jure condendo* a aplicação da lei do mercado à concorrência desleal, Jean-Marie Bischoff, «La concurrence déloyale en droit international privé», *Travaux du Comité Français de Droit International Privé*, 1969/71, pp. 53 ss. (p. 61); Adair Dyer, «Unfair Competition in Private International Law», *Recueil des cours de l'Académie de La Haye de Droit International*, t. 211 (1988-IV), pp. 373 ss. (pp. 436 e 443); Frédéric Leclerc, «Concurrence déloyale et droit international privé», *in* Yves Serra (org.), *La concurrence déloyale*, Paris, 2001, pp. 77 ss. (p. 88); e Costanza Honorati, «The Law Applicable to Unfair Competition», *in* Alberto Malatesta (org.), *The Unification of Choice of Law Rules on Torts and Other Non-Contractual Obligations in Europe. The «Rome II» Proposal*, Pádua, 2006, pp. 127 ss. (pp. 148 ss.).

Vista a questão sob outro ângulo, dir-se-á que as pretensões fundadas em actos de concorrência desleal devem subordinar-se à lei do lugar onde se dá o *conflito de interesses entre concorrentes*[38], ou seja, do *mercado* que é afectado por esses actos (*v.g.* porque nele são publicitados ou comercializados certos produtos ou serviços): a *lex mercatus*[39].

O Direito da Concorrência Desleal é, *hoc sensu*, de *aplicação territorial.*

Nas últimas décadas, esta doutrina tem ganho crescente aceitação na jurisprudência e na lei. Consagrou-a primeiramente o Tribunal Federal alemão, no acórdão proferido em 30 de Junho de 1961 sobre o caso *Kindersaugflaschen*[40].

Na espécie, a autora (uma empresa sedeada nos Estados Unidos) reclamava, com fundamento na proscrição da imitação servil instituída pela lei alemã, a condenação da ré (uma concorrente sua estabelecida na Alemanha) a abster-se de prosseguir a comercialização, em diversos países estrangeiros, de biberões com características iguais aos por si fabricados, os quais eram também distribuídos com uma marca semelhante à sua; e bem assim a indemnizá-la pelos prejuízos causados através de semelhante prática. O Tribunal Federal rejeitou a aplicabilidade ao caso da lei alemã e determinou que a ilicitude dos actos em questão fosse aferida pelo tribunal *a quo* à luz das leis dos países onde os objectos em questão eram distribuídos pela ré.

---

[38] Assim, Kamen Troller, *Das internationale Privatrecht des unlauteren Wettbewerbs in vergleichender Darstellung der Rechte Deutschlands, Englands, Frankreichs, Italiens, der Schweiz und der USA*, Friburgo, 1962, pp. 127 ss.

[39] Cfr. Bernd von Hoffmann, *in Staudingers Kommentar zum Bürgerlichen Gesetzbuch mit Einführungsgesetze und Nebengesetzen. Einführungsgesetz zum Bürgerliche Gesetzbuche/IPR. Art. 38-42*, 13.ª ed., Berlim, 2001, p. 558; Josef Drexl, *in Münchener Kommentar zum Bürgerlichen Gesetzbuch*, vol. 11, *Internationales Wirtschaftsrecht. Einführungsgesetz zum Bürgerlichen Gesetzbuche (Art. 50-245)*, 4.ª ed., Munique, 2006, pp. 750 ss.; Karl-Heinz Fezer/Stefan Koos, *in Staudingers Kommentar zum Bürgerlichen Gesetzbuch mit Einführungsgesetze und Nebengesetzen. Einführungsgesetz zum Bürgerliche Gesetzbuche/IPR. Internationales Wirtschaftsrecht*, 13.ª ed., Berlim, 2006, p. 208; e Bernd von Hoffmann/Karsten Thorn, *Internationales Privatrecht*, 9.ª ed., Munique, 2007, p. 502.

[40] Reproduzida em *Gewerblicher Rechtsschutz und Urheberrecht (GRUR)*, 1962, pp. 243 ss.; e em *Entscheidungen des Bundesgerichtshofes in Zivilsachen* (*BGHZ*) 35, pp. 329 ss.

Esta orientação corresponde, desde o referido acórdão, à jurisprudência constante do Tribunal Federal alemão[41].

Posteriormente, vários sistemas jurídicos europeus acolheram conexões especiais nesta matéria, sujeitando-a à lei do país em cujo mercado o acto de concorrência produz ou pode produzir os seus efeitos.

Contém uma regra deste teor, por exemplo, o § 48 (2) da lei austríaca de Direito Internacional Privado, segundo o qual:

> «As pretensões de indemnização e outras pretensões fundadas na concorrência desleal são reguladas pelo Direito do Estado em cujo mercado a concorrência produza efeitos.»[42]

Uma solução semelhante encontra-se consignada no art. 136, n.° 1, da Lei Federal suíça de Direito Internacional Privado, que dispõe:

> «As pretensões fundadas num acto de concorrência desleal são regidas pelo Direito do Estado em cujo mercado o resultado se produziu.»[43]

Em Espanha, o art. 4 da *Ley de Competencia Desleal*, de 1991, embora adoptando uma técnica legislativa diferente – assente na delimitação unilateral do âmbito de aplicação da lei do foro –, acolheu a mesma orientação fundamental. Determina esse preceito:

> «A presente lei será aplicável a todos os actos de concorrência desleal que produzam ou possam produzir efeitos no mercado espanhol.»[44]

Uma regra com uma formulação um tanto diversa das anteriores, mas que não conduz a resultados substancialmente diversos, figura no

---

[41] Cfr., designadamente, as decisões proferidas em 20 de Dezembro de 1963, caso *Stahlexport*, *GRUR*, 1964, pp. 316 ss.; em 23 de Outubro de 1970, no caso *Tampax*, *GRUR*, 1971, pp. 153 ss.; e em 15 de Novembro de 1990, no caso *Gran Canaria*, *Praxis des Internationalen Privat- und Verfahrensrechts* (*IPRax*), 1992, pp. 45 ss.

[42] «Schadenersatz- und andere Ansprüche aus unlauterem Wettbewerb sind nach dem Recht des Staates zu beurteilen, auf dessen Markt sich der Wettbewerb auswirkt».

[43] «Les prétentions fondées sur un acte de concurrence déloyale sont régies par le droit de l'Etat sur le marché duquel le résultat s'est produit».

[44] «La presente Ley será de aplicación a los actos de competencia desleal que produzcan o puedan producir efectos sustanciales en el mercado español».

Código belga de Direito Internacional Privado, cujo art. 99, § 2.°, n.° 2, dispõe que:

> «A obrigação emergente de um facto danoso é regida: [...] em caso de concorrência desleal ou de prática comercial restritiva, pelo Direito do Estado em cujo território o dano ocorreu ou ameaça ocorrer.»[45]

Paralelamente, afirmou-se em matéria de defesa da concorrência uma regra análoga, implicitamente acolhida na jurisprudência comunitária[46], que em Portugal figura hoje no art. 1.°, n.° 2, da Lei n.° 18/2003, de 11 de Junho, segundo o qual:

> «Sob reserva das obrigações internacionais do Estado Português, a presente lei é aplicável às práticas restritivas da concorrência e às operações de concentração de empresas que ocorram em território nacional ou que neste tenham ou possam ter efeitos.»

A aplicabilidade da *lex mercatus* à concorrência desleal foi também preconizada na Resolução adoptada pelo Instituto de Direito Internacional na sessão de Cambridge[47], realizada em 1983, cujo art. II, n.° 1, dispõe:

> «Where injury is caused to a competitor's business in a particular market by conduct which could reasonably have been expected to have that effect, the internal law of the State in which that market is situated should apply to determine the rights and liabilities of the parties, whether such conduct occurs in that State or in some other State or States.»

---

[45] «[L]'obligation dérivant d'un fait dommageable est régie: [...] en cas de concurrence déloyale ou de pratique commerciale restrictive, par le droit de l'État sur le territoire duquel le dommage est survenu ou menace de survenir».

[46] Cfr. o acórdão proferido pelo Tribunal de Justiça das Comunidades Europeias em 27 de Setembro de 1988, no caso *A. Ahlström Osakeyhtiö et autres c. Commission des Communautés Européennes, Colectânea de Jurisprudência do Tribunal de Justiça e do Tribunal de Primeira Instância*, 1988, pp. 5193 ss.

[47] Cfr. Institut de Droit International, «The conflict-of-laws rules on unfair competition. Les règles de conflit de lois en matière de concurrence déloyale», *Annuaire de l'Institut de Droit International*, vol. 60, parte II (1984), pp. 292 ss. Para uma explanação dos pressupostos desta Resolução, vejam-se Willis L. M. Reese, «The conflict-of-laws rules on unfair competition. Preliminary Exposé», *ibidem*, vol. 60, parte I (1983), pp. 107 ss., e Frank Vischer, «The conflict-of-laws rules on unfair competition. Report», *ibidem*, vol. 60, parte I (1983), pp. 117 ss.

Mais recentemente, a solução em apreço obteve acolhimento na proposta de Convenção Europeia Sobre a Lei Aplicável às Obrigações Não Contratuais, adoptada pelo *Grupo Europeu de Direito Internacional Privado* em 1998[48], cujo art. 4 manda presumir que a obrigação não contratual apresenta a conexão mais estreita, em caso de concorrência desleal ou de prática comercial restritiva, com o país cujo mercado é afectado pelo facto danoso[49].

Ao mesmo resultado prático conduz a disposição constante dos *Princípios* em matéria de propriedade intelectual adoptados em 2008 pelo *American Law Institute*[50], cujo § 301 (2) estabelece que a lei aplicável a uma obrigação não contratual emergente de um acto de concorrência desleal é a de cada Estado em que em ocorra ou possa ocorrer um «dano directo e substancial», independentemente do Estado ou Estados em que o acto gerador do dano haja ocorrido, sendo esse Estado aquele em que a concorrência é afectada pelo acto em causa[51].

A tendência contemporânea para a consagração de uma regra de conflitos autónoma em matéria de concorrência desleal obteve a sua expressão mais recente no art. 6.°, n.° 1, do Regulamento «Roma II», atrás referido, que estabelece:

> «A lei aplicável a uma obrigação extracontratual decorrente de um acto de concorrência desleal é a lei do país em que as relações de concorrência ou os interesses colectivos dos consumidores sejam afectados ou sejam susceptíveis de ser afectados.»

[48] Cfr. Groupe européen de droit international privé, «Propositon pour une convention européenne sur la loi applicable aux obligations non contractuelles», *IPRax*, 1998, pp. 286 ss.

[49] «Nonobstant les dispositions des paragraphes 2 et 3 de l'article 3 et sous reserve des paragraphes 4 et 5 de l'article 3, il est présumé que l'obligation non contractuelle a les liens les plus étroits: [...] b) en cas de concurrence déloyale ou de pratique commerciale restrictive, avec le pays dont le marché est concerné par le fait dommageable».

[50] Cfr. American Law Institute, *Intellectual Property. Principles Governing Jurisdiction, Choice of Law, and Judgments in Transnational Disputes. As Adopted and Promulgated by the American Law Institute at San Francisco, California May 14, 2007*, St. Paul, Minnesota, 2008.

[51] «The law applicable to a noncontractual obligation arising out of an act of unfair competition is the law of each State in which direct and substantial damage results or is likely to result, irrespective of the State or States in which the act giving rise to the damage occurred».

Embora este preceito (ao contrário do n.° 3, alínea *a*), do mesmo artigo, relativo às obrigações extracontratuais decorrentes de uma restrição da concorrência), não se refira expressamente ao *mercado afectado*, não sofre dúvida que é este último que se tem em vista nele[52].

Assim, por exemplo, se uma empresa sediada no Brasil exporta para Portugal camisas que imitam as de um concorrente, é a lei portuguesa, e não a brasileira, que deve aplicar-se, visto ser Portugal o país onde as relações de concorrência são afectadas por essa prática.

2. *Problemas de concretização do elemento de conexão*

Pode-se ainda perguntar que lei deve ser aplicada se o mesmo acto afectar simultaneamente os mercados de diferentes países. É o que sucede, por exemplo, quando é distribuída em diversos países, através dos meios de comunicação social (jornais, televisão, Internet), publicidade enganosa relativa ao mesmo produto. Ou, para retomar o exemplo referido acima, quando um produto que constitui a imitação servil de outro, comercializado por um concorrente, é distribuído não apenas no mercado português, mas também nos dos demais Estados-Membros da União Europeia.

Nestes casos, duas soluções se afiguram possíveis: a *aplicação cumulativa* das leis dos diferentes países cujos mercados são afectados[53] e a

[52] Cfr. a mencionada *Proposta de Regulamento do Parlamento Europeu e do Conselho Sobre a Lei Aplicável às Obrigações Extracontratuais ("Roma II")*, p. 17, onde se lê: «Trata-se do mercado em que os concorrentes actuam para ganhar a preferência dos clientes». No sentido do texto, vejam-se ainda: Costanza Honorati, est. cit., p. 149; Michael Hellner, «Unfair Competition and Acts Restricting Free Competition. A Commentary on Article 6 of the Rome II Regulation», *Yearbook of Private International Law*, 2007, pp. 49 ss.; Walter F. Lindacher, «Die internationale Dimension lauterkeitsrechtlicher Unterlassungsansprüche: Marktterritorialität versus Universalität», *Gewerblicher Rechtsschutz und Urheberrecht Internationaler Teil (GRUR Int.)*, 2008, pp. 453 ss. (p. 454); Christian Handig, «Neues im Internationalen Wettbewerbsrecht – Auswirkungen der Rom II-Verordnung», *GRURInt.*, 2008, pp. 24 ss. (p. 27); e *Cheshire, North & Fawcett Private International Law*, 14.ª ed., por James Fawcett e Janeen M. Carruthers (consultant editor: Peter North), Oxford, 2008 p. 810.

[53] Solução tida como em princípio possível por Wengler, est. cit. no *AJCL*, 1955, p. 185. Consagrou-a a mencionada Resolução do Instituto de Direito Internacional de 1983, no art. II, n.° 2, em que se declara: «Where conduct causes injury to a competitor's busi-

aplicação distributiva dessas leis à aferição da ilicitude e à reparação dos danos decorrentes do acto em cada um dos países em questão[54].

Supomos que só a segunda destas soluções – correspondente à denominada *teoria dos mosaicos* (*Mosaiktheorie*) – se justifica à luz dos interesses que determinam a competência da *lex mercatus* em matéria de concorrência desleal. De outro modo, a conduta de um agente económico que oferece produtos ou serviços em diversos mercados nacionais (incluindo o do seu próprio estabelecimento) seria valorada, na totalidade dos seus efeitos, segundo a lei mais rigorosa dentre as que vigoram nesses mercados; o que o colocaria em posição de desvantagem perante os seus concorrentes nos demais mercados.

Mesmo esta solução é, no entanto, susceptível de dificultar consideravelmente o denominado *marketing* internacional, visto que, a fim de não incorrerem em responsabilidade perante a lei de certo país, que proscreve determinada prática comercial, os agentes económicos poderão ter de se abster de a levar a cabo concomitantemente noutro ou noutros países onde ela é lícita.

Em qualquer caso, não nos parece que devam ter-se por afectadas as relações de concorrência no mercado de certo país em virtude da simples disponibilização ou distribuição no respectivo território de informação publicitária relativa a certos produtos ou serviços (*v.g.* através de um jornal nele vendido ou de um sítio Internet nele acessível).

Será ainda de exigir, para o efeito, que a prática comercial em causa seja destinada a esse país[55] – ou, dito de outro modo, apta a promover nele o fornecimento de tais produtos ou serviços[56] –, o que há-de aferir-se essencialmente na base de critérios objectivos, como a língua utilizada na informação, os endereços de contacto nela fornecidos, as eventuais declarações do publicitante sobre o âmbito geográfico da oferta de produtos ou serviços, etc. Porquanto só neste caso pode afirmar-se que se dá no país

---

ness in a number of markets situated in different States, the applicable law should be the internal law of each State where such a market is situated».

[54] Cfr. Allois Troller, «Unfair Competition», *in IECL*, vol. III, *Private International Law*, capítulo 34, p. 14; Frédéric Leclerc, «Concurrence déloyale et droit international privé», cit., p. 94.

[55] Assim, Bernd von Hoffmann, *in Staudingers Kommentar zum Bürgerlichen Gesetzbuch mit Einführungsgesetze und Nebengesetzen. Einführungsgesetz zum Bürgerliche Gesetzbuche/IPR. Art. 38-42*, cit., pp. 570 s.

[56] Neste sentido, Drexl, *in Münchener Kommentar*, vol. 11, cit., p. 807.

em questão o conflito de interesses entre concorrentes que o acto de concorrência desleal pressupõe.

3. *Desvios: actos que afectem um concorrente específico*

Estabelece-se no n.° 2 do art. 6.° do Regulamento um importante desvio à competência imperativa da *lex mercatus* e à territorialidade do Direito da Concorrência Desleal, que lhe é inerente: se um acto de concorrência desleal apenas afectar (pelo menos directamente) os interesses de um *concorrente específico (betriebsbezogene Wettbewerbsverstössen)* e não o mercado em geral *(marktbezogene Wettbewerbsverstössen)*, a lei aplicável é a definida nos termos do art. 4.°[57].

É o que sucede, *v.g.*, nos casos de divulgação ou utilização não autorizadas dos segredos de negócio de um concorrente ou de aliciamento dos seus trabalhadores a rescindirem os respectivos contratos a fim de serem recrutados por uma empresa rival.

Em tais hipóteses, por força da remissão feita para o art. 4.° do Regulamento, o acto de concorrência desleal fica sujeito à lei do país onde ocorre o dano (n.° 1). Se, porém, o agente e o lesado tiverem a sua residência habitual no mesmo país no momento em que ocorre o dano, é aplicável a lei desse país (n.° 2). Caso resulte do conjunto das circunstâncias que a responsabilidade tem uma conexão manifestamente mais estreita com um país diferente, *v.g.* em razão de uma relação preexistente entre as partes, é aplicável a lei desse outro país (n.° 3).

Este desvio baseia-se no pressuposto de que a aplicação imperativa da lei do mercado apenas se impõe quando estejam em jogo, além dos interesses dos concorrentes, os *interesses gerais* tutelados pela concorrência desleal, *maxime* os dos consumidores.

[57] No sentido da aplicabilidade da lei alemã aos actos de concorrência desleal praticados por um nacional que afectem exclusivamente os interesses protegidos de um concorrente nacional pronunciara-se já o Tribunal Federal alemão na decisão proferida em 1963 no caso *Stahlexport,* cit. *supra*. Para uma pormenorizada análise do art. 6.°, n.° 2, do Regulamento de Roma II, veja-se Matthias Leistner, «Unfair Competition Law Protection Against Imitations: A Hybrid under the Future Art. 5 Rome II Regulation?», *in* Jürgen Basedow/Josef Drexl/Annette Kur/Axel Metzger (orgs.), *Intellectual Property in the Conflict of Laws*, Tubinga, 2005, pp. 129 ss. (pp. 143 ss.).

Se tudo se passa entre concorrentes determinados, cuja conduta não afecta aqueloutros interesses, nada se opõe à aplicação às consequências civis do acto em questão da lei da residência habitual das partes ou da de outro país com o qual a situação tenha uma conexão manifestamente mais estreita[58].

Nesta ordem de ideias, sempre que um acto de concorrência desleal se dirija contra um concorrente determinado, mas, não obstante isso, lese os interesses de outros concorrentes ou dos consumidores (*v.g.* porque, ao denegrir um concorrente, o infractor viciou as opções feitas pelos consumidores no mercado em que ambos operam), o desvio em apreço não opera.

Relativamente aos casos de divulgação não autorizada de segredos de negócio, reveste-se de particular importância a previsão, no último período do art. 4.°, n.° 3, do Regulamento, da aplicabilidade da lei reguladora de uma relação preexistente entre as partes. Não apenas porque frequentemente esses ilícitos são praticados por quem já se encontrava numa relação contratual com o lesado (*v.g.* em virtude de um contrato de trabalho, de licença de *know-how* ou de transferência de tecnologia), mas também porque a remissão para a lei do país do dano poderia conduzir nessas hipóteses a uma indesejável fragmentação da lei aplicável[59].

De todo o modo, está excluída no art. 6.°, n.° 4, do Regulamento a possibilidade de escolha pelas partes da lei aplicável – solução esta cuja coerência com o disposto no n.° 2 não é isenta de dúvida nas hipóteses em que estejam em causa os interesses de um único concorrente[60].

---

[58] O mesmo entendimento está na base do art. IV da Resolução do Instituto de Direito Internacional de 1983, que estabelece: «Rights and liabilities resulting from unfair competition in situations that are not covered by the rules stated in Article II should be determined by the internal law of the State which has the most significant relationship with the parties, their conduct and the injury». Como exemplo de uma situação abrangida por este preceito, aduz-se na Resolução a hipótese de os empregados de um concorrente serem aliciados a abandonar o respectivo emprego, sem que isso afecte o mercado local.

[59] Cfr., neste sentido, Christopher Wadlow, «Trade Secrets and the Rome II Regulation on the Law Applicable to Non-Contractual Obligations», *European Intellectual Property Review (EIPR)*, 2008, pp. 309 ss. (pp. 315 ss.).

[60] Admitiam a escolha pelas partes da lei aplicável tanto a citada proposta do GEDIP como a proposta de Regulamento emanada da Comissão Europeia em 2003.

4. *Continuação: a cláusula do mercado interno*

No tocante às práticas comerciais desleais das empresas face aos consumidores no mercado interno europeu, mormente no domínio da publicidade, há em todo o caso que ter em conta a harmonização de legislações empreendida por diversos actos de Direito Comunitário, entre os quais se destaca, por último, a Directiva 2005/29/CE, do Parlamento Europeu e do Conselho, relativa às práticas comerciais desleais das empresas face aos consumidores no mercado interno[61].

Este acto comunitário proíbe as *práticas comerciais desleais* (art. 5.°, n.° 1), que define como as que são contrárias às exigências relativas à diligência profissional e distorçam ou sejam suceptíveis de distorcer de maneira substancial o comportamento económico, em relação a um produto, do consumidor médio a que o mesmo se destina ou que afecta, ou do membro médio de um grupo quando a prática comercial for destinada a um determinado grupo de consumidores (art. 5.°, n.° 2).

Em especial, são consideradas desleais as *práticas enganosas* (que a Directiva disciplina nos arts. 6.° e 7.°) e *agressivas* (as quais são objecto dos arts. 8.° e 9.°). No anexo I à Directiva, inclui-se uma minuciosa lista de práticas comerciais que são consideradas desleais em quaisquer circunstâncias. Essa lista é, de acordo com o art. 5.°, n.° 5, aplicável em todos os Estados-Membros e só pode ser alterada mediante revisão da Directiva.

A Directiva institui assim uma regulamentação susceptível de reduzir apreciavelmente as disparidades entre os sistemas jurídicos dos Estados-Membros nesta matéria.

Na sua base esteve o reconhecimento de que, por um lado, as legislações desses Estados apresentam diferenças de relevo no tocante ao regime das práticas comerciais desleais e, por outro, tais diferenças podem provocar distorções sensíveis de concorrência e criar obstáculos ao bom funcionamento do mercado interno[62]. Teve-se ainda em conta que as aludidas diferenças geram potencialmente acréscimos de custos para as empresas que pretendem exercer as liberdades ligadas ao mercado interno e provocam incertezas nos consumidores quanto aos seus direitos, pondo em causa a sua confiança no mercado interno[63].

---

[61] *In JOUE* n.° L 149, de 11 de Junho de 2005, pp. 22 ss. Foi transposta para a ordem jurídica portuguesa pelo Decreto-Lei n.° 57/2008, de 26 de Março.

[62] Veja-se o considerando 3 do preâmbulo da Directiva.

[63] *Ibidem,* considerando 4.

No entanto, a Directiva apenas abrange as práticas comerciais desleais que prejudiquem directamente *interesses económicos dos consumidores* (ainda que indirectamente prejudiquem interesses económicos de concorrentes legítimos). Por conseguinte, não disciplina nem afecta as legislações nacionais relativas às práticas desleais que apenas prejudiquem os interesses económicos dos concorrentes ou que digam respeito a uma transacção entre profissionais. Vale, usando uma expressão que se tornou moeda corrente, nas relações *business to consumer,* e não nas que se processam *business to business.* Ao abrigo do *princípio da subsidiariedade* do Direito Comunitário, tais práticas poderão, pois, continuar a ser reguladas pelos Estados-Membros[64].

Pode-se perguntar se a circunstância de esta Directiva ter sido transposta para os sistemas jurídicos nacionais não justificaria, no domínio objecto de harmonização, um outro desvio à competência da *lex mercatus* e ao princípio da territorialidade, no sentido da aplicabilidade da lei do país do estabelecimento do agente económico a que é imputada certa prática comercial desleal, contanto que esse estabelecimento se situe no território da Comunidade Europeia (*lex originis, home-country rule*).

Em abono de semelhante solução pode aduzir-se que as regras de conflitos de leis no espaço não devem ser insensíveis ao grau de harmonização de legislações existente no domínio a que respeitam. Na medida em que os interesses dos consumidores e dos concorrentes tutelados através das normas reguladoras da concorrência desleal se encontrem suficientemente acautelados através da harmonização de legislações empreendida neste domínio, nada pareceria opor-se à referida solução. Pelo contrário: a sua adopção conferiria aos agentes económicos que fornecem bens e serviços no mercado interno e os publicitam nele a possibilidade de conformarem a sua actividade com uma única lei, reduzindo desse modo os custos da sua actividade, o que reverteria em benefício dos próprios consumidores[65].

Nas matérias em que não se haja verificado a referida harmonização de legislações, a *home-country rule* poderá, decerto, implicar alguma limitação à *par conditio concurrentium,* visto que importa a aplicabilidade aos actos praticados no mesmo mercado de diferentes leis, em função do país

---

64 *Ibidem,* considerando 6.

65 Ver Andreas Piekenbrock, «Die Bedeutung des Herkunftslandprinzips im europäischen Wettbewerbsrecht», *GRUR Int.*, 2007, pp. 997 ss. (p. 1000).

de origem daquele que os praticou. A prazo, essa limitação pode, no entanto, ter um efeito benéfico, na medida em que induz um certo grau de competição entre os sistemas jurídicos nacionais (*«regulatory competition»*), que proporciona a adaptação do Direito às necessidades da vida económica e a correcção de eventuais erros legislativos; o que pode levar, por seu turno, a uma harmonização desses sistemas independentemente de acordo entre os Estados nesse sentido[66].

Nesta linha de pensamento se inseria a proposta de Directiva relativa às práticas comerciais desleais apresentada em 2003 pela Comissão Europeia, cujo art. 4.°, n.° 1, determinava expressamente a aplicação exclusiva, no domínio coordenado, das disposições da lei do país de estabelecimento do profissional ou da empresa[67].

Era o seguinte o teor esse preceito:

> «1. Os profissionais apenas deverão cumprir as disposições, no domínio sujeito a uma aproximação por força da presente directiva, da ordem jurídica nacional do Estado-Membro em que se encontrarem estabelecidos. O Estado-Membro de estabelecimento do profissional deverá zelar pelo referido cumprimento.
>
> 2. Os Estados-Membros não deverão restringir a livre prestação de serviços nem a livre circulação de mercadorias por razões ligadas ao domínio que é objecto de aproximação por força da presente directiva.»

Mais longe ia a proposta formulada em 2003 pelo *Hamburg Group for Private International Law* de uma disposição do Regulamento «Roma II» relativa à concorrência desleal, na qual a competência deferida à *lex originis* não se cingia aos domínios já harmonizados ou em curso de harmonização pelo Direito Comunitário[68].

Dispunha o art. 6.°, n.° 2, desse texto:

> «Where the elements relevant to the situation at the time of publication are exclusively connected with one or more Member States of the European

---

[66] Sobre o ponto, *vide*, para mais desenvolvimentos, o nosso *Direito Comparado*, vol. I, *Introdução e parte geral*, Coimbra, 2008, pp. 586 ss., e a demais bibliografia aí citada.

[67] Cfr. o documento COM (2003) 356 final, de 18 de Junho de 2003.

[68] Cfr. «Comments on the European Commission's Draft Proposal for a Council Regulation on the Law Applicable to Non-Contractual Obligations», *RabelsZ*, 2003, pp. 1 ss. (pp. 19 s.).

Union and subject to article 7, non-contractual obligations arising from unfair advertising are governed by the law of the Member State where the advertising company has its principal place of business.»

A verdade, porém, é que, como se notou acima, a Directiva 2005/29/CE não logrou induzir uma harmonização integral do regime das práticas comerciais desleais. À uma, porque a sua disposição nuclear (o art. 5.°) é uma cláusula geral cuja aplicação uniforme nos Estados-Membros não pode ser facilmente assegurada. Depois, porque apenas se aplica às práticas comerciais desleais nas relações com consumidores, e não entre empresas.

Compreende-se assim que o Regulamento «Roma II», embora apresente como justificação precípua das suas disposições o bom funcionamento do mercado interno[69], não haja consagrado a competência da *lex originis*; e que a própria *cláusula do mercado interno* constante da Directiva 2005/29/CE tenha ficado muito aquém dela.

Dispõe, na verdade, o art. 4.° deste acto comunitário:

> «Os Estados-Membros não podem restringir a livre prestação de serviços nem a livre circulação de mercadorias por razões ligadas ao domínio que é objecto de aproximação por força da presente directiva.»

Esta disposição inibe, decerto, os Estados-Membros Comunidade Europeia de invocarem a sua legislação em matéria de concorrência desleal a fim de obstarem à importação de produtos ou serviços fornecidos por empresas estabelecidas noutros Estados-Membros.

Mas não nos parece que se possa retirar dela a aplicação exclusiva da *lex originis* às práticas comerciais alegadamente desleais desses agentes económicos. À luz de quanto nela se dispõe, não está, com efeito, excluído que os tribunais e autoridades administrativas apliquem a *lex mercatus* às situações abrangidas pela Directiva, contanto que daí não resulte qualquer restrição à livre circulação de serviços e mercadorias no mercado.

Na formulação constante da Directiva 2005/29/CE, a cláusula do mercado interno tem, por conseguinte, *alcance material*, e não conflitual. As regras de Direito Internacional Privado aplicáveis à concorrência desleal permanecem, nesta medida, intactas.

---

[69] *Vide* o considerando 6.

Outra foi, contudo, a orientação seguida em duas Directivas comunitárias anteriores.

Assim, a Directiva 89/552/CEE, do Conselho, relativa à coordenação de certas disposições legislativas, regulamentares e administrativas dos Estados-Membros relativas ao exercício de actividades de radiodifusão televisiva[70], estabelece, no art. 2.°, n.° 1, que cada Estado-Membro deve assegurar que todos os serviços de comunicação social audiovisual prestados por fornecedores de serviços de comunicação social «sob a sua jurisdição» respeitem as regras da ordem jurídica aplicável aos serviços de comunicação social audiovisual destinados ao público nesse Estado-Membro. Consideram-se sob a jurisdição de um Estado-Membro, para os efeitos desta Directiva, os fornecedores de serviços de comunicação social nele estabelecidos e os que utilizam uma ligação ascendente terra-satélite situada nesse Estado-Membro ou uma capacidade de satélite pertencente a esse Estado-Membro (art. 2.°, n.os 2 e 4)[71].

Por seu turno, o art. 2.°-A do mesmo acto comunitário acrescenta, no seu n.° 1, que os Estados-Membros devem assegurar a liberdade de recepção e não colocar entraves à retransmissão nos seus territórios de serviços de comunicação social audiovisual provenientes de outros Estados-Membros por razões que relevem dos domínios coordenados pela presente directiva.

Analogamente, a Directiva 2000/31/CE, de 8 de Junho de 2000, relativa a certos aspectos legais dos serviços da sociedade de informação, em

---

[70] Publicada no *JOCE* n.° L 298, de 3 de Outubro de 1989, pp. 23 ss. Foi subsequentemente alterada pela Directiva 97/36/CE do Parlamento Europeu e do Conselho, de 30 de Junho de 1997, publicada no *JOCE* n.° L 202, de 30 de Julho de 1997, pp. 60 ss., e pela Directiva 2007/65/CE do Parlamento Europeu e do Conselho, de 11 de Dezembro de 2007, publicada no *JOUE* n.° L 332, de 18 de Dezembro de 2007, pp. 27 ss. A Directiva 89/552/CEE, com as alterações introduzidas pela Directiva 97/36/CE, foi parcialmente transposta para a ordem jurídica portuguesa pela Lei n.° 27/2007, de 30 de Julho (Lei da Televisão).

[71] Em conformidade com estas disposições, estabelece o art. 3.° da Lei n.° 27/2007: «1. Estão sujeitas às disposições da presente lei as emissões de televisão transmitidas por operadores que prossigam a actividade de televisão sob a jurisdição do Estado Português. 2. Consideram-se sob jurisdição do Estado Português os operadores de televisão ou, com as necessárias adaptações, os operadores de distribuição, que satisfaçam os critérios definidos no artigo 2.° da Directiva n.° 89/552/CEE, do Conselho, de 3 de Outubro, na redacção que lhe foi dada pela Directiva n.° 97/36/CE, do Parlamento e do Conselho, de 30 de Junho».

especial do comércio electrónico, no mercado interno («Directiva sobre o comércio electrónico»)[72], dispõe, no art. 3.°, que cada Estado-Membro assegurará que os serviços da sociedade da informação prestados por um prestador estabelecido no seu território cumpram as disposições nacionais aplicáveis nesse Estado-Membro que se integrem no domínio coordenado (n.° 1), e que os Estados-Membros não podem, por razões que relevem do domínio coordenado, restringir a livre circulação dos serviços da sociedade da informação provenientes de outro Estado-Membro (n.° 2)»[73].

Como é bom de ver, estas regras não andam longe, nem na letra nem no espírito, daquilo que dispunha a proposta de Directiva relativa às práticas comerciais desleais, apresentada em 2003, de que demos notícia acima: visa-se através delas assegurar a livre prestação de serviços no mercado interno mediante a aplicabilidade da *lex originis* a esses serviços e o reconhecimento mútuo das situações jurídicas validamente constituídas ao abrigo dessa lei[74].

---

[72] Publicada no *JOCE*, n.° L 178, de 17 de Julho de 2000, pp. 1 ss. Foi transposta na Alemanha pela Lei do Comércio Electrónico (*Elektronischer Geschäftsverkehr-Gesetz*), de 20 de Dezembro de 2001, no Reino Unido pelas *Electronic Commerce (EC Directive) Regulations 2002*, em Portugal pelo D.L. n.° 7/2004, de 7 de Janeiro de 2004, e em França pela Lei n.° 2004-575, de 21 de Junho de 2004 (*Loi pour la confiance dans l'économie numérique*).

[73] Nesta conformidade, estabelece a Lei n.° 7/2004 que «[o]s prestadores de serviços da sociedade da informação estabelecidos em Portugal ficam integralmente sujeitos à lei portuguesa relativa à actividade que exercem, mesmo no que concerne a serviços da sociedade da informação prestados noutro país comunitário» (art. 4.°, n.° 1) e que «[o]s prestadores de serviços da sociedade da informação não estabelecidos em Portugal mas estabelecidos noutro Estado membro da União Europeia é aplicável, exclusivamente no que respeita a actividades em linha, a lei do lugar do estabelecimento: *a)* Aos próprios prestadores, nomeadamente no que respeita a habilitações, autorizações e notificações, à identificação e à responsabilidade; *b)* Ao exercício, nomeadamente no que respeita à qualidade e conteúdo dos serviços, à publicidade e aos contratos» (art. 5.°, n.° 1).

[74] Cfr., sobre o sentido daquela controversa disposição da Directiva 2000/31/CE, entre muitos, Peter Mankowski, «Das Herkunftslandprinzip als Internationales Privatrecht der e-commerce-Richtlinie», *Zeitschrift für Vergleichende Rechtswissenschaft*, 2001, pp. 137 ss.; Luís de Lima Pinheiro, «Direito aplicável à responsabilidade extracontratual na Internet», *Revista da Faculdade de Direito de Lisboa*, 2001, pp. 825 ss. (pp. 833 s.); Stefan Grundmann, «Das Internationale Privatrecht der E-Commerce-Richtlinie – was ist categorial anders im Kollisionsrecht des Binnenmarkts und warum?», *RabelsZ*, 2003, pp. 246 ss.; Martina Blasi, *Das Herkunftslandprinzip der Fernseh- und der E-Commerce-Richtlinie*, Colónia/Berlim/Munique, 2004; Alexandre Cruquenaire, «Transposition of the e-commerce Directive: Some Critical Comments», *in* AAVV, *Direito da Sociedade da*

Assim, segundo o considerando 3 da Directiva 89/552/CEE, «é conveniente a adopção de medidas que garantam a passagem dos mercados nacionais para um mercado comum de produção e de distribuição de programas e que criem condições de concorrência leal sem prejuízo da função de interesse público que incumbe aos serviços de radiodifusão televisiva»; e, de acordo com o considerando 14, «é necessário, no âmbito do mercado comum, que todas as emissões provenientes da Comunidade e destinadas a ser captadas no seu interior e, nomeadamente, as emissões destinadas a um outro Estado-membro respeitem a legislação do estado-Membro de origem aplicável às emissões destinadas ao público desse Estado-Membro, bem como as disposições da presente directiva».

Por seu turno, o considerando 22 da Directiva 2000/31/CE aduz no sentido da aplicabilidade da *lex originis,* por um lado, que o controlo dos serviços da sociedade da informação «deve ser exercido na fonte da actividade, a fim de garantir uma protecção eficaz dos interesses gerais»; e, por outro, que «a fim de garantir a eficácia da livre circulação de serviços e a segurança jurídica para os prestadores e os destinatários, esses serviços devem estar sujeitos, em princípio, à legislação do Estado-Membro em que o prestador se encontra estabelecido».

Ora, a publicidade insere-se no domínio coordenado por ambas as Directivas[75]. Por conseguinte, quando sejam difundidas pela televisão ou disponibilizadas em linha, respectivamente por fornecedores de serviços de comunicação social sob a jurisdição dos Estados-Membros da Comunidade Europeia ou por prestadores de serviços da sociedade da informação neles estabelecidos, mensagens publicitárias alegadamente enganosas ou comparativas, estas encontram-se abrangidas pela remissão feita naqueles textos para a *lex originis*[76]. As disposições mais rigorosas sobre a matéria

---

Informação, vol. V, Coimbra, 2004, pp. 97 ss. (pp. 107 ss.); Dário Moura Vicente, *Problemática internacional da sociedade da informação*, cit., pp. 208 ss.; e Rui de Moura Ramos, «Le droit international privé communautaire des obligations extra-contractuelles», *in Estudos de Direito Internacional Privado e de Direito Processual Civil Internacional*, vol. II, Coimbra, 2007, pp. 79 ss. (p. 97).

[75] Cfr. os arts. 1.°, alínea *i*), da Directiva 89/552/CEE, na redacção dada pela Directiva 2007/65/CE, e 2.°, alínea *h*), subalínea *i*), segundo travessão, da Directiva 2000/31/CE. A citada lei portuguesa sobre o comércio electrónico inclui expressamente a publicidade no elenco das matérias submetidas à lei do lugar do estabelecimento do prestador de serviços da sociedade da informação: *vide* o art. 5.°, n.° 1, alínea *b*).

[76] Ver, neste sentido, pelo que respeita à Directiva 89/552/CEE, Harry Duintjer Tebbens, «Les conflits de lois en matière de publicité déloyale à l'épreuve du droit commu-

porventura constantes da *lex mercatus* não podem, assim, ser feitas valer contra esses agentes económicos[77].

5. *Âmbito da lei aplicável*

À lei designada nos termos do art. 6.° do Regulamento de Roma II compete disciplinar as matérias enunciadas no art. 15.° deste acto comunitário.

De quanto se dispõe na alínea *a)* deste último preceito[78] resulta que é à luz da *lex mercatus* (ou de uma das demais leis aplicáveis nos termos daquela regra de conflitos) que há-de aferir-se a ilicitude do acto de concorrência em questão. Por outras palavras: é àquela lei que compete dizer, para os efeitos da regulação do caso *sub judice,* se a conduta imputada ao réu deve ser tida como um acto de concorrência desleal, por isso susceptível de determinar a obrigação de indemnizar os danos dela decorrentes para o autor. O que está de acordo com o princípio geral de que, em matéria de responsabilidade extracontratual, cabe à *lex causae* regular os pressupostos da obrigação de indemnizar[79].

Trata-se, como é bom de ver, de um aspecto do maior relevo, pois, como notámos oportunamente, são ainda assaz diversas as orientações adoptadas a este respeito pelas legislações nacionais.

O que acabamos de dizer não prejudica, contudo, que o conceito de concorrência desleal relevante para os efeitos da aplicação do art. 6.° do Regulamento seja um conceito autónomo relativamente aos Direitos dos

---

nautaire», *RCDIP*, 1994, pp. 451 ss. (pp. 469 s.); e, no tocante à Directiva 2000/31/CE, Hans-Georg Landfermann, «Internet-Werbung und IPR», *in* Jürgen Basedow e outros (orgs.), *Aufbruch nach Europa. 75 Jahre Max-Planck-Institut für Privatrecht*, Tubinga, 2001, pp. 503 ss. (p. 512).

[77] Reconhecem-no mesmo os autores que negam às disposições citadas a natureza de regras de conflitos, como Karl-Heinz Fezer e Stefan Koos: cfr. *Staudingers Kommentar zum Bürgerlichen Gesetzbuch mit Einführungsgesetze und Nebengesetzen. Einführungsgesetz zum Bürgerliche Gesetzbuche/IPR. Internationales Wirtschaftsrecht,* cit., p. 294.

[78] Segundo a qual: «A lei aplicável às obrigações extracontratuais referidas no presente regulamento rege, designadamente: a) O fundamento e âmbito da responsabilidade, incluindo a determinação das pessoas às quais pode ser imputada responsabilidade pelos actos que praticam».

[79] Ver, neste sentido, João Baptista Machado, *Lições de Direito Internacional Privado*, 2.ª ed., Coimbra, 1982, p. 375.

Estados-Membros da União Europeia, como é próprio de uma regra de conflitos uniforme[80].

6. *Concurso entre as normas da concorrência desleal e as que disciplinam os direitos privativos da propriedade industrial*

Não raro, o mesmo acto configura simultaneamente um ilícito de concorrência desleal e a violação de um direito industrial.

É, por exemplo, o que sucede se uma marca registada for utilizada sem autorização do seu titular para assinalar produtos idênticos comercializados por um concorrente, originando confusão entre os consumidores.

Frequentemente, o mercado afectado por esse acto será o do próprio país para cujo território é reclamada a protecção do direito industrial em questão. Assim sucederia, naquela hipótese, se a marca houvesse sido registada no mesmo país onde os produtos em questão foram comercializados. As regras de conflitos do Regulamento «Roma II» não condiziriam, nessa hipótese, à aplicabilidade de leis diferentes, visto que, no tocante à violação de direitos de propriedade intelectual, o art. 8.°, n.° 1, desse acto comunitário estabelece:

> «A lei aplicável à obrigação extracontratual que decorra da violação de um direito de propriedade intelectual é a lei do país para o qual a protecção é reivindicada.»

Quando, porém, assim não suceda, *maxime* porque a marca imitada está registada num país e os produtos a que ela se refere são comercializados noutro, verificar-se-á um *concurso de normas* aplicáveis à situação da vida privada internacional: a mesma situação fáctica preenche, *prima facie*, as previsões de duas ou mais normas materiais pertencentes a sistemas jurídicos diferentes, ambas as quais dispõem de um título de aplicação no Estado do foro, por força de outras tantas regras de conflitos nele vigentes, às quais aquelas normas materiais são subsumíveis[81].

---

[80] Assim também Christopher Wadlow, «The new private international law of unfair competition and the "Rome II" Regulation», *Journal of Intellectual Property Law & Practice*, 2009, pp. 789 ss.

[81] Ver, sobre o tema, o nosso *Da responsabilidade pré-contratual em Direito Internacional Privado*, Coimbra, 2001, pp. 511 ss., e a bibliografia aí citada.

O que se pergunta, nessas hipóteses, é se as normas materiais e de conflitos em presença devem ser cumulativamente aplicadas (hipótese em que estaremos perante um *concurso real*) ou se a protecção conferida por uma ou mais delas consome a que resulta da outra ou outras (*concurso aparente*).

Na resposta a este quesito, importará atentar na relação entre os direitos privativos da propriedade industrial e a concorrência desleal. Onde essa relação for de *subsidiariedade* das regras sobre a concorrência desleal face às do Direito Industrial, supomos que o concurso se deverá resolver por uma hierarquização das regras de conflitos em presença: terá primazia a regra de conflitos relativa aos direitos de propriedade industrial sobre a que disciplina a concorrência desleal.

É precisamente daquela índole a relação que se estabelece entre o regime da concorrência desleal e dos direitos industriais nos sistemas jurídicos alemão e português. Na verdade, como nota Oliveira Ascensão[82], a tutela por um direito privativo esgota a que pudesse ser outorgada pela concorrência desleal: ela representa um *estádio reforçado* de protecção, em que basta a violação de um exclusivo para que a tutela ocorra[83].

7. Relevância dos usos do comércio internacional

A concorrência desleal é definida pela Convenção de Paris para a Protecção da Propriedade Industrial, de 1883, como «qualquer acto de concorrência contrário aos usos honestos em matéria industrial ou comercial» (art. 10.°-*bis,* n.° 2).

Nas relações mercantis internacionais, está assim legitimado o rcurso pelos tribunais aos usos do comércio internacional em ordem a aferirem a licitude dos actos de concorrência praticados no mercado internacional.

---

82 *Concorrência desleal,* cit., p. 348. Ver também, do mesmo autor, *Portugal,* cit., pp. 53 ss.

83 Na mesma linha fundamental de orientação, veja-se, referindo-se ao Direito italiano, Tullio Ascarelli, *Teoria della concorrrenza e dei beni immateriali. Istituzioni di diritto industriale,* 3.ª ed., Milão, 1960, pp. 186 ss., que alude, a este propósito, a uma *função integrativa* da disciplina da concorrência desleal relativamente à dos direitos privativos da propriedade industrial. Contra, sustentando o cúmulo das normas relativas ao direito privativo e das que disciplinam a concorrência desleal, pronuncia-se Luís Couto Gonçalves, *Manual de Direito Industrial,* 2.ª ed., Coimbra, 2008, p. 419.

Esses usos fornecem aos julgadores uma pauta valorativa gerada e aceite no próprio meio em que os actos em questão são praticados.

Entre as suas fontes incluem-se os instrumentos de auto-regulação elaborados por associações empresariais internacionais. Deles é exemplo o *Código Consolidado da CCI Sobre Práticas de Publicidade e Comunicação Comercial*[84], publicado em 2006 pela Câmara de Comércio Internacional (mas cuja primeira versão remonta a 1937), no qual se contém um pormenorizado acervo de regras a observar pelas empresas na promoção dos seus produtos e serviços.

Será em todo o caso necessário, a fim de que tais regras possam ser aplicadas pelos tribunais, que preencham duas condições: em primeiro lugar, que sejam conformes com as disposições imperativas da *lex causae*, determinada nos termos atrás definidos; em segundo lugar, que se demonstre corresponderem a verdadeiros usos, i.é, a práticas reiteradamente observadas nos meios económicos relevantes, e não apenas ao juízo pessoal dos seus autores ou das entidades que as promovem acerca do modo preferível de regular as questões neles versadas.

[84] Disponível em http://www.iccwbo.org.

DO REQUISITO DE ORIGINALIDADE NOS DESENHOS INDUSTRIAIS: A PERSPECTIVA BRASILEIRA

DENIS BORGES BARBOSA
Advogado, professor universitário e autor de vasta bibliografia com ênfase em Propriedade Intelectual.

ÍNDICE:

Da originalidade no direito constitucional brasileiro

No sistema constitucional brasileiro, nota-se a consagração de um princípio aplicável a todas as modalidades de propriedade intelectual: a de que, além da novidade, o sistema de concessão de exclusivas de propriedade intelectual exige um requisito de contribuição mínima à sociedade.

No tocante a este *plus*, diz decisão recente do 2.° TRF:

> Com efeito, para que seja registrável como desenho industrial, a nova conformação ornamental de um objeto não deve se restringir à mera disparidade de dimensões ou a alterações superficiais da sua configuração com relação às já presentes no mercado ou já inseridas no estado da técnica, mas, sim, **deve ser dotada de um determinado grau de inventividade estética capaz de resultar na efetiva distinguibilidade da nova configuração se comparada a produtos similares** (...) Voto do Des. André Fontes, Agravo 2007.02.01.009404-2, Segunda Turma Especializada do Tribunal Regional Federal da 2.ª Região, à unanimidade, Rio de Janeiro, 30 de setembro de 2008. (data do julgamento)

Assim, a mera disparidade configura novidade, mas é o determinado grau de contribuição que se busca com a noção de originalidade. É exatamente esse requisito que se constrói através da noção de *contributo mínimo constitucional.*

Princípio do contributo mínimo

> *"É sem questão que não se deve dar privilégio exclusivo ao inventor de insignificante novidade, e simples alteração de forma nas obras das artes ordinárias, que não manifesta engenhosa combinação, ou lavor difícil, nem produz um novo e fixo artigo de comércio, ou ramo de indústria, que antes não existia". Visconde de Cayru, Observações Sobre a Franqueza da Indústria, e Estabelecimento de Fábricas no Brasil, Imprensa Régia, 1810.*

Uma característica dos sistemas modernos de proteção por exclusiva é a invariabilidade do direito exclusivo oferecido em contrapartida à repartição das criações, oriundas de um processo de produção intelectual. As leis atuais não prescrevem, como acontecia nos privilégios reais do *Ancien Régime*, um conteúdo variável para o direito, localizando-o em área, ou definindo um tempo adaptável às circunstâncias de cada caso.

No caso brasileiro, nossa primeira lei de patentes, de 1809, prescrevia um tempo máximo de proteção; mas as patentes eram dadas em conteúdo variável, possivelmente levando em conta a contrapartida oferecida ao público (pela fabricação no Brasil) e – talvez – o aporte de dinheiro oriundo do público (loterias) para financiar a inovação.

Esta rigidez das leis gerais a partir do séc. XIX (e superlativamente, a partir de TRIPs) é causa da geração de uma sensibilidade para o fato de que nem toda criação atinge o mínimo compatível para o tamanho do modelo congelado da exclusiva. Essa sensibilidade é clara na decisão de 1882 da Suprema Corte americana, no caso Atlantic Works v. Brady, citado abaixo na seção relativa à atividade inventiva das patentes:

> Nunca foi finalidade daquelas leis assegurar um monopólio para cada pequeno artefato, para cada sombra de esboço de uma idéia, que naturalmente e espontaneamente ocorre a qualquer operador mecânico hábil no progresso comum da manufatura.

Para que se justificasse esse aparato de proteção, pareceu logo aos aplicadores das leis que um mínimo de densidade do novo – um mínimo de contribuição ao conhecimento comum – seria necessário. É o que se denominaria o contributo mínimo.

Outra solução seria adequar a proteção à contribuição, graduando o tempo e o alcance da proteção: uma inovação menor receberia meses ou poucos anos de tutela, ou direito à percepção do fructus, sem direito a exclusão de competidores. Vide quanto a isso o excelente estudo de J. H. Reichman e outros em Manifesto Concerning the Legal Protection of Computer Programs – 94 Colum.L.Rev.2308(1994).

A construção explícita do contributo mínimo

Até agora, temos postulado que tal atributo seja característico do sistema de patentes. Mas os requisitos de distinguibilidade dos cultivares e de originalidade autoral (num sentido objetivo) parecem compreender-se no mesmo plano: o de uma margem mínima de contribuição social além do simples investimento, dificuldade ou esforço.

No caso dos cultivares e das patentes, o contributo mínimo é explicitado na norma ordinária. Também localizamos esse requisito legal na proteção das topografias pela Lei n.° 11.484/2007[1]:

---

[1] Barbosa, Denis Borges. *Breves Comentários À Lei 11.484/2007 Que Introduz Proteção Exclusiva Relativa À Topografia De Circuitos Integrados.* Revista dos Tribunais, São Paulo, p. 69-121, 10 fev. 2008.

No capítulo sobre a proteção de topografias da segunda edição do meu Uma Introdução, disse quanto ao requisito de originalidade:

> *Também a exigência de originalidade imposta ao circuito integrado submetido a registro excede um pouco os padrões do direito autoral, o qual se satisfaz com o fato de a criação ser algo mais do que simples cópia. No entanto, o quantum mínimo de novidade exigido fica longe do padrão da patente clássica. (...)*
>
> Analisando, à luz dessas reflexões, o que a Lei n.° 11.484 dispõe, no pertinente temos claramente um conceito complexo de originalidade, que soma o sentido de autoria (atribuição subjetiva de obra originária) com o elemento indicado no 17 USC Par. 902 (b): o requisito de que a topografia não seja padrão, corriqueira ou familiar na indústria.
>
> O Tratado, em seu art. 3.2 endossa plenamente essa interpretação[2], como também TRIPs[3].

O mesmo texto também aponta outras fontes legais para a mesma noção de contributo mínimo:

> Vide, neste entendimento, Proteção Autoral do Website Manoel J. Pereira dos Santos, Revista da ABPI n.° 57 1/3/2002, falando do regime brasileiro de bases de dados, evocando por comparação o sistema europeu da diretiva n.° 96/9/CE, de 11 de Março de 1996:
>
> *A principal diferença entre a proteção das bases de dados originais e aquela advogada para as chamadas bases de dados não originais está no fato de que, no primeiro caso, o conjunto é protegido, não enquanto simples acervo de dados e outros materiais, mas sim na medida em que há a sistematização, organização e disponibilização desses elementos de forma cria-*

[2] (2) [Requirement of Originality] (a) The obligation referred to in paragraph (1)(a) shall apply to layout-designs (topographies) that are original in the sense that they are the result of their creators' own intellectual effort and are not commonplace among creators of layout-designs (topographies) and manufacturers of integrated circuits at the time of their creation.

[3] Conforme o Resource Book on TRIPS and Development da UNCTAD, Cambrige University Press, 2005, "The Treaty combines the concepts of "originality" and of "intellectual effort" employed in the U.S. and in EC regulations, respectively. These concepts are qualified, as expressly provided for, for instance, in the U.S. and UK laws on the matter, by the condition that the layout/topography should not be "commonplace among creators of layout-designs (topographies) and manufacturers of integrated circuits at the time of their creation". Further, a layout-design that consists of a combination of elements and interconnections that are commonplace shall be protected only if the combination, taken as a whole, fulfils the condition of originality".

tiva, não se estendendo a proteção autoral aos dados e materiais em si mesmos. Já no segundo caso, o âmbito dessa proteção é maior, abrangendo o acervo de dados e outros materiais, sendo assim preferível designar esse sistema como de proteção do conteúdo das bases de dados.

A quarta acepção – a que nos interessa – é de **distinguibilidade.** Neste sentido, retornando ao meu texto sobre DIs:

> *Pela definição do CPI/96, assemelha-se à distinguibilidade do direito marcário (vide abaixo), ou seja, a possibilidade de ser apropriada, já que não está imersa no domínio comum. A fragilidade de tal conceito está na extrema proximidade com a noção de novidade, acima definida.*
>
> Diz Newton Silveira:
>
> *(...) a originalidade é condição tanto para a proteção das invenções, quanto das obras artísticas, podendo-se dizer que nas obras de arte a originalidade se refere à forma considerada em si mesma, enquanto que para os modelos e desenhos industriais a forma em si pode não ser original, desde que o seja a sua aplicação, isto é, a originalidade neste caso consistiria na associação original de uma determinada forma a um determinado produto industrial.*

Como veremos no capítulo próprio, a distinguibilidade mínima é também um requisito dos signos distintivos. Não se oferece proteção a signos distintivos que não se distanciem suficientemente do domínio comum.

A construção tácita do contributo mínimo

No campo autoral não existe contrução normativa. Mas há interessantíssimos índices de que, ainda que não explicitado, tal requisito exista na prática judicial e na doutrina[4]:

> Justamente porque é necessário que haja um mínimo de criatividade, não se pode prescindir de um juízo de valor. A proteção é a contrapartida de se ter contribuído para a vida cultural com algo que não estava até então ao alcance da comunidade. Terá de haver assim sempre critérios de valoração

---

[4] Os exemplos a seguir, extraio da dissertação de mestrado, ora em curso, de Carolina Tinoco Ramos, Contributo Minimo Em Direito Autoral, orientador Jose Carlos Vaz e Dias, que trata do o mínimo grau criativo necessário para que uma obra seja protegida por Direito Autoral, a ser apresentada no programa de Direito Internacional da Faculdade de Direito da Universidade do Estado do Rio de Janeiro.

para determinar a fronteira entre a obra literária ou artística e a atividade não criativa. Porque a alternativa seria ter de se afirmar que é uma pintura tudo o que está envolto num caixilho e é apresentado como tal pelo autor – mesmo que se reduza a um risco no meio de uma tela.[5]

E assim nota Carolina Tinoco Ramos:

> Também os tribunais superiores brasileiros fundamentam suas decisões em torno do contributo mínimo:
>
> 1) O anotador de leis, mesmo sem originalidade doutrinária, tem a proteção do direito autoral.
>
> 2) Não há nulidade, se resulta da sentença, implícita mas necessariamente, que a reconvenção foi julgada improcedente, em conseqüência da procedência da ação.[6]
>
> APELAÇÃO – AÇÃO DE INDENIZAÇÃO – COMPILAÇÃO – DIREITOS AUTORAIS – INEXISTÊNCIA DE CRIAÇÃO INTELECTUAL – HONORÁRIOS ADVOCATÍCIOS – INEXISTÊNCIA DE CONDENAÇÃO – INCIDÊNCIA DO ARTIGO 20, § 4.°, DO CPC – Mera compilação de canções destinadas a cancioneiros de serestas não merece a proteção do direito autoral se inexistem nela os requisitos da originalidade e criatividade, vez que mera pesquisa e seleção das músicas mais conhecidas dos seresteiros brasileiros não demandam qualquer utilização do intelecto do compilador se a escolha das canções advém de prévia estipulação de critérios restritos para tal mister, ausente se encontrando, assim, qualquer novidade originada do seu espírito, por mais valioso que seja o trabalho de prospecção das canções e inclusive de obtenção de autorização de todos os autores cujas obras foram aproveitadas, mormente se há muito já é bastante conhecida a técnica de amealhar músicas de mesmo estilo em livros específicos, inclusive com acompanhamento para instrumentos musicais. (...)
>
> Afirmou o Tribunal que "não pode o apelante Alexandre Pimenta irrogar para si a idéia de se compilar em uma obra o repertório de cancioneiro de serestas, bem como invocar a utilização de capacidade criativa por meio de escolha de músicas cujo universo já se encontrava previamente delimitado, dúvida não havendo, assim, de que a forma de seleção e organização das canções na obra não decorreu de sua atividade inventiva, de criação de seu espírito, mas de simples, ainda que magistral, trabalho de

---

[5] ASCENSÃO, José de Oliveira. Direito autoral. 2.ª ed. Rio de Janeiro: Renovar, 1997. p. 52.

[6] STF, RE 30406/GB – Guanabara, Primeira Turma, Rel. Min. Victor Nunes, Julgamento: 11/04/1966.

cotejo das músicas destinadas a satisfazer as orientações daquele que requisitou seu trabalho".[7]

Tal problema, entretanto, não se restringe ao ordenamento brasileiro, também em outros países a questão do contributo mínimo em direito autoral tem sido colocado em questão. Em 1991, a Suprema Corte dos Estados Unidos já se pronunciou quanto ao tema no caso Feist Publications, Inc. v. Rural Telephone Service Co:

"The primary objective of copyright is not to reward the labor of authors, but "to promote the Progress of Science and useful Arts." Art. I, § 8, cl. 8. Accord *Twentieth Century Music Corp.* v. *Aiken*, 422 U.S. 151, 156 (1975). To this end, copyright assures authors the right to their original [p*350] expression, but encourages others to build freely upon the ideas and information conveyed by a work. Harper & Row, supra, at 556-557. This principle, known as the idea-expression or fact-expression dichotomy, applies to all works of authorship. As applied to a factual compilation, assuming the absence of original written expression, only the compiler's selection and arrangement may be protected; the raw facts may be copied at will. This result is neither unfair nor unfortunate. It is the means by which copyrights advances the progress of science and art."[8]

Assim é que postulo a presença deste contributo mínimo como um requisito necessário da normativa da Propriedade Intelectual. Sua natureza, de um requisito geral de ponderação, aponta para a filiação constitucional desse princípio, induzido em parte da construção já sólida da atividade inventiva, reconhecidamente sediada em texto básico[9].

Da noção de originalidade no direito internacional

A proteção de desenhos industriais é prevista muito simplesmente na Convenção de Paris:

Art. 5.° quinquies

Os desenhos e modelos industriais serão protegidos em todos os países da União.

---

[7] STJ, AG 604956, Rel. Min. Carlos Alberto Menezes Direito, DJ 22.10.2004.

[8] Feist Publications, Inc. V. Rural Telephone Service Co. Supreme Court Of The United States. 499 U.S. 340 (1991).

[9] A exceção seria a proteção de dados confidenciais da Lei 10.603/2002, mas isso apontaria talvez para a não classificação deste direito como pertencente à Propriedade Intelectual.

Já o Acordo TRIPs se estende pouco além:

> ARTIGO 25
> Requisitos para a Proteção
> 1. Os Membros estabelecerão proteção para desenhos industriais criados independentemente, que sejam novos ou originais. Os Membros poderão estabelecer que os desenhos não serão novos ou originais se estes não diferirem significativamente de desenhos conhecidos ou combinações de características de desenhos conhecidos. Os Membros poderão estabelecer que essa proteção não se estenderá a desenhos determinados essencialmente por considerações técnicas ou funcionais.
> 2. Cada Membro assegurará que os requisitos para garantir proteção a padrões de tecidos – particularmente no que se refere a qualquer custo, exame ou publicação – não dificulte injustificavelmente a possibilidade de buscar e de obter essa proteção. Os Membros terão liberdade para cumprir com essa obrigação por meio de lei sobre desenhos industriais ou mediante lei de direito autoral.
> ARTIGO 26
> Proteção
> 1. O titular de um desenho industrial protegido terá o direito de impedir terceiros, sem sua autorização, de fazer, vender ou importar Artigos que ostentem ou incorporem um desenho que constitua um cópia, ou seja substancialmente uma cópia, do desenho protegido, quando esses atos sejam realizados com fins comerciais.
> 2. Os Membros poderão estabelecer algumas exceções à proteção de desenhos industriais, desde que tais exceções não conflitem injustificavelmente com a exploração normal de desenhos industriais protegidos, nem prejudiquem injustificavelmente o legítimo interesse do titular do desenho protegido, levando em conta o legítimo interesse de terceiros.
> 3. A duração da proteção outorgada será de, pelo menos, dez anos.

Desta feita, e em resumo sucinto, segundo o art. 25.1 do TRIPs, deverá sempre haver algum tipo de proteção para os desenhos industriais, seja por regime similar aos das patentes, pelo direito autoral, seja por formas mistas e cumulativas. O titular de um desenho industrial protegido terá o direito de impedir terceiros, sem sua autorização, de fazer, vender ou importar artigos que ostentem ou incorporem um desenho que constitua uma cópia, ou seja, substancialmente uma cópia, do desenho protegido, *quando esses atos sejam realizados com fins comerciais.*

Como se vê, a proteção deve ser assegurada, por alguma forma de direito, como um registro específico, patente, direito autoral, ou mesmo proteção sem registo.

O ponto que nos interessa aqui, porém, é a definição dos requisitos de proteção, que serão:

- criados independentemente,
- novos ou
- originais.

A qualificação "novos OU originais" foi debatida com alguma extensão, o que levou certos autores a argüir que uma ou outra, mas não ambas exigências poderiam ser admitidas[10]. O que seja novo – ou original – integra o conjunto previsto ainda no art. 25.1:

> os desenhos serão novos ou originais se estes diferirem significativamente de desenhos conhecidos ou combinações de características de desenhos conhecidos.

Assim, além de um requisito subjetivo (criação independente[11]) TRIPs contempla uma exigência objetiva[12] de *diferença de desenhos*

---

[10] UNCTAD/ICSID, Resource Book on TRIPS and Development, Cambridge, 2005, p. 332: "3.3.2 New or original – Members are left with the option of either implementing the criterion of novelty or originality. The history of the final formulation of "new or original" says much for the nebulous nature of "industrial design law". 460 Can Members go further and adopt both criteria of protection, i.e. that a design must be new and original? This is highly unlikely due to the history of the provision, and the express usage of "or",rather than "and/or", as proposed by some delegations. Are Members allowed to adopt more criteria of protection? This is apparently the case under the current U.S. design patent regime and arguably also under the European Community Design Right".

[11] UNCTAD/ICSID, op. cit., p. 331: "It is a mandatory requirement that independently created designs must be protected. The question then is whether this is to be interpreted in the sense that the design must not be copied or whether it means the design must have some minimal amount of creativity or individuality. The more persuasive view is that the TRIPS drafters clearly intended the criterion of originality to entail more of a creative contribution than mere independent creation, due to the fact that two terms are employed to convey different meanings in the same sentence".

[12] ÜNCTAD/ICSID, op. cit., p. 333: "Members are offered the opportunity of anchoring their chosen criterion of protection (i.e. originality or novelty) to a prior art base constituting "known designs or combinations of known design features" (Article 25.1, second sentence). This may allow a Member to opt for an originality requirement which adopts an objective standard, rather than a copyright law standard". E, adiente: "Under copyright law, the standard of originality is not an objective, but a subjective one: any product which is the result of independent human intellect and creativity is offered protection, even if it resembles another product. Thus, the reason for the grant of protection is the in-

conhecidos e de *substancialidade* desta diferença. Assim, claramente é autorizada a imposição de duplo filtro, independentemente do nome que se dê.

Além disso, TRIPs aponta o espaço em que essa diferença será significativa, para efeitos de proteção:

> Os Membros poderão estabelecer que essa proteção não se estenderá a desenhos determinados essencialmente por considerações técnicas ou funcionais.

O espaço é da *liberdade de forma*. Só no caso de se poder – livremente – superar as exigências técnicas e funcionais se terá um campo onde a diferença entre um desenho e outro – já conhecido – poderá ser significativa.

Da noção de originalidade no direito estrangeiro

O significado dos requisitos originalidade e novidade no tocante aos desenhos industriais é matéria de vasta discussão e divergência doutrinária.

Muitas são as razões dessa diversidade, sendo as principais:

[a] não há uma padronização de proteção no direito internacional
[b] o fato de que, em certos países, há a cumulação de proteções, uma ou mais de caráter especial, e o regime geral autoral.
[c] o fato de que, em certos países, há a cumulação de proteções, uma ou mais de caráter especial, e o regime geral de patentes.

Nosso tema, porém, é o critério de originalidade no regime próprio dos desenhos industriais; assim, requisitos característicos do sistema autoral, ou de patentes, não serão aqui levandos em conta, senão na proporção em que eles se cumulam, ou servem de base para o regime específico de que falamos.

---

dependence of the creation, rather than the difference of the resulting product from other products. Contrary to this subjective approach, the second sentence of Article 25.1 TRIPS (as quoted above) enables Members to base design protection on the difference between the resulting product and other products. Thus, an independently created design which does not significantly differ from a known design may be denied protection".

Dessas doutrinas, identificamos como particularmente relevantes:

[a] a teoria da expressão pessoal do criador
[b] a teoria da distância mínima do lugar comum
[c] a teoria da não-obviedade
[d] a teoria do caráter singular
[e] a teoria do "ornamento especial"

Teorias da expressão pessoal do autor

Não obstante ter incorporado – antes de todos os demais – a proteção do desenho industrial como modalidade própria do direito francês, é nesse sistema jurídico que se radica as duas doutrinas conservadoras da *unidade da arte* e da *expressão do criador*.

A primeira delas recusa a distinção entre arte "livre" e arte aplicada, o que leva à proteção de todas as formas de desenho industrial *também* pelo regime geral autoral. Ou seja, não obstante a alternativa autoral, frequentemente haverá a cumulação dessa proteção com o do regime geral.

O regime especial, de outro lado, requer *novidade*[13], critério esse rejeitado pelo sistema autoral[14].

A novidade objetiva é prejudicada perante a existência de anterioridade idêntica ou muito semelhante (que difere apenas por detalhes insignificantes) ou que remeta a anterioridade de objetos comuns do desenho

---

[13] LADAS, Stephen P. *Patents, Trademarks, and Related Rights National and International Protection.* Harvard University Press. Cambridge, Massachusetts, 1975; "The French theory is that in order that the design be protected there must be creation. Consequently any prior design which has existed anywhere and at any time deprives the design of novelty. LADAS, op. cit. loc. cit. "A basic condition for protection of a design is that it be "novel or original." The meaning of this expression has already been discussed. Obviously a design cannot be registered or protected if it has been anticipated by a previously registered or published design. Identity or substantial identity with a previous design with modifications not sufficient to alter the character or affect the identity of the prior design deprives it of novelty. In this connection there is a difference of opinion with respect to so-called objective or subjective novelty".

[14] AZÉMA, Jacques & GALLOUX, Jean Christophe. *Droit de La Proprietá Industrielle.* Paris: Dalloz, 2006, p. 643-646: «L'approche subjective de Ia nouveauté – La recherche d'antériorités et donc la référence au critère de nouveauté, est écartée si l'on recherche la protection sur le seul fondement du droit d'auteur.

industrial. Uma precedência pode destruir a novidade absoluta de um DI, quaisquer sejam a época e o lugar.[15]

No entanto, a simples novidade – objetiva, literal e contida, como todas as novidades – induziu numa disparidade de critérios em face ao regime alternativo autoral[16]. Assim, de empréstimo deste, e em particular da noção de expressão *original* de autoria, foi sendo elaborada pela doutrina e jurisprudência uma outra face da mesma novidade: a *subjetiva*.

A novidade subjetiva é aquela que um desenho possui quando seu autor imprime personalidade à obra, o tornando distintos de outros, pouco importando se este se assemelha com outros já existentes.[17] Assim, é pre-

---

[15] SCHIMIDT, Joanna-Szalewski. *Droit de la proprieté industrielle*. Deuxième édition. Editions Dalloz, 1991, p. 87-89. «II. – Les critères objectifs retenus. La jurisprudence réserve la protection aux formes nouvelles au sens objectif, c'est-à-dire différentes de celles connues à la date de la publication du dépôt du dessin ou du modéle». LADAS, op. cit. loc. cit.: "Consequently any prior design which has existed anywhere and at any time deprives the design of novelty".

A doutrina italiana sob a lei antiga, no entanto, parecia discrenir um grau menor de novidade para os desenhos industriais: BOUTET, Sergio; DUNI, Mario. *Brevetto Industriali, Marchio, Ditta, Insegna*. Torino: Torinense, 1966, p. 253-254: "La dottrina si è dichiarata nel senso che la novità in materia di modelli ornamentali debba essere intesa meno rigorosamente che nel campo delle invenzioni".

[16] VIVANT, Michel. *Les créations immatérielles el le droit. Editora Ellipses,* Paris, 1997, p. 60-65. «Le príncipe de cumul absolu de protection des dessins et modèles industrieis par la législation spécifique et par celle sur la propriété littéraire et artistique a pour conséquence le cumul des conditions de protection. Ainsi, pour être valable, un dessin ou modèle devrait être non seulement nouveau, mais aussi original. Pourtant, loin de traquer la nuance, les juges se contentent généralement en pratique d'exiger que la création soit originale. Encore est-il que l'originalité est rarement appréciée avec sévérité; il suffit que la reproduction d'un objet existant ne soit pas servile et que l'on puísse déceler l'empreinte de la personnalité de l'auteur. Ainsi, une simple reproduction stylisée peut constituer un dessin ou modèle valable. Mais une souche, un cep de vigne, une pierre qui auraient une forme originale, ne peuvent faire l'objet d'une protection en l'absence de processus de création».

[17] ANSPACH, Lionel et COPPIETERS, Daniel. *Dessins Et Modèles Industriels*. Paris: Bruylant-Christophe Et Cie Éditeurs, 1905, p. 32-33. «Comment faut-il comprendre la nouveauté en comparaison avec d'autres dessins? Il ne faut pas qu'il y ait nouveauté absolue. Un dessin est nouveau du moment où il est le résultat d'un effort d'imagination et d'un travail personnel et qu'il a pour effet de distinguer l'objet auquel il s'applique des objets similaires».

SCHIMIDT, Joanna-Szalewski. *Droit de la proprieté industrielle*. Deuxième édition. Editions Dalloz, 1991. p. 87-89: «Au sens subjectif, la nouveauté se caractérise par l'em-

ciso uma marca subjetiva, e atribuição a uma criação pessoal de um ser humano, com a recusa das criações automáticas e do acaso[18].

Na verdade, autores clássicos renegavam até mesmo a exigência da novidade objetiva. Eugene Pouillet[19] sustentava que o desenho – para ser protegido – não carecia de ter novidade absoluta, mas deveria ser subje-

---

preinte personnelle de l'artiste; peu importe que l'objet créé ait été antérieurement connu. En conséquence, les copies serviles seraient protégées, à condition d'être réalisées personnellement et non mécaniquement. La jurisprudence rejette cette conception».

18 AZÉMA & GALLOUX, op. loc. cit. «En revanche, les tribunaux recourent à la notion d'originalité ou du moins à une approche subjective de la nouveauté en matière de dessins et modèles pour compléter l'approche objective précédemment exposée. C'est ainsi que la jurisprudence évoque les termes «d'efforts personnels de création», de «recherche artistique», de cachet original, de reflet ou d'empreinte de la personnalité, ou a d'effort intellectuel o reflétant la personnalité. A l'inverse, les tribunaux refusent la protection aux dessins ou aux modèles dont l'aspect n'est que le résultat du hasard, qui apparaissent totalement banals ou qui ne traduisent ni effort de création, ni originalité particulière».

19 POUILLET. Eugéne. *Traité Theorique et pratique des Dessisns et Modèles de Fabrique*. Paris: Marchal et. Billard, 1905, p. 81-83: «Le dessin n'est donc protégé que s'il est nouveau; néanmoins la loi n'exige pas, ne peut exiger une nouveauté absolue. «Les oeuvres humaines, comme le dit très bien M. Philipon, s'inspirent toutes plus ou moins des oeuvres qui «les ont précédées dans la suite des temes, et la nouveauté, ou ce qui paraît tel, n'est jamais que la combinaison originale d'éléments connus, le rapport nouveau sous lequel on envisage des choses anciennes (1).» Les filets, les rayures, les palmes, par exemple, ne présentent séparément rien qui soit d'une conception neuve; il n'en est pas moins certain que l'agencement, la disposition particulière de ces éléments connus, leurs proportions respectives, la diversité de leurs nuances, peuvent constituer une création nouvelle. Cela ressortait déjà de la définition que nous avons admise, et qui s'attache avant tout au cachet d'individualité, résultant, pour un objet quelconque, du dessin qui y est appliqué. Ce principe est parfaitement mis en lumière par une décision du Tribunal de commerce de Lyon, dans laquelle on lit: «C'est bien à tort que l'on voudrait soutenir qu'un «bouquet, une fleur ne sont pas une invention, parce que «de tout temps on a fait des fleurs et des bouquets; c'est «au contraire dans ce genre de dessin, que chaque dessinateur a le droit d'avoir soit cachet, soit par l'arrangement de La fleur, soit par diversas saillies du bouquet qui permettent aux nuances de se combinar d'unè manière plus heureuse; cela est tellement évident qu'un nombre indéterminé de dessinateurs travaillant tous à produire un bouquet, une fleur, une sauraient se rencontrer identiquement (2). La nouveauté d'un dessin peut encore résulter de l'armure, du mode de tissage (3), de l'assemblage de plusieurs tissus, de la combinaison d'un fond avec des fils disposés à la surface. Par exemple, dans l'industrie des tulles, il est de principe que, pour apprécier un dessin, il ne faut pas séparer les fils apparents destinés plus particulièrement à rendre la pensée de l'artiste, du fond, tulle ou blonde, qui les supporte, ce fond, par les dispositions qui lui sont propres, prenant lui-méme fréquemment part au dessin proprement dit.

tivamente novo, no sentido de exprimir o caráter individual do seu autor na obra.

Igualmente, Roubier[20] argumentava que – para uma criação ser passível de proteção – seria necessário demonstrar que seu autor imprimiu um caráter distintivo e original à obra. A diferença criativa que esse autor expressou através do seu desenho será o espaço que delimitará a abrangência de sua exclusividade. Pouco importa, segundo esse autor, que o desenho seja inspirado em algo já existente na natureza ou no estado da técnica, desde que ele imprima esse aspecto original.

Também Pollaud Dulian[21] apontava, no regime pré-2001, que os critérios de novidade e originalidade são bem distintos. Para esse autor, originalidade dizia respeito à contribuição de personalidade que o autor imprime na obra a tornando original. Já a novidade, seria um critério diferente, pois é essencialmente objetivo. Seja pela ausência de anterioridade de todos os elementos que compõem o desenho, seja pela impossibilidade de se encontrar desenhos idênticos já existentes no estado da técnica.

---

[20] ROUBIER, Paul. *Le Droit De La Propriété Industrielle.* Paris: Éditions Du Recueil Sirey, 1954, p. 429-427: «A un autre point de vue, d'ailleurs, la création est à la source de la propriété intellectuelle, en ce sens que l'étendue du droit privatif se mesurera d'après ce qui aura été réellement créé, et Ia protection sera d'autant plus complète que l'originalité sera plus considérable. C'est en fonction de ce qu'il y aura de personnel dans le travail du créateur qu'on délimitera le domaine de son droit (v. la note F.J. aux Ann., 1931.124). Car, bien entendu, en exigeant une production originale de la part de celui qui revendique un droit sur un dessin ou modèle, on ne peut aller jusqu'à demander que le résultat obtenu soit nouveau dans toutes ses parties. Le plus souvent, l'auteur ne tire pas de toutes piéces son oeuvre de son imaginatjon; il utilise des matériaux existants et il leur donne une forme particulière: c'est sur cette forme qui est la création de son esprit, qu'il pourra revendiquer un droit privatif. Ainsi l'auteur puise souvent son inspiration, soit dans des objets de la nature, soit encore dans ce qu'on appelle le fonds commun, c'est-à-dire l'ensemble des formes déjà connues qui appartiennent au domaine public; on ne peut lui en faire grief, du moment qu'il parvient à un aspect original, qui distingue et individualise l'objet,de son travail; peu importe la nouveauté du sujet, du moment qú'il y a originalité de l'aspect.

[21] POLLAUD-DULIAN, Frédéric. *Droit De La Proprieté Industrielle.* Ed. Montchrestien, Paris, 1999, p. 399-403. «L'absence de définition de la noveauté pose le problème de savoir si la notion est semblable à celle que connaît le droit des brevets ou si elle se rapproche de la condition de originalité posée en droit d' autuer. Or, ces deux critères – nouveauté et originalité – sont bien distints. L'originalité tient à l'expression de la personnalité de l'auteur dans l'oeuvre. La nouveauté est un critère différent, car essentiellement objectif: c'est l'absence d'antériorité de toutes pièces, c'est-à-dire l'impossibilité de trouver un objet identique dans l'état antérieur».

Esse autor complementava sua visão do regime ora passado, afirmando que não se podiam considerar os dois critérios (originalidade e novidade) como sinônimos num domínio específico (novidade). Conservando-se a noção de novidade objetiva, soma-se a esse requisito uma condição de criação, que permite completar a apreciação objetiva, com a exigência de um "contributo do inventor", que consiste na marca da personalidade do criador em sua obra.[22] Ou seja, para esse autor, a novidade resulta da inexistência de anterioridade idêntica ou semelhante, enquanto que a originalidade é a marca pessoal do autor expressa na obra.[23]

Assim, antes da reforma na lei francesa, resultante da Diretiva Européia 98/71, a tendência jurisprudencial era exigir cumulativamente os dois requisitos: de novidade objetiva e de expressão pessoal[24] como um único

---

[22] POLLAUD-DULIAN, op. cit. loc. cit. «Nouveauté. Autrement dit, on peut soit considérer les deux critères comme synonymes dans ce domaine particulier; soit conserver une conception objective de la nouveauté strictement entendue pour le droit des dessins et modèles mais en y ajoutant, comine la loi y incite, une condition de création, qui permet de compléter l'appréciation objective de la nouveauté par l'exigence d'un apport du créateur, c'est-à-dire de l'empreinte de la personnalité – ce qui revient au même tout en respectant la lastre de la loi.»

[23] POLLAUD-DULIAN, op. cit. loc. cit. «La nouveauté résulte de l'impossibilité d'opposer une antériorité telle quelle ou de toutes pièces au dessin ou au modèle; l'originalité suppose une empreinte personnelle de l'auteur dana la création de forme. Sur le ferram du droit d' auteur, seule importe la constatation de l'originalité de la forme, l'expression de la personnalité, «indépendamment de la notion d'antériorité, inopérante dana le cadre de l'application du droit de propriété littéraire et artistique» comme le rappelle fermement la Cour de cassation (4. Cass. civ. 1, 11 février 1997, Bull. civ. 1, e 56, p. 36; D. 1998, p. 290, oba. crit. F. GREFFE; Casa. civ. 1, 23 février 1994, Bull. civ. 1, e 79, p. 61, D. 1995, som. com. 53, oba. C. COLOMBET; Paris, 1" octobre 1997, PIBD, 1998, e 646.M.64.).

[24] NERI, Alexandra. *Protection of Designs and Models in France in Industrial Design Rights: An International Perspective.* Londres: Kluwer Law International and International Bar Association, 2001, p. 106-107: "As previously stated, Book I of the IPC protects intellectual works when such works are of an original nature. Book V, in addition to the filing of the work itself, requires that the design or modal, for which protection is sought, be "nouveau", which in French has a connotation of being not only new, but also different. In reality, the distinction between these two notions is increasingly diflïcult to draw. Whether a work has sufficient originality is a question of fact to be determined by the courts of first instante. It is therefore up to these courts to determine and define the intellectual input of the author. Newness on the other hand, was originally defined as the absence of previous work. However, the most recent definition of newness no longer lies in the absence of previous work, but also in the existente of inherent creativity".

critério englobante[25]. A originalidade, critério de *fato*, imputação da criação a pessoa determinada, devia ser apreciada pelo juiz[26].

---

[25] TAFFOREAU, Patrick. *Droit de La Propriété Intellectuelle*. Paris: Gualino Éditeur. 2007, p. 309-311: «323. Originalité? – Avant la réforme de 2001, les tribunaux faisaient un certain amalgame entre nouveauté et originalité. Ce n'est pas étonnant car, concrètement, on a du mal à concevoir un dessin ou modèle nouveau, ornemental, mais banal. De plus, comme le droit d'auteur protège également les dessins et modèles, on a l'habitude de vérifier, à cet égard, qu'ils sont bien des oeuvres originales. C'est ainsi que la Cour de cassation exigeait que le dessin ou modèle exprimât la personnalité de l'auteur. C'était dire que, même sur le seul fondement du livre V, le dessin ou modèle devait, pour être protégé, remplir la double condition de nouveauté et d'originalité! Une telle solution semble condamnée par la nouvelle rédaction du livre V du Code de la propriété intellectuelle. Quant à l'exemple proposé par Desbois (les deux peintres installés devant le même paysage), nous avons déjà observé qu'il ne nous paraissait pas infaillible, malgré son efficacité didactique. Il risque fort de demeurer une hypothèse d'école, maintenant que la jurisprudence conçoit largement la notion d'originalité. Car enfin, le peintre qui finit le second son tableau ne fait-il pas oeuvre nouvelle, dès lors que son dessin est différent du précédent? S'il porte l'empreinte de sa personnalité, c'est qu'il a au moins un élément distinct (donc nouveau) du précédent.

SCHIMIDT, Joanna-Szalewski & PIERRE Jean Luc. *Droit de la propriété industrielle*. Paris: Litec, p. 145-146: «La Cour de cassation exige clairement que soient vérifiées la nouveauté ET l'originalité dés dessins et modeles déposés dont la validité est contestée au regard du Livre V du Code de la proprieté intellectuelle. Alors que La nouveauté se reconnaît par le défaut d'oeuvres antérieures semblabes, l'originalité devrait se definir de la même manière que pour l'application di droit d'auteur, comme l'empreinte de la personalité de l'auteur. La jurisprudence relative aux créations de l'art appliqué ne suit pás, cependant, strictement, cette approche classique; elle exige un «effort personnel», ou un «effort créateur», conférant retiennent l'originalité d'aspect du dessin ou modèle discuté. Corrélativement, la protection est refusé aux formes dont l'aspect n'est que le «résultat du hasard» ou de contraintes techniques. La condition d'originalité est particulièrement utile dans l'appréciation de la validité des dessins ou modèles don't certains elements ne sont pas objectivement nouveaux; il faut alors que leur agencement révèle un effort créateur de l'auteur. Il en est ainisi des copies de formes du domaine public; des réductions et moulages; des reproductions de la nature; des combinaisons nouvelles d'éléments connus; des applications nouvelles de formes connues; des changements de matière. Des elements isóles d'un ensemble peuvent être protégés en tant que tells, indépendamment de l'ensemble don't ils font partie, s'ils satisfont à la condition d'originalité; il en est ainsi, par exemple des elements d'une carrosserie d'automobile.

[26] NERI, Alexandra, op. cit.: In this regard, a decision from the French Supreme Court (known as La Cour de Cassation) dated May 10, 1995 considered that "it was in the Court of Appeal's sole discretion to determine whether a hand bag by CHANEL reflected a personal creative effort and a great concern for beauty because of its distinctive characteristics". While the distinction between originality and newness is extremely difficult to

Tal doutrina teve repercussões em outros sistemas jurídicos, por exemplo, o da Itália, no qual se distinguiam as novidades extrínseca (a apurada em face do estado da técnica) e a intrínseca (geralmente, a originalidade[27], ou seja, a atividade inventiva) repetindo nesse passo o direito de patentes[28].

Após a modificação, passa a ser aplicável ao regime específico do desenho industrial francês o critério objetivo do "caráter próprio", expungido o critério de originalidade subjetiva[29]; o mesmo ocorreu com os demais regimes dos países europeus que seguiam o modelo francês[30].

---

ascertain, the novel nature of a model may be determined by virtue of its creation which will be reflected essentially in its outward appearance.

[27] Vide RAMELLA, Agostino. *Trattato Della Proprietá Industriale*. Editrice Torinese, 1927, p. 442-448.

[28] Quanto a essa distinção, e a jurisprudência consequente, vide Luzzatto, Enrico, Trattato Generale delle Privative Industriali, Imprenta, Milano: Pilade Rocco, 1914, vol. I. O outro Luzzatto, Ettore, Il Consulente Tecnico In Materia Di Brevetti, Malfasi – Editore--Milano, assim descreve o fenômeno jurisprudencial: "9. Si introdusse nella giurisprudenza il requisito della "novità intrinseca" od "originalità" o anche "creatività" per distinguere i trovati nuovi brevettabili da quelli non brevettabili. Infatti e ovvio che molti trovati nuovi che vengono presentati come invenzioni non sono altro che norma li applicazioni tecniche che non giustificano la concessione di un monopolio brevettuale. D'altra parte la legge pone come unico requisito per la brevettabilità di una invenzione la novità. Non vi e nel linguaggio della legge una frase che, letteralmente interpretata, consenta di sceverare le "novità inventive" dalle "novità non inventive": letteralmente invece la legge considera soltanto le "invenzioni nuove" rispetto alle "invenzioni non nuove". In pratica la giurisprudenza ha sdoppiato il concetto di novità introducendo come requisito per la brevettabilità, accanto alla novità definita nell'art. 15 e che ora viene denominata comunemente "novità estrinseca", un altro tipo di novità, la "novità intrinseca" che e pai I'originalità (parola da preferirsi), che distingue i trovati nuovi ma che costituiscono semplice applicazione tecnica, dai trovati nuovi che comportano un distacco cosi netto dallo stato della tecnica da meritare la protezione del brevetto". A lei italiana vigente substitui a nomenclatura "originalidade", para expressar a atividade inventiva no art. 48 do Código da Propriedade Industrial de 10 de fevereiro de 2005.

[29] Pela nova redação do Código: Art. L. 511-4. Un dessin ou modèle a un caractère propre lorsque l'impression visuelle d'ensemble qu'il suscite chez l'observateur averti diffère de celle produite par tout dessin ou modèle divulgué avant la date de dépôt de la demande d'enregistrement ou avant la date de priorité revendiquée. Pour l'appréciation du caractère propre, il est tenu compte de la liberté laissée au créateur dans la réalisation du dessin ou modèle.

[30] Como veremos adiante, a doutrina italiana que – em sua vertente mais antiga seguia a teoria da novidade intrínseca e extrínseca, não segue atualmente uma teoria única sobre os requisitos de proteção de DI, dividindo-se entre a teoria do caráter singular, do

A originalidade persiste como sendo o critério adequado ao regime geral autoral, que permanece sempre como proteção alternativa.

Note-se que certos autores franceses chegaram a afirmar a continuidade do critério anterior de originalidade, não obstante a ênfase no ângulo objetivo, e já não mais da expressão pessoal[31], ou, ao menos, indicando que a jurisprudência anterior dava ensejo a tal critério[32]. Há, no entanto vasta corrente jurisprudencial que afirma o abandono do critério de expressão pessoal sob o modelo da Diretiva 98/71[33].

---

ornamento especial e tendo até em alguns casos, como coloca CATALDO (DI CATALDO, Vincenzo. Le Invenzioni i modelli. Seconda Edizione. Giuffrè Editore. Milano, 1993, p. 216-217), adotando a corrente que defende a não obviedade do DI.

[31] VIVANT, Michel. *Les Grands Arrêts de La Propriété Intellectuelle*. Ed. Dalloz; Paris, 2004, p. 224-228. «Il convient alors de s'interroger sur la portée de ce critère de protection cette nouvelle exigente recèle-t-elle véritablement une condition nouvelle? À reprendre la définition donnée, ora constate que ce qui est requis en vertue de cette nouvelle disposition c'est que l'impression visuelle produite par le dessin ou modèle diffère de celle produite par un dessin ou modèle antérieur (c'est exactement ce que dit la cour d'appel de Paris dana le second arrêt rapporté: «Cette combinaison dans la spécificité qui est la sienne, confêre à l'ensemble un caractère propre dês lors que s'en dégage une impression globale qui lui permet de se démarquer de ses semblables»). Autrement dit, pour répondre à la première condition – la nouveauté – le dessin ou modèle dois se distingues das précédentes créations par das éléments autres que de détails et, pour répondre à la seconde condition – le caractère individual ou propre – c'est par l'impression d'ensemble qu'il produit que ledit dessin ou modèle dois se démarquer. Le caractère propre apparaît alors comme une nouveauté caractérisée – un degré supérieur de nouveauté – (v. en ce sens B. Humblot, pour lequel «en somme, le caractère propre n'est rien d'autre que la nouveauté autrement formulée o, art. préc.; également W. Duchemin, «Modification de la protection das dessin et modèles à la suite de la transposition de la directive dans le droit national N, Drr et patrimoine, n.° 100, janv. 2002, p. 41).

[32] GREFFE, François; GREFFE, Pierre-Baptiste. *Traité des dessins et modèles*. 8.ª édition. Paris: LexisNexis, 2008, p. 101-114. «Mais à cette condition première s'en ajoute une seconde, que l'on se place sous la protection du livre I du Code de la propriété intellectuelle ou sous celle du livre V du Code de la propriété intellectuelle; il faudra encore que le dessin ou le modèle présente une certaine originalité, soit le résultat d'un effort de création, ou encore présente «un caractère propre», pour reprendre ici l'expression retenue dans l'ordonnance du 25 juillet 2001 (CPI, livre V nouveau – transposition de la directive du 13 oct. 1998), toutes expressions qui tendent à définir le niveau de créativité nécessaire pour prétendre à protection».

[33] Vide *Code de la Proprieté Intellectuelle commenté,* Dalloz, 8.éme Ed., 2008, p. 373.

Permanência do regime autoral no Direito Francês

Na legislação européia pertinente a desenhos e modelos vigora a obrigação da cumulação de requisitos de novidade e caráter criativo. Essa legislação não afeta, no entanto, a regra tradicional da França (e dos outros países que seguem a mesma regra) de cumulação total entre direito de autor e o direito específico dos desenhos industriais.

Tal é a regra, já mencionada, procedente da teoria da unidade da arte e que defende que o desenho tem que ter um caráter original que imprima na obra uma característica pessoal do autor do desenho.[34]

Distância mínima

A lei britânica coloca um requisito específico para a proteção dos desenhos industriais *não registrados*[35]. Note-se que, assim, requisito específico para uma modalidade menor de proteção, que apenas proíbe a cópia, mas não garante nenhum outro direito de exclusão; o sistema britânico compreende igualmente um sistema *registral*.

Os autores e as legislações, entre elas a britânica, que adotam esse requisito, definem *commonplace* como o requisito que exige que o DI para ser considerado original dever ser fruto do trabalho de um criador (não uma execução mecânica) e não deve ter uma aparência comum quando comparado com outros desenhos de mesma natureza já no estado da técnica.[36]

---

[34] GREFFE & GREFFE, op. cit. loc. cit. «À ce sujet, l'ordonnance du 25 juillet 2001, d'une part indique «que les conditions de protection sont sensiblement affectées par la directive. La protection est désormais subordonnée à la réunion de deux conditions: la nouveauté et le caractère propre» et, d'autre part, précise «que la directive n'est pas en opposition avec le droit en vigueur. En particulier, lorsque la protection des dessins et modèles est assurée par une législation spécifique mais aussi, comme c'est le cas à des degrés divers dans la plupart des États membres, par la législation sur le droit d'auteur, ce deuxième mécanisme de protection n'est nullement affecté par le texte communautaire. En conséquence, la règle traditionnelle en France du cumul total de protection entre le droit d'auteur et le droit spécifique sur les dessins et modèles, règle issue de la théorie de l'unité de l'art, est entièrement maintenue».

[35] Note-se que também há um sistema comunitário para proteção de desenhos não-registrados; mas esse exige o caráter singular do regime registral.

[36] BAINBRIDGE, David I. *Intellectual Property*. Ed. Pearson. New York, 6.ª Edition, 2007, p. 554-560: "The design to be original it must be the work of the creator and that work must result in a design which is not commonplace in the relevant field".

David Bainbridge[37], assim com MacQueen, Waelde & Laurie[38] argumentam que o teste de originalidade requer duas avaliações: a primeira a da originalidade no sentido do direito autoral, no sentido de que o desenho seja fruto do trabalho de um desenhista profissional e que esse desenho se distinga dos desenhos anteriormente existentes; a segunda é a do "commonplace", para verificar se o desenho não é banal se comparado com outros desenhos paradigmas. Essa segunda avaliação é subsidiária da primeira, mas é considerada essencial para se verificar o que constitui o estado da técnica.

---

[37] BAINBRIDGE, op. cit. loc. cit: "For a design right to subsist in a design it must be original. Whatever the meaning of original, s 213(4) states what is not original, being a design which is 'commonplace in the design field at the time of its creation'. What, then, does originality clear in the context of the design right? It is clear that it is not as high a standard as required for novelty for a registered design, yet it appears to be more stringent than is usually the case in copyright which has been interpreted by judges to require simply that the work has originated from the author and has not merely been copied. The statutory test suggests a two-stage approach. First, is the design original in a copyright sense (it is the author's own work) and, secondly, even if it is original in that sense, was it commonplace in the design field in question at the time of its creation? This approach was taken by Aldous J in C & H Engineering v F Klucznik & Sons Ltd where he said that the word 'original' should be given the same meaning as in respect of copyright, that is, not copied but the independent work of the designer. He went on to say that this should be contrasted with the novelty requirement for registered designs. However, Aldous j continued (at 428):

The word 'commonplace' is not defined, but [section 213(4)] appears to introduce a consideration akin to novelty. For the design to be original it must be the work of the creator and that work must result in a design which is not commonplace in the relevant field.

[38] MACQUEEN, Hector, Charlotte Waelde & Graeme Laurie. *Contemporary Intellectual Property*. Ed, Oxford, 2008, p. 318-323; 480 e 481: "Designs must be 'original' to attract design right. But a later sub-section provides that:

'a design is not "original" for the purposes of [UDR] if it is commonplace in the design field in question at the time of its creation' (CDPA 1988, s 213(4)).

It might have been thought that this meant the test of originality in unregistered design right is not the same as in copyright. However the Court of Appeal has clearly accepted in several cases a two-step approach to this question, asking:

(1) whether the design is original in the copyright sense of being independently produced as a result of the designer's own skill and labour, and not copied from the work of another. In approaching the question of originality, the design should be approached as a whole, although some consideration of its individual features is often necessary as well.

(2) The second stage is analysis of whether or not the design is commonplace in the design field in question, usually resulting in a subsidiary, but necessary, further analysis of what constitutes that design field.

Most of the decisions have been concern with how to test 'commonplace-ness' rather than originality.

Caráter individual – Posição atual Européia

Analisando o novo regime europeu de 1998, que seria introduzido na França em 2001, Pollaud Dullian nota que aqui também, tem-se a exigência da novidade objetiva, comparável com a novidade das patentes[39].

Assim, prevendo os dois requisitos de novidade e do critério suplementar de "caráter individual" (que o direito pórtuguês traduziu como "caráter singular"), os países submetidos à norma de unificação da Diretriz 98/71[40],

---

[39] POLLAUD-DULIAN, Frédéric. *Droit De La Proprieté Industrielle*. Ed. Montchrestien, Paris, 1999, p. 399-403: «Nouveauté objective selon la Directive. La nouveauté est définie aux articles 4 et 6. Selon l'article 4, un dessin ou modèle est considéré comme nouveau si, à la date de présentation de la demande d'enregistrement ou à la date de priorité, si une priorité est revendiquée, aucun dessin ou modèle identique n'a été divulgué au public. Des dessin ou modèles sont considérés comme identiques lorsque leurs caractéristiques ne di rent que par das caractéristiques insignifiantes». La nouveauté est objective: elle ne est détruite que par une antériorité identique ou quasi-identique (qui ne diffère que par das détails insignifiants), qui rappelle l'antériorité de toutes pièces du droit das brevets. La nouveauté est, en théorie, absolue: une antériorité peut la détruire, quels qu'en soient l'époque et le lieu. Cependant, il convient de tenir compte de la définition donnée à la divulgation par l'article 6.40».

[40] [Itália] *Codice della Proprietà Industriale* (D.lgs. n. 30/2005) Art. 33. – Carattere individuale. 1. Un disegno o modello ha carattere individuale se l'impressione generale che suscita nell'utilizzatore informato differisce dall'impressione generale suscitata in tale utilizzatore da qualsiasi disegno o modello che sia stato divulgato prima della data di presentazione della domanda di registrazione o, qualora si rivendichi la priorita', prima della data di quest'ultima. 2. Nell'accertare il carattere individuale di cui al comma 1, si prende in considerazione il margine di liberta' di cui l'autore ha beneficiato nel realizzare il disegno o modello.

[França] Code de la proprieté Industriélle (modificado pela Ord. 2001-670, de 25/7/2001): Article L511-2 – Seul peut être protégé le dessin ou modèle qui est nouveau et présente un caractère propre.

CPI Português/2003 art. 178 – Carácter singular

1. Considera-se que um desenho ou modelo possui carácter singular se a impressão global que suscita no utilizador informado diferir da impressão global suscitada nesse utilizador por qualquer desenho ou modelo divulgado ao público:

a) No caso de um desenho ou modelo comunitário não registado, antes da data em que o desenho ou modelo para o qual é reivindicada protecção tiver sido pela primeira vez divulgado ao público;

b) No caso de um desenho ou modelo comunitário registado, antes da data de depósito do pedido de registo do desenho ou modelo para o qual é requerida protecção ou, caso seja reivindicada prioridade, antes da data de prioridade.

2. Na apreciação do carácter singular, será tido em consideração o grau de liberdade de que o criador dispôs na realização do desenho ou modelo.

Lei de Desenho industrial espanhola. Art. 07.

e a própria normativa sobre desenhos industriais da Comunidade Européia[41] modificaram sua legislação interna quanto *ao regime específico de proteção aos desenhos industriais.*

O caráter singular

A diretriz 98/71-CE assim define esse requisito:

> Artigo 5.°
> Carácter singular
> 1. Considera-se que um desenho ou modelo possui carácter singular se a impressão global que suscita no utilizador informado diferir da impressão global suscitada nesse utilizador por qualquer desenho ou modelo divulgado ao público antes da data do pedido de registo ou, se for reivindicada uma prioridade, antes da data de prioridade.
> 2. Na apreciação do carácter singular, será tomado em consideração o grau de liberdade do criador na realização do desenho ou modelo.

O utilizador informado

À primeira vista, tem-se a introdução do mesmo artifício construído para a aplicação, no sistema de patentes, do requisito da atividade inventiva: o "utilizador informado", a ficção jurídica de um homem parâmetro[42], perante o qual se apresenta o desenho industrial para apuração do caráter singular.

---

[41] Rgl. CE 6/2002 ART. 06: Carácter individual 1. Considera-se que um desenho ou modelo possui carácter singular se a impressão global que suscita no utilizador informado diferir da impressão global suscitada nesse utilizador por qualquer desenho ou modelo divulgado ao público:

a) No caso de um desenho ou modelo comunitário não registado, antes da data em que o desenho ou modelo para o qual é reivindicada protecção tiver sido pela primeira vez divulgado ao público;

b) No caso de um desenho ou modelo comunitário registado, antes da data de depósito do pedido de registo do desenho ou modelo para o qual é requerida protecção ou, caso seja reivindicada prioridade, antes da data de prioridade.

2. Na apreciação do carácter singular, será tido em consideração o grau de liberdade de que o criador dispôs na realização do desenho ou modelo.

[42] Como, por exemplo, o bom pai de família, definido por Ulpiano no Digesto (50, 16, 195, 2) paterfamilias appellatur qui in domo dominium habet.

Com efeito, consultemos a lei brasileira, quando toca na posição do técnico ficcional encarregado de apurar a atividade inventiva:

> Art. 13. A invenção é dotada de atividade inventiva sempre que, para um técnico no assunto, não decorra de maneira evidente ou óbvia do estado da técnica.

Assim descrevemos tal pessoa hipotética[43]:

> O homem que determina a existência de atividade inventiva
>
> A noção de decorrer de maneira *evidente* do estado da técnica indica que o padrão de avaliação *é o homem especializado na matéria*, ainda que não o maior expoente mundial do setor.
>
> Há um parâmetro usualmente utilizado para esta avaliação, que é do profissional graduado na especialidadc, detentor dos conhecimentos acadêmicos comuns, e da experiência média de um engenheiro ou técnico, *operando no setor industrial pertinente*. Decididamente, o parâmetro não é do cientista exponencial, laureado com o prêmio Nobel, mas o engenheiro *da especialidade pertinente*, com experiência real naquela parcela da tecnologia, ao que, lembrando-se das fases da antropologia física, bem se poderia denominar *Homus habilis*.
>
> Assim, o parâmetro de avaliação é o do técnico na arte (definido como no parágrafo anterior) provido dos *conhecimentos gerais do estado da técnica* e da experiência no ramo onde o invento se propõe solucionar o seu problema técnico. Desse compósito (conhecimentos gerais mais experiência específica) se apurará a obviedade ou não da invenção. Tem-se apontado como repositório do conhecimento geral do estado da técnica o constante dos manuais ou livros didáticos correntes para a formação do técnico[44].

---

[43] BARBOSA, Denis Borges, *Atividade Inventiva: Objetivade do Exame*. Revista Criação do IBPI, Rio de Janeiro, p. 123-209, 12 dez. 2008.

[44] [Nota do Original] SINGER, op. cit., p. 179. No entanto, prossegue o autor, 56.3, comentando o sistema da EPO: "What is meant by "common general knowledge" was considered in T 171/84, OJ EPO 1986, 95* (Reasons point 5) and T 206/83, OJ EPO 1987, 5*, where it was said that common general knowledge is represented by basic handbooks and textbooks on the subject in question (Reasons point 5) and T 51/87, OJ EPO 1991, 177* (Reasons point 8). In T 766/9] (29.9.1993) it was described as being the knowledge that an experienced man in this field would be expected to have, or at least to be aware of to the extent that he could look it up in a handbook. It added that such information is not common general knowledge because it is published in a handbook, but rather, that it is so published because it has become common knowledge (Reasons point 8.2). T 537/90

Certamente o utilizador informado é uma pessoa ficcional do mesmo porte, ainda que significativamente distinto do "técnico no assunto". Seria o utilizador dotado de vigilância particular, não somente de atenção média, seja em razão de experiência pessoal, seja do conhecimento extenso do setor em questão[45]. Ou seja, o mesmo técnico no assunto, só que adaptado à função específica do desenho industrial.

A análise do caráter singular

O "utilizador informado", como definido acima, tem por missão comparar dois fenômenos específicos:

[a] a impressão global que o novo desenho suscita no utilizador informado

[b] a impressão global suscitada nesse utilizador por qualquer desenho ou modelo anterior

Havendo diferença entre as "impressões globais"[46], haverá caráter singular.

(20.4.1993) held that the adoption of certain new technology had led to a mass of publications and technical meetings within a short period of time. In the circumstances, those disclosures amounted to common general knowledge in the art, notwithstanding the fact that many of the reports dealt with laboratory scale work, rather than production scale units".

[45] Tribunal de Grande Instance de Paris, julgamento de 15 de fevereiro de 2002: «l'observateur averti n'est pas un homme de l'art mais doit s'entendre d'un utilisateur doté non d'attention moyenne mais d'une vigilance particulière, que ce soit en raison de son expérience personnelle ou de sa connaissance étendue du secteur considéré».

[46] Esse é um ponto capital: a comparação se faz nunca entre detalhes, mas no todo, ou gestalt: "In order to determine, therefore, such «individual character», it is useful to match the design under examination with the relevant prior art, considering the overall impression given by the shape of the design. The comparison, therefore, has not to be based on the individual points of identity or dissimilarity of the designs but on the aspect of the shapes in their entirety. (Omissis). In order to obtain the above mentioned «individual character», the model has to show an element or such a combination of elements in order to provoke in the informed user an overall feeling of dissimilarity. The overall feeling of dissimilarity comes from the application to that product of unknown aesthetic elements or from a new combination of already known elements". Tribunal Especializado em Propriedade Intelectual de Turim, julgamento de 17 de dezembro de 2004, Juiz Vitrò – Casa

Note-se que já não há mais a busca da *expressão pessoal* do *designer*. Tem-se aqui a apuração de um critério objetivo, diferencial, avaliado à luz de uma pessoa hipotética, não personalizada e não personalizável[47].

Remédio Marques[48] critica o critério pouco sindicável do "caráter singular":

> a singularidade – qual critério híbrido, não serve para manter o pretérito e mais rigoroso critério alemão da Eigentümlichkeit, nem para assegurar uma sindicação estritamente objectiva da novidade – posto que reclama a presença de uma impressão (visual) global distinta das características da aparência de formas cuja protecção seja peticionada, servirá para tutelar um maior número de criações industriais, precisamente as que digam respeito a certas características da aparência que hajam sido repristinadas de épocas anteriores (v.g., o revivalismo na moda e nos estilos, no design dos móveis, do calçado, etc.) e tenham sido devidamente actualizadas.
>
> O criar uma impressão global distinta de qualquer modelo ou desenho já divulgado abarca, igualmente, os modelos ou desenhos que já não sejam, ou nunca tenham sido, objecto de comercialização. A esta impressão global distinta, tributária, para alguns, dos critérios usados no direito de autor, não subjaz uma diferença significativa das características da aparência de desenhos ou modelos já divulgados ou beneficiários de prioridade em relação aos que sejam posteriormente registados, pois o legislador parece contentar-se com alterações menores ou com simples adaptações de formas já conhecidas.

Damiani S.p.A. – Re Carlo S.r.l. – encontrado em http://www.dpsd.unimi.it/Italian_Intellectual_Property/archive/july2005.htm, visitado em 2/11/2009.

[47] Tribunal de Turim, 17/12/2005, cit., "(Omissis). In fact, the new law connects the protection of design more to the perception of the consumers than to the expression of the author's creativity – that is to say to the appreciation of the specific characterising shapes present on the market by the informed user. The lowering of the threshold of the above mentioned requirement is underscored by the character of reference identified by the new law on design, that is the «informed user». It is a figure standing between the consumer (final buyer, hypothetical receiver of the product) and the skilled person of the field of design (designer). That is, it is a receiver of the product who, owing to his culture and experience, has an average standard knowledge of the field of which the specific product is part. He is therefore able to appreciate the differences between the designs in conflict which the common user would not be qualified to assess".

[48] MARQUES, João Paulo Fernandes Remédio. *Biotecnologia(s) e Propriedade Intelectual*, vol. I, Ed. Almedina, Coimbra, 2007, p. 1276-1279.

Diferente ou qualitativamente diferente?

Não obstante a crítica de Remédio Marques, Luis Couto Gonçalves[49] entende que não basta somente que um desenho seja diferente de outro anterior (novidade); ele deve ser *qualitativamente* diferente, e na ausência de desenho paradigma, o desenho novo tem que ser revestido de caráter criativo e não ter uma aparência banal (*commonplace*).

Esse autor atesta a dificuldade encontrada pela doutrina para a definição de caráter singular e explica que o que se deve ser observado é que não se deve atribuir proteção a uma forma desprovida de aspecto estético com um mínimo de capacidade criativa própria ou uma diferença qualificada.[50]

Assim indica Bently[51], em seu teste para apuração de caráter singular:

> The test of individual character is whether 'the overall impression it produces on the informed user differs from the overall impression produced on such a user by any design which has been made available to the public'. As with the novelty investigation we can break the requirement down into distinct parts:
>
> – first, what is the design? (discussed previously)
> – second, who is the informed user?
> – third, what matter does the informed user take into account?

---

[49] Gonçalves, Luís M. Couto. Manual de Direito Industrial: Patentes, Desenhos ou Modelos Marcas, Concorrência Desleal. Ed. Almedina, Coimbra, 2008, p. 150-153. Não basta, se houver outro desenho ou modelo anterior próximo, ser diferente (requisito da novidade), é necessário ainda ser qualificadamente diferente ou, na hipótese de não haver desenho ou modelo anterior confundível, que revista carácter criativo e não tenha uma aparência simplesmente banal (requisito do carácter singular).

[50] Gonçalves, Luís M. Couto, *Manual de Direito Industrial: Patentes, Desenhos ou Modelos Marcas, Concorrência Desleal*. Ed. Almedina, Coimbra, 2008, p. 150-153.

"A definição do requisito do carácter singular tem-se revelado uma tarefa espinhosa para a doutrina. Não somos dos que refutam a razão de ser deste requisito ou que consideram estarmos perante dois requisitos sobreponíveis ou absorvíveis. Não podemos esquecer que estamos a tratar da atribuição de um direito de propriedade industrial, no âmbito de criações ou inovações estéticas. Temos, pois, como perfeitamente razoável que não se deva atribuir um direito privativo a uma forma de desenho ou modelo que, apesar de nova, não seja susceptível de provocar um impacto estético, com um mínimo de capacidade criativa própria ou uma diferença qualificada (haja ou não valor artístico intrínseco), em relação aos desenhos ou modelos divulgados aos olhos de um utilizador informado".

[51] Bently, Lionel & Brad Sherman, *Intellectual Property Law*. Oxford, New York, 2001, p. 633-635.

– fourth, what differences are there between the overall impression created by the state of the art, and the overall impression created by the design?

– fifth, are those differences sufficient to confer individual character on the design in question?

Nesta perspectiva, há que se apurar diferenças suficientes para conferir o caráter singular. As diferenças são qualificadas.

No entanto, há quem se contente com a mera diferença. Giudice[52] argumenta que um desenho para ser protegido tem que ter um aspecto geral distinto de outros anteriores. Esse autor, diferente de outros autores italianos, entende que não é necessário para a proteção de um desenho industrial o requisito do "ornamento especial".[53] O significado desse requisito será visto em seção específica.

Enquantos alguns autores e julgados indicam que o novo requisito da diretiva importa em rebaixamento de filtro de concessão de proteção, outros, no entanto, entrevêem na nova forma um intento de diminuir o número dos desenhos protegidos pelo sistema específico[54].

---

[52] GIUDICE, Frederico, *Compendio di Diritto Industriale*. La Nuova Universitá. Ed. Simone, Naspoli, 2003, p. 134-137. "Requisiti per la registrazione sono la novità ed il caractere individuale. Un disegno o modello é novo se nessun disegno o modello identico é stato divulgato anteriormente alla data delta registrazione o di presentazione della domanda per la stessa. I disegni o modelli si reputano identici quando le loro caratteristiche dífferiscono soltanto per dettagli irrilevanti (art. 32 C.p.i.) Il caractere individuale é invece riconducibile all'impressione generale che suscita nell'utilizzatore informato dei disegno o modello e che deve differire dall' impressione generale suscitara ín tale utilizzatore da qualsiasi disegno e modello che sia stato divulgato prima della data di presentazione delta domanda di registrazione o primadella data di quest'ultima (art. 33 C.p.i.).

[53] GIUDICE, op. cit. loc. cit.: "Non é pià necessario il requisito delta aspeciate ornamentem richiesto ai sensi delta previdente disciplina."

[54] REIJA, Carmen Lence. *La Protección del diseño en el Derecho Español*. Barcelona: 2004, p. 46-49: "La novedad no basta para acceder a la protección y la LDI exige un requisito adicional: el carácter singular. De acuerdo con el art. 7, se considerará que un diseño posee carácter singular «cuando la impresión general que produzca en un usuario informado difiera de la impresión general producida en dicho usuario por cualquier otro diseño que haya sido puesto a disposición del público antes de la fecha de presentación de depósito de la solicitud de registro o, si se reivindica prioridad, en la fecha de prioridad». La introducción de este requisito responde a una decisión básicamente política: dificultar el acceso a la protección. Así, la LDI sólo protegerá los diseños que produzcan un especial impacto en el mercado, incluso si este impacto proviene del uso de detalles que, a priori, pueden parecer insignificantes. En definitiva, únicamente los diseños verdaderamente competitivos podrán beneficiarse de la protección. Mientras que la novedad es un requisito rela-

Grau de liberdade do criador

Como se viu, um elemento essencial para a apuração de caráter singular é "o grau de liberdade do criador na realização do desenho ou modelo".

Vale dizer, se o contexto permite mínima variação, por razões técnicas[55] ou de mercado, esse grau mínimo de liberdade será determinante para fixar a existência de caráter singular[56]. Se houver, no entanto, ampla

---

tivamente fácil de cumplir, el del "carácter singular" no lo será tanto. De poso sirve que un diseño se distinga de otro anterior en un gran número de detalles si la impresión de conjunto es de una gran similitud con aquél. Así, resulta muy fácil alterar la apariencia de un diseño cambiando muchos de sus detalles, pero manteniendo la misma impresión global. Pero la impresión global es lo que, en última instancia, confiere al diseño el valor económico. Así, muy pocos diseños podrán acceder a la protección. A cambio, ésta será intensa y eficaz. Para que un diseño tenga carácter singular ha de diferir, en la "impresión global", de otros diseños, lo cual es una consecuencia de lo que acabamos de exponer: si un diseño es impactante, la impresión global que cause será diferente a la de otros diseños. E1 carácter singular impune que un diseñó no será protegido a menos que se distinga de cualquier diseño anterior por la impresión global producida en los "usuarios informados". Para decidir quiénes son los "usuarios informados", el criterio determinante será el nivel de conocimientos que éstos posean era materia de diseño, que era ningún caso tiene por que alcanzar el nivel propio de una experto era la materia. La explicación oficial de la Directiva proporciona".

[55] Reija, Carmem, op. cit. loc. cit.: "El art. 7 ofrece una orientación importante para examinar la presencia de este requisito: se tendrá era cuenta el grado de libertad del autor para desarrollar el diseño. Esta pauta interpretativa parte de un presupuesto que caracteriza la actividad del diseñador: la necesidad de respetar la llamada "forma necesaria". Cuanto mayores sean las implicaciones técnicas de un diseño, menor será La libertad creativa del diseñador para concebirlo, lo cual nos conduce a una menor exigencia era lo que respecta al cumplimiento del requisito del "carácter singular". Sin embargo, es necesario tener presente que la necesidad de respeto a la forma necesaria, si bien constituye una limitación importante a la actividad creadora del diseñador, no es la única, pues éste debe también obedecer otros distados puramente comerciales, como, por ejemplo, las órdenes de la empresa para la que trabaja o los gustos de los consumidores".

[56] Gonçalves, Luís M. Couto, op. cit. loc. cit.: "No que respeita à apreciação da existência do carácter singular do modelo ou desenho industrial, o n.° 2 do art. 178.° estabelece que é tomado em consideração o grau de liberdade de que o criador dispôs para a realização do desenho ou modelo o que só pode ter o significado de que não pode haver um padrão único de apreciação do carácter singular. Deve atender-se às circunstâncias concretas de cada ramo de actividade ou sector económico e adequar o grau de exigência deste requisito. Há ramos industriais (por exemplo, o têxtil) em que é aceitável que o grau de liberdade do criador seja menor do que noutros ramos industriais (por exemplo, o automóvel) e, nessa medida, seja razoável aplicar o requisito do carácter singular com menor exigência".

liberdade de expressão, essa liberdade será tomada como indicador de suficiência de contributo mínimo.

A doutrina pondera que o grau de originalidade deve atender as circunstâncias concretas de cada ramo de atividade, sendo mais brando ou mais rígido de acordo com a maior facilidade de diferenciação de um desenho de outro da mesma categoria.

MAIA, José Mota, *Propriedade Industrial,* v. I. Coimbra: Almedina, 2003, p. 104-106: "Outro aspecto que merece uma menção interpretativa é o contido no n.° 2 das disposições em análise. Com efeito, determina esse número que, na apreciação do carácter singular, será tomado em consideração o grau de liberdade do criador na realização do desenho ou modelo. Esta referência ao grau de liberdade do criador resulta do facto do direito atribuído pelo registo do desenho ou modelo não incidir sobre a espécie do produto em que é incorporado ou que ornamenta mas apenas na aparência que resulta dessa incorporação ou ornamentação.

Quer isto dizer que os produtores ou fabricantes desse género de produtos não são impedidos de continuar a produzir ou fabricar esses produtos desde que a sua aparência suscite uma impressão global diferente no utilizador informado.

O grau de liberdade a que a referida disposição se refere será tanto menor quanto maior for a diversidade de aparências, consideradas distintas, dos produtos de um determinado género, resultando que, na apreciação do carácter singular desse género de produtos, uma pequena diferença na aparência pode preencher esse requisito de singularidade. Assim, por exemplo, os desenhos ou modelos que devem desempenhar determinadas funções cujos parâmetros devem ser respeitados pelo criador, terão, provavelmente, mais semelhanças entre eles do que os desenhos ou modelos para os quais o criador é completamente livre. Neste sentido, mesmo que o desenho ou modelo ulterior difira do desenho ou modelo anterior por um número importante de pormenores, esse facto não é relevante se a impressão global.

SARTI, Davide, *La Tutela Dell'Estetica Del prodotto Industriale,* Casa Editrice Giuffrè, Milano, 1990, p. 97-132: "O grau de diversidade suficiente para individuar a presença de um "ornamento especial" é inversamente proporcional ao nível de "standardização" das técnicas de um determinado setor comercial: Porque a igualdade das qualidades utilitárias dos bens concorrentes determina decisões de aquisição fundadas essencialmente em uma análise do que interessa formalmente (p. 129). Quanto maior é a quantidade de formas presentes no mercado e a progressiva "standardização" das mesmas, maior é a atenção do potencial adquirente sobre as particulares diferenças (p. 132)".

[Il grado di diversità sufficiente per individuare la presenza di uno speciale ornamento é inoltre inversamente proporzionale al livello di standardizzazione delle tecniche di un determinato settore commerciale: perché l'uguaglianza delle qualità utilitarie dei bani concorrente determina decisioni d'acquisto fondata essenzialmente su un giudizio di gradevolezza formale. (...) Quanto maggiore è la quantità di forme presente sul mercato e la progressiva standardizzazione delle medesime, tanto piú grande è infatti l'attenzione dal potenziale acquirente sua particolari differenziatori.]

É atividade inventiva?

A leitura mais ortodoxa aponta no critério da Diretiva 98/71 um requisito paralelo e equivalente ao da atividade inventiva[57]. Mais de um autor, no entanto, aponta a proximidade do regime à lei britânica de proteção aos desenhos não registrados[58].

O problema de TRIPs

Bently[59] critica a adoção desse requisito, pois o considera como um requisito extra, e que exige mais do que os requisitos básicos de TRIPS

---

[57] «La démarche loquique adoptée se rapproche de celles des brevets d'invention, où la noveauté est completée par une exigence suplemantaires de distanciation par rapport à l'état de l'art: l'activité inventive». *Code de la Proprieté Intellectuelle commenté,* Dalloz, 8.éme Ed., 2008, p. 372.

[58] REIJA, op. cit. loc. cit.: "Este requisito del carácter singular no es del todo novedoso, pues presenta muchas similitudes con el requisito de que el diseño no sea "comúnmente usado", vigente era el Derecho británico. El art. 213 de la CDPA británica exige que sea "original", entendiendo por originalidad que el diseño no sea "comúnmente usado" (not commonplace) era el sector de que se trate. En la Sentencia de 11 de noviembre de 1996, que resolvió el caso Ocular Sciences, el juez Laddie definió commonplace como «vulgar, trivial, estereotipado o que no causa especial impresión». En otras legislaciones se observara requisitos similares. Así, la GeschmMG alemana exige originalidad y la jurisprudencia del BGH ha elaborado la noción de "singularidad competitiva" o "peculiaridad concurrencial" como requisito para otorgar protección a las creaciones de la moda a través de la cláusula general prevista era el art. 1 de Ia Ley de Competencia Desleal (UWG).

[59] BENTLY, Lionel & Brad Sherman, *Intellectual Property Law,* Oxford, New York, 2001, p. 633-635: "As well as being novel, a design must posses 'individual character'. This has been described as 'the overall dominant and decisive criterion', and is likely simultaneously to prove to be the most difficult aspect of any design to judge. It is also a requirement which is not obviously consistent with Community obligations under TRIPS, which obliges members to provide protection of 'independently created industrial designs that are new or original'. 'Individual character' looks, at first blush, like an extra, and therefore illegitimate, hurdle. One attempt to justify the individual character standard argues that 'individual character' can be equated with the independent creation standard, though this is unconvincing. A preferable approach is to understand 'individual character' as a standard equivalent to 'significant difference': Article 25 of TRIPS permits members to provide that 'designs are not new or original if they do not significantly differ from known designs or combinations of known design features.' Viewed thus, TRIPS can also assist us in defining the limits of the 'individual character' inquiry. ... When the informed user compares the design in question with the existing design corpus, they are interested in overall impression. Here overall impression is to be contrasted with the idea of detailed dissection.

(que não exige nem novidade ou originalidade para a proteção de um DI). Esse autor acredita, ainda, que esse é o critério que causa mais dificuldade para um juiz julgar.

Se assim fosse, o critério absolutamente similar de atividade inventiva do sistema americano dificilmente passaria pelo crivo de TRIPs.

Teoria da não-Obviedade

O sistema americano protege o desenho industrial por patente: além da *utility patent,* tem-se também a *design patent.*

Para essa corrente[60], o desenho industrial, além de ser ornamental, novo, não funcional, deve ser também não-óbvio (utilizado aqui como sinônimo de inventivo). O desenho, além de novo, não pode ser óbvio *para um desenhista profissional.* A não obviedade se expressa pela existência de uma qualidade especial que foge do padrão dos desenhos elaborados normalmente pelos desenhistas profissionais.

No doubt one test which will be mooted as helpful will be that of 'imperfect recollection': if the informed user saw the design in question and later saw a previously disclosed design, would the informed user think they were the same design? Such a test may be helpful at least in clarifying that the informed user is not involved in a side-by-side comparison, which would have a tendency to focus on detail. The notion of 'overall impression' can be apt to mislead, however, and it is helpful to remind ourselves that the design can be the appearance of whole or part, and, also that design protection exists irrespective of the product to which the design is applied.

The terms 'individual character' suggest we are concerned with whether the design has a 'personality' of its own. However, the elaborated definition of 'individual character' does not demand such 'personality', and merely focuses on difference of impression. More specifically, it states that a design has 'individual character' if the overall impression it produces on the informed user differs from the overall impression produced on such users by design which have previously been made available to the public. The Recitals help indicate the standard: the impression given by the design must 'dearly differ' from the impression produced on them by the 'existing design corpus'. The history of the legislation reveals, however, that the difference need not be 'significant'. The, Official Commentary on the Regulation contrasted such a difference in impression with an impression of 'déjà vu'.

60 Lipscomb III, Ernest Bainbridge, *Walker on Patents,* v. 05, Nova York e Califórnia: LCP BW, 1986, p. 37-47: "It is well settled that in order for a design to be patentable it must, in addition to being new, ornamental and non-functional, but also original and non--obvious, i.e., inventive".

Lipscomb define a palavra original, nesse contexto, como "algo criado, algo originado", é o "inverso do lugar comum".[61] Tal perspectiva tem sido adotada pela jurisprudência, em paralelo ao requisito da não obviedade exigida para as patentes de invenção técnica[62].

---

[61] LIPSCOMB III, Ernest Bainbridge, op. cit. loc. cit.: It is well settled that in order for a design to be patentable it must, in addition to being new, ornamental and non-functional, but also original and non-obvious, i.e., inventive. The nonobviousness of a design is determined by the difference between the design of the prior art and must not be obvious to a designer with ordinary skill in the art. To satisfy the inventiveness requirement, a design patent must be more than merely new and pleasing but must reflect some exceptional talent beyond the skill of the ordinary designer. The word "original" is not synonymous with "new," the essence of the thought conveyed by the word "original" is of "something originated-something created." Originality is said to be "the converse of the commonplace, the stereotyped. Whether a design is original must be determined by its appeal to the eye. Changes from the prior art design may be new but may lack the required originality which must accompany invention. A design patent will be declared invalid where it is found that the patentee was not, within the meaning of the patent statutes, the inventor of the design patented. A mere change in construction which displayed no originality and which added no beauty was held to be incapable of being the subject of a design patent. Originality and taste, it has been said, are necessary to the granting of a design patent.

SCHECHTER, Roger, *Intellectual Property The Law of Copyrights, Patents and Trademarks*. United States of America: Thomson West, 2003, p. 310-311: "The design must also fulfill the requirement of nonobviousness, which is judged from the perspective of "the designer of ordinary capability who designs articles of the type presented in the application. (In re Nalhandian, 661 F.2d 1214, 211 USPQ 782 (CCPA 1981)".

[62] LIPSCOMB III, Ernest Bainbridge, op. cit. loc. cit.: "The Court of Appeals of the Sixth Circuit said that a "design patent must disclose inventive originality in design and ornamentation, its overall aesthetic effect must represent a step which has required inventive genius beyond the prior art. (Thabet Mfg. Co. v Kool Vent Metal Awning Corp., 226 F2d 207 107 USPQ 61 (1955, CA6 Ohio). The inventor must make a contribution to the public which is worthy of recompense. (Frantz Mfg. Co. v Phenix Mfg. Co., 457 F2d 314, 173 USPQ 266 (1972, CA7 Wis).

Invention is as necessary in design patents as in utility patents. For the convenience of those readers having a particular interest in this point of law, consideration of the cases in the pendent footnote is recommended. A design is not patentable merely because it differs in appearance from anything produced, or because it differs in some respects from prior art structures. As the Court of Appeals for the Second Circuit (Berlinger v Busch Jewelry Co., 48 F2d 812, 813 (1931, CA2 NY).) has said: "A design is not patentable merely because it can be distinguished in appearance from prior designs. Its creation must involve the exercise of the inventive faculty." And it will not suffice merely to show that the design is novel, ornamental or pleasing in appearance; it must also reveal greater skill than that exercised by the ordinary designer who is chargeable with knowledge of the prior art (International Silvar Co. v Pomerantz, 271 F2d 69, 123 USPQ 108 (1959, CA2 NY);

O ponto de diferença entre a atividade inventiva das patentes técnicas e das de desenho industrial está que, nessas, o ponto de avaliação é simplesmente a *aparência* dos desenhos confrontados, e não os aspectos técnicos[63].

O critério, que visivelmente reflete o parâmetro europeu corrente, tem, no entanto, longa história no sistema americano[64].

Olympic); the conception of the design must demand some exceptional talent beyond the skill of the ordinary designer. (Neufeld-Furst & Co. v Jay Day- Frocks, Inc., 112 F2d 715, 45 USPQ 632 (1940, CA2 NY); The overall aesthetic effect of the design "must represent a step which has required inventive genius beyond the prior art.''(Thabet Mfg. Co. v Kool Vent Metal Awning Corp., 226 F2d 207, 107 USPQ 61 (1955, CA6 Ohio); 64 Commercial success of the article claimed in a design patent might be an indication of unobviousness. (Re Wilson, 52 CCPA 1394, 345 F2d 1018, 145 USPQ 558 (1965).)

[63] CHOATE, Robert A. & FRANCIS, William H. *Cases and Materials on Patent Law,* West Publishing Co., St. Paul, 1981, p. 730-735: "Many of the problems in determining non-obviousness under Section 103 of utility inventions are also present in cases involving design inventions. In addition, with design inventions, the determination of nonobviousness must be based in large measure on visual observations of the ornamental design, the prior art, and the differences between them. In making this determination, the concepts useful in relation to utility patents, namely, improved usefulness, unexpected results, and mechanically unrelated or non-analogous art, are of little, if any, value, since appearance, not use, is controlling.q As the Court of Customs and Patent Appeals said in Application of Boldt, 52 CCPA 1283, 344 F.2d 990, 991, 145 USPQ 414, 415 (1965): [T] he question in design cases is not whether the references sought to be combined are in analogous arts in the mechanical sense, but whether they are so related that the appearance of certain ornamental features in the one would suggest application of those features in the other. Moreover, many of the secondary considerations associated with utility inventions are seldom, if ever, associated with design inventions. As the court noted in Plantronics, Inc, v. Roanwell Corp., 403 F.Supp. 138,187 USPQ 489, (D.C.S.D.N.Y.1975).

"Unfortunately, in an action for infringement of a design patent there are rarely any of the 'signposts' of patentability which enable an objective evaluation of the obviousness vel non of utility inventions. Since the design patent covers only optional esthetic features, there is never a long-felt need or an unsuccessful search, and it is rarely possible to allocate the specific portions of the profits on a commercial product which are respectively attributable to its utilitarian advantages and to its visual appeal. Thus, in the final analysis, a court's evaluation of the patentability of a design is essentially subjective and personal artistic frites are unpredictable and inexplicable-one viewer's mural is another's graffiti."

[64] ROBINSON, William C., *The Law of Patents.* Boston, 1890; New York, 1972: Dennis & Co. IN, p. 284-297; "§ 201. Design Distinct from its component Parts. "A design is to be distinguished both from the elements of which it is composed and from the impression which it makes upon the mind of the observer. 1 Its elements are the fines and images which, when imposed upon the substance, result in the design. But though the design results from these, arranged in certain courses or groupings, they do not enter into its essen-

Ornamento Especial

Essa tese encontra base legislativa na Lei Italiana de Modelos Industriais de 1940[65]. Davide Sarti defende que o ornamento especial é uma evolução e adaptação do critério da atividade inventiva para atender as peculiaridades do desenho industrial[66]:

---

tial character except in cases where no other fines or images could be employed to effect the same apparent change. Every design containing more than one fine or image is in its nature a true combination. Each of its elements, when taken by itself, produces an impression on the eye. Combined together, each co-operates with all the others in the creation of a form or decoration which, taken as a whole, makes an impression entirely different from that of either of its separated elements. The essence of a design, therefore, resides not in its elements alone, nor in their method of arrangement alone, but in that appearance which results from the co-operation of these elements as they are employed in the design.

The distinction between the design or appearance given to the substance and the means by which it is produced was clearly indicated in the case of Gorham Manufacturing Co. v. White. In the Circuit Court (1870), 7 Blatch. 513, Judge Blatchford treated the appearance as the effect, and the arrangement of lines, etc. as the means from which the appearance resulted, and help that the latter, not the former, was the patentable design. Thus he says: (521) "A patent for a design, like a patent for an improvement in machinery, must be for the means of producing a certain result or appearance, and not for the result or appearance itself.

... Even if the same appearance is produced by another design, if the means used in such other design to produce the appearance are substantially different from the means used is the prior patented design to produce such appearance, the later design is not an infringement of the patented one".

That the appearance given to the substance is an effect of the arrangement of fines, etc., is undoubtedly true; and if the appearance, as predicable of the substance, had been the end to be accomplished by the invention, the decision of the learned judge would have been correct. But the real end to be attained was the impression upon the mind of the over; that is, the appearance of the substance not in itself but to the eye; and this end is achieved by giving to the substance any appearance which produces this impression. Hence the true means invented and patentable is the aspect assumed by the substance in consequence of the configuration or decoration imposed upon it; and this means is always the same as long as the appearance of the substance is the same, no matter what lines or ornaments be employed to produce it.

[65] Art. 5. Industrial design patents may be obtained for new designs capable of affording special ornamentation to given industrial products by means of the form or by a special combination of lines, colors or other elements. Neither the provisions of copyright nor those of Article 27ter of Royal Decree No. 1127 of June 29, 1939, as amended, shall apply to such designs.

[66] SARTI, Davide, *La Tutela Dell'Estetica Del prodotto Industriale,* Casa Editrice Giuffrè, Milano, 1990, p. 97-132. (Tradução nossa)

A lei não determina que o ornamento tenha que ser superior, mas o qualifica como especial: e então, especificamente relativo ao modelo depositado (p. 121).

É evidente que os requisitos de tutela dos modelos ornamentais devem subsistir no momento do requerimento; a presença do ornamento especial deverá, portanto, basear-se em um julgamento do consumidor médio no momento da data do deposito e não por futuras mudanças eventualmente ocorridas entre esta data e o sucessivo momento do surgimento da controvérsia (p. 123).

A presença de um "ornamento especial", precisamente, nos consente sempre afirmar que esta reação (positiva, negativa e indiferente) reflete a "utilidade social" das inovações estéticas. A substituição do requisito da atividade inventiva com aquele do "ornamento especial", como preteritamente definido, não representa, portanto, uma superação dos princípios sobre as invenções, mas é, melhor dizendo, o corolário da necessidade de adaptá-los a peculiar realidade do design (p. 124).

A precedente reconstrução do conceito de "ornamento especial" aparece coerente com a aparência de interpretar o sistema dos privilégios industriais, não somente e nem tão a luz do interesse de proteger os resultados do trabalho criativo como também pela exigência da realização eficiente do funcionamento dos mecanismos concorrenciais (p. 125).

A mensuração do quantum da diversidade de certo modelo ocorre em geral sucessivamente ao seu ingresso no mercado, enquanto que a análise da patente deve ocorrer no momento anterior (momento do requerimento da exclusividade) (p. 126).

A definição do requisito de originalidade fundado no julgamento do consumidor médio nos leva a afirmar que o quantum de diferenciação necessário para patentear de forma valida, os modelos ornamentais, depende das complexas características mercadológicas.O grau de diversidade suficiente para individuar a presença de um "ornamento especial" é inversamente proporcional ao nível de "standardização" das técnicas de um determinado setor comercial: Porque a igualdade das qualidades utilitárias dos bens concorrentes determina decisões de aquisição fundadas essencialmente em uma análise do que interessa formalmente (p. 129).

Quanto maior é a quantidade de formas presentes no mercado e a progressiva "standardização" das mesmas, maior é a atenção do potencial adquirente sobre as particulares diferenças (p. 132).

Não é casual que o conceito de "novidade relativa" venha sendo algumas vezes utilizado para criar situações hipotéticas sobre a existência de um critério de diferenciação "quantitativo" entre os modelos ornamentais e as obras de arte aplicadas à indústria; estas últimas pressuporiam um grau de originalidade superior e próprio das mesmas características estéticas dotadas

> de completa autonomia expressiva; a aplicação de motivos já conhecidos à produtos de uso comum acarretariam, ao invés, em um nível inferior de criatividade e fariam nascer formas "relativamente" novas, e assim merecedoras de uma proteção menos forte (p. 133).
>
> A mais importante e interessante realidade típica das inovações ornamentais não decorre da utilização pura e simples de modelos anteriores ou de estilos estranhos a um determinado período histórico, mas sim da adaptação às exigências correntes do justo e da funcional. Nestes casos a forma é, todavia, objetivamente nova e muitas vezes responde também pelo requisito do "ornamento especial"; essa de fato é perceptível pelo consumidor médio em virtude de seu contributo para a modernização da estética: portanto validamente patenteável (p. 134).
>
> O principio da não separação dos valores artísticos e industriais do ornamento impõe sempre que se avaliem os requisitos da patente com base no confronto entre produtos em sua especifica caracterização estética e não entre decorações abstratamente consideradas. Se, pois, estes produtos não são a antecipação de bens de consumo idênticos, a novidade subsiste ainda que de modo objetivo e absoluto (p. 135).

Tal doutrina supõe uma característica aplicada a um desenho que pode ser padrão, mas que o diferencia, em face àqueles que o consumidor encontraria como padrões do mercado. A presença desse ornamento especial no desenho deverá ser julgado por um consumidor médio no momento da data do depósito do desenho. Por conseqüência, o grau de originalidade de um DI deverá ser avaliado mercadologicamente e ao grau de originalidade de um *ornamento especial.*

Da noção de originalidade no direito nacional

O manual de requisitos para a proteção de desenhos industriais do INPI[67] considera

> desenho industrial original o objeto ou conjunto de linhas e cores que o compõem que não se identifica com nenhum modelo ou padrão conhecido. Referidas características o tornam original, diferente e distinto em relação a desenhos anteriores e legitimam a concessão do registro. São também revestidos de originalidade os objetos e padrões gráficos que possuem aspecto próprio e exprimem nova tendência de linguagem formal porque apresentam características peculiares e singulares.

---

[67] INPI: http://www.inpi.gov.br/menu-esquerdo/desenho/pasta_protecao

Da invisibilidade do requisito

A doutrina nacional não se estende quanto ao requisito. Muitos autores, ao analisar o instituto, relevam suas características[68].

Remontando à literatura técnica, mesmo se não visa à análise jurídica do requisito, pode-se notar, inclusive, a supressão deste como filtro específico. Para Frederico Carlos Cunha, por exemplo[69], além do requisito do padrão ornamental, o objeto, para ser protegido como desenho industrial, precisa somente de mais um requisito: o fator novidade.

O fator novidade, segundo o autor, seria o conjunto dos requisitos novidade e originalidade, tomando-se por forma nova a que nunca foi vista e a forma original como a que apresenta características próprias.

> 2 – O resultado visual deve ser novo e original
>
> É evidente que, em se tratando de uma Lei de Propriedade Industrial, o aspecto da novidade se torna muito importante como requisito de concessão.
>
> Portanto, esse aspecto tinha que ser incluído no seu conceito apesar dele não ser considerado, por ocasião do exame formal, mas apenas no exame de mérito.
>
> A inclusão desse aspecto no conteúdo do conceito foi feita de maneira tão enfática que o legislador usou as palavras "novo" e "original". Mas haveria necessidade de se usar termos tão semelhantes? Não seria isto uma redundância?
>
> Para definir esses dois aspectos, a Lei dispõe nos seus Arts. 96 e 97 o seguinte:
>
> Art. 96 – O desenho industrial é considerado novo quando não compreendido no estado da técnica.
>
> E define estado da técnica como: Tudo aquilo tornado acessível ao público antes da data de depósito do pedido, no Brasil ou no exterior, por uso ou qualquer outro meio.

---

68 Por exemplo, GOYANES, Marcelo. *Tópicos em Propriedade Intelectual,* Marcas, Direitos Autorais, Designs e Pirataria. Rio de Janeiro. Renovar: "O desenho não pode ser constituído pela forma necessária, comum ou vulgar do objeto, ou aquela determinada essencialmente por considerações técnicas ou funcionais, as quais seriam passíveis de proteção por patente. O resultado visual do ornamento deve ser novo e original, i. e., deve ser formado por aspectos criativos e individualizadores, e não pode estar compreendido no estado da técnica. Além disso, é essencial que o objeto seja suscetível de reprodução em série industrial, visto que o trabalho artesanal não permite, em geral, a confecção de exemplares idênticos. Por fim, o desenho não pode ser contrário à moral e aos bons costumes, tampouco ofender a honra ou a imagem das pessoas".

69 CUNHA, Frederico Carlos Cunha, *A proteção Legal do Design,* Rio de Janeiro: Lucerna, 2000, p. 36-39.

Art. 97 – O desenho industrial é considerado original quando dele resulte uma configuração visual distintiva, em relação aos outros objetos anteriores.

E diz ainda que: o resultado visual original poderá ser decorrente da combinação de elementos conhecidos.

Ora, eu me perguntei assim que li esses artigos: poderia, no estado da técnica, existir um objeto cuja configuração visual fosse distinta em relação a todos os similares, sem que este não fosse considerado novo na época em que foi lançado?

Consultei o Dicionário da Língua Portuguesa do Ministério da Educação e Cultura (MEC) e obtive várias indicações sobre essas palavras, dentre as quais destaquei as que mais se aplicam ao nosso contexto, são elas:

Novo – Moderno, original, que é visto pela primeira vez.

Original – Relativo à origem, que tem caráter próprio, primitivo, Singular.

Diante desses significados, ficou claro que, do ponto de vista do exame da forma, os dois termos apresentam o mesmo significado, na medida em que um não interfere no outro para fins de critério de decisão, já que o que vai interessar para o examinador, em última instância, durante um exame comparativo de objetos similares, é se o objeto em questão possui características próprias Capazes de torná-lo distinto dos demais.

Existiriam objetos considerados novos sem serem originais? Sim, se a palavra "novo" se referir apenas ao tempo, isto é, se os objetos considerados novos fossem os últimos a serem desenhados. Na língua inglesa esses objetos estariam bem caracterizados pela expressão up-to-date.

Talvez uma razão para o uso dessas duas palavras seria para destacar o princípio da modernidade que deve ser impresso ao design, no sentido deste ser um instrumento para se criar novas linguagens e tendências de forma, o que seria bastante compatível para complementar o sentido do conceito, mas que é pouco provável. Na verdade, tudo indica que o que se quis destacar foi mesmo o princípio da novidade, aplicado ao sentido de propriedade.

Trata-se da questão da definição de quem seriam os legítimos detentores do privilégio, já que a concessão do registro confere ao seu titular um monopólio, que o garante uma espécie de reserva de mercado para um determinado produto no sentido de explorá-lo industrial e comercialmente por até um quarto de século. Isto pode representar um grande retorno financeiro, conseguido pelo domínio de uma fatia do segmento mercadológico no qual tal produto será explorado. ...

Assim, a nossa análise sobre o porquê da colocação dessas duas palavras, novo e original, no texto do conceito, aponta para uma necessidade de se atribuir apenas um outro requisito, além do fator ornamental, para a concessão do privilégio, o que podemos denominar como sendo "fator novidade".

Considerando a forma nova como a que nunca foi vista antes, e a original como a que apresenta características próprias, de acordo com o dicionário da língua portuguesa, então, aplicando na prática esses conceitos, durante o exame de casos, concluímos que estes dois aspectos são realmente repetitivos, na medida em que bastaria um dos dois para caracterizar e definir o requisito da novidade.

Novidade esta que será sempre pressuposta, porém só será efetivamente aferida no caso do titular do registro requerer um exame de mérito, já que a própria lei determina que o mérito da novidade não deve ser considerado no exame formal e a concessão do registro deve ser automática se o objeto não se enquadra no seu Art. 100. Logo, basta esse objeto não ser comum e vulgar, ou não apresentar características técnicas e funcionais, ou ainda não ser contrário a moral, que sua concessão, a princípio, estará garantida, porque o quesito da novidade só poderá se constituir num fator impeditivo se o pedido for examinado no mérito, quando, somente a pedido do próprio depositante, o seu objeto será submetido a um exame comparativo com os objetos similares contidos no estado da técnica, mas sobre esta modalidade de exame falaremos mais adiante.

Em outro texto seu Frederico Cunha utiliza novamente a expressão "fator novidade" para se referir ao requisito da originalidade. Em seus exemplos de exame de DI, podemos depreender também que o requisito originalidade é muitas vezes chamado de "novidade da forma", que é a característica capaz de conferir um aspecto próprio ao DI.[70]

... Um dos aspectos mais importantes do exame de patentes de MI/DI é o exame de colidências entre dois ou mais objetos, no sentido de se chegar a uma conclusão quanto **a novidade da forma** e a conseqüente decisão sobre a privilegiabilidade do objeto do pedido em exame. O conceito de novidade aplicado durante o exame é o contido no CPI, isto é: A forma plástica de um produto é considerada nova quando não está compreendida pelo estado da técnica.

Todos os questionamentos relativos ao tratamento da forma plástica entre objetos colidentes são considerados durante esse exame que é iniciado a partir de fase de busca. ...

Diante de casos de exames que envolvam objetos similares, o examinador deve reunir dados suficientes para opinar seguramente quanto ao fator novidade implícito na configuração do objeto proposto. Os principais critérios considerados durante um exame entre dois ou mais objetos são: a calota, aplicado sobre a cabeça do manípulo objeto da patente, que no modelo

70 Cunha, Frederico Carlos, Revista da ABPI n. 09. *Metodologia de exame de patente de DI e MI e critérios de decisão,* 1993, p. 30-32.

"ROMA", citado pela autora, é constituído por um elemento de forma sextavada. As demais características, que determinam as configurações dos ditos objetos, são completamente idênticas entre si. Tais diferenças, no entanto, não foram consideradas suficientes para distinguir o objeto da patente quando comparado com o produto similar, uma vez que os modelos se confundem visualmente. Portanto, o exame concluiu que a configuração do objeto protegido pela patente não realizou uma combinação de linhas capaz de lhe conferir um *aspecto próprio, e não apresentou novidade em termos de forma plástica, sendo as razões argüidas pela autora da ação consideradas procedentes...*

A dobradiça protegida pela patente realizou uma combinação de linhas simples porém originais, que lhe conferem uma aspecto próprio capaz de diferenciá-la das dobradiças ilustradas pelo catálogo LA FONTE.

A doutrina da expressão pessoal

Como se vê do Manual de exame, prevalece – no entanto – na prática administrativa a noção de objetividade do requisito de contributo mínimo. Parte relevante da doutrina dá substrato a esse entendimento.

No entanto, a doutrina clássica se filia, em parte, ao sistema francês abandonado em 2001. Pontes de Miranda[71], por exemplo, entendia que a originalidade reside na existência de um ponto característico no desenho que torne *reconhecível* a autoria deste desenho industrial, a originalidade residiria na capacidade de reconhecer, de individualizar esse desenho dado à sua forma característica, que lhe confere personalidade e o diferencia dos demais modelos comuns:

> A originalidade pode existir, a despeito de consistir o modêlo industrial em combinação de elementos, que, tidos separadamente, são do domínio comum, ou em adaptação, ou em parte feita e parte do domínio comum. Há ofensa à originalidade e, pois, também, ao direito exclusivo de exploração desde que se estabelece no público possibilidade de confusão. **O que o público não poderia notar de diferença entre dois desenhos ou modelos não pode ser ponto característico; mas o que se nota em relação aos outros desenhos e modelos, quanto a um, que foi iniciador, é característica, que não se pode copiar.**
>
> A proteção, que se dá ao modêlo ou desenho, é coextensiva à novidade dele. Se o criador se inspirou em bem intelectual do domínio comum; tem-se

[71] MIRANDA, Pontes, *Tratado de Direito Privado,* Parte Especial, Tomo XVII, São Paulo: RT, 1983, p. 243.

de verificar se, ainda assim, há ***novum, que* revela traço da personalidade de quem fêz o modêlo ou o desenho.** O fim que se tem em vista (e. g., consolo) exige forma que é comum a todos os objetos que têm o mesmo fim; **mas a reconhecibilidade do modêlo ou desenho, porque já se viu semelhante, denota que se usurpou.** A originalidade pode resultar da combinação de elementos já conhecidos, se já do domínio comum. (Grifos nossos)

Para Gama Cerqueira[72] a originalidade está no grau de distinção existente entre o desenho industrial e os objetos comuns ou outros desenhos industriais já conhecidos.

Outra vez, a questão da personalidade aparece e é levantada por esse autor que afirma que, não obstante o desenho industrial ter sido inspirado em desenhos já conhecidos, tudo está na maneira pessoal de tratar o assunto, *imprimindo o autor à sua criação um cunho novo, uma personalidade própria, que a distinga de outros desenhos semelhantes.*[73]

Gama Cerqueira ainda distingue a originalidade da novidade, afirmando que a novidade dos desenhos, modelos e invenções é uma novidade legal, extrínseca e não uma novidade em si, intrínseca. Essa novidade em si se aproximaria do conceito de originalidade, embora com ele não se identifique. Para Gama, a expressão *original* do requisito para a proteção de desenhos industriais, significa aquilo que não é reproduzido, copiado ou imitado, aquilo que é fruto da concepção do autor, da sua própria inspiração.[74]

Além dos característicos indicados no n.° 105 *supra,* os desenhos e modelos devem revestir-se de certa originalidade para fazerem jus à proteção legal. Os desenhos e modelos são protegidos como criações intelectuais e o direito que a lei assegura aos seus autores origina-se do fato da criação, tendo o mesmo fundamento que o direito dos inventores e dos autores de obras literárias ou artísticas. Daí a necessidade de ser o desenho ou modêlo *original,* pois seria injusto conferir-se a qualquer pessoa um direito exclusivo sôbre coisas que não resultam de seu trabalho e pertencem ao domínio público ou ao patrimônio comum das artes e das indústrias. **Não se requer, porém, que o desenho ou modêlo seja inteiramente novo ou original, bastando que se distinga dos objetos comuns e de outros desenhos ou modelos conhecidos.**

---

[72] Cerqueira, João da Gama, Tratado de Propriedade Industrial. Rio de Janeiro: Forense, 1952, p. 320.

[73] Cerqueira, João da Gama, op. cit., p. 320.

[74] Ibidem. p. 320-321.

Êsse princípio, que tem várias aplicações na matéria, deve ser entendido tanto em relação às coisas existentes na natureza, como relativamente a outras criações do mesmo gênero. Pouco importa, pois, que o autor se inspire nas coisas naturais e as copie, que se utilize de elementos já empregados em outros trabalhos congêneres, ou que recorra exclusivamente à sua imaginação. O objeto ou a idéia do desenho ou modêlo pode ser vulgar e comum e já terem sido aproveitados por outros autores. **Tudo está na maneira pessoal de tratar o assunto, imprimindo o autor à sua criação um cunho novo, uma índividualidade própria, que a distinga de outros semelhantes. Se os elementos utilizados são vulgares, mas a composição do autor possui caráter original, o desenho. ou modêlo pode ser objeto de direito exclusivo, devendo-se apreciar não a originalidade de seus elementos isolados, mas a originalidade da composição, a combinação de seus elementos, o seu conjunto ou arranjo especial**. Não se exige do autor, nem isso seria possível, que produza obra absolutamente nova ou original, criando formas inteiramente inéditas, novos estilos ou efeitos até então desconhecidos. Contenta-se a lei com a novidade relativa do desenho ou modêlo, negando proteção apenas aos que carecem de qualquer traço original ou que reproduzam outros já conhecidos[75].

Tratando dêste assunto, devemos evitar a freqüente confusão que se faz entre os conceitos de *novidade e originalidade*. A novidade dos desenhos e modelos, como a das invenções, é conceito puramente legal, que pode variar de uma lei para outra. O desenho ou modêlo pode ser novo *em si* e novo segundo a lei. Apreciada *sob o* primeiro aspecto, teríamos a novidade *intrínseca* do desenho ou modêlo, que se aproxima do conceito de originalidade, embora com êle não se identifique. *Sob o* segundo aspecto, teríamos a novidade *extrínseca,* cujo critério nos é dado exclusivamente pela lei positiva. **Dizendo, pois, que o desenho ou modêlo deve ser *original,* empregamos esta expressão em sentido comum, significando aquilo que**

---

[75] [NOTA DO AUTOR]. De acordo com êsses princípios manifesta-se a doutrina sem discrepâncias: "Toutefois, la nouveauté ne doit pas être absolue. Toute combínaison nouveile d'éléments délà connus et appartenant eux-mêmes au domaine public, est protégeable du moment oú leur ensamble présente un effet nouveau" (COPPIETERB M. GIBSON, op. cit., n.° 30). No mesmo sentido ANSPACH e COPPIETERB, op. cit., p. 31; PHILIPON, op. cit., n.° 38; POÜILLET, Dessins et modèles, n.° 120; FOURNIER, op. cit., p. 70; G. PRY, op. cit., n.° 512; RAMELLA, op. cit., vol. I, n.° 309; DI FRANCO, op. cit., n.° 86.

O Projeto do Cód. da Propriedade Industrial consagra o mesmo princípio, quando dispõe, no art. 16, que "serão também suscetíveis "de proteção legal es modelos e os desenhos industriais que, embora "não sejam inteiramente novos, realizem combinações originais de "elementos conhecidos, ou disposições diferentes de elementos já "usados, de modo a dar aos respectivos objetos aspecto geral característico".

não é reproduzido, copiado ou imitado, aquilo que é fruto da concepção do autor e de sua própria inspiração. Nesse sentido, a originalidade não se confunde com o requisito da novidade exigido pela lei, podendo o desenho ou modêlo ser *original,* sem ser *novo,* segundo a lei, por haver sido divulgado antes do pedido de patente e vice-versa.[76]

O problema permanente da combinação de elementos conhecidos é tratado sob a mesma ótica por Gama Cerqueira[77]:

> Do mesmo modo que a nova combinação de elementos comuns pode constituir desenho ou modêlo privilegiável, assim também a nova aplicação de um desenho ou modêlo pode, em certos casos, ser objeto de patente, como explicam ANSPACH e COPPIETEPRS: *"L'application nouvelle d'un dessin connu à un objet auquel il n'avait jamais été appliqué auparavant constitue également une création susceptible de propriété privative. Ainsi, par exemple, l'application à L'industrie de Ia céramique de dessins employés jusqu'alors pour les (tissus seulement constitue un dessin nouveau au sens de Ia loi"*.[78] A esta regra, entretanto, fazem-se necessárias duas restrições: primeiro, que não se trate de desenho ou modêlo patenteado, porque, sôbre êste, o autor possui direito absoluto, podendo opor-se à nova aplicação;[79] segundo, que não se confunda a nova aplicação com o simples *emprego novo,* isto é, a aplicação feita a objeto similar, como, por exemplo, a aplicação em tecidos de lã de desenho já empregado em tecidos de sêda.[80] Em relação às novas combinações de elementos comuns e às novas aplicações de desenhos ou modelos conhecidos, o direito do autor é igualmente relativo, não podendo êle impedir que terceiros se utilizem dos mesmos elementos para a criação de novos desenhos ou modelos.

---

[76] [NOTA DO AUTOR]. A lei vigente refere-se, em seu art. 1.°, a desenho ou modêlo novo e original, como se se tratasse de dois requisitos diferentes. Parece-nos, entretanto, que, nesse artigo, a palavra novo é empregada como sinônimo de original, no sentido que demos a esta expressão, pois a lei não considera novos, além dos desenhos ou modelos divulgados antes do pedido de patente, os que "imitem outro desenha ou "modêlo acessível ao público", negando ainda proteção à reprodução e imitação dos "característicos de novidade e originalidade de " desenhos e modelos industriais anteriormente depositados ou patenteados" (arts. 1.°, § 2.°, e 2.°, n.° 3.0). Assim também entende BIIYS DE BARROS, o primeiro e, pensamos, o único autor que entre nós desenvolveu o estudo dos desenhos e modelos industriais (op. cit., p. 206).

[77] Gama Cerqueira, op. cit. loc. cit.

[78] [NOTA DO AUTOR], op. cit., p. 31. Vide também os autores citados na nota.

[79] [NOTA DO AUTOR], Decreto n.° 24.507, de 1934, art. 2.0, n.° 3.0.

[80] [NOTA DO AUTOR], op. cit., p. 32. Vide também os autores citados na nota 11.

É comum na doutrina, também, o princípio segundo o qual não influi na proteção dos desenhos e modelos a sua singeleza ou o seu maior ou menor valor artístico.[81] Do mesmo modo, é indiferente a indústria a que se aplica o desenho ou modêlo. (Grifos nossos)

Num grau mais radical da doutrina subjetiva, para José Carlos Tinoco Soares[82] a originalidade também se entende como pessoalidade, não se exigindo qualquer requisito objetivo.

O modelo industrial serve de tipo de fabricação para um produto e deve ser suscetível de reprodução e exploração. Aí está o seu caráter ou aplicação industrial. Pode ser conceituado como tudo o que pela disposição da matéria forme produto industrial, novo e original e se diferencie pela sua configuração distinta. No modelo industrial não precisa ser totalmente nova a forma, basta que seja original, pois, novo, segundo a lei, é aquilo que ainda não foi divulgado e nem sempre são completamente novas as coisas originais. Assim pensando, acentue-se que a originalidade do objeto deverá se exteriorizar de maneira saliente para que melhor se estabeleçam as diferenças dentre as demais existentes.

Desenho industrial é a combinação de linhas, traços, cores e outros destinados a produzir uma impressão visual, dando ao objeto um cunho próprio. É a combinação de linhas ou cores ou de linhas e cores, representando figuras, objetos, imagens e outros, aplicados aos produtos. Trata-se, portanto, de figuras planas aplicadas aos produtos e notadamente como estampagem de tecidos, gravuras e outros. O modelo industrial não se confunde com o desenho industrial, porque neste a aplicação de suas linhas, traços, cores, etc. é feita no próprio, sob um determinado plano, enquanto que no modelo se apresenta em relevo, formando o seu contorno, em um corpo de três dimensões.

Esse autor, em obra posterior, considera original, em se tratando de desenhos industriais:

"o feito sem modelo, que tem caráter próprio, não obstante possa até ser composto de elementos conhecidos e assim será porque hoje em dia, na grande e irrecusável realidade, o que se encontra é a adaptação do existente, posto que original mesmo, ao que tudo indica, só se verificou em longínquo passado."[83]

[81] [Nota do autor], Pouilllet, Dessins et modèles, n.° 83; Philipon, op. cit., n. 28.

[82] Soares, José Carlos Tinoco. Código da Propriedade Industrial. São Paulo. Resenha Tributária, 1974, p. 30-31.

[83] Soares, José Carlos Tinoco, Lei de Patentes e Marcas e Direitos Conexos. São Paulo: RT, 1997, p. 153.

Os desenhos e modelos devem revestir-se de certa originalidade para fazerem jus à proteção legal. Os desenhos e modelos são protegidos como criações intelectuais e o direito que a lei assegura aos seus autores origina-se do fato da criação, tendo o mesmo fundamento que o direito dos inventores e dos autores de obras literárias e artísticas. Daí a necessidade de ser o desenho ou modelo 'original', pois seria injusto conferir-se a qualquer pessoa direito exclusivo sobre coisas que não resultaram de seu trabalho e pertencem ao domínio público ou ao patrimônio comum das artes e das indústrias" (cf. João da Gama Cerqueira, Tratado da Propriedade Industrial, vol. 1, Parte 1.ª, Forense, 1946, p. 317-319).

Não se olvide, portanto, que original é o feito sem modelo, que tem caráter próprio, não obstante possa até ser composto de elementos conhecidos e assim será porque hoje em dia, na grande e irrecusável realidade, o que se encontra é a adaptação do existente, posto que original mesmo, ao que tudo indica, só se verificou em longínquo passado.

Assim, qualquer desenho, desde que autêntico, vale dizer, não copiado, mereceria proteção, fosse ou não objetivamente diverso.

Da doutrina da objetividade da criação

Das lições de Waldemar Ferreira[84], apreendemos que *original,* em se tratando de desenho industrial é o aspecto original *característico* do desenho. Este autor pondera que a lei, ao proteger o requisito da originalidade, *visa proteger habilidade na apropriação de elementos já conhecidos e usados, desde que, com essa manobra, se empreste a objetos de uso comum "aspecto original característico"*. Falamos, assim, da obra em si, e não da sua atribuição a pessoa que, nela, marca sua expressão, ou pelo menos a autenticidade de seu trabalho autônomo.

Variou-se no sentido de premiar tanto a originalidade quanto a novidade; mas se facilitou aquela, de molde a proteger a habilidade na apropriação de elementos já conhecidos e usados, desde que, com essa manobra, se empreste a objetos de uso comum "aspecto original característico".

Todo desenho, qualquer desenho, que se forme com a disposição de linhas ou de cores, se não somente de linhas ou apenas de côres, pode dar o resultado almejado.

---

84 FERREIRA, *Tratado de Direito Comercial,* São Paulo: Saraiva, 1962, p. 475.

Basta o relêvo para distinguir dois objetos similares? É a forma particular privilegiável? Ou privilegiável é o objeto em si mesmo, mercê das particularidades, que lhe emprestam efeitos exteriores? Consistindo o desenho industrial no dispositivo ou conjunto de linhas ou de côres, ou linhas e côres, aplicáveis, com o fim industrial, ao ornamento de certo produto, empregando-se qualquer meio manual, mecânico ou químico, singelamente ou combinados, que é, em verdade, que se protege? O meio manual, mecânico ou químico de obter o ornamento do produto? Ou o produto assim ornamentado, se não mesmo o próprio ornato ou desenho industrial?

O conceito é impreciso, quando devera ser explícito, a fim de evitar, em matéria restritiva de direito, como a dos privilégios industriais, o arbítrio dos intérpretes, variável de caso em caso.

E isso é de ter em boa conta quando o próprio Código declara, ademais, no art. 14, suscetíveis de privilégio os modelos e desenhos industriais que, embora não se apresentem inteiramente novos, realizem combinações originais de elementos conhecidos, ou dispositivos diferentes de elementos já usados, **de modo que dêem aos respectivos objetos aspecto geral característico.**

Deixou-se, dessarte, a cada qual a faculdade de haver como modelos e, principalmente, como desenhos industriais, quaisquer combinações, que não constituam novidades, **mas que emprestem aos produtos ou objetos conhecidos "aspecto geral característico"**.[85] (Grifos nossos)

Na mesma perspectiva, agora em obra recentíssima, Douglas Gabriel Domingues[86] expõe em seus Comentários à LPI que – para a obtenção do resultado visual original de um desenho industrial – podem ser utilizados *elementos conhecidos, desde que combinados de forma tal que confiram ao produto industrializado um aspecto geral com características próprias.* Se a combinação de elementos conhecidos não apresentar *aspecto geral com características próprias* o registro do desenho industrial não será deferido por lhe faltar a originalidade exigida em lei.

Esse autor ressalta que o cerne da questão da originalidade de um DI é o ***"aspecto geral com características próprias"***. Ele afirma que sem essas características próprias não resta configurada a originalidade, pois o desenho se confundiria com outras já existentes.

---

[85] Ibidem, p. 475-476; 478-480.

[86] DOMINGUES, *Comentários à lei de Propriedade Industrial,* Rio de Janeiro: Forense, 2009, p. 237.

Douglas Gabriel Domingues faz um estudo comparativo entre as legislações nacionais de propriedade industriais para comprovar o seu entendimento:

> Por constituir questão vital para obtenção da proteção que a lei da propriedade industrial dispensa aos modelos e desenhos industriais, *todos* os Cód. Prop. Ind. anteriores ao ora vigente, exigiam expressamente *o aspecto geral com características próprias,* embora empregando palavras diferentes, mas com o mesmo significado, conforme segue:
>
> 1 ° – O Dec.-Lei n.° 7.903/45, art. 14, estabelecia "... ou disposições diferentes de elementos já usados, de modo que dê aos respectivos objetos *aspecto geral característico*";
>
> 2.° – O Dec.-Lei n.° 254/67, art. 11, "... ou disposições diferentes de elementos já usados que dêem aos respectivos objetos, *novo aspecto geral característico*";
>
> 3.° – Dec.-Lei n.° 1.005/69, art. 11, "... embora não se apresentem inteiramente como novos, realizem combinações originais de elementos conhecidos ou disposições diferentes de elementos conhecidos e dêem aos respectivos objetos *novo aspecto geral característico*";
>
> 4.° – Lei n.° 5.772/71, art. 12, "..., aquele que, mesmo composto de elementos conhecidos, realize combinações originais, dando aos respectivos objetos *aspecto geral com características próprias*".
>
> Como se vê, as expressões *aspecto geral característico* (Código de 1945), *novo aspecto geral característico* (Códigos de 1967 e 1969), *e aspecto geral com características própria,* (Código de 1971), são sinônimas e foram utilizadas pelo legislador em diferentes épocas com finalidade única: **esclarecer, que desenhos e modelos industriais que utilizam elementos já conhecidos ou usados, devem satisfazer referida exigência, sob pena de não lhes ser assegurada a proteção conferida por lei a desenhos e modelos industriais.**
>
> O fato da lei nova haver trocado a proteção legal de patente para registro, ter reunido modelos e desenhos em categoria única nominada *desenhos industriais,* e a circunstância da lei nova não fazer expressamente aludida exigência, não a eliminam do direito industrial brasileiro porque, o desenho industrial que não apresentar *aspecto geral com características próprias* será facilmente confundido com os outros que já existem no mercado, não apresentando, portanto, a originalidade exigida por lei como condição *sine qua non* à registrabilidade.
>
> Deste modo, embora não expressa no parágrafo único do art. 97, a exigência de *aspecto geral com característica própria* acha-se implícita em referida norma legal, e ante a exigência implícita, o desenho industrial composto da combinação de elementos conhecidos somente será registrável caso apresente como resultado final um *aspecto geral com características pró-*

prias. Referido entendimento ajusta a nova lei aos códigos anteriores, respeita os conceitos doutrinários que regulam a matéria, e se mantém conforme a jurisprudência administrativa e judicial erigida em mais de meio século de interpretação de Códigos da Propriedade Industrial.[87]

Filiada também à doutrina objetivista, diz Maitê Moro, comentando o dispositivo do CPI/96:

Essa definição confunde originalidade com distintividade, ao dizer que aquela se constitui de "configuração visual distintiva, em relação a outros objetos". A distintividade é um conceito eminentemente marcário e, nesse sentido, não pode ser "transplantado" para os desenhos industriais. A distintividade marcária analisa-se, primeiramente, em relação ao próprio produto ou serviço assinalado, o que não é o intuito da lei para a análise da originalidade do desenho industrial, cuja avaliação é feita em relação aos objetos existentes. Só isso já seria suficiente para não recomendar o uso da expressão "distintiva" como qualificativa da originalidade do desenho industrial.

No caso da originalidade do desenho industrial, pela definição dada em lei, fica clara a opção objetiva para a sua análise. Em outras palavras, a originalidade avalia-se de acordo com a aparência dos objetos já existentes e conhecidos. Apesar da aparente equivalência entre os requisitos da novidade e da originalidade – pois ao se exigir que o desenho seja "distintivo" em relação aos desenhos anteriores, termina-se por exigir que ele seja novo também – pode-se dizer que na avaliação da originalidade há uma porção subjetiva de criatividade. Assim, entende-se que a originalidade vai além da novidade no que concerne à sua apreciação em relação aos desenhos industriais.

Nesse aspecto, cabe ainda observar que está em consonância com a restrição legal observada no art. 100, II, da LPI, e que considera não registrável como desenho industrial constituído da forma necessária, comum ou vulgar[88].

Igualmente indica – pelo menos – afialiação à corrente objetiva o julgado do 2.° TRF:

3. In casu, a controvérsia cinge-se sobre o requisito da originalidade do registro anulando, sendo que esta resulta de um configuração visual distintiva em relação a outros objetos anteriores (art. 97 da LPI), devendo o desenho proposto apresentar formas visuais próprias, não podendo ser con-

[87] Ibidem, p. 327-328.

[88] MORO, Maitê Cecília Fabbri, *Cumulação de Regimes Protetivos para as Criações Técnicas*, in Manoel J. Pereira dos Santos, Wilson Jabour. (Org.). Criações Industriais. São Paulo: Saraiva, 2006, v. 1.

fundido com objetos já conhecidos. 4. Através de um confronto visual das figuras relativas aos registros em tela com os folhetos promocionais, percebe-se que a constituição das formas apresentam semelhanças visuais evidentes, permitindo inferir que o design dos aludidos desenhos industriais partem da mesma composição estética (forma do objeto, posição e número de botões controladores e visores, tamanho, etc.) dos objetos apontados como impeditivos. Ac 405412, proc. 2005.51.01.522888-1 Segunda Turma Especializada do Tribunal Regional Federal da 2.ª Região, por voto da Desembargadora Federal Liliane Roriz. Rio de Janeiro, 16 de dezembro de 2008 (data do julgamento).

A doutrina da aplicação nova

Newton Silveira analisou a originalidade dos desenhos industriais à luz, ainda do Código de 1971[89].

O autor pondera que a originalidade aplicável aos desenhos industriais não era nem é a exigida para a proteção das invenções por patente, nem aquela impostas às criações artísticas para tutela por direito de autor. Nestas o critério seria de *ineditismo da forma* em si mesmo. Já a originalidade para o desenho industrial consistiria *na associação original de uma determinada forma a um determinado produto indústrial*:

> Enquanto as obras protegidas pelo direito de autor têm, como único requisito, a originalidade, as criações no campo da propriedade industrial, tais como as invenções, modelos de utilidade, desenhos e modelos industriais, dependem do requisito de novidade, objetivamente considerado.
>
> **A originalidade deve ser entendida em sentido subjetivo, em relação à esfera pessoal do autor.** Já objetivamente nova é a criação ainda desconhecida como situação de fato. Assim, em sentido subjetivo, a novidade representa um novo conhecimento para o próprio sujeito, enquanto, em sentido objetivo, representa um novo conhecimento para toda a coletividade. Objetivamente novo é aquilo que ainda não existia; subjetivamente novo é aquilo que era ignorado pelo autor no momento do ato criativo.
>
> No campo das criações técnicas não é raro acontecer que duas ou mais pessoas cheguem, uma independentemente da outra, à mesma solução, em conseqüência de se acharem em face do estado atual da técnica. Tal coincidência é extremamente rara no campo da criação artística, visto que o autor trabalha com elementos da sua própria imaginação.

---

[89] SILVEIRA, Newton, *Direito de Autor no Desenho industrial*, São Paulo: RT, 1882, p. 81-83.

Nas criações técnicas, a lei estabelece que devam ser elas novas do ponto de vista objetivo, colocando o interesse da coletividade acima do interesse pessoal do autor, e considerando como suficiente a novidade subjetiva para a tutela do direito de autor, o que, neste caso, não cria obstáculos ao progresso da coletividade.

No caso dos modelos e desenhos industriais, não se pode falar de obstáculo ao desenvolvimento técnico, face à imensa variedade de formas possíveis (lembre-se que a proteção a tais criações não abrange a forma necessária do produto). No entanto, a lei brasileira exige para a concessão de uma patente de modelo ou desenho Industrial a mesma novidade objetiva que é requisito para a concessão das patentes de invenção e de modelo de utilidade.

Essa exigência é atenuada, entretanto, no caso dos modelos e desenhos. O art. 12.° do Código da Propriedade Industrial estabelece que "para os efeitos deste Código, considera-se ainda modelo ou desenho Industrial aquele que, mesmo composto de elementos conhecidos, realize combinações originais, dando aos respectivos objetos aspecto geral com características próprias". ***Pode-se falar, assim, em uma novidade relativa, consistindo não na forma abstratamente considerada, mas na forma efetivamente utilizada como modelo.***[90]

Na verdade, o Código da Propriedade Industrial exige não só a novidade objetiva como a originalidade, já que garante o direito de obter patente ao autor de Invenção, de modelo de, utilidade, de modelo industrial e de desenho industrial (art. 5.°), somente podendo ser requerido o privilégio pelo próprio autor ou seus herdeiros, sucessores ou eventuais cessionários (§ 2.° do art. 5.°).

Dessa maneira, a originalidade é condição tanto para a proteção das Invenções, quanto das obras artísticas, podendo-se dizer que **nas obras de arte a originalidade se refere à forma considerada em si mesma,** enquanto que para os modelos e desenhos industriais **a forma em si pode não ser original, desde que o seja a sua aplicação, isto é, a *originalidade neste caso consistiria na associação original de uma determinada forma a um determinado produto industrial.***[91]

Assim sendo, quando um modelo ou desenho possuam somente originalidade relativa, isto é, **sua originalidade consista unicamente na novidade de aplicação**, não podem eles merecer a proteção da lei de direitos autorais, estando sujeita sua tutela ao requisito de novidade do Código da Propriedade Industrial (art. 6.°). Divulgados por qualquer forma antes do

---

90 [NOTA DO AUTOR], Bonasi-Benucci entende que a novidade da aplicação industrial constitui elemento suficiente para a proteção de um modelo ou desenho Industrial (Tutela Della Forma Nel Diritto Industriale, p. 269).

91 [NOTA DO AUTOR], cf. Franco Benussi, ob. cit., p. 171.

pedido de patente, considerar-se-ão de domínio público, podendo ser livremente explorados por quem quer que seja.

Adepto da dupla proteção das criações de desenho, o autor distingue a natureza da originalidade própria ao direito autoral:

> Já quando a forma possuir suficiente originalidade para merecer a proteção dos direitos autorais, essa proteção independe de qualquer registro, decorre do próprio ato de criação. Como já vimos anteriormente, no caso dos modelos e desenhos aplicados à indústria, tal forma deverá ser dotada de valor artístico, isto é, deverá possuir caráter expressivo, para que possa ser considerada obra intelectual protegida.

Em trabalho posterior, já sob a égide da lei vigente[92], o autor reitera sua posição anterior.

Ineditismo de aplicação e critérios de análise

Carla Eugênia Caldas Barros, assimila-se à corrente doutrinária segundo a qual a originalidade exigida para a proteção do desenho industrial é a relativa, aquela referente à aplicação do desenho, e não exatamente a forma em si[93]:

> A originalidade é o outro requisito para a obtenção do registro de um desenho industrial. É considerado como original o desenho industrial que possua uma configuração distinta, diferente das de outros objetos anteriores, podendo o resultado visual advir da combinação de elementos conhecidos. Tafforeau[94], apoiando-se na legislação francesa, ressalta que é satisfatória uma diferença mínima, mas que não seja ela insignificante[95].

---

[92] SILVEIRA, Newton, Os requisitos de novidade e originalidade para a proteção do desenho industrial. In: Manoel J. Pereira dos Santos, Wilson Jabour. (Org.). Criações Industriais, São Paulo: Saraiva, 2006.

[93] BARROS, Carla Eugênia Caldas, *Manual de Direito de Propriedade Intelectual*, Aracaju: Evocati, 1007, p. 396-400.

[94] [NOTA DO AUTOR], Tafforeau, 2004, p. 283.

[95] [NOTA DO AUTOR], Pierre Greffe e François Greffe (2000, p. 107) salientam: “Pour béneficier de Ia protection des lois sur le droit d’auteur, il n’est pas nécessaire qu’un dessin ou un modéle sois nouveau dans Coutes ses parties. Il est permis au créateur d’utiliser les matériaux que lui foumissent ses devanciers, ils constituem ce qui appartient à toas et que Pon désigne habituellement sons l’appellation de domaine public. Il est donc

A autora, no entanto, aponta a tradição francesa anterior a 2001, como advertência de que os requisitos de novidade e originalidade, com relação ao estado da técnica, apesar de serem de fácil conceituação individual, não podem ser visualizados separadamente, pois se confundem e se mostram indistintos:

> Enquanto a originalidade absoluta é, praticamente, exigida em relação aos direitos autorais, em que a forma prepondera e se individualiza por si mesma entre as demais, cabe falar, tratando-se de matéria de desenho industrial, em originalidade relativa, pois importa aquela referente à aplicação do desenho[96], e não, exatamente, à forma em si.
>
> Por conseguinte, nos casos de desenhos industriais que se revelam com originalidade absoluta, devido às formas que lhe são exclusivas, independente de suas aplicabilidades, há a hipótese de duplo direito de propriedade intelectual. Isso, quando se aplicam, a um só tempo, o direito do

---

sulfsant, pour qu'il y ais création, que des éléments connus alem été accommodés, disposés, combinés ou tant sois peu individualisés par un certain effort-personnel, pour satisfaire à la condition de nouveautá".

"Para beneficiar da proteção das leis sobre direitos autorais, não é necessário que um desenho ou modelo é novo em todas as suas partes. A permissão é concedida ao criador a utilizar os materiais que lhe foram fornecidos por seus antecessores, eles constituem o que pertence a todos e que é normalmente referido como o domínio público. É suficiente para lá para ser criado, como é conhecido por ter sido acomodados, arranjados, ou combinado algo individualizado por um esforço pessoal para atender aos requisitos de novidade".

[96] [NOTA DO AUTOR] O tratamento doutrinário dispensado a essa questão varia segundo o regime legislativo adotado para o direito da propriedade intelectual em cada país. Na França, por exemplo, Segundo Bertrand (1995, p. 44), 'Les modéles donc la forme est totalement imposée par la fonction utilitaire recherchée ne peuvent donc, au regard de la loi, etre protégés qu'au titre des brevets. Cette régle, dictée par la volonté du législateur d'éviter que les créateur alem recours au droit des dessin et modéles plutôt qu'au droit de breves pour des raisons d'opportunité (durée de la protection formalités plus simples...) est cependant justiftée au regard des príncipes élémentaires du droit d'auteur. En effect si la forme d'une création intellectuelle est indissociabe de sa fonction utilitaire, ellè constitue de ce fait un passage obligé: elle ne peut donc être 'originale' ou 'distinctive' ".

Ainda, como se lê em ESA (2006): "An industrial design renders an object attractive or appealing, thus increasing its marketability and adding to its commercial value. [...] Novelty, originality and visual appeal are essential if an industrial design is to be patented, although these criteria can offer from one country to another. It's a esthetic features should no be imposed by the technical actions of the product. Legally, "industrial design" is the title granted by an official authority, generally the Patent Office, to protect the aesthetic or ornamental aspect of an object. This protects solely the non-functional features of an industrial product and does not protect any practical features of the object to which it is applied".

autor, que encontra fundamento no ato da criação em si, e o direito da propriedade industrial, condicionado a sua industriosidade e decorrente de pedido de registro do desenho formalizado junto ao INPI.

O fato é que originalidade e novidade são dois requisitos inter-relativos, em sede de estado da técnica. Embora sejam perfeitamente conceituáveis em separado, não há como visualizá-los do mesmo modo, uma vez que um implica o outro de forma necessária, não raro, a ponto de entrelaçarem-se em tais proporções que se confundem e se mostram indistintos, com inegáveis reflexos em legislações e, especialmente, jurisprudências.

A doutrina da atividade inventiva

Em nosso Uma Introdução à Propriedade Intelectual, 2.ª. Edição Lúmen Júris, 2003, Manifestamos nosso entendimento de que a originalidade dos desenhos industriais deveria ser apurada como uma forma de contributo mínimo, análoga à atividade inventiva[97]:

> A "originalidade" tem variada conceituação em Direito da Propriedade Intelectual[98]. No Direito Autoral, tende a se manifestar como a característica de ser oriunda do próprio criador[99], ou *novidade subjetiva.* Pela definição do CPI/96, assemelha-se à *distinguibilidade* do direito marcário (vide abaixo), ou seja, a possibilidade de ser apropriada, já que não está imersa no domínio comum. A fragilidade de tal conceito está na extrema proximidade com a noção de novidade, acima definida.

Diz Newton Silveira:

(...) *a originalidade é condição tanto para a proteção das invenções, quanto das obras artísticas, podendo-se dizer que nas obras de arte a originalidade se refere à forma considerada em si mesma, enquanto que para os modelos e desenhos industriais a forma em si pode não ser original,*

---

[97] Note-se que, pela proximidade do tempo daelaboração da obra com as modificações de 2001 do Código Francês, o texto cita a redação anterior à incorporação da Diretriz 98/71.

[98] Vide verbete em Aurélio Wander Bastos, Dicionário Brasileiro de Propriedade Industrial e Assuntos Conexos. Quanto ao conceito relativo aos desenhos industriais, à luz da lei de propriedade industrial anterior, vide Gama Cerqueira, Tratado da Propriedade Industrial, vol. I, parte I, 1946, p. 317-319.

[99] Distinguem-se a obra original, ou não copiada (Lucas e Lucas, Traité de la Propriété Litteraire et Artistique, Litec, 1994, p. 88), da obra originária, qual seja, "a obra primígena", ou seja, a base de uma derivação.

desde que o seja a sua aplicação, isto é, a originalidade neste caso consistiria na associação original de uma determinada forma a um determinado produto industrial[100].

Em Direito Francês, exige-se que o desenho tenha "uma configuração distintiva e reconhecível que a diferencie de seus similares"[101]. Já a proposta de diretriz da Comunidade Européia, em seu art. 3.2, prevê a satisfação do requisito de *caráter individual*, definido como o atributo que faz o observador, numa impressão global, determinar que o objeto protegido difere *de maneira significativa* dos outros desenhos utilizados ou publicados no território.

Tal caráter distintivo, de novo no Direito Francês, terá de ser *visível* e *claramente aparente*, possibilitando o objeto diferenciar-se dos congêneres seja por uma configuração reconhecível, seja por vários efeitos exteriores que lhe empreste fisionomia própria (Code de la Propriété Intellectuelle, art. L.511-3).

À luz de tais parâmetros, entendo que o requisito, em sua nova roupagem, deva ser entendido como a exigência de que o objeto da proteção seja não só *novo*, ou seja, não contido no estado da arte, mas também distintivo em face desta, em grau de distinção comparável ao *ato inventivo* dos modelos de utilidade[102].

Autores há que entendem haver distinções nesse requisito conforme o setor produtivo e o mercado consumidor; assim, para certos produtos, a distinguibilidade deveria ser maior, assim como em face de um consumidor mais sofisticado, o impacto do efeito estético deveria se afeiçoar a essa característica.

No mesmo sentido, Dannemann[103] entende que o conceito de originalidade no desenho industrial equivale por analogia ao conceito de ati-

---

[100] [Not do Original] Newton Silveira, Direito de Autor no Desenho Industrial, 1982, p. 80.

[101] [Not do Original] André Bertrand, La Propriété Intellectuelle, Vol. II, Delmas.

[102] [Not do Original] Será o duplo requisito de novidade e originalidade compatível com o art. 25.1 do TRIPs, que usa uma partícula "ou" entre as duas exigências? O exemplo da legislação européia e da americana parece indicar que sim. Vide Carlos Correa, Acuerdo TRIPs, Ed. Ciudad Argentina, 1996, p. 119 e seguintes.

[103] DANNEMANN, *Comentários ao Código de Propriedade Industrial,* São Paulo: Renovar, 2005, p. 176 e 177. Note-se que GONÇALVES, Nuno Pires, em *Os Inventos de Empregados na Nova Lei de Patentes*, Revista da ABPI n.° 22 – Maio/Junho 1996, diverge dessa análise: "Em se tratando de desenhos industriais, a atividade inventiva e substituída pela originalidade, definida como uma simples "configuração visual distintiva, em relação a outros objetos anteriores" (Lei n.° 9.279/96, artigo 97). Não há exigência, portanto, de um "passo adiante", um salto criador de uma configuração conhecida para a configuração nova.

vidade inventiva para as patentes de invenções. A originalidade no desenho industrial é a medida extra, o *plus* que a criação deve apresentar como prova de que houve mais do que uma adaptação comum de objetos já conhecidos.

Nesse sentido, vide a decisão do 2.° TRF, já citada:

> Com efeito, para que seja registrável como desenho industrial, a nova conformação ornamental de um objeto não deve se restringir à mera disparidade de dimensões ou a alterações superficiais da sua configuração com relação às já presentes no mercado ou já inseridas no estado da técnica, mas, sim, **deve ser dotada de um determinado grau de inventividade estética capaz de resultar na efetiva distinguibilidade da nova configuração se comparada a produtos similares** (...) Voto do Des. André Fontes, Agravo 2007.02.01.009404-2, Segunda Turma Especializada do Tribunal Regional Federal da 2.ª Região, à unanimidade, Rio de Janeiro, 30 de setembro de 2008. (data do julgamento)

Dannemann[104] também entende que o grau de originalidade exigido deverá ser diferente de um setor para outro, dependendo da capacidade que cada produto tem para comportar mudanças maiores ou menores sem descaracterizar sua natureza. Existem produtos que não comportam grandes mudanças ou se descaracterizariam, por essa razão, com mudanças mínimas em suas formas já se nota grandes diferenças entre os produtos similares. Em outros casos, pequenas mudanças não são suficientes para individualizar o produto e evitar a confusão dos consumidores:

> Mantendo basicamente as mesmas determinações do art. 12 do Código de 1971, e como já comentado, este artigo dispõe sobre o segundo pré-requisito para que o registro seja válido. Não basta, portanto, que o desenho industrial seja novo – isto é, diferente – em relação àquilo que já existe, sendo necessário também que sua configuração visual seja percebida como distintiva. Assim, parece razoável supor que o desenho proposto não possa ser confundido com objetos conhecidos quando colocados lado a lado. Ademais, o desenho industrial deve demonstrar um mínimo de esforço para criação de um objeto com formas visuais próprias.
>
> Também conforme já comentado, o conceito de originalidade está para o desenho industrial como os conceitos de atividade ou ato inventivo estão para a invenção e o modelo de utilidade, respectivamente. Esses conceitos dão a medida extra que a criação deve apresentar como evidência de que

---

[104] Ibidem.

houve mais do que uma adaptação ordinária e meritória de objetos conhecidos. Aliás, a Lei norte-americana também prevê expressamente o requisito de novidade e originalidade, além de não-obviedade por referência ao titulo de patentes, para que o design seja patenteável[105].

Naturalmente, o grau de originalidade exigido pode variar de um setor para outro. Há produtos que, por sua função, não apresentam tanto espaço para criações de forma quanto outros e onde pequenas diferenças podem suficientes para gerar a percepção para o consumidor de que se trata de um produto novo.

Finalmente, a originalidade deve ser enfocada sob o prisma do consumidor usual do produto. Se o produto é um produto de venda direta ao consumidor, **então a originalidade deve ser passível de ser percebida por esse consumidor leigo**. Se o produto é um produto para venda a profissionais especializados, **é a ótica desse profissional que deve ser considerada na análise originalidade**.

Critérios de análise de originalidade

Com relação à análise da originalidade de um desenho industrial, assim se posiciona Paulina Ben-Ami[106]:

> Dois critérios podem ser considerados quanto á originalidade:
>
> 1) Observação da similaridade através de uma observação total, utilizada para exame de pequenos objetos (xícaras, vasos, etc) ou de objetos maiores cujo aspecto visual é reconhecível pelo conjunto de seus elementos encarados como um todo (carrocerias de veículos, containers, máquinas pesadas, etc.). ***Neste caso a novidade e originalidade ficam comprometidas quando o conjunto não é facilmente distinguível à primeira vista e há confusão entre os dois objetos, o requerido e o conhecido do estado da técnica.***
>
> 2) Observação da similaridade através de um elemento preponderante do conjunto o qual confere maior valor atrativo ao objeto ou representa a sua parte visível e que exerce influência principal na comercialização do produto. ***Assim, se a forma ou desenho aplicado à porta de um refrigerador são muito similares aos de refrigeradores existentes, não permitindo sua distinção à primeira vista, este modelo ou desenho não poderá ser protegido por falta de originalidade, mesmo que haja diferenças consideráveis nas partes laterais e traseiras dos refrigeradores em questão.***

---

[105] [NOTA DO AUTOR] Ver 17 U.S.C.§171.

[106] BEN-AMI, Paulina, *Manual de Propriedade Industrial.* São Paulo: Promocet, 1983, p. 77-78.

Das conclusões

Do requisito legal de originalidade

À luz dos requisitos de TRIPs, mencionados acima, verifica-se uma significativa aproximação entre os principais sistemas jurídicos quanto à proteção dos desenhos industriais por regimes específicos. Como se demonstrou acima, há hoje uma considerável similitude entre os regimes da Diretiva Européia 98/71 (e também da normativa do desenho comunitário europeu) e o regime do *design patent* americano.

A proximidade assim se apresenta:

[a] ambos regimes apuram, como condições de proteção de novos desenhos em face das criações anteriores, um requisito de novidade, e mais um requisito complementar;
[b] esse requisito complementar é apurado objetivamente, sobre a criação ornamental ela mesma, sem considerar os aspectos de expressão pessoal, autenticidade, ou índices semelhantes;
[c] este requisito complementar (denominado não-obviedade, ou caráter singular), se apura tomando por base a simples novidade, ao qual se acresce um elemento que transcende tal base;
[d] a medida da suficiência da distância além da novidade é realizada com auxílio de um analista hipotético ao qual (por ficção jurídica) se atribui uma visão qualificada, diversa da visão do homem do povo ou consumidor inespecífico;
[e] cabe a este "técnico na matéria" ou "utilizador informado" comparar a *impressão geral* da anterioridade com a *impressão geral* do desenho tido por inédito, para apurar a suficiência de contribuição da criação ornamental;
[f] a comparação se efetua no vetor da *aparência*, e não da funcionalidade ou tecnicidade.

Tem-se assim, a aproximação não só entre os regimes jurídicos de proteção de desenhos industriais, como também, no tocante a esse requisito em especial, uma outra e significativa aproximação com o regime da atividade inventiva (ou ato inventivo) próprio às patentes técnicas. As formas de apuração de *diferenças significativas* (para usar a expressão de TRIPs) seguem idênticos procedimentos de objetividade, comparando-se o regime de desenhos industriais e de patentes, apenas modificando-se o ponto de diferença, que no caso dos desenhos é a aparência global.

O sistema brasileiro, sem ainda incorporar procedimentos de análise próximos aos regimes americano e europeu, segue os mesmos imperativos de direito internacional. Segue, igualmente, já à luz da norma constitucional, um imperativo de *contributo mínimo*, ou seja, de que a proteção só seja atribuída nos casos em que a criação ornamental, além da novidade, ainda manifeste um elemento significativo de criação.

Sob tal ótica, lendo a lei à luz da Constituição, não basta a simples autenticidade – originalidade subjetiva –, como expressão pessoal do criador, que (na margem) se reduz ao critério de vedação da cópia. É necessário que a criação ornamental, objetivamente, seja uma contribuição positiva ao que já se conhece, ou seja, deve ter

> determinado grau de inventividade estética capaz de resultar na efetiva distinguibilidade da nova configuração se comparada a produtos similares.

É nosso entendimento, assim, que a originalidade não só é requisito autônomo, destacado do da novidade, mas diz respeito à obra ornamental em si; e, mais, em face ao já conhecido (estado da técnica) deve destacar-se – quanto ao aspecto de aparência global – *significativamente* das anterioridades.

Aqui também aproximamos, no regime legal brasileiro, a originalidade dos desenhos e a atividade inventiva (ou ato inventivo) das patentes. Ambas as categorias desempenham função paralela.

Ainda que não se tenha como imposição legal a análise por um avaliador hipotético, e qualificado, nada proíbe que se escolha, como método de apuração do contributo mínimo, tal sistema. Para tanto, seria apenas necessária consistência de procedimentos, transparência de métodos, e regularidade administrativa – todos requsistos de sindicabilidade e, em última instância, de devido processo legal.

Qual o critério legal aplicável para a definição de originalidade?

O critério legal para a definição de originalidade é o do art. 97 do CPI/96:

> Art. 97 – O desenho industrial é considerado original quando dele resulte uma configuração visual distintiva, em relação aos outros objetos anteriores.

Assim, tomando-se a base constante dos "objetos anteriores", e aplicando-se a essa base a regra da novidade prevista no art. 96,

[a] toma-se a "configuração visual" como elemento de comparação
[b] e compara-se o objeto anterior e o objeto atual, buscando o que seja *distintivo*.

A leitura constitucional, que identifica um *contributo mínimo necessário*, assim como o permissivo de TRIPs, que sanciona uma diferença *significativa*, apontam ambos para um conteúdo substantivo dessa distinção.

No caso em que os limites possíveis de diferenças entre dois desenhos são condicionados por requisitos técnicos, como se dá a apuração de originalidade?

Tanto TRIPs[107] quanto a recente construção européia da Diretriz 98/71 e do desenho comunitário indicam que a proteção de desenhos pode ser específica em face do setor industrial.

Já a doutrina tem indicado que especialmente a apuração da originalidade é idiomática em relação a cada setor: Assim é que, falando de originalidade, assim transcrevemos nosso texto anterior:

> Autores há que entendem haver distinções nesse requisito conforme o setor produtivo e o mercado consumidor; assim, para certos produtos, a distinguibilidade deveria ser maior, assim como em face de um consumidor mais sofisticado, o impacto do efeito estético deveria se afeiçoar a essa característica.

O que reflete a visão de outros autores brasileiros:

> Naturalmente, o grau de originalidade exigido pode variar de um setor para outro. Há produtos que, por sua função, não apresentam tanto espaço para criações de forma quanto outros e onde pequenas diferenças podem suficientes para gerar a percepção para o consumidor de que se trata de um produto novo[108].

---

[107] Que seleciona os desenhos têxteis para um sistema especial de proteção abreviada.
[108] Dannemann, op. cit., loc. cit.

Já indicamos também que as constrições técnicas ou funcionais demarcam o campo de apuração da originalidade. Com efeito, ao transcrever esse dispositivo de TRIPs

> Os Membros poderão estabelecer que essa proteção não se estenderá a desenhos determinados essencialmente por considerações técnicas ou funcionais.

Assim notamos:

> O espaço é da liberdade de forma. Só no caso de se poder – livremente – superar as exigências técnicas e funcionais se terá um campo onde a diferença entre um desenho e outro – já conhecido – poderá ser significativa.

E sem dúvida, tal consideração está explicita na normativa 98/71:

> Como se viu, um elemento essencial para a apuração de caráter singular é "o grau de liberdade do criador na realização do desenho ou modelo".
>
> Vale dizer, se o contexto permite mínima variaçã por razões técnicas ou de mercado, esse grau mínimo de liberdade será determinante para fixar a existência de caráter singular. Se houver, no entanto, ampla liberdade de expressão, essa liberdade será tomada como indicador de suficiência de contributo mínimo.
>
> A doutrina pondera que o grau de originalidade deve atender as circunstâncias concretas de cada ramo de atividade, sendo mais brando ou mais rígido de acordo com a maior facilidade de diferenciação de um desenho de outro da mesma categoria.

Assim é que entendo que, num contexto em que as considerações técnicas deixam angusto espaço para a originalidade, é em função e relativo a esse espaço que se apura a liberdade de criação ornamental. O espaço estreito não elimina a exigência de originalidade, nem a impossibilita; apenas, a originalidade é apurada *naquele espaço*, largo ou estreito, no qual se identifica a liberdade de expressão alternativa.

O REGIME JURÍDICO GERAL DA MARCA E A MARCA FARMACÊUTICA

J. P. REMÉDIO MARQUES
Professor da Faculdade de Direito de Coimbra

SUMÁRIO:

1. **Introdução. Noção de marca farmacêutica**

A *marca farmacêutica* constitui um direito exclusivo de propriedade industrial, que, sendo constituído por um sinal ou por um conjunto de sinais, serve para assinalar *substâncias ou associação de substâncias provida de propriedades curativas ou preventivas de doenças em seres humanos ou dos seus sintomas, ou que possam ser utilizadas ou administradas num ser humano, com vista a estabelecer* um diagnóstico médico; *produtos que podem ser utilizados ou administrados nos seres humanos, com vista a estabelecer um diagnóstico médico, ou produtos que exercem uma função farmacológica, imunológica ou metabólica, corrigindo ou modificando funções fisiológicas*[1]. Em suma, a *marca farmacêutica* assinala a *origem empresarial* de *medicamentos.*

O estudo da *marca farmacêutica* pode dar-nos uma outra perspectiva sobre as actuais funções assinaladas a este sinal distintivo de produtos e serviços, em particular a sua *função distintiva.* Outrossim, por causa da *regulação administrativa pública* desta actividade económica, a análise que segue permitir-nos-á evidenciar algumas singularidades ao derredor da questão do *esgotamento* do *direito de marca*, as quais são essencialmente postuladas pelo regime da *importação paralela* de medicamentos colocados no mercado num dos Estados-Membros da União

[1] Cfr. o artigo 3.°/1, alíneas *ee*) e *ff*), do Decreto-Lei n.° 176/2006, de 30 de Agosto (Estatuto do Medicamento), e artigo 1.°/2, alíneas *a*) e *b*), da Directiva n.° 2001/81/CE, do Parlamento Europeu e do Conselho, de 6 de Novembro de 2001, que estabelece um código comunitário relativo aos medicamentos para uso humano.

Europeia – que não sejam os Estados-Membros que acederam a esta União em 2004[2] –, pelo titular da marca ou por outrem com o seu consentimento.

Tome-se, sumariamente, o problema, adiante, abordado do *esgotamento* da *marca farmacêutica* e a faculdade de proceder à *importação paralela* de medicamentos. Se, de um lado, temos o *interesse particular* do titular da marca farmacêutica em repartir os mercados em que distribui comercialmente os bens – atentos os eventuais custos diferenciados de distribuição nos diferentes Estados e o nível de vida sentido em cada um deles –, e em *não ver prejudicada a reputação da marca e do seu titular*, do outro, perspectivam-se vários *interesses colectivos* e *interesses públicos* dignos de tutela, quais sejam:

- O *interesse dos consumidores* em não efectuarem escolhas aquisitivas sob o manto da confusão sobre a origem empresarial dos produtos (*v.g.*, não confundibilidade do *nome do medicamento* com os nomes de outros medicamentos preexistentes ou com *denominação comum internacional*: cfr., *infra*, sobre a distinção destes conceitos),
- O interesse da *preservação do estado originário do medicamento*, em termos de composição qualitativa e quantitativa da substância activa, e
- O interesse da *manutenção da segurança, eficácia e qualidade do medicamento* (*v.g.*, manutenção da estabilidade e da biodisponibilidade do medicamento; indicações do prazo de validade; manutenção da qualidade dos recipientes; imodificabilidade do perfil de dissolução ou de libertação do produto acabado; adequação e coerência da dimensão das embalagens à posologia e à duração do tratamento aprovado; não afectação de uma parte componente fundamental do material de acondicionamento do medicamento; equivalência do material de acondicionamento do medicamento relativamente ao material aprovado no Estado-Membro do destino, no que respeita às propriedades relevantes, etc.).

---

[2] Em relação a estes Estados-Membros recém-chegados à União Europeia (Chipre, Eslováquia, Eslovénia, Estónia, Hungria, Letónia, Lituânia, Malta, Polónia e República Checa), ainda vigora um regime transitório, que derroga algumas das regras resultantes do princípio da livre circulação de pessoas, de produtos e de serviços.

2. Funções da marca e a marca farmacêutica

A) *A função distintiva*

Tradicionalmente, a marca assegura a *proveniência constante do produto marcado da mesma fonte empresarial de origem*[3], independentemente de ser conhecida a identificação da pessoa ou entidade de quem provêm os produtos que ostentam uma marca.

A marca designava uma *origem empresarial* promanando de uma empresa única, adquirida por outrem ou controlada, à qual se ligavam os produtos ou serviços marcados. Todavia, os casos em que o titular da marca não exerça qualquer actividade económica ou aqueles outros em que a marca não é previamente usada antes do acto de transmissão ou de licenciamento fazem-nos perquirir um novo enquadramento desta função distintiva[4]. Mister é que, nos casos em que o transmitente da marca exerça uma actividade económica, ou não exerça qualquer actividade, esta indicação de proveniência designe uma *origem pessoal* ou *empresarial*, à qual se ligam os produtos ou serviços que ostentam o sinal.

Se é proibido o *uso enganoso da marca*, seja pelo titular, seja por outrem com o seu consentimento, isso significa que o novo paradigma de análise da *função distintiva* da marca há-de passar pela exigência de *a marca* – independentemente de o seu *titular* ser uma pessoa humana ou colectiva detentora de uma *empresa* ou ser um sujeito não *ligado directamente* à actividade de produção dos bens ou serviços marcados – se achar ligada a um sujeito (seja ele quem for, aos olhos dos consumidores dos produtos ou serviços marcados) que está vinculado ao *ónus do uso não enganoso* desse sinal nos produtos ou serviços onde ele é aposto, no sentido em que o sujeito de onde tais produtos ou serviços promanam deve tudo fazer para impedir que o uso merceológico dessa marca seja insusceptível de ocasionar um engano ou uma decepção respeitante às *características essenciais* dos produtos ou serviços marcados.

Os consumidores esperam, através desta *função distintiva* da marca, experienciar no produto ou serviço relevante as *mesmas qualidades ou*

---

[3] VANZETTI, Adriano, "Funzione e natura giuridica del marchio", in: *Rivista di diritto commerciale* (1961), I, p. 16 ss.

[4] Já, em sentido próximo, COUTO GONÇALVES, Luís, *Manual de Direito Industrial*, 2.ª edição, Coimbra, Almedina, 2008, pp. 189-190.

características constantes que eles ou outrem (que lhes comunicou o resultado ou o efeito de tais aquisições) experienciaram em ocasiões aquisitivas anteriores, independentemente do conhecimento efectivo ou da cognoscibilidade da concreta empresa que produz ou controla a produção dos bens ou serviços marcados.

B) ***A função de garantia de qualidade***

Afirma-se, comummente que a marca pode desempenhar uma função de *garantia de qualidade* dos produtos ou serviços. Esta parece ser uma *função derivada* da primeira função atrás assinalada: derivada da função distintiva.

Visa-se com a referida afirmação expressar a ideia de que a *confiança depositada pelos consumidores num certo estalão qualitativo dos produtos ou serviços marcados* por referência a uma origem empresarial deverá ser mantida ou protegida pelo titular da marca, sob cominação de caducidade do direito registado (artigo 269.°/2, alínea *b)*, do CPI de 2003) – ocorrendo uma *diminuição substancial* da qualidade do produto ou serviço marcado, por acto do titular ou de terceiro com o seu consentimento, da qual resulte uma ocultação, dolosa ou negligente dessa alteração[5].

Será que nas marcas farmacêuticas a *função de garantia de qualidade* desfruta de um diferente regime? O facto de a comercialização dos medicamentos em Portugal ser precedida de um procedimento administrativo (nacional, descentralizado, centralizado ou de reconhecimento mútuo[6]) autorizativo destinado a assegurar a *qualidade*, a *eficácia* e a *segurança* do concreto medicamento para que é pedida autorização de fabrico e/ou de comercialização *não nos deve levar a deduzir que a marca nele aposta garante um determinado padrão de qualidade.*

Até porque, como veremos adiante, o *nome do medicamento* pode não ser composto pela *marca* – mas apenas pela *Denominação Comum Internacional* e/ou pelo nome do requerente ou do titular da AIM –; ainda nesta hipótese, a *autorização administrativa* assegura, invariavelmente, um *certo padrão de qualidade* à luz de determinados requisitos que são

---

[5] Em sentido análogo, cfr. COUTO GONÇALVES, *Manual de Direito Industrial*, 2.ª edição, 2008, cit., pp. 191-192.

[6] Sobre estes procedimentos administrativos, cfr., REMÉDIO MARQUES, João Paulo, *Medicamentos versus Patentes – Estudos de Propriedade Industrial*, Coimbra, Coimbra Editora, 2008, pp. 20-30.

observados e cumpridos pela via da realização de testes farmacológicos, toxicológicos, pré-clínicos e clínicos[7]. Não se esqueça que, neste domínio, vigora fortemente o *primado da protecção da saúde pública*[8].

Só então o medicamento pode ser colocado no mercado. De resto, antes desse momento, houve que observar as "boas práticas de fabrico"[9], as quais são extensíveis às operações de divisão, acondicionamento, primário ou secundário, ou apresentação[10]. Destarte, a *marca do medicamento* só mediata ou indirectamente beneficia deste controlo de qualidade.

C) *A função publicitária*

A marca desempenha, ainda, uma *função complementar*, cada vez mais relevante[11]: a *função publicitária*, a qual tende a esvaziar, como veremos, já a seguir, a sua função distintiva.

---

[7] Isto é também diferente da realidade surpreendida nas "marcas de conformidade com as normas" (Portaria n.° 860/80, de 22 de Outubro), no "modelo conforme" (Portaria n.° 126/86, de 2 de Abril), nas marcas colectivas (arts. 228.° e ss. do PI de 2003) ou nas denominações de origem e nas indicações geográficas (arts. 305.° e ss. do CPI de 2003), já que estes sinais protegidos por exclusivos de propriedade industrial asseguram um certo padrão genérico de qualidade (tb. COUTO GONÇALVES, Luís, *Manual de Direito Industrial*, 2.ª edição, 2008, cit., p. 192, nota 345). Pelo contrário, o concreto medicamento cuja AIM é concedida ou cujo fabrico é autorizado pelo INFARMED deve ser provido de um padrão específico de qualidade e segurança. Designadamente, em termos de estabilidade, biodisponibilidade, absorção, distribuição, metabolismo, excreção, relação dose-efeito, condições de administração, etc., a fim de realizar as referidas finalidades de eficácia e segurança clínica.

[8] Artigo 4.°/1 do Decreto-Lei n.° 176/2006, de 30 de Agosto. A própria Constituição da República Portuguesa, no seu artigo 64.°/3, alínea *c*), prevê que a intervenção do Estado no sector farmacêutico tem em vista a *protecção da saúde*. Acresce que o considerando n.° 2 da citada Directiva n.° 2001/83/CE, que estabelece o Código Comunitário relativo aos medicamentos para uso humano, indica que "toda a regulamentação em matéria de produção, de distribuição ou de utilização de medicamentos deve ter por objectivo essencial garantir a protecção da saúde pública".

[9] Artigo 3.°/1, alínea *j*), do Decreto-Lei n.° 176/2006. Estas "boas práticas de fabrico" implicam a execução de processos garantes da qualidade do produto final, isto é, asseguram que estas substâncias sejam consistentemente produzidas e controladas, de acordo com normas de qualidade adequadas à utilização prevista. As regras sobre o fabrico de medicamentos constam da Directiva n.° 2003/94/CE, da Comissão de 8 de Outubro de 2003, e dos arts. 40.° a 53.° da Directiva n.° 2001/83/CE, do Parlamento Europeu e do Conselho, de 6 de Novembro de 2001, na redacção da Directiva n.° 2004/27/CE

[10] Artigo 55.°/2 do Decreto-Lei n.° 176/2006.

[11] COUTO GONÇALVES, Luís Manuel, *A Função Distintiva da Marca*, Coimbra, Almedina, 1999, p. 151 ss.

Vale isto por dizer que a função publicitária exprime o *poder atractivo da marca* (o seu *selling power*) enquanto símbolo associado a um determinado *prestígio* derivado do sinal e *acreditamento* propiciador de uma natureza colectora de clientela, atenta a promoção associada ao sinal; estatuto que mereceu acolhimento pelo ordenamento jurídico – que não apenas no quadro das relações económicas – por via das marcas de prestígio (artigo 242.° do CPI de 2003).

Esta *função publicitária* da marca é, como referi, cada vez mais importante.

A situação chega ao ponto de o Tribunal de Justiça da União Europeia (agora denominado Tribunal Geral) sustentar que a marca deve proteger o "interesse de comunicação" do produto, o de "investimento ou de publicidade". De tal modo que o titular pode proibir o uso por um terceiro, em *publicidade comparativa*, que não respeite todas as condições previstas no artigo 3.°-A/1 da Directiva n.° 84/450/CEE do Conselho, de 10 de Setembro de 1984, mesmo quando o uso desse sinal não é susceptível de prejudicar a função essencial da marca, qual seja a de indicar a proveniência dos produtos ou serviços: decisivo para a prática do ilícito de violação deste direito de marca é a circunstância de o referido uso prejudicar ou seja susceptível de prejudicar a função publicitária. E essa função sai ofendida quando, independentemente da existência de risco de confusão ou do risco ter prejudicado o carácter distintivo da marca, o terceiro tira partido desse carácter distintivo e do prestígio da marca, colocando-se através desse uso na esteira da marca de prestígio para beneficiar do poder de atracção, da reputação e do prestígio da marca protegida, explorando, sem qualquer contrapartida financeira, o *investimento comercial despendido pelo titular da marca para gerar e manter a sua imagem*[12].

O que vale por afirmar que a *função publicitária* tende, desde logo, a restringir fortemente a *publicidade comparativa* que o concorrente deseje efectuar, mesmo que isso limite a *liberdade de expressão* e de *comércio* de

---

[12] Assim, decisão do Tribunal de Justiça, de 18/06/2009, no caso *L'Oreal-Bellure*. Cfr. CARVALHO, Maria Miguel, "A protecção jurídica da marca segundo o acórdão L'Oreal [Comentário do Acórdão do TJCE (1.ª S.) de 18 de Junho de 2009, Caso *L'Oreal-Bellure*], in: *Actas de Derecho Industrial y Derecho de Autor*, vol. 30 (2009-2010), Santiago de Compostela, Madrid, Barcelona, Buenos Aires, Marcial Pons, 2010, p. 647 ss., p. 651 ss.; no mesmo sentido navega o recente acórdão do Tribunal de Justiça, de 23/03/2010, processos apensos C-236/08 a C-238/08, que opôs a *Google France, SARL* e a *Google, Inc. à Louis Vuitton Malettier SA* e a *Google France SARL* à *Viaticum SA*, à *Luticiel SARL* e ao *Centre Nationale de Recherche en Relations Humaines*, entre outros.

um concorrente quando este realiza um *uso descritivo de marca alheia em publicidade comparativa.*

Tudo isto a significar que, no sentido trilhado por esta decisão do Tribunal de Justiça, parece dispensável apelar para ao ilícito da *concorrência desleal*, pois que, para esta jurisprudência, o titular da marca se acha *sempre* protegido contra o uso de marca alheia na publicidade dos próprios produtos: uma conduta contrária aos *usos leais e honestos* no comércio passa a ser atingida pelo direito de marca, que não pelo ilícito da *concorrência desleal*[13].

É verdade que esta última jurisprudência se aplica a *qualquer marca*[14], mesmo às marcas que não são de prestígio.

Dificilmente uma marca destinada a identificar *medicamentos* desfrutará, em pleno, desta função publicitária; dificilmente uma *marca farmacêutica* se alçará ao estalão de *marca de prestígio*, visto que são enormes, como descreverei adiante, os constrangimentos postulados quanto ao exercício desta *função publicitária*[15].

3. A aquisição do direito de marca: uso e registo da marca; as singulares da marca farmacêutica

O *registo* do sinal (gráfico, figurativo, sonoro ou outros susceptível de representação gráfica) constitutivo da marca é o *modo normal* de aquisição do direito – excepto nos E.U.A., onde o *uso* é ainda a condição prévia do registo e da aquisição, embora a Lei 100-667, de 16/01/1988, tenha passado a permitir o pedido de registo de marca a quem tenha somente a *intenção de a usar.*

Mesmo no direito português e nos restantes Estados-Membros, *o uso* da marca é muito importante, pois está associado à *notoriedade* da marca, como modo de formação da sua capacidade distintiva[16].

Além disso, o uso da marca é também importante para prevenir o risco de *caducidade da marca* por *falta de uso sério*, pelo seu titular ou por

---

[13] Assim, MORCOW, Christopher, "L'Oréal v. Bellure – Who Has Won?", in: *European Intellectual Property Review* (2009), p. 627 ss., p. 634.

[14] CARVALHO, Maria Miguel, "A protecção jurídica da marca segundo o acórdão L'Oreal...", 2010, cit., p. 658.

[15] Arts. 150.° e ss. do Decreto-Lei n.° 176/2006, de 30 de Agosto.

[16] Art. 3.°/3 da Directiva Sobre Marcas, no que toca ao *secondary meaning*.

terceiro autorizado, no prazo de *cinco anos* a contar da data da concessão do pedido de registo[17], ou se, antes de ser peticionada a declaração de caducidade, tal uso não tiver sido iniciado ou reatado (artigo 268.°/1 e 4, do CPI[18]).

Ora, esta ameaça de extinção do direito de marca assume contornos singulares no quadro da indústria farmacêutica.

De facto, se, no enfoque dado pelo Tribunal de Justiça[19], apenas impedem a caducidade por falta de uso sério "*os obstáculos que tenham uma relação directa com essa marca, que tornem impossível ou pouco razoável o seu uso, e sejam independentes da vontade do titular da referida marca*", e que o ser sério o uso traduz a ideia de que a marca deve ser "*utilizada em conformidade com a sua função essencial que é garantir a identidade de origem dos produtos ou serviços para os quais foi registada, a fim de criar ou conservar um mercado para estes produtos ou serviços*"[20], então isso significa que o titular da marca farmacêutica somente exercita um *uso sério* da marca farmacêutica quando a utiliza na identificação dos medicamentos num *contexto merceológico*, de um modo *quantitativamente suficiente*, ainda que *descontínuo* (mas não casual ou esporádico)[21]. Pois só assim a marca pode cumprir a função que a lei lhe assinala.

Vale isto por dizer que, no quadro do direito português e no da União Europeia, não existe *uso sério da marca farmacêutica* quando esta é usada para identificar o medicamento na fase dos ensaios farmacológicos, pré-

---

17 Artigo 269.°/1 do CPI de 2003; art. 50.°/1, alínea *a*), do Regulamento (CE) n.° 40/ /94, do Conselho, de 20 de Dezembro de 1993, sobre o regime da marca comunitária.

18 Regime que traduz a transposição das normas imperativas constantes dos arts. 10.°/1 a 3, 11.°/1 e 4, e 12.°/1 da Directiva sobre Marcas.

19 Acórdão do Tribunal de Justiça das Comunidades, de 16/06/2007, proc. C-246/2007.

20 Acórdão do Tribunal de Justiça das Comunidades, de 11/03/2003, proc. C-40/ /01, no caso *Minimax*. No mesmo sentido, veja-se a decisão do Tribunal de Primeira Instância (da União Europeia), de 7/06/2005, no proc. T-303/03 (in: *Colectânea de Jurisprudência do Tribunal de Justiça e do Tribunal de Primeira Instância*, 2005, 5/6(A), pp. II-1936).

21 COUTO GONÇALVES, Luís, *Manual de Direito Industrial*, 2.ª edição, 2008, cit., pp. 379-381; CARVALHO, Maria Miguel, "O uso obrigatório da marca registada", in: OLIVEIRA, Cândido de (coord.), *Estudos em Comemoração do 10.° Aniversário da Licenciatura em Direito da Universidade do Minho*, Coimbra, Universidade do Minho, Almedina, 2004, p. 651 ss., p. 673 ss.; CARVALHO, Maria Miguel, *A Marca Enganosa*, Coimbra, Almedina, 2010, pp. 299-301.

-clínicos e clínicos[22], as quais, como se sabe, precedem a eventual emissão da AIM[23]. Estas etapas no desenvolvimento do medicamento e na demonstração da sua eficácia, segurança e qualidade são obviamente *etapas experimentais*, cujo objectivo não é seguramente o de ocupar um *lugar no mercado*, nem essa utilização é *pública*.

Somente após a prolação daquela última autorização administrativa (AIM), bem como a autorização respeitante à fixação do preço máximo de venda, fica o titular da marca farmacêutica apto a usá-la de um *modo sério*. Os usos considerados justificados no sector farmacêutico, contidos no sector normativo do conceito de "uso sério" da marca, atendendo à própria natureza destas substâncias, são todos aqueles usos que – salvaguardadas as restrições legais à actividade publicitária, previstas no artigo 152.° a 154.° do Decreto-Lei n.° 176/2006 – visam:

- A promoção do medicamento junto do público em geral, junto dos distribuidores por grosso e dos profissionais de saúde ou através de visitas de delegados de informação médica,
- O fornecimento de amostras ou de bonificações comerciais àquelas pessoas,
- O patrocínio de reuniões de promoção a que assistam profissionais de saúde e distribuidores por grosso,
- O patrocínio a congressos ou reuniões de carácter científico, ou
- A referência ao nome comercial do medicamento.

Ora, todas estas actividades pressupõem a *aprovação do medicamento* pela autoridade sanitária competente, ou seja, a emissão da AIM.

Isto significa que entre o *momento do encerramento do procedimento de registo da marca farmacêutica*, junto do INPI (*marca nacional*)[24] ou do

---

[22] Ainda quando estes ensaios são realizados em hospitais públicos, junto de grupos de indivíduos sãos e de pacientes.

[23] E nem vale objectar dizendo que as *vendas experimentais* podem constituir um *uso sério* da marca (Fernández-Nóvoa, Carlos, *Tratado sobre Derecho de Marcas*, Madrid, Barcelona, Marcial Pons, 2004, pp. 588-589), uma vez que o titular da marca farmacêutica não pode efectuar quaisquer "vendas experimentais" senão após a emissão da AIM por parte da autoridade sanitária competente.

[24] Artigo 269.°/4 do CPI de 2003. No caso das *marcas internacionais*, o prazo de cinco anos tem início na data do registo da marca na Secretaria Internacional. No acórdão do Tribunal de Justiça da União Europeia, de 14/06/2007, no proc. C-246/05, entendeu-se que cabe aos Estados-Membros decidir o momento em que se considera encerrado o processo de registo em função das suas regras processuais nesta matéria.

Instituto de Harmonização do Mercado Interno (*marca comunitária*), e a *data da emissão da AIM*[25] do medicamento por esta assinalado (por parte da autoridade sanitária nacional competente ou pela Agência Europeia do Medicamento) não deve decorrer um prazo superior a *cinco anos*.

4. O registo público (da marca) enquanto acto final de um procedimento administrativo

O registo da marca junto da autoridade administrativa competente (em Portugal, junto do Instituto Nacional da Propriedade Industrial) pressupõe a adopção de um sistema de *exame prévio* dos elementos constitutivos do sinal e a sindicação da verificação das *proibições absolutas* e das *proibições relativas* que obstam ao nascimento e constituição do direito de marca.

No quadro deste procedimento administrativo, os interessados – a par da autoridade administrativa competente – exercem uma fiscalização prévia à conformidade legal do pedido de registo, podendo apresentar oposição fundamentada ao pedido de constituição da marca.

5. Proibições absolutas e marcas farmacêuticas

Há sinais insusceptíveis de constituir marca e o direito exclusivo que ela traduz. Vejamos a questão no enfoque das *marcas farmacêuticas*.

Isso é assim, ou bem porque tais sinais são *intrinsecamente* insusceptíveis de a constituir (sinais enganadores, sinais ofensivos dos bons costumes, da ordem pública, sinais não distintivos: sinais *genéricos*[26], *usuais*[27] ou *descritivos* do produto[28] ou serviço) – *impedimentos absolutos* –, ou bem porque pertencem a *entidades públicas*, nacionais ou

---

25 E não, apenas, a data da emissão da *autorização para o fabrico* do medicamento, procedimento administrativo este outro disciplinado nos arts. 55.° e ss. do Decreto-Lei n.° 176/2006, de 30 de Agosto.

26 P. ex., "Vacine", para identificar uma específica vacina.

27 *V.g.*, "aspirina", para identificar um medicamento destinado a suprimir ou a atenuar dores, já que se trata de uma palavra usada corrente e usualmente na linguagem e nos hábitos constantes para descrever um certo tipo de medicamentos (analgésicos).

28 P. ex., "Ansiolitics", para identificar um específico medicamento ansiolítico.

estrangeiras, ou são *extrinsecamente* titulados por outros terceiros (isolada ou em conjunto com outros signos anteriormente protegidos por direitos de propriedade intelectual: outras marcas anteriormente registadas, direitos de autor, direitos sobre desenhos ou modelos anteriormente registados ou anteriormente publicitados[29], denominações de origem ou indicações de proveniências anteriormente constituídas), ou bem porque, enfim, violam direitos de personalidade de outrem – quais *impedimentos relativos*.

6. Limitações ao direito de marca

O direito de marca é atingido por várias *limitações* às quais correspondem *utilizações livres*, não sujeitas, portanto, a autorização do titular ou de um qualquer licenciado da marca.

Destacam-se as limitações emergentes do funcionamento:

- Do princípio da especialidade;
- Do princípio da territorialidade do direito de marca (com excepção da *marca notória*: art. 241.° do CPI, à qual não se aplica o princípio da territorialidade; e à marca de prestígio, à qual é inaplicável o princípio da especialidade).
- Do esgotamento do direito de marca.
- Do uso descritivo da marca (art. 260.° do CPI).
- O uso sério da marca (arts. 268.° e 269.° do CPI).

7. Os medicamentos e o direito de marca

É enorme a *regulação administrativa* a que se acha sujeito o fabrico, a importação, a exportação, a distribuição por grosso e a introdução no comércio de medicamentos.

No *juízo de confundibilidade* (*risco de confusão* e *risco de associação*) entre marcas que identificam medicamentos, o perfil da pessoa (isto

[29] Isto no caso dos desenhos ou modelos comunitários *não registáveis*, cujo exclusivo nasce a partir da data da divulgação junto do público das características da aparência relevantes (novas e singulares), de jeito a poder ser conhecido dos agentes económicos que operam na União Europeia.

é, o perfil do consumidor) por cujo respeito se efectua o referido teste deve ser diferente consoante se trate de medicamentos sujeitos a receita médica e medicamentos de venda livre nas farmácias: no primeiro caso, o sujeito em questão (o consumidor) é subsumido ao profissional de saúde (o médico), ao *consumidor profissional e especializado*, pois que é este que intermedeia a oferta e a procura do medicamento considerado; no segundo caso, o sujeito deve ser subsumido ao *consumidor médio menos diligente*, no caso de os medicamentos terem um preço baixo e um largo consumo; se os medicamentos de venda livre tiverem um preço muito elevado, releva o perfil do *consumidor médio mais atento*.

7.1. *O regime da comercialização de medicamentos para uso humano*

A comercialização de medicamentos está subordinada a rigorosos *mecanismos de regulação administrativa*, ainda quando a aquisição ou a administração dos medicamentos não está sujeita a *prévia receita médica*.

Na verdade, só podem ser comercializados medicamentos no território nacional que beneficiem de uma *Autorização de Introdução no Mercado* (doravante, AIM) válida para Portugal (AIM ou de um registo, válidos e em vigor em Portugal, concedidos pelo INFARMED ou pela AGÊNCIA EUROPEIA DO MEDICAMENTO[30]).

Há, porém, uma excepção, qual seja a dos medicamentos objecto de *importação paralela* (cfr. o que exponho adiante), aí onde somente é exigida uma AIM vigente no Estado-Membro da União Europeia de onde provêem tais medicamentos, seja através de um *procedimento nacional*; seja por via de *procedimento de reconhecimento mútuo*, de um *procedimento descentralizado*, ou, ainda, por força de uma *autorização excepcional* e *autorização de utilização especial*.

---

[30] Art. 10.° do Regulamento (CE) n.° 726/2004, do Parlamento Europeu e do Conselho, de 31 de Março de 2004, que estabelece procedimentos comunitários de autorização e de fiscalização de medicamentos para uso humano e veterinário e que institui uma Agência Europeia do Medicamento, na redacção resultante do Regulamento (CE) n.° 1394/ /2007, do Parlamento Europeu e do Conselho, de 213 de Novembro de 2007, relativo a medicamentos de terapia avançada (in: *Jornal Oficial da União Europeia*, n.° L 324, de 10/12/2007, p. 121 ss.).

7.2. Marca do medicamento *ou,* hoc sensu, *nome comercial do medicamento*

A *marca de um medicamento* traduz a *designação merceológica* do medicamento constituída por um sinal constitutivo da marca, o qual deve ser insusceptível de confusão com a *denominação comum da substância activa.*

O *nome* (comercial) *do medicamento* não é, porém, a *marca.*

Aquele *nome do medicamento* é expresso através de um *sinal nominativo* que pode, ou não, incluir uma *marca comercial*; pode, de facto, o nome do medicamento ser *apenas* composto pela *Denominação Comum Internacional* e pelo *nome do titular da Autorização de Introdução no Mercado.* Ou seja: nesta última hipótese a designação do medicamento (*et, pour cause*, a sua designação merceológica) é desprovida deste direito de exclusivo.

O *nome do medicamento* constituído assim pela menção da *denominação comum* acompanhada, ou não, de uma *marca* (ou do nome do requerente da AIM ou titular desta) não pode, porém, ocasionar qualquer equívoco entre o sinal e as propriedades terapêuticas e a *natureza* do medicamento[31] e a *Denominação Comum Internacional*[32].

São, porém, diferentes as entidades administrativas que fiscalizam ou sindicam a *composição da marca do medicamento* e a *composição do nome do medicamento*: o INPI ou o Instituto de Harmonização do Mercado Interno, no primeiro caso, e o INFARMED ou a Agência Europeia do Medicamento, no segundo caso.

Compete, em primeira linha, às autoridades sanitárias, nacionais ou comunitárias, a sindicação da eventual *confundibilidade entre a marca e as propriedades terapêuticas e a natureza do medicamento* – ainda quando os medicamentos são utilizados dentro dos hospitais –, pois é no procedimento administrativo destinado à emissão da AIM que tem lugar a avaliação de tais características e qualidades terapêuticas[33].

---

[31] Art. 3.º/1, alínea *uu*), do DL n.º 176/2006, de 30 de Agosto

[32] Cfr. a Deliberação n.º 957/2005, do Conselho de Administração do Infarmed, in: *Diário da República*, II Série, n.º 135, de 15-07-2005, pp. 10371-10372, sobre as listagens contendo as propostas de denominação comum em português das substâncias activas de medicamentos registados no INFARMED.

[33] Pense-se nos riscos existentes para a saúde dos pacientes provocados pela *confundibilidade* do *nome* de dois medicamentos que (para além das *características da aparência* das embalagens e do teor ostentado pela *rotulagem*) contenham substâncias activas

O eventual (e prévio) registo da marca do medicamento junto do INPI não vincula o INFARMED ou qualquer outra autoridade sanitária dos Estados-Membros, incluindo a Agência Europeia do Medicamento. Não se esqueça que um dos elementos a constar do pedido de emissão de AIM é exactamente o "nome proposto para o medicamento"[34], o qual pode incluir uma marca.

Se o requerente da AIM já tiver formulado um pedido de registo de marca farmacêutica, junto do INPI ou do referido Instituto de Harmonização do Mercado Interno, pode suceder que esse sinal (*a marca*) não seja admitido pela autoridade sanitária competente na composição do *nome do medicamento*, levando o requerente da AIM a proceder à formulação de um pedido de alteração do pedido de registo de marca, à luz dos estreitos limites consagrados no artigo 25.° do CPI de 2003.

Nalguns casos, todavia, o sinal constitutivo da *marca do medicamento* deve ser *sempre* acompanhado da *denominação comum* das substâncias activas: é o caso dos *medicamentos derivados do sangue*[35] e dos *medicamentos imunológicos*[36] (art. 125.° do mesmo diploma).

No caso dos *medicamentos homeopáticos*, deve ser aposta a denominação científica do *stock*, por via da utilização dos símbolos da farmacopeia adoptada (p. ex., a farmacopeia europeia), a qual pode ser acompanhada por um nome de fantasia, ou seja, por uma *marca*[37].

7.3. A **Denominação Comum** *do medicamento não é a* **marca** *do Medicamento*

A *Denominação Comum* traduz a designação comum internacional recomendada (doravante, DCI) pela *Organização Mundial de Saúde* para as *substâncias activas* de medicamentos[38] (DCI).

---

completamente diferentes ou que, ainda quando contenham a mesma substância activa, são administrados nos pacientes por diferentes vias (p. ex., oral e injectável), o que implica alterações substanciais na sua *biodisponibilidade* e o risco de causação de notáveis efeitos adversos.

[34] Art. 15.°/1, alínea *c*), do Decreto-Lei n.° 176/2006, de 30 de Agosto; art. 8.°/3, alínea *b*), da Directiva n.° 2001/83/CE.

[35] Art. 133.° do Decreto-Lei n.° 176/2006, de 30 de Agosto.

[36] Art. 125.° do mesmo diploma.

[37] Art. 139.°/1, alínea *a*), do referido diploma.

[38] A *substância activa* de um medicamento constitui a substância à qual estão associadas as propriedades curativas ou preventivas, ou a substância que desempenha o papel

A cada *substância activa* é atribuída, pela Autoridade Nacional do Medicamento (INFARMED), uma *denominação comum*[39].

O INFARMED já publicou, como referi, as denominações comuns portuguesas e a lista de termos-padrão aplicáveis às formas farmacêuticas, vias de administração e acondicionamento dos medicamentos.

Atente-se que esta *Denominação Comum Internacional* não pode ser objecto de registo de *marca*[40], posto que a *marca* seria, então, provida, *exclusivamente*, por um *sinal descritivo*, o que, como vimos, constitui uma *proibição absoluta* impeditiva do registo e da constituição deste exclusivo industrial.

A *Denominação Comum Internacional* também pode ser a designação comum habitual ou *nome genérico* de uma substância activa de um medicamento. Assim se vê que *esta DCI nunca pode constituir uma marca* (e ser, como tal, registada junto da autoridade administrativa competente).

7.4. *Conceito e composição do nome do medicamento (cont.)*

Já podemos assentar na ideia segundo a qual o *nome do medicamento* traduz a designação do medicamento, a qual pode ser constituída (não tem de ser) por uma *marca* insusceptível de confusão com a *Denominação Comum Internacional*.

O *nome do medicamento* também pode ser, como vimos, constituído pela *Denominação Comum Internacional* (DCI) acompanhada de uma *marca* ou pelo *nome do requerente* ou do *titular da AIM*.

Faz-se mister que estes sinais não criem qualquer confusão ou equívoco com as propriedades terapêuticas e natureza do medicamento.

---

determinante na restauração, correcção ou modificação das funções fisiológicas. Na composição de um medicamento, para além da *substância activa* (ou *associação de duas ou mais substâncias activas*), temos ainda os *excipientes*, ou seja, as matérias-primas que se juntam às substâncias activas, a fim de lhes servir de veículo, possibilitar a sua preparação ou estabilidade, modificar as suas propriedades organolépticas ou determinar as propriedades físico-químicas do medicamento e a sua biodisponibilidade (artigo 3.°/1, alínea *s*), do Decreto-Lei n.° 176/2006, de 30 de Agosto).

[39] Artigo 8.°/1 do citado Decreto-Lei n.° 176/2006, de 30 de Agosto.

[40] Cfr. o artigo 3.°/1, alínea *m*), do Decreto-Lei n.° 176/2006, de 30 de Agosto.

7.5. Marca do medicamento *de referência e marca do* medicamento genérico

O *medicamento genérico* também pode ser comercializado sob uma *marca*. Mas isto não é, obviamente, obrigatório.

De facto, o n.° 10 do artigo 105.° do DL n.° 176/2006, de 30 de Agosto, determina que o *medicamento genérico* deve ser identificado pelo seu *nome* (ou seja, pela marca e/ou pela *Denominação Comum Internacional* e/ou pelo nome do requerente ou pelo titular da AIM em Portugal), seguido da dosagem, da forma farmacêutica e da sigla "MG", as quais devem constar do *acondicionamento secundário* do medicamento.

7.5.1. Conceito *de medicamento de referência e de medicamento genérico*

O *medicamento genérico* é, por oposição ao *medicamento de referência* (ou medicamento inovador), todo o medicamento que é provido da mesma composição qualitativa e quantitativa em substâncias activas, a mesma forma farmacêutica e cuja bioequivalência com o medicamento de referência tenha sido demonstrada através de estudos de biodisponibilidade apropriados.

Vale isto por dizer que um *medicamento genérico* é aquele que – na medida em que é *bioequivalente* ao *medicamento de referência* – é submetido e aprovado pela autoridade sanitária competente apenas com base em *estudos de bioequivalência*, a partir de *amostras* do medicamento de referência, sem que se faça mister prestar todas as informações relevantes com base em testes ou ensaios farmacológicos, pré-clínicos e clínicos.

Todavia, o procedimento de comparação destinada a esta aprovação administrativa do medicamento genérico apenas pode ser iniciado após ter cessado o *prazo de protecção dos dados* plasmados naquele *Documento Técnico Comum* anteriormente apresentado pela titular da AIM do medicamento de referência[41].

O requerente de uma AIM de um medicamento genérico não tem, desta sorte, que fazer acompanhar o seu pedido dos resumos pormenorizados de uma vasta gama de informações previstas no denominado *Documento*

---

[41] Esse prazo é, na União Europeia, de *oito anos*, a contar da emissão da AIM relativa ao medicamento de referência (artigo 19.°/1 do Decreto-Lei n.° 176/2006, de 30 de Agosto).

Técnico Comum, constante do Anexo I ao Decreto-Lei n.° 176/2006, de 30 de Agosto.

7.6. *Restrições legais à* **função publicitária** *da marca dos medicamentos*

A publicidade dos medicamentos (*et, pour cause*, a publicidade da eventual marca que os pode assinalar) consiste na actividade que tem como propósito e finalidade promover um medicamento, incluindo qualquer forma de comunicação cujo efeito desemboca, *objectivamente*, na promoção de um medicamento, independentemente do propósito que tenha presidido ao titular da AIM[42]. Assim, a própria *referência ao nome comercial do medicamento* (que pode nem incluir uma marca, como vimos) *é havida como publicidade*[43].

Só podem ser objecto de publicidade junto do público os *medicamentos não sujeitos a receita médica, que não contenham substâncias definidas como estupefacientes ou psicotrópicos e não sejam medicamentos comparticipados*[44] (sejam, ou não, sujeitos a receita médica). Pode assim ser feita publicidade de medicamentos junto dos *profissionais de saúde* e dos *distribuidores* (grossistas, farmácias).

Atente-se, porém, que é, igualmente, *proibida a publicidade de medicamentos que não sejam objecto de uma AIM válida em Portugal*[45], mesmo que tais medicamentos sejam objecto de *marca registada*, nacional ou comunitária (incluída no nome do medicamento).

Outrossim, se *proíbe a publicidade dos medicamentos sujeitos* a *autorizações especiais*[46]. É o que sucede tanto no caso de medicamentos cuja utilização se revela necessária ou imprescindível para prevenir, diagnosticar ou tratar determinadas patologias, quanto para combater a propagação de agentes patogénicos, toxinas, agentes químicos ou de radiação nuclear, susceptíveis de causar efeitos nocivos, seja, ainda, em casos excepcionais, a fim de serem adquiridos por farmácias e dispensados a doentes específicos.

---

[42] Art. 150.°/1 do Decreto-Lei n.° 176/2006, de 30 de Agosto.

[43] Art. 150.°/1, alínea *h*), do mesmo diploma.

[44] Artigo 152.°/2, alínea *a*), do Decreto-Lei n.° 176/2006, de 30 de Agosto.

[45] Artigo 152.°/1 do Decreto-Lei n.° 176/2006, de 30 de Agosto.

[46] Arts. 92.° e 93.° do citado decreto-lei, *ex vi* do art. 152.°/1 do mesmo diploma.

De igual sorte, é vedada a publicidade aos *medicamentos submetidos a autorizações excepcionais de comercialização*, *maxime*, a venda em Portugal de *medicamentos órfãos* destinados a tratar doenças raras ou *medicamentos cuja comercialização em Portugal não é comercialmente viável*, atentos os elevados custos inerentes à submissão ao INFARMED (ou a outras autoridades sanitárias de Estados-Membros, no quadro de procedimentos descentralizados) de dossiês providos de dados farmacológicos, pré-clínicos e clínicos respeitantes ao medicamento para o qual é pedida a emissão de uma AIM[47].

A publicidade – quando permitida – tem de transparecer aos olhos do consumidor enquanto tal, sendo proibida a *publicidade oculta* ou *dissimulada*.

Na publicidade deve referir-se expressamente que o objecto publicitado é um *medicamento* e não um *normal produto de consumo*.

A *marca do medicamento*, bem como a *denominação comum* devem constituir uma das informações a comunicar (incluindo a publicidade junto dos profissionais de saúde).

7.7. *Rotulagem: a reprodução ou a imitação das embalagens e dos rótulos*

As menções contidas no acondicionamento do medicamento (*acondicinamento primário* ou *acondicionamento secundário* ou numa *dose unitária*) devem incluir o *nome do medicamento*, ou seja, a *marca* (se assim o agente económico o desejar) pelo qual irá ser conhecido nos círculos interessados, seguido da *Denominação Comum Internacional*[48].

---

[47] No mesmo sentido, PINHEIRO, Paulo/GORJÃO-HENRIQUES, Miguel, *Direito do Medicamento*, Coimbra, Coimbra Editora, 2009, p. 153.

[48] Art. 105.°/1, alínea *a*), e n.° 4, do DL n.° 176/2006, de 30 de Agosto. As regras sobre rotulagem também já contam dos arts. 54.° a 69.° da citada Directiva n.° 2001/83/CE, na redacção dada pela mencionada Directiva n.° 2004/27/CE.

O INFARMED está, igualmente, autorizado a criar *normas especiais* homologadas por Portaria do Ministro da Saúde, relativas à *rotulagem* e ao *folheto informativo*, designadamente em matéria de advertências especiais, métodos de identificação e autenticação dos medicamentos ou das diferentes dosagens de uma mesma substância activa (*maxime*, tipo de codificação ou as cores a utilizar), lista de excipientes que devem constar do rótulo, pictogramas adequados a alertar para os efeitos do consumo do medicamento sobre a capacidade de condução ou utilização de máquinas (art. 109.°/1 do Decreto-Lei n.° 176/2006, de 30 de Agosto).

Em matéria de *rotulagem* dos medicamentos (e, igualmente, de *reembalagem*[49]), pode avultar a *função publicitária* da marca farmacêutica. Vejamos.

Não raras vezes, os fabricantes de *medicamentos genéricos*, munidos de AIM válida em Portugal ou titulares de uma *autorização de importação paralela* (cfr., *infra*, § 6.8.), tentam imitar ou reproduzir as características da aparência das embalagens (no acondicionamento secundário) ou dos próprios invólucros ou recipientes que estão em contacto com o medicamento (no acondicionamento primário), incluindo os folhetos informativos – *v.g.*, cores, linhas, tipo de letra, textura, contornos, etc.

Pode legitimamente perguntar-se se a autoridade sanitária é competente para fiscalizar e sancionar tais práticas[50] ou se, pelo contrário, essa competência deve ser reconhecida aos tribunais judiciais, no quadro das medidas de aplicação efectiva dos direitos de propriedade industrial.

A solução parece-me ser a seguinte: a competência pertencerá, em primeira linha[51], à *autoridade sanitária* no caso de *existir mais de uma dosagem do mesmo medicamento na mesma forma farmacêutica ou formas farmacêuticas diferentes, em dosagens distintas ou não, do mesmo medicamento, se e quando as menções do rótulo, do folheto informativo puderem causar erros de utilização*, designadamente, quando puder ocorrer *erro quanto à dosagem* ou *devido à utilização de cores ou caracteres iguais ou semelhantes para a identificação das dosagens*[52]. Posto que está em causa um problema de *saúde pública* e o *interesse público* em garantir a *fácil diferenciação do medicamento no que tange à dosagem* a administrar ao paciente, intui-se facilmente que a tutela desse interesse deva caber à autoridade sanitária.

---

[49] No caso que descreverei, seguidamente, no âmbito da questão da *importação paralela* de medicamentos.

[50] Se esta resposta for afirmativa, o INFARMED dispõe da possibilidade de *suspender a AIM* até que a rotulagem ou o folheto informativo do medicamento em causa estejam em conformidade com as regras técnicas estabelecidas, o que implica a *retirada do medicamento do mercado*, no prazo fixado na respectiva decisão, devendo o titular da AIM proceder à recolha e creditação dos distribuidores e locais de venda desse medicamento (art. 178.°, *ex vi* do art. 108.°, ambos do Decreto-Lei n.° 176/2006, de 30 de Agosto), sob cominação da prática de uma *contra-ordenação* punível até € 35 000, se o infractor for pessoa colectiva (art. 181.°/3, alínea *c*), do citado Decreto-Lei n.° 176/2006).

[51] Sem prejuízo de, *cumulativamente*, o titular da marca objecto de imitação ou reprodução accionar o concorrente nos tribunais judiciais, por violação do direito de marca.

[52] Cfr. o n.° 5 do artigo 105.° do Decreto-Lei n.° 176/2006, de 30 de Agosto.

Por outro lado, a autoridade sanitária desfruta do poder de *suspender* a AIM e *ordenar a retirada do medicamento* do mercado se, *independentemente da imitação ou reprodução das embalagens e dos rótulos* (ou do folheto informativo), o concorrente titular da AIM *violar as normas legais e regulamentares por cuja observância, cumprimento e sancionamento esta autoridade sanitária* é responsável, designadamente, nas situações previstas no artigo 179.° do citado Decreto-Lei n.° 176/ /2006, de 30 de Agosto. Não porque seja um concorrente, mas porque podem achar-se violadas regras especiais relativas à tutela dos interesses da segurança, da eficácia e qualidade dos medicamentos objecto de AIM válida em Portugal.

À parte as situações atrás mencionadas, o titular de uma AIM válida em Portugal que seja, igualmente, *titular de uma marca* que componha o *nome do medicamento* pode sempre mobilizar o ilícito da *concorrência desleal* – junto dos tribunais e junto do INPI[53] –, se e quando a imitação ou reprodução das características da aparência das embalagens e dos rótulos puder ser integrada na denominada *concorrência parasitária*[54], enquanto *conduta contrária às normas e práticas honestas em matéria comercial ou industrial*, ou seja, quando ocorre uma reprodução ou imitação qualificável como acto de aproveitamento indevido das prestações (empresariais) do concorrente, designadamente quando as embalagens ou os rótulos sejam deliberadamente concebidos para fazerem recordar as embalagens e os rótulos do seu concorrente, mesmo quando o *nome do medicamento* não inclui uma *marca* protegida.

Por fim, uma outra via destinada a impedir a imitação ou a reprodução das embalagens e/ou dos rótulos consiste na tutela das *características da aparência* destes produtos por via do regime da *marca de forma*[55] ou

---

[53] Se, neste último caso, a conduta do concorrente puder ser subsumida a um *ilícito contra-ordenacional*, aí onde a instrução do processo cabe à *Autoridade de Segurança Alimentar e Económica* (ASAE) e a eventual aplicação da coima (e as eventuais sanções acessórias) compete ao INPI.

[54] Sobre este ilícito, entre nós, cfr. Oliveira Ascensão, José de, *Concorrência Desleal*, Coimbra, Almedina, 2002, pp. 444-448; Menezes Leitão, Adelaide, "Imitação servil, concorrência parasitária e concorrência desleal", in: *Direito Industrial*, vol. I, Coimbra, Almedina, 2001, p. 119 ss., p. 121.

[55] Artigos 222.°/1, 2.ª parte, e 223.°/1, alínea *b*), ambos do CPI: aqui a forma do produto é que constitui a marca, contanto que não seja uma forma "escrava" da função exercitada pelo produto ou que não confira, enquanto forma, um valor substancial ao produto cuja proveniência visa assinalar.

através do regime dos *desenhos ou modelos* (nacionais[56] ou comunitários[57]). Nesta hipótese, é pressuposto da tutela jurídica a prévia constituição, através do registo, de tais características da aparência destas embalagens ou invólucros ou a *divulgação pública* dessas características da aparência (nos termos do regime dos desenhos ou modelos comunitários não registáveis[58]).

7.8. *A alteração da marca (do medicamento) e as exigências regulatórias*

Se é verdade que a marca pode ser objecto de alteração, contanto que esta alteração *não prejudique a identidade do sinal* e somente afecte as suas proporções, o material em que tiver sido cunhada, gravada ou reproduzida e a tinta ou cor (art. 261.°/2 do CPI) – como também se permite a modificação do sinal se esta se limitar à inclusão ou supressão da indicação expressa do produto a que a marca se destina, do ano de produção e do domicílio ou do lugar em que o titular está estabelecido (art. 261.°/3, do mesmo Código) –, não é menos certo que este poder, que assiste ao titular, de *modificação da marca* não convive plenamente com o regime da *marca farmacêutica* integrada no *nome do medicamento* sujeito a uma AIM válida em Portugal; outrossim, este *poder de modificação da marca farmacêutica* não pode ser livremente exercido, *nos termos prescritos no CPI, durante o procedimento administrativo de concessão de AIM* para o medicamento que a marca pretende assinalar.

O Estatuto do Medicamento prevê dois tipos de alterações dos termos de uma AIM válida em Portugal: *alterações menores* ou de tipo I e *alterações maiores* ou de tipo II[59].

As condições de procedência do pedido de alteração ligam-se, como veremos a seguir, à *observância de padrões de qualidade, segurança e efi-*

---

[56] Arts. 173.° e ss. do CPI.

[57] Cfr. o Regulamento (CE) n.° 6/2002, do Conselho, de 12 de Dezembro de 2001.

[58] Cuja tutela exclusiva dura apenas *três anos*, a contar da data da divulgação dessas características da aparência ao público, contanto que estas sejam susceptíveis de ter chegado ao conhecimento dos agentes económicos interessados que operam, no domínio do sector farmacêutico, na União Europeia (arts. 1.°/2, alínea *a*), e 11.°/1 e 2 do Regulamento (CE) n.° 6/2002).

[59] Art. 3.°/1, alíneas *f*) e *g*), e arts. 33.° a 36.°, todos do Decreto-Lei n.° 176/2006, de 30 de Agosto.

cácia (*v.g.*, em matéria de estabilidade da substância activa ou dos excipientes) e *qualidade do medicamento*, de tal modo que uma *alteração da marca do medicamento* susceptível de autorização, à luz das condições previstas no CPI, pode ser negada, pelo INFARMED (ou pela Agência Europeia do Medicamento), face ao disposto no actual Estatuto do Medicamento ou na legislação comunitária aplicável[60].

De entre as denominadas (e múltiplas) *alterações menores*[61], destaco:

- A *alteração do nome do medicamento* (denominação comercial ou de fantasia)[62].
- A alteração de qualquer parte do *material de acondicionamento primário* que não esteja em contacto com a formulação do produto acabado (p. ex., a cor das cápsulas, os anéis de código cromático gravados em ampolas, a utilização de plástico diferente no protector das agulhas)[63].

---

[60] De facto, as alterações requeridas ao abrigo de *procedimentos administrativos comunitários* (*scilicet*, procedimentos de reconhecimento mútuo, procedimento descentralizado e procedimento centralizado) são reguladas pela legislação comunitária pertinente, nomeadamente o Regulamento (CE) n.° 1084/2003, da Comissão, de 3 de Junho de 2003, relativo à análise da alteração dos termos das autorizações de introdução no mercado de medicamentos para uso humano e medicamentos veterinários concedidas pelas autoridades competentes dos Estados-Membros, e o Regulamento (CE) n.° 1085/ /2003, da Comissão, de 3 de Junho de 2003, relativo à análise da alteração dos termos das autorizações de introdução no mercado de medicamentos para uso humano e medicamentos veterinários no âmbito do Regulamento (CEE) n.° 2309/93 do Conselho (já revogado pelo Regulamento (CE) n.° 726/2004). Assim, todas as referências efectuadas naquele Regulamento (CEE) n.° 2309/93 devem considerar-se feitas ao Regulamento (CE) n.° 726/2004, do Parlamento Europeu e do Conselho, sobre os procedimentos comunitários de autorização, fiscalização e farmacovigilância no que respeita aos medicamentos para uso humano e sobre a instituição de uma Agência Europeia do Medicamento.

[61] Cuja previsão e condições de admissibilidade estão previstas no Anexo III ao Decreto-Lei n.° 176/2006, de 30 de Agosto.

[62] Neste caso, a alteração somente é aceita pelo INFARMED *se o* (novo) *nome do medicamento não for confundível com os nomes de outros medicamentos já existentes ou com denominação comum internacional*. Não se esqueça que o nome do medicamento pode integrar uma *marca* (ponto n.° 2 do Anexo III ao citado decreto-lei).

[63] Neste caso, a alteração é aceita se não for referida a uma parte componente fundamental do material de acondicionamento que afecte o fornecimento, a utilização, a segurança ou a estabilidade do produto acabado (ponto n.° 28 do referido Anexo III).

– A alteração na composição qualitativa e/ou quantitativa do material de acondicionamento primário[64].
– A *alteração da dimensão dos lotes do produto acabado* (p. ex., aumento de 10 vezes, no máximo da dimensão original do lote anteriormente aprovada; redução de escala até 10 vezes)[65].
– A *alteração do nome* ou da morada do titular da AIM[66].
– A *alteração do nome* da substância activa[67].
– A *alteração do nome* ou da *morada do fabricante* do produto acabado[68].
– A alteração da *forma ou das dimensões do recipiente ou do fecho*[69].

[64] Neste caso, é permitida a alteração se o produto em causa não for biológico ou um produto esterilizado, se o material de acondicionamento proposto for equivalente, pelo menos, ao material aprovado, no que respeita às propriedades relevantes, e se tiverem tido início estudos de estabilidade, de acordo com as normas orientadoras aplicáveis em, pelo menos, dois lotes à escala piloto u à escala de produção e existam dados de estabilidade relativos a um mínimo de três meses à disposição do requerente. No mais, os requerentes desta específica alteração comprometem-se a concluir os estudos e a enviar os dados à autoridade sanitária, caso exorbitem as especificações ou fiquem potencialmente para além delas no fim do prazo de validade aprovado (ponto n.° 29 do referido Anexo III).

[65] Nesta hipótese, a alteração somente é autorizada pelo INFARMED se não afectar a reproductibilidade e/ou a consistência do produto; apenas pode respeitar a formas farmacêuticas orais de libertação imediata clássicas e a formas líquidas não esterilizadas; não pode abranger medicamentos cuja substância activa seja uma matéria biológica (*v.g.*, bactérias, células, vírus, sequências de ADN, etc.); exige o início da realização de estudos de estabilidade de acordo com as normas orientadoras aplicáveis (ponto n.° 32 do citado Anexo III).

[66] Nesta eventualidade, o deferimento do pedido de alteração depende da circunstância de o titular da AIM válida em Portugal dever continuar a ser a mesma entidade jurídica (ponto n.° 1 do mencionado Anexo III).

[67] Neste caso, o pedido de alteração é deferido se a substância activa permanecer inalterada (ponto n.° 2 do citado Anexo III).

[68] Nesta hipótese, o pedido de alteração é favoravelmente decidido se o local do fabrico do medicamento permanecer inalterado.

[69] Neste caso, a alteração é autorizada se não houver alteração da composição quantitativa ou qualitativa do recipiente, se não respeitar a uma componente fundamental do material de acondicionamento que afecte o fornecimento, a utilização, a segurança ou a estabilidade do produto acabado e, em caso de alteração do espaço livre ou do rácio de superfície/volume, tiverem sido iniciados estudos de estabilidade de harmonia com as normas orientadoras aplicáveis em, pelo menos, dois lotes à escala piloto ou lotes à escala de produção e os resultados referentes à estabilidade, relativos a um mínimo de três meses, fiquem à disposição do requerente (ponto n.° 36 do citado Anexo III).

- A alteração ou *adição da gravação, do relevo ou de outras marcações de comprimidos ou da marcação gráfica de cápsulas*, incluindo a substituição ou adição de tintas utilizadas na marcação do produto[70].
- A *alteração das dimensões dos comprimidos*, cápsulas, supositórios ou pessários sem alteração da sua composição, qualitativa ou quantitativa, nem do seu peso[71].
- A alteração da dimensão da embalagem do produto acabado (*scilicet*, a alteração do número de unidades de uma embalagem e a alteração do peso de enchimento/volume de enchimento de produtos *multidose* não parentéricos[72]).

7.9. *A* **marca farmacêutica** *e a* **importação paralela** *de medicamentos*

Uma vez que – à excepção da marca comunitária, a qual vigora unitariamente em todo o espaço territorial da União Europeia – o direito de marca apenas pode ser exercido dentro do espaço territorial do Estado cuja autoridade administrativa competente o constituiu ou reconheceu, o titular pode deter diferentes direitos de marca, cujo sinal seja igual, em diferentes países.

Uma das faculdades jurídicas contidas no *licere* deste exclusivo consiste precisamente no *poder de impedir a importação* de produtos idênticos ou afins daqueles para os quais a marca foi registada que ostentem um sinal igual ou semelhante, de tal modo que essa semelhança entre os sinais

[70] Nessa hipótese, exige-se, para efeitos do deferimento do pedido de alteração, que as especificações do produto acabado de libertação e de fim do prazo de validade permaneçam inalteradas (excepto no que diz respeito ao aspecto) e que a junção de tinta nova deve cumprir o disposto na legislação farmacêutica aplicável (ponto n.° 39 do mencionado Anexo III).

[71] Neste caso, o deferimento deste pedido fica dependente do facto de o perfil de dissolução do produto reformulado seja comparável ao antigo (ou que o tempo de desagregação seja comparável ao antigo, no caso de medicamentos à base de plantas) e da imodificabilidade das especificações do produto acabado de libertação e do termo do prazo de validade (ponto n.° 40 do citado Anexo III).

[72] A aprovação da alteração fica condicionada ao facto de a nova dimensão da embalagem dever ser coerente com a posologia e a duração do tratamento aprovado, constante do resumo das características do medicamento, e que o material de acondicionamento primário permaneça inalterado (ponto n.° 41 do referido Anexo III).

e a identidade ou afinidade dos produtos possa causar um risco de confusão ou associação no espírito do consumidor[73].

Esta circunstância permitiu, no passado, ao titular da marca usar esta faculdade jurídica, a fim de impedir a importação de produtos provenientes de outro Estado-Membro, ainda quando tivera sido esse mesmo titular, ou outrem com o seu consentimento[74], a colocar tais produtos nesse outro Estado-Membro de proveniência.

Esta prática mostra-se, não raras vezes, contrária aos interesses dos consumidores, pois que a *livre importação* dos produtos para este Estado-Membro, sem a interferência do titular da marca, pode gerar uma baixa do preço desses produtos: é que tais produtos foram adquiridos pelo importador paralelo em outro Estado-Membro a um preço mais baixo do que o praticado, pelo titular da marca, no Estado-Membro do destino. O Governo do Estado da importação também sai, geralmente, favorecido, já que, no caso de o medicamento ser objecto de comparticipação, são menores os encargos suportados pelo *Serviço Nacional de Saúde* desse Estado ou pelas empresas que contratam seguros de saúde.

De resto, o titular da marca no Estado da origem dos produtos também obterá vantagens, já que ocorrerá um aumento das vendas nesse Estado-Membro de origem. Todavia, a realidade não é assim tão, ingenuamente, linear, dado que o titular da marca pode invocar *justos motivos* para desejar segmentar os mercados dos Estados-Membros onde tenha obtido o registo do sinal[75].

Atente-se, desde logo, no sector farmacêutico, aí onde a fixação do preço dos medicamentos tem na sua origem *mecanismos regulatórios administrativos* assaz complexos, providos de requisitos e critérios variáveis entre os diferentes Estados-Membros[76].

---

[73] Art. 258.° do CPI; art. 9.°/2, alínea *c*), do Regulamento (CE) n.° 40/94, do Conselho, de 20 de Dezembro de 1993, sobre o regime da *marca comunitária*; art. 5.°/3, alínea *c*), da Directiva n.° 89/104/CEE, do Conselho, de 21 de Dezembro de 1988, que harmoniza as legislações dos Estados-Membros em matéria de Marcas.

[74] Ou, ainda, por uma sociedade ligada ao titular da marca, seja porque é por ele dominada, seja porque pertence ao mesmo grupo de sociedades.

[75] Bently, Lionel/Sherman, Brad, *Intellectual Property Law*, 3.ª edição, Oxford, Auckland, etc., Oxford University Press, 2009, p. 942.

[76] Cfr., sobre o regime da fixação de preços dos medicamentos, Remédio Marques, João Paulo, "O direito de patentes, o sistema regulatório de aprovação, o direito da concorrência e o acesso aos medicamentos genéricos", in: *Direito Industrial*, vol. VII, Coimbra, Almedina, 2010, p. 285 ss., pp. 299-302; Remédio Marques, João Paulo, "O direito de

Se o titular da marca *nunca* pudesse impedir a importação paralela de medicamentos por ele (ou por alguém com o seu consentimento), pela primeira vez, colocados no mercado em outro Estado-Membro, este titular apenas poderia almejar comercializar tais medicamentos (em qualquer Estado-Membro) pelo preço mais baixo fixado à luz dos *critérios nacionais* determinados por uma autoridade sanitária de um qualquer dos Estados-Membros[77].

Mas, por outro lado, é relativamente fácil observar que esta livre e irrestrita possibilidade de importação paralela, por parte dos concorrentes do titular da marca pode enfraquecer a capacidade de o titular da marca se opor à importação paralela de *produtos contrafeitos.*

A *importação paralela* refere-se, assim, à actividade de um *empresário independente* (do titular da marca) que adquire os produtos (não contrafeitos) num Estado – onde normalmente são mais baratos – e procede ao seu transporte e (re)venda em outro Estado (que o titular da marca tenha, ou não, direito de marca válido neste último Estado), um daqueles Estados onde os mesmos produtos são mais caros[78].

Após algum combate, doutrinal e jurisprudencial – aí onde se perfilava o necessário compromisso entre a *livre circulação de produtos no mercado interno das Comunidades Europeias* e os direitos nacionais, *territoriais* e *independentes*, de propriedade industrial[79] –, o Tribunal de

patentes, o sistema regulatório de aprovação e o acesso aos medicamentos genéricos", in: *Actas de Derecho Industrial Y Derecho de Autor*, vol. 29 (2008-2009), Madrid, Barcelona, Buenos Aires, Marcial Pons, 2009, p. 455 ss., pp. 466-469; BLANCHARD, A. M./GILL, K./STEINBERG, J., *A Practical Guide to IP Issues in the Pharmaceutical Industry*, London, Sweet & Maxwell, 2007, pp. 11-16.

[77] BENTLY, Lionel/SHERMAN, Brad, *Intellectual Property Law*, 3.ª edição, 2009, cit., p. 942, nota 69.

[78] CORNISH, William/LLEWELYN, David/APLIN, Tanya, *Intellectual Property*, 7.ª edição, London, Thompson Reuters, Sweet & Maxwell, 2010, cit., § 1-58, p. 51. Este fenómeno é diferente da atribuição de direitos exclusivos para fabricar ou vender um produto num Estado onde o titular goza de marca: nesta hipótese, o titular da marca autoriza o licenciado a escolher os melhores canais merceológicos de exploração do produto (ou do serviço). Na *importação paralela*, pressupõe-se que o titular da marca já tenha efectuado a escolha dos mercados e dos diferentes preços de venda, aí onde certos grupos de consumidores se acham, à partida, sempre prejudicados pelo preço (mais alto) com que os produtos foram, pela primeira vez, colocados no mercado pelo titular da marca.

[79] É, porém, certo que, nos primeiros tempos, o Tribunal de Justiça começou por favorecer os interesses merceológicos dos importadores paralelos ao arrimo dos então arts. 85.° e 86.° do Tratado e Roma (agora, arts. 101.° e 102.° do Tratado sobre o Funciona-

Justiça das então Comunidades Europeias acabou por reconhecer, ainda durante a década de setenta do século passado, o *princípio do esgotamento* dos direitos de propriedade intelectual[80], *et, pour cause*, do esgotamento do direito de marca. Isto embora, em homenagem à *função distintiva* da marca enquanto *directriz de uso não enganoso* desta, também tivesse reconhecido que o titular da marca poderia invocar razões legítimas no sentido de se opor à comercialização dos produtos por si colocados, pela primeira vez, no mercado de um dos Estados-Membros.

O art. 259.°/1 do CPI responde a estas preocupações, ao preceituar que "os direitos conferidos pelo registo não permitem ao seu titular proibir o uso da marca em produtos comercializados, pelo próprio ou com o seu consentimento, no espaço económico europeu". Daí também que o actual art. 13.°/1 do Regulamento (CE) n.° 40/94, sobre o regime jurídico da *marca comunitária*, determine que "o direito conferido pela marca comunitária não permite ao seu titular proibir a sua utilização para produtos comercializados na Comunidade sob essa marca pelo titular ou com o seu consentimento".

Na perspectiva da actual jurisprudência do Tribunal de Justiça da União Europeia, o esgotamento ou exaurimento do direito de marca *não é internacional*; é, isso sim, um esgotamento circunscrito ao denominado (desde 1992) *Espaço Económico Europeu*, que engloba, para além dos 27 Estados-Membros da União Europeia, a Suíça, a Islândia, a Noruega e o Liechtenstein.

O *objecto específico* do direito de marca – qual seja, o direito exclusivo de utilizar a marca pela primeira vez no mercado, através da coloca-

---

mento da União Europeia). Ou seja, o problema da admissibilidade da importação paralela de produtos protegidos por direitos de propriedade intelectual no Estado-Membro do destino jogava-se à luz das regras do *direito da concorrência* – CORNISH, William/LLEWELYN, David/APLIN, Tania, *Intellectual Property, Patents, Copyright, Trade Marks and Allied Rights*, 7.ª edição, 2010, cit., § 19-02, p. 819.

[80] No proc. C-78/70, caso *Deutsche Grammophon GmbH c. Metro-SB-Grossmarkte GmbH & Co KG*; proc. C-15/74, no caso *Centrafarm BV e Adriaan De Peijper c. Sterling Drugs*; proc. C-193/73, no caso *Van Zuylen Freres c. Hag AG* (Hag I); proc. C 3/78, no caso *Centrafarm c. American Home Products Corporation*; proc. C-58/80, no caso *Dansk Supermarked c. Imerco*; proc. C-10/89, no caso *CNL-Sucal c. Hag* (Hag II); proc. C-187/80, no caso *Merck & Co c. Stephar BV & Exler*; processos. apensos C-427/93 e C-429/93, nos casos *Bristol Myers Squibb c. Paranova & CH Boehringer Sohn, Boehringer Ingelheim KG, Boehringer Ingelheim c. Paranova e Bayer AG e Bayer Denmark c. Paranova.*

ção do mercado dos produtos que a ostentam – esgota-se com essa *primeira colocação no mercado de um dos Estados-Membros pelo respectivo titular ou por outrem com o seu consentimento.* Donde, o titular da marca não pode, doravante, impedir a *ulterior circulação* dos produtos (e a sua eventual *ulterior reembalagem*, sob certas condições) por ele colocados no mercado ou por alguém com o seu consentimento, salvo se, como veremos a seguir, essa ulterior comercialização implicar outros aspectos relevantes *para além* daqueles implicados no *objecto específico do direito de marca.*

Quer isto dizer que podem surpreender-se motivos relevantes para autorizar que o titular da marca num Estado-Membro possa opor-se, válida e legitimamente, à ulterior comercialização dos bens por si colocados, pela primeira vez, no mercado de um dos Estados-Membros[81]. Vejamos tais situações que permitem a oposição do titular da marca.

Uma das situações de cuja verificação depende o poder de o titular da marca poder *opor-se à ulterior comercialização* dos produtos é aquela em que:

(1) Os produtos são alterados pelo importador paralelo,
(2) Os produtos são *reembalados* por este importador paralelo e o acondicionamento (primário e/ou secundário) sofre alterações (*v.g.*, linhas, cores, textura das embalagens, menções do importador paralelo, do fabricante, etc.),
(3) A marca é objecto de alteração pelo importador paralelo, ou
(4) Os bens (ou serviços) são objecto de publicidade pelo concorrente.

O art. 80.° e ss. do Decreto-Lei n.° 176/2006, de 30 de Agosto, disciplinam o importante problema da *importação paralela de medicamentos.*

Há que atentar na regra fundamental: o titular da AIM em Portugal não pode, em princípio, proibir ou restringir a circulação do medicamento comercializado sob uma marca no mercado da União Europeia (esgotamento comunitário: para o bom funcionamento actual do mercado da União Europeia), contanto que este tenha sido, pela primeira vez, colocado neste espaço jurídico e económico por si ou por terceiro com o seu consentimento.

---

[81] Cfr. o art. 7.°/2 da Directiva sobre Marcas; o art. 259.°/2 do CPI; e art. 13.°/2 do Regulamento (CE) n.° 40/94, do Conselho, sobre o regime da marca comunitária.

Por cada vez que o titular da marca (e da AIM) coloque, pela primeira vez, produtos no mercado do Espaço Económico Europeu, *esgota-se* ou *exaure-se* o direito de o respectivo titular excluir, impedir ou condicionar a ulterior circulação dos lotes colocados no mercado de um Estado-Membro da União Europeia, na Noruega, na Suíça ou no Lichsteistaina.

O *esgotamento* pode ser *directo* (neste caso, é o titular no Estado da importação que apõe a marca no medicamento e coloca os produtos no mercado) ou *indirecto* (neste caso, um terceiro procede a estes actos mediante o consentimento, expresso ou implícito, do titular). Este terceiro tanto pode ser um licenciado da marca, como uma sociedade que mantenha com o titular da marca uma relação de grupo ou um concessionário exclusivo.

O interessado em proceder a uma importação paralela de medicamentos para Portugal não precisa obter uma nova AIM em Portugal.

7.9.1. *Requisitos gerais para a autorização da importação paralela de medicamentos*

O Estatuto do Medicamento, vigente em Portugal[82], consagra, no art. 81.° e ss., um acervo de requisitos de cuja verificação depende a válida importação paralela de medicamentos para Portugal.

Note-se, desde já, que o medicamento objecto da importação paralela é, normalmente, comercializado sob a marca do medicamento considerado, objecto de AIM válida em Portugal, embora, como veremos adiante, tal não seja obrigatório.

Há, no entanto, que observar um acervo de requisitos permissivos de uma lícita importação paralela de medicamentos, quais sejam:

a) É preciso que o medicamento seja objecto, no Estado-Membro da proveniência, de uma válida autorização de introdução no mercado.

b) É preciso que a autorização a conceder para a importação paralela não represente um *risco para a saúde*;

c) Deve a importação paralela ser notificada ao titular da AIM em Portugal do "medicamento considerado" (este "medicamento considerado" é aquele que é objecto de uma AIM válida num Estado-

---

[82] DecretoLei n.° 176/2006, de 30 de Agosto, em particular na redacção dada pelo Decreto-Lei n.° 182/2009, de 7 de Agosto.

-Membro, *in casu*, em Portugal, com a mesma composição quantitativa e qualitativa em substancias activas, a mesma forma farmacêutica e as mesmas indicações terapêuticas)[83].

d) Só podem ser objecto de importação paralela os medicamentos que, relativamente ao *medicamento considerado*, objecto de válida AIM em Portugal (com a mesma composição quantitativa e qualitativa em substâncias activas, a mesma forma farmacêutica e as mesmas indicações terapêuticas), possuam a mesma forma composição quantitativa e qualitativa em substâncias activas, a mesma forma farmacêutica e as mesmas indicações terapêuticas; podem, porém, ser usados excipientes diferentes ou em quantidades diferentes, desde que sem incidência terapêutica.

e) Bem como podem ser objecto de importação paralela os medicamentos que tenham uma *origem comum* (ou seja, os medicamentos fabricados noutro Estado-Membro por uma empresa ligada *contratualmente* à empresa titular da AIM em Portugal, ou uma empresa do mesmo *grupo de sociedades*).
Neste caso, *presume-se*[84] que o medicamento objecto da importação paralela, em relação ao medicamento considerado (titulado por AIM num qualquer Estado-Membro), tem a mesma composição quantitativa e qualitativa em substâncias activas, a mesma forma farmacêutica e as mesmas indicações terapêuticas e que a autorização de importação paralela não representa um risco para a saúde pública[85].

---

[83] Observe-se, porém, que a importação paralela não está irremissivelmente condicionada pela manutenção de uma AIM em Portugal, relativamente ao medicamento considerado. Pode ser mantida a importação paralela de medicamentos que deixe de ter uma AIM válida em Portugal. De fato, a renúncia ou a retirada da AIM do medicamento de referência, vigente em Portugal (*maxime*, pelo titular da marca em Portugal) – ou seja, no Estado-Membro de importação – não implica que a autorização de importação paralela deixe automaticamente de ser válida, independentemente de a nova versão do medicamento ser colocada apenas no Estado-Membro de importação ou se encontrar, igualmente, no mercado de outros Estados-Membros Já, neste sentido, veja-se o acórdão do Tribunal de Justiça, de 10/09/2002, proc. C-172/00, no caso *Ferring Arzneimittel GmbH c. Eurim-Pharma Arzneimittel GmbH.*

[84] Ao abrigo da nova redacção do artigo 81.°/2 do Decreto-Lei n.° 176/2006, de 30 de Agosto, dada pelo Decreto-Lei n.° 182/2009, de 7 de Agosto.

[85] A conformação deste requisito, no que toca à presença ou ausência de *origem comum*, parece resultar, ao que parece, da jurisprudência formada a partir da decisão do

f) *Na falta de origem comum*, faz-se mister que a AIM não represente um risco para a saúde pública;
g) Se utilizarem *excipientes diferentes* ou em *quantidades diferentes*, é preciso que estas substâncias não tenham incidência terapêutica, não tenham qualquer incidência sobre a *segurança* do medicamento, ou não representem um *risco para a saúde pública.*
h) O medicamento objecto de importação paralela deve, *em princípio*, ser comercializado sob a mesma marca do medicamento que desfruta de AIM válida em Portugal; e deve conter a indicação "IP"[86].

7.9.2. *A oposição à importação paralela pelo titular da AIM válida em Portugal*

O titular da AIM em Portugal pode, justificadamente, opor-se, junto do INFARMED, ao pedido de importação paralela, se for demonstrado que[87]:

- O medicamento a importar não é idêntico ou não é essencialmente similar ao medicamento que goza de AIM válida num Estado-Membro da União Europeia (note-se que não se faz mister que o medicamento objecto da importação paralela goze de uma AIM em Portugal);
- Se for embalado ou acondicionado *de modo a prejudicar a reputação ou a identidade do medicamento objecto de AIM válida em Portugal*, ou *for comercializado sob uma marca diferente* susceptível de provocar um *uso enganoso da marca*, excepto se essa substituição for *objectivamente necessária* à comercialização do medicamento em questão no Estado-Membro de importação (cfr., *infra*, para mais desenvolvimentos).
- Se evidenciar alterações ao seu estado original (no Estado-Membro da proveniência);

Tribunal de Justiça, de 1/04/2004, no proc. C-112/02, no caso *Kohlpaharma*. Solução que, estranhamente (e ao arrepio de uma interpretação conforme ao *princípio da livre circulação de produtos*), segundo o mesmo Tribunal de Justiça, não é aplicável aos *produtos fitofarmacêuticos*: veja-se a decisão do Tribunal de Justiça, de 21/02/2008, proc. C-201/06, no caso *Comissão c. República Francesa.*

[86] Art. 86.°/1 do Decreto-Lei n.° 176/2006, de 30 de Agosto.

[87] Art. 82.°/4 do citado decreto-lei.

– Se o medicamento a importar paralelamente não tiver sido colocado no Estado-Membro da importação pelo titular da AIM ou por alguém com o seu consentimento;
– Se esse medicamento, a importar para Portugal, for proveniente de Chipre, Eslováquia, Eslovénia, Estónia, Hungria, Letónia, Lituânia, Malta, Polónia ou República Checa[88].

7.10. *A reembalagem implicada na importação paralela*

Uma outra situação em que o titular da marca poderá invocar razões legítimas para impedir a ulterior comercialização dos medicamentos por si colocados no mercado em um dos Estados-Membros da União Europeia ocorre quando estes são objecto de *reembalagem*[89].

7.10.1. *Requisitos da reembalagem*

De acordo com a jurisprudência do Tribunal de Justiça[90], o importador paralelo, que procede à reembalagem do medicamento portador da

[88] Artigo 82.°/4, alínea *e*), do Decreto-Lei n.° 176/2006, de 30 de Agosto, uma vez que quanto a estes Estados-Membros, recém advindos à União Europeia, em 2004, é oponível um *prazo de transição* impeditivo do exercício do primado da livre circulação de produtos e serviços. Enquanto forem aplicáveis as disposições derrogatórias previstas no Tratado de Adesão destes novos Estados-Membros, respeitantes aos requisitos previstos nas Directivas n.os 2001/82/CE e 2001/83/CE, não deve ser autorizada a importação paralela para Portugal de medicamentos colocados, pela primeira vez, no mercado destes outros Estados-Membros, pelo titular da AIM nesse Estado-Membro de proveniência.

[89] STOTHERS, Cristopher, *Parallel Trade in Europe: Intellectual Property Competition and Regulatory Law*, Hart Publishing, 2007, p. 74 ss.; MCCANN, D., "Parallel Imports and Repackaging of Pharmaceutical Products", in: *International Company & Commercial Law Review* (2002), p. 363 ss.; GROS, N./HARROLD, L., "Fighting for Pharmaceutical Profits", in: *European Intellectual Property Review* (2002), p. 497 ss.

[90] Cfr. a decisão de 11/07/1996, no citado caso *Bristol Myers c. Paranova*, procs. apensos C-427/93 e C-429/93. A *Bristol Myers* comercializava medicamentos em vários Estados-Membros, sendo titular de várias marcas para indicar tais medicamentos na Dinamarca. A *Paranova*, sociedade dinamarquesa de distribuição de medicamentos, adquiriu (na Grécia e no Reino Unido, onde o preço de tais medicamentos eram mais baixos) lotes de diferentes medicamentos fabricados pela *Bristol Myers* em outros Estados-Membros e procedeu à sua importação para a Dinamarca. Embora os medicamentos estivessem sido originariamente comercializados sob a forma de *tablets*, comprimidos e ampolas, a *Para-*

marca registada em Portugal, deve, previamente à emissão da autorização para efectuar esta importação paralela, informar o titular da marca da colocação à venda do medicamento reembalado (ou seja, deve notificar o titular da AIM do Estado-Membro da proveniência e o titular da AIM em Portugal).

Deve, além disso, fornecer-se uma *amostra do produto reembalado*, incluindo a *rotulagem* e o *folheto informativo*, tal como o requerente da importação paralela pretenda que os medicamentos venham a ser comercializados, o que deve ser feito antes da sua colocação à venda[91]. Isto permite ao titular verificar que a reembalagem não foi efectuada de modo a afectar, directa ou indirectamente, o estado originário do produto e que a apresentação, após a reembalagem, não é susceptível de prejudicar a reputação da marca.

Estas directrizes são retiradas do acórdão de 1996, nos casos *Bristol Myers* e outros *c. Paranova*, segundo as quais a importação paralela de produtos (*in casu*, medicamentos reembalados pelo importador paralelo) apenas é admitida, independentemente de oposição do titular da marca (no Estado da importação), quando, cumulativamente:

(1) A reembalagem não afecta negativamente o estado de origem dos produtos;

(2) Quando o importador paralelo informar os consumidores que procedeu ao reacondicionamento do produto e mencionar o nome do fabricante[92];

---

nova reembalou-os sob uma nova "roupagem externa", conferindo-lhes uma aparência uniforme (*maxime*, com faixas de cor branca). As novas embalagens ostentavam, não obstante, as marcas do fabricante (*Bristol Myers*) e a declaração de que os medicamentos haviam sido fabricados por esta última e tinham sido importados e reembalados pela *Paranova*. O Tribunal de Justiça decidiu que o titular da marca não pode fundar-se no seu exclusivo para o efeito de impedir a importação do produto marcado que tenha sido por ele colocado no mercado em outro Estado-Membro. As derrogações ao princípio fundamental da livre circulação de bens somente são autorizadas a fim de tutelar as faculdades jurídicas constitutivas do *objecto específico* desse direito de propriedade intelectual.

[91] Art. 84.°/4 da Lei n.° 176/2006, na redacção do Decreto-Lei n.° 182/2009, de 7 de Agosto.

[92] Isto porque *a reembalagem coloca em risco a proveniência empresarial do produto*, sendo, *a priori*, prejudicial à tutela do *objecto específico* do direito de marca por parte do seu titular, independentemente dos efeitos efectiva e actualmente produzidos por esse reacondicionamento.

(3) Quando o importador paralelo demonstre que a apresentação do produto reembalado não produz um impacto adverso na reputação da marca e no seu titular[93];
(4) Quando o exercício do direito de marca pelo seu titular, atento o sistema de distribuição dos produtos por ele utilizado, contribui para fraccionar ou compartimentar (objectiva e) artificialmente os mercados entre os Estados-Membros; e
(5) Quando o titular da marca tenha sido previamente notificado da comercialização do produto reembalado e lhe tenha sido fornecida, sob a sua solicitação, uma amostra desse produto.

7.10.2. *O risco da compartimentação dos mercados*

Vejamos a *compartimentação dos mercados*.

O importador paralelo não precisa de demonstrar a *intenção* de o titular da marca fraccionar ou compartimentar os mercados: *o teste é objectivo*, no sentido de essa compartimentação ser havida como objectiva, se e quando o titular da marca não conseguir justificá-la em função da tutela da função essencial da marca (função distintiva da proveniência). A oposição do titular da marca à reembalagem não é válida se ela prejudicar o acesso ao produto importado no Estado da importação[94].

Uma situação aí onde o *reacondicionamento* efectuado pelo importador paralelo *parece legítimo* verifica-se quando os bens, por *motivos regulatórios administrativos* ou de *normalização*, são comercializados no Estado da importação em embalagens diferentes das que são comercializadas no Estado-Membro de origem (Estado da exportação): nesta eventualidade, a venda no Estado-Membro da importação impõe, *necessariamente*, a reembalagem[95], já que, caso contrário, o vencimento da oposição do titular da marca (nesse Estado da importação) conduziria à repartição dos mercados entre estes Estados-Membros.

---

[93] Processos apensos C-427/93 e C-429/93, cit., § 54.

[94] DRYDEN, D./MIDDLEMISS, S., "Parallel Importation of Repackaged Goods: Is «Necessity» Really Necessary?", in: *Journal of Business Law* (2003), p. 82 ss.

[95] No quadro das marcas farmacêuticas, existem ulteriores exigências: p. ex., que a nova dimensão das embalagens deva ser coerente com a posologia e a duração do tratamento aprovado e que o material de acondicionamento primário do medicamento permaneça inalterado (ponto n.° 41 do Anexo III ao Decreto-Lei n.° 176/2006, de 30 de Agosto).

De igual sorte, o titular da marca não pode opor-se à reembalagem do medicamento se o tamanho da embalagem comercializada no Estado-Membro da exportação não for permitido no Estado-Membro da importação[96] ou se a legislação deste Estado-Membro determinar a *alteração da apresentação* desse medicamento face àquela existente no Estado-Membro da proveniência[97].

Já é mais duvidosa a *necessidade* desta reembalagem, se esta prática for ditada pela familiaridade e pelo *uso constante* dos consumidores na aquisição de certo tipo de embalagem no Estado da importação, embora o Tribunal de Justiça seja, ao que parece, favorável a esta justificação legitimadora do reacondicionamento[98]. Além de que a afirmação da *necessidade* do reacondicionamento (pelo importador paralelo) é independente da *forma* ou do *estilo* por que tal reacondicionamento é efectuado[99].

7.10.3. *A afectação do estado originário do produto farmacêutico*

Quanto à *afectação do estado originário do produto*, o titular da marca pode, como já sabemos, opor-se à importação paralela quando o estado desses produtos seja modificado ou alterado após a sua colocação no mercado[100]. Pois somente a *imodificabilidade do estado originário do produto* é que permite o exercício da normal *função distintiva da marca* enquanto indicação de origem empresarial.

---

[96] Cfr. o proc. C-43/00, no caso *Aventis Pharma Deutschland GmbH c. Kolhpharma GmbH e MTK Vertriebs GmbH*, aí onde os autores vendiam insulina, na Alemanha, em embalagens de 10 ampolas com a capacidade unitária de 3 ml e, em França, em embalagens compostas por cinco ampolas de 3 ml cada uma: o demandado importou para a Alemanha embalagens do medicamento e reembalou-as em caixas com 10 ampolas, de tal sorte que esse reacondicionamento se revelou *necessário* ou *indispensável* para permitir ao demandado o acesso ao mercado alemão.

[97] Cfr. o art. 83.°/3, alínea *d*), do Decreto-Lei n.° 176/2006, de 30 de Agosto.

[98] Cfr. o proc. C-443/99, no caso *Boehringer Ingelheim c. Springward*, §§ 30, 51 e 52, segundo o qual o reacondicionamento pode ser *necessário* em ordem a satisfazer a vontade (fundada nos hábitos) dos consumidores, pois que existem segmentos do mercado onde se detecta uma forte resistência ao reacondicionamento dos medicamentos, de tal sorte que ela pode por em risco o acesso efectivo ao mercado.

[99] Decisão do Tribunal de Justiça, de 26/04/2007, proc. C-348/04, no caso *Boehringer Ingelheim c. Swingward*, § 38.

[100] Artigo 259.°/2 do CPI; art. 13.°/2 do Regulamento (CE) n.° 40/94, do Conselho, de 20 de Dezembro de 1993.

A alínea *c)* do n.° 4 do artigo 82.° do Decreto-Lei n.° 176/2006, de 30 de Agosto, confirma esta ideia: o titular da AIM no Estado da proveniência do medicamento ou o titular da AIM em Portugal podem opor-se ao deferimento do pedido de autorização de importação paralela de um medicamento se este for apresentado (em Portugal) "com alterações ao seu estado original", utilizando, para o efeito a eventual informação fornecida pelas autoridades aduaneiras, ao abrigo do disposto no Regulamento (CE) n.° 1383/2003, que visa impedir as *mercadorias de contrafacção* e as mercadorias piratas[101].

A alteração do medicamento e os riscos deverão ser reais (p. ex., a reembalagem do produto afectar o estado do medicamento, na medida em que possa conduzir à comercialização do medicamento precedido de um armazenamento excessivamente longo[102], aí onde a natureza do medicamento e o método de reembalagem deverão ser seriamente analisados). Isto porque nada parece obstar à importação paralela de um medicamento se a reembalagem apenas atingir o *reacondicionamento secundário*, *scilicet*, as características da aparência dessa reembalagem, deixando intocado o acondicionamento primário; ou quando essa reembalagem for efectuada sob a supervisão da autoridade sanitária competente, no sentido de o medicamento não ser apresentado com alterações ao seu original. Se, porém, o importador paralelo omitir informações relevantes ou prestar, através do folheto ou do rótulo, informações erróneas ou equívocas acerca da natureza, composição, efeitos, uso e armazenamento, parece que se acha verificado o pressuposto impeditivo dessa importação paralela[103]: existência de alterações ao estado original do *medicamento considerado* (ou seja, o medicamento objecto de AIM válida em Portugal, com a mesma composição qualitativa e quantitativa em substâncias activas, a mesma forma farmacêutica e as mesmas indicações terapêuticas).

---

101 Sobre isto, cfr. REMÉDIO MARQUES, João Paulo, "A violação dos direitos de propriedade intelectual respeitantes a mercadorias em trânsito – referência ao trânsito de medicamentos destinados a países com graves problemas de saúde pública", in: *Actas de Derecho Mercantil y Derecho de Autor*, vol. 30 (2009-2010), Santiago de Compostela, Madrid, Barcelona, Buenos Aires, Marcial Pons, p. 375 ss.

102 Proc. C-427/93 e C-429/93, no citado caso *Bristol Myers* e outros *c. Paranova*, § 59.

103 Proc. C-427/93 e C-429/93, cit., § 65.

7.11. *Observância de certos deveres de* facere *por parte do importador paralelo*

A *autorização administrativa* da importação paralela está condicionada, ademais, ao cumprimento de certos deveres *de facere* do importador paralelo.

Dado que é do interesse do titular da marca que os consumidores do medicamento não sejam levados a crer, erroneamente, que o titular da marca é o responsável pelo reacondicionamento do medicamento, este reacondicionamento deve mencionar, de forma clara[104], *quem fabricou o mediamento e quem o reacondicionou*[105]. E tal menção deve ser aposta de uma maneira que seja intuível ou inteligível para uma pessoa média, detentora de um grau normal de atenção.

Neste sentido, o Tribunal de Justiça entende que o *titular da marca deve ser previamente avisado* dessa colocação no mercado português. Esta notificação deve ser, ao que parece, da iniciativa do importador paralelo – e não da iniciativa da autoridade sanitária do Estado-Membro da importação, *in casu*, do INFARMED –, com a antecedência mínima de 15 dias úteis sobre a data da apresentação do requerimento de importação paralela dirigido ao INFARMED, embora o artigo 82.°/2 do Decreto-Lei n.° 176/ /2006 não seja totalmente claro quanto a este ponto. O art. 82.°/1, alíneas *a)* e *b)*, do citado Decreto-Lei n.° 176/2006, de 30 de Agosto, exige que a importação paralela seja notificada previamente ao titular da AIM do medicamento qualitativa e quantitativamente com a mesma composição em substâncias activas no Estado-Membro da proveniência do medicamento e em Portugal.

No mais, estas notificações devem ser acompanhadas do *envio de amostras*, pois que só dessa forma o titular da marca (e da AIM) em Portugal fica em condições de verificar se, durante um período razoável, a reembalagem pode causar alterações ao estado original do medicamento, protegendo-se contra actos de contrafacção[106].

---

[104] Já assim desde o caso *Hoffmann La-Roche c. Centrafarm*, proc. C-102/77, § 12.

[105] Proc. C-427/93 e 429/93, no caso *Bristol Myers e outros c. Paranova*, § 74; já, ao que parece, no proc. C-1/81, no caso *Pfizer c. Eurim-Pharmaceuticals GmbH* § 11.

[106] O cumprimento destes requisitos poderá inexigível quando os produtos objecto da importação paralela não são medicamentos: nesses casos, o importador paralelo apenas deverá informar o titular da marca no Estado-Membro da importação que os produtos reembalados irão ser objecto de comercialização nesse país – veja-se a decisão do Tribu-

A *omissão desta notificação* imputável ao importador paralelo deve ser, na perspectiva do Tribunal de Justiça, tratada *como se fosse um caso de contrafacção de marca*, ficando o titular da marca do medicamento autorizado a peticionar uma indemnização por perdas e danos, de harmonia com o *princípio da proporcionalidade*[107].

O Tribunal de Justiça já decidiu, recentemente, que "cabe ao importador paralelo fornecer ao titular da marca (no Estado-Membro da importação) as informações necessárias e suficientes para verificar que o reacondicionamento do produto sob essa marca é necessário para o comercializar nesse Estado-Membro da importação"[108]. Ora, no conteúdo desta informação pode compreender-se, segundo este decisão do Tribunal de Justiça, *a identificação do Estado-Membro da exportação*, sempre que ausência dessa informação impeça o titular da marca de apreciar a necessidade do acondicionamento.

Além disso, tendo em vista o fornecimento de *informações adicionais* aos *profissionais de saúde*, aos *farmacêuticos* e aos *doentes*, o rótulo do medicamento objecto de importação paralela deve conter a indicação "IP"; bem como o nome ou firma do importador paralelo, o nome do medicamento[109]; o número de registo atribuído pelo INFARMED; a indicação das precauções particulares de conservação do medicamento, se estas forem diferentes do medicamento objecto de AIM válida em Portugal, com a mesma composição qualitativa e quantitativamente em substâncias activas, a mesma forma farmacêutica e as mesmas indicações terapêuticas; e, outrossim, a data da última revisão do folheto informativo do medicamento[110] (e não a data da aprovação do medicamento).

---

nal de Justiça de 11/11/1997, no caso *Frits Loendersloot v. George Ballantine & Son*, proc. C-349/95, § 48 (importação paralela de bebidas alcoólicas antecedida de reembalagem).

[107] Proc. C-348/04, no citado caso *Boehringer Ingelheim v. Swingward*, § 59.

[108] Proc. C-276/05, no caso *The Wellcome Fundation Ltd c. Paranova Pharmazeutika Handels GmbH*, de 22/12/2008, § 37 (in: *Jornal Oficial da União Europeia*, n.° C 44, de 21/02/2009, p. 2): a pedido da *The Wellcome Fundation* (titular da marca ZOVIRAX, também nas Áustria), a sociedade *Paranova*, que efectuara a importação paralela de medicamentos para a Áustria, recusou-se a identificar o Estado-Membro da exportação (*in casu*, a Grécia).

[109] Veremos, adiante, que, caso o importador paralelo decida incluir uma marca no nome do medicamento, esta deverá ser, em princípio, a *marca originária*.

[110] Art. 86.°/2 e 3 do Decreto-Lei n.° 176/2006, de 30 de Agosto, na redacção dada pelo Decreto-Lei n.° 182/2009, de 7 de Agosto.

7.12. *A qualidade do reacondicionamento dos medicamentos*

Uma outra circunstância que pode tornar ilícita a importação paralela é *a qualidade da reembalagem, no sentido de continuar a assegurar a reputação da marca do medicamento.*

No citado caso *Bristol Myers*, o Tribunal de Justiça reconheceu que a *reputação da marca* e a do seu titular podem ser prejudicadas por uma inapropriada reembalagem do produto[111]. O que é particularmente relevante nas hipóteses em que o reacondicionamento é defeituoso, desleixado ou de má qualidade. Nesse sentido, o Tribunal de Justiça entendeu que tais circunstâncias podem constituir *motivos legítimos* que justifiquem que o titular da marca se oponha à comercialização posterior dos produtos. Todavia, nos *obicter dicta*, o Tribunal também salientou que deve ser tomada em conta a *natureza do produto* no qual a marca foi originariamente aposta[112].

No caso dos *medicamentos não sujeitos a receita médica comercializados directamente junto do público*, a reembalagem pode constituir um elemento decisivo para a manutenção da *confiança dos consumidores* na qualidade e na integridade desses medicamentos: a má qualidade do reacondicionamento ou o desleixo nesse reacondicionamento – ainda que não chegue para por em causa a estabilidade dos excipientes ou a estabilidade e o estado originário das substâncias activas ou a alteração do seu perfil qualitativo ou quantitativo – pode prejudicar a reputação da marca[113].

Já na eventualidade de os *medicamentos serem fornecimentos exclusivamente a farmácias hospitalares*, a apresentação dos medicamentos é um factor pouco relevante. Enfim, na situação intermédia, *quando os medicamentos são* (também) *vendidos sob receita médica em farmácias de oficina*, a apresentação das embalagens constitui um factor importante, embora não decisivo, na mente dos consumidores, no que tange à manutenção da confiança na qualidade constante do produto farmacêutico[114]. Creio, porém, que, mesmo nesta última hipótese, pode ser relevante a consideração do *perfil do auditório dos pacientes a quem os medicamentos são receitados*: os pacientes mais idosos e/ou de menor formação e instrução tenderão a estar mais desprotegidos perante um eventual uso enganoso

---

[111] *Bristol Myers*, proc. apensos C-427/93 e C-429/93, cit., § 75.
[112] *Bristol Myers*, cit., § 76.
[113] *Bristol-Myers*, cit., § 77.
[114] *Bristol-Myers*, cit., § 77.

da marca, no sentido em que certas alterações das características da aparência da marca (ou do acondicionamento primário e secundário) efectuadas pelo importador paralelo podem confundir tais pacientes e levá-los a pensar, erroneamente, que estão a consumir produtos exactamente iguais, sem a garantia de uma origem pessoal.

7.13. *Outros deveres do importador paralelo*

O requerente da autorização para a importação paralela deve, ainda, apresentar um *certificado de boas práticas de fabrico*, onde conste autorizada a operação de embalagem secundária para a forma farmacêutica objecto de importação paralela. Este certificado é emitido pela autoridade competente do Estado-Membro onde se procede à operação de reembalagem do medicamento objecto de importação paralela, se este Estado for diferente do fabricante do medicamento no Estado-Membro de proveniência[115].

Se o medicamento a importar *não tiver uma origem comum* ou *apresentar excipientes diferentes*, o requerente desta autorização para a importação paralela deve juntar uma declaração que ateste que esta operação comercial *não representa um risco para a saúde pública* e, no caso de os excipientes serem diferentes, deve juntar uma declaração de acordo com a qual que essa diferença não tem qualquer incidência sobre a eficácia terapêutica ou a segurança do medicamento (art. 83.°/3, alínea *i)*, *idem*).

De igual modo, esta exigência permite ao titular da marca premunir-se contra as actividades dos potenciais contrafactores[116].

É negada a autorização para a importação paralela quando o medicamento objecto do pedido for proveniente de um Estado-Membro abrangido por disposições derrogatórias ou complementares resultantes do Acto de Adesão à União Europeia de Chipre, da Eslováquia, da Eslovénia, da Estónia, da Hungria, da Letónia, da Lituânia, de Malta, da Polónia e da República Checa, ratificado pelo Decreto do Presidente da República n.° 4-A/2004, de 15 de Janeiro, em vigor desde 1 de Maio de 2004.

---

115 Art. 83.°/3, alínea *e*), do DL n.° 176/2006, na redacção Decreto-Lei n.° 182/ /2009, de 7 de Agosto.

116 Assim, acórdão do Tribunal de Justiça, de 26/04/2007, proc. C-348/04, no caso *Boehringer Ingelheim*; cfr., tb., os acórdãos de 23/04/2002, no caso *Boehringer Ingelheim e outros c. Swingward* e outro, proc. C-143/00; da mesma data, no caso *A Merck, Sharp & Dohme c. Paranova*, proc. C-443/99.

7.14. *É possível fazer adjunções, supressões da marca ou proceder à sua substituição?*

A *reembalagem* dos medicamentos pode ser feita com a **(1)** reaposição da *marca originária*, com **(2)** a *adjunção*, pelo importador paralelo, de elementos à marca originariamente aposta nos medicamentos, com a **(3)** supressão de elementos constitutivos da marca originariamente aposta e, ainda, mediante **(4)** a *aposição da sua própria marca em vez da marca originariamente aposta* por ocasião da primeira colocação dos medicamentos no mercado no Espaço Económico Europeu.

Não creio, porém, que deva ser sempre permitida a importação paralela com a *substituição da marca*. Esta permissão não toma em conta que a substituição da marca originária pelo importador paralelo pode provocar *danos à função de qualidade e uma turbação grave à aplicação do princípio da proibição do uso não enganoso da marca*[117].

De facto, o artigo 86.°/2, alínea *a)*, do Decreto-Lei 176/2006, na redacção do Decreto-Lei n.° 182/2009, de 7 de Agosto, *apenas exige que a rotulagem ostente o nome do medicamento* (ou seja, um sinal constitutivo de marca e/ou da Denominação Comum Internacional e/ou o nome do titular da AIM), deixando de prever, *expressamente*, que esse *nome* seja o mesmo (com a reaposição da *mesma marca*) do medicamento considerado (ou seja, do medicamento objecto de AIM em Portugal, com a mesma composição quantitativa ou qualitativa em substância activas, a mesma forma farmacêutica e as mesmas indicações terapêuticas). Parece-me, no entanto, que esta alteração do Estatuto do Medicamento, ocorrida em 2009, deverá, em princípio, deixar intocada um dos elementos que o constituem, exactamente *a marca aposta pelo titular por ocasião da primeira comercialização no Espaço Económico Europeu*[118]. Um argumento nesse sentido – do qual pode ser extraído um afloramento de um princípio geral – surpreende-se na alínea *c)* do n.° 3 do artigo 3.° do Regulamento (CE) n.° 726/2004, do Parlamento Europeu e do Conselho, de acordo com o qual o medicamento genérico autorizado pelo *procedimento comunitário*

---

[117] Art. 12.°/2, alínea *d*), da Directiva sobre Marcas.

[118] No mesmo sentido, cfr. COUTO GONÇALVES, Luís, *Manual de Direito Industrial*, 2.ª edição, 2008, cit., pp. 340-341, defendendo, em geral, que a marca aposta pelo titular no Estado-Membro da exportação deve continuar a estar em condições de desempenhar, "com a mesma intensidade, as funções juridicamente protegidas, isto é, a distintiva, a de qualidade e a publicitária", mesmo após as alterações provocadas pelo importador paralelo.

centralizado "deve ser autorizado com o mesmo nome em todos os Estados-Membros em que o pedido tenha sido apresentado".

Duvidoso é saber se, para desta manutenção, o importador paralelo dos medicamentos poderá fazer *adjunções*, *supressões* nos elementos constitutivos ou apor a sua própria marca em vez da marca originariamente aposta nos lotes dos medicamentos quando estes foram, pela primeira vez, colocados no mercado do Espaço Económico Europeu.

O Tribunal de Justiça da União Europeia já teve ocasião de se pronunciar no sentido em que o prejuízo para a reputação da marca e do seu titular não decorrem somente da má qualidade ou do desleixo da reembalagem. Os tribunais dos Estados-Membros podem sindicar e verificar esse prejuízo, mesmo nos casos em que o importador paralelo procede apenas à *supressão* de alguns dos elementos da marca (*de-branding*), ou nas eventualidades em que faz *adjunções* (*co-branding*) de elementos à marca originariamente aposta nos produtos, por ocasião da primeira colocação no mercado no Espaço Económico Europeu[119].

Uma outra situação em que o titular da marca poderá gozar de *motivos legítimos* para proibir a comercialização posterior dos produtos é aquela em que o importador procede à *substituição da marca* do primeiro (usada no Estado-Membro da exportação) pela sua marca (utilizada no Estado-Membro da importação).

Também, neste caso, o Tribunal de Justiça[120] – dando o mesmo tratamento aos casos de reacondicionamento com substituição de marca e reacondicionamento com a reaposição da marca originária – entendeu, por um lado, que os direitos do titular da marca não podem ser exercitados desta forma impeditiva quando estiverem na génese de uma *repartição artificial do mercado* entre os vários Estados-Membros. E que, por outro, tendo em conta as circunstâncias prevalecentes no momento da comercialização no Estado-Membro da importação, o importador paralelo pode

---

119 Proc. C-348/04, no caso *Boehringer Ingelheim c. Swingward*, cit., §§ 38 e 41.

120 Proc. C-379/97, no caso *Pharmacia & Upjohn c. Paranova*, decisão de 12/10/1999, §§ 37, 43 e 44: a sociedade *Paranova* adquirira, em França, lotes de um antibiótico (em cápsulas), cuja denominação comum internacional é a *clindamicina*, comercializados naquele país, pela primeira vez, sob a marca DALACINE, por parte da sociedade *Upjohn*, a fim de os comercializar na Dinamarca, sob a marca DALACIN (que esta também utilizada em Espanha e na Alemanha). A sociedade *Upjohn* accionou então a *Paranova* nos tribunais dinamarqueses, pedindo que a ré fosse proibida de comercializar os antibióticos reembalados com a substituição da marca originária. Cfr., tb. COUTO GONÇALVES, Luís, *Manual de Direito Industrial*, 2.ª edição, 2008, cit., pp. 336-337.

achar-se perante "circunstâncias que tornem *objectivamente necessária* a substituição a marca originária pela marca utilizada no Estado-Membro de importação, para que o produto em causa possa ser comercializado nesse Estado", por parte desse importador paralelo – o itálico é meu[121].

O *critério da necessidade* subjacente à legitimidade da substituição da marca originária por parte do importador paralelo será, designadamente, preenchido se, no dizer do Tribunal de Justiça, "regulamentações ou práticas no Estado-Membro da importação impedirem a comercialização do produto em questão no mercado desse Estado sob a marca que lhe é aposta no Estado-Membro da exportação", *maxime*, se essa proibição de utilização da marca (originária) no Estado-Membro da importação for susceptível de induzir em erro os consumidores[122].

Dúvidas também se colocam sobre se, *na aferição na necessidade do reacondicionamento do medicamento no Estado da importação*, se faz mister apreciar o *modo de apresentação das embalagens* objecto de reacondicionamento. Tome-se em conta o mais recente caso decidido pelo Tribunal de Justiça, em 22/12/2008[123]: a sociedade *Paranova* importou para a Áustria lotes de comprimidos do medicamento comercializado sob a marca ZOVIRAX, em caixas com 60 comprimidos a partir da Grécia, aqui onde este medicamento é comercializado em caixas com 70 comprimidos. O aspecto exterior das embalagens colocadas no mercado austríaco pela *Paranova* é completamente diferente do aspecto exterior das embalagens comercializadas na Áustria com o consentimento da *The Wellcome Fundation*[124], através de licenciados neste país. O Tribunal de Justiça decidiu, neste particular, que é necessário apreciar o modo de apresentação destas embalagens objecto de reacondicionamento, quando for demonstrado que

---

121 Não se faz assim mister exigir que, para o efeito de ser efectuada a substituição da marca originária, o importador paralelo alegue e prove que o titular da marca tem a intenção de fraccionar os mercados, não sendo exigida a prova de condutas do titular da marca que demonstrem essa intenção, contrariamente ao que havia sido julgado no caso *Centrafarm c. American Home Products*, proc. C-3/78, §§ 21 a 23.

122 *Pharmacia & Upjohn c. Paranova*, proc. C-379/97, cit., § 43.

123 Proc. C-276/05, no caso *The Wellcome Fundation Ltd c. Paranova Pharmazeutika Handels Gmb*H.

124 De facto, as caixas comercializadas pela *Paranova* ostentam o nome do importador paralelo em caracteres gráficos substancialmente maiores do que os caracteres utilizados para mencionar, nas mesmas embalagens, o nome do fabricante; e a reembalagem, efectuada sob a direcção da *Paranova*, implicou a debruagem por uma faixa azul, semelhante à usada nas caixas de medicamentos comercializados pela *Paranova*.

o reacondicionamento do medicamento é necessário à sua comercialização posterior no Estado-Membro da importação. Todavia, nos dizeres do Tribunal de Justiça, esta apreciação há que ter "unicamente presente a condição segundo a qual o mesmo não deve ser susceptível de lesar a reputação da marca nem a do seu titular"[125].

7.15. *A publicidade dos medicamentos e a importação paralela*

Embora não seja comum, a *publicidade efectuada pelo importador paralelo* pode constituir um motivo legítimo para o titular da marca se opor à importação paralela do produto.

Esta situação já foi objecto de reenvio prejudicial para o Tribunal de Justiça da União Europeia, no caso *Parfums Christian Dior, SA c. Evora BV*[126]. O Tribunal sustentou que, na verdade, o titular da marca pode opor-se à importação paralela se a publicidade puder causar prejuízo para a reputação da marca, o que não sucede, por via de regra, quando o importador paralelo utiliza métodos promocionais ou publicitários considerados usuais no sector merceológico em causa.

Cumpre, pois, ponderar a solução do caso à luz do justo equilíbrio entre os interesses comerciais do revendedor (importador paralelo) e os interesses do titular da marca[127] em manter um certo estalão de reputação por ele logrado. Este interesse em manter (e defender) a reputação da marca é mais agudo no que respeita aos produtos considerados "produtos de luxo", que normalmente ostentam uma *marca de prestígio*.

Se os produtos não forem comercializados sob uma *marca de prestígio* – o que é comum no sector farmacêutico, atentos os condicionamentos administrativos prévios à colocação no mercado e os relativos à actividade publicitária –, a existência de *motivos legítimos* do titular para impedir a

[125] Novamente, o Tribunal de Justiça surge apenas preocupado em garantir a *defesa da reputação da marca* e a do seu titular, e não tanto em *prevenir o risco de erro nos consumidores* resultante de uma eventual *utilização enganosa da marca*.

[126] Proc. C-337/95. A sociedade *Evora BV*, que não era um distribuidor comercial da sociedade *Parfums Christian Dior*, operava uma rede de distribuição de perfumes nos Países Baixos. Após ter procedido à importação paralela dos perfumes sob a marca DUNE e FAHRENHEIT para os Países Baixos, publicitou-os como estando a comercializar produtos da *Parfums Christian Dior*. Esta accionou a primeira com base na *violação do direito de marca*.

[127] *Parfums Christian Dior*, cit., proc. C-337/95, § 44.

importação paralela somente deve ocorrer quando o comportamento importador paralelo na actividade publicitária prejudicar *substancialmente* a reputação da marca[128]. Dificilmente isso poderá ocorrer, uma vez que os medicamentos somente podem ser (re)vendidos em *farmácias de oficina* ou em *farmácias de hospitais*, aí onde poderá revelar-se difícil ou mesmo impossível contextualizar a publicidade da marca a ponto de prejudicar, *séria e substancialmente*, aquela reputação; além de que as regras de comercialização de medicamentos através da *Internet* são muito rigorosas[129].

7.16. *Conclusões quanto ao reacondicionamento efectuado pelo importador paralelo*

Como se constata do atrás exposto, a mais das *regras próprias do direito de marca* (e do eventual ilícito de *concorrência parasitária*) – proibição do fraccionamento dos mercados, proibição do uso não enganoso da marca (*função distintiva* da marca e *função de qualidade* da marca) ou não prejuízo da reputação da marca e do seu titular (*função publicitária* da marca) –, a licitude da importação paralela de medicamentos, aí onde ocorra a alteração ou a substituição da marca originária aposta pelo titular no Estado-Membro da exportação, está, igualmente, *dependente do cumprimento de várias exigências regulatórias que exorbitam a tutela dos interesses em evitar a compartimentação de mercados e os direitos de os consumidores não serem induzidos em erro quanto à proveniência empresarial dos medicamentos.*

Ou seja: essa importação paralela acha-se, igualmente, condicionada pela (tendencial[130]) *exigência da inalterabilidade do medicamento a importar paralelamente*, relativamente ao medicamento considerado, no que toca à substância activa, forma farmacêutica, indicação terapêutica e aos

---

[128] *Idem*, §§ 45 e 47.

[129] Cfr. o disposto na Portaria n.° 1427/2007, de 2 de Novembro, que regula as condições e os requisitos de dispensa de medicamentos ao domicílio através da Internete, e o Decreto-Lei n.° 307/2007, de 31 de Agosto, sobre o regime jurídico das farmácias de oficina (arts. 9.°, alíneas *a*) e *b*), 37.°, alínea *a*), e 57.°, alínea *b*), entre outros).

[130] Isto porque pode suceder que o medicamento objecto de importação paralela utilize *excipientes diferentes ou em quantidades diferentes*, contanto que tais diferenças não tenham incidência terapêutica (art. 81.°/1, alínea *c*), do Decreto-Lei n.° 176/2006, de 30 de Agosto, na redacção do Decreto-Lei n.° 182/2009, de 7 de Agosto).

excipientes, em homenagem à tutela dos *interesses da qualidade, da segurança* e *eficácia terapêutica* do medicamento que seja objecto de importação paralela.

8. Marca farmacêutica, importação paralela e direito da concorrência

Face a todos estes obstáculos à demonstração de *motivos legítimos* para proibir a comercialização dos produtos sob uma determinada marca, os titulares de marcas, *in casu*, de marcas farmacêuticas usam uma outra estratégia merceológica: recusa do fornecimento de lotes, de todo em todo, ou recusa de fornecimento das quantidades pedidas pelos importadores paralelos.

Esta questão exorbita o exercício do direito de marca por ocasião da compra de medicamentos num Estado-Membro para revenda em outro Estado-Membro. Ela atinge o *direito da concorrência*, atento o comportamento dos agentes no mercado e a manutenção das estruturas objectivas da (sã, efectiva e livre, qual "workable competition") concorrência. Cura-se de saber se estamos, ou não, perante uma prática denominada *abuso de posição dominante*.

O cenário é o seguinte: uma empresa pretende adquirir medicamentos a baixo preço comercializados sob uma determinada marca num Estado-Membro (*v.g.*, Grécia, Espanha, Portugal), a fim de os revender num outro Estado-Membro, onde a concreta especialidade farmacêutica é mais cara. Nestas eventualidades, o titular da marca no Estado-Membro da exportação recusa fornecê-los ao importador paralelo ou somente vende o necessário para que este continue a abastecer o mercado local e não o mercado do Estado-Membro da importação.

8.1. *A jurisprudência do Tribunal de Justiça*

Num conhecido caso (*Syfait & Ors c. GlaxoSmithKline plc.* II[131]), o Tribunal de Justiça entendeu que as regras comunitárias da concorrên-

[131] Processos apensos C-468/06 a 478/06, caso *Sot. Lelos kai Sai EE c. GlaxoSmithKline Anonimi emporiki Viomikhaniki Etairia Farmakeftikon Proionton*. Este caso é posterior ao caso *Syfait I*, proc. C-53/03, decidido, em 31/05/2005, com base em meros

cia não podem ser interpretadas no sentido de permitir que o titular da AIM de um medicamento (*in casu*, na Grécia: a sociedade *GlaxoSmith-Kline*) não pode recusar pedidos de fornecimento de um fármaco a distribuidores independentes, para efeitos de importação paralela[132], com base apenas na defesa dos seus interesses comerciais (amortizar o investimento efectuado e gerar lucros), excepto se os pedidos de aquisição excederem as *quantidades normais* fornecidas a esses concorrentes. A empresa dominante sustentou a afirmação de que conduta abusiva estaria dependente do contexto económico e regulatório em causa, mas o Tribunal de Justiça não aceitou este argumento; tal como recusou analisar se a limitação da importação paralela era indispensável ou necessária para proteger os investimentos da empresa dominante.

O Tribunal afirmou que são injustificadas as práticas comerciais destinadas a suprimir a importação paralela, posto que elas neutralizam ou privam os consumidores das vantagens propiciadas por uma efectiva concorrência[133].

Porém, o Tribunal de Justiça reconheceu que, embora a empresa dominante não possa cessar a satisfação de pedidos normais de clientes preexistentes, ela pode recusá-los com base em razões objectivas, à luz de *critérios de razoabilidade* e de *proporcionalidade*, atenta a ameaça aos seus interesses comerciais postuladas pelos seus concorrentes e a dimensão do mercado em questão.

8.2. *Análise da jurisprudência do Tribunal de Justiça: motivos legítimos de recusa do fornecimento de medicamentos; a recusa inicial de fornecimento e a recusa na continuação do fornecimento ao importador paralelo*

O *abuso de posição dominante* apenas ocorre se estas empresas havidas como dominantes recusarem satisfazer pedidos de compra de *quantidades normais* à luz das *relações comerciais anteriormente estabelecidas*

---

motivos formais (o Tribunal de Justiça não conheceu do mérito do pedido de reenvio, já que entendeu que a "autoridade" sanitária grega é insusceptível de formular pedidos de reenvio prejudicial ao Tribunal de Justiça, pois não é um "órgão jurisdicional").

[132] Este caso não é, por conseguinte, um *puro* caso de recusa de contratação, nem respeita às hipóteses de exclusão de concorrentes ao nível da oferta.

[133] Processos apensos C-468/06 a 478/06, §§ 31, 39, 66 e 70.

entre as partes[134]. A recusa será, por conseguinte, ilegítima se, *razoavelmente*, respeitar a pedidos de fornecimento cuja quantidade seja *excessiva*.

Os *motivos legítimos* de recusa hão-de ser apreciados de uma forma *objectiva* e respeitam a *circunstâncias que escapam ao controlo da empresa dominante* – que *não lhe são imputáveis* (*v.g.*, condições naturais, actos imputáveis a terceiros, tais como crises económicas, hábitos culturais, diferentes condições de mercado nos diferentes Estados-Membros) –, que ela somente pode superar se adoptar uma conduta *prima facie* abusiva. De tal sorte que estas causas "exteriores", que afectam o comportamento da empresa dominante (mesmo que ela não fosse dominante), devem revestir a densidade suficiente para quebrar o *nexo causal* entre os deveres (pré-contratuais e contratuais) de prestar e a conduta acusada, pois os *interesses comerciais legítimos* da empresa dominante justificam que ela não deva operar com prejuízo no mercado do Estado-Membro considerado[135]. Ocorrerá, portanto, uma conduta abusiva na falta de demonstração de uma *justificação objectiva* para tal, cuja alegação e prova cabe à empresa que desfruta de uma posição dominante.

De resto, não pode esquecer-se que o assaz exigente contexto regulatório administrativo da aprovação de medicamentos (*v.g.*, fabrico, importação, introdução no mercado, exportação, autorizações especiais) tende a descaracterizar os comportamentos potencialmente qualificáveis como *abuso de posição dominante*.

Creio que, neste tipo de casos de recusa de fornecer produtos, é importante distinguir a recusa em, *pela primeira vez, vender produtos ao importador paralelo* e a *recusa em continuar a fornecer tais produtos a esse importador*.

É verdade que haverá *abuso de posição dominante* se, cumulativamente, for *indispensável* constituir ou manter as relações comerciais, se

---

134 Processos apensos C-486/06 a 478/06, cit., §§ 71 a 73. Cfr. TUMBRIDGE, J., "Syfait II: Restrictions on Paralell Trade Within the European Union", in: *European Intellectual Property Review* (2009), p. 102 ss.; REMÉDIO MARQUES, João Paulo, "O direito de patentes, o sistema regulatório de aprovação, o direito da concorrência e o acesso aos medicamentos genéricos", in: *Direito Industrial*, vol. VII, Coimbra, Almedina, 2010, pp. 361-362. Em Espanha já ocorreram, pelo menos, duas situações similares (casos *Laboratórios Farmacéuticos* – Resolución n. 488/01 – e *Distribuiciones Farmacéuticas* – Resolución n.° 506/01), aí onde o *Tribunal de Defensa de la Competencia* entendeu não existir abuso de posição dominante (cfr. http://www.tdcompetencia.org).

135 ROUSSEVA, Ekaterina, *Rethinking Exclusionary Abuses in EU Competition Law*, Oxford and Portland, Oregon, Hart Publishing, 2010, pp. 265-266.

ocorrer o risco de a recusa ou a cessação do fornecimento *eliminar toda a concorrência no mercado relevante* e ocorrerem *danos para os consumidores*. Uma *conduta equivalente* verifica-se quando a empresa dominante quer contratar, embora fixe um preço susceptível de lhe proporcionar uma margem de lucro bem mais elevada com um preço mais baixo, e essa fixação for indiferente para a *eficiência* das prestações (qual *teste do concorrente eficiente*)[136], ai onde os concorrentes não desfrutam de *igualdade de oportunidades* para reflectir os respectivos custos nos preços praticados. Nestes casos, creio que a conduta da empresa dominante *não será abusiva* se os concorrentes puderem, apesar disso, fornecer *produtos diferenciados* (obtidos, por exemplo, a partir do produto fornecido pela empresa dominante) para os quais haja uma *procura efectiva* dos consumidores (ainda que a um preço um pouco mais elevado).

Estes critérios não se aplicam aos mercados onde as *empresas dominantes* se desenvolveram à custa de *regimes especiais de protecção propiciados pelo Estado*, através da atribuição de direitos exclusivos e especiais de exploração de redes (*v.g.*, empresas de telecomunicações ou de fornecimento de energia), o que não acontece no sector farmacêutico: nestes casos, as autoridades da concorrência apenas têm que sindicar se a recusa em contratar e susceptível de *eliminar a concorrência*[137].

Se esta *empresa independente* de distribuição *já estabeleceu* relações comerciais com o titular da marca, e é confrontada com a recusa da proposta de aceitação de novos fornecimentos, parece mais fácil afirmar que, à luz das concretas circunstâncias, a manutenção desse fornecimento é *indispensável* para *manter* a concorrência no mercado. Formar-se-á como que uma *presunção de indispensabilidade* da manutenção desse fornecimento, que ao titular da marca competirá elidir[138].

---

[136] Cfr. o caso *Deutsche Telekom AG c. Comissão*, proc. T-271/03, de 2004, §§ 191--192; *idem*, na decisão da Comissão Europeia, no caso *Wanadoo España c. Telefonica*, decidido em 4/07/2007, proc. COMP/38.784), § 237.

[137] ROUSSEVA, Ekaterina, *Rethinking Exclusionary Abuses in EU Competition Law*, 2010, cit., p. 423.

[138] Tb., neste sentido, ROUSSEVA, Ekaterina, *Rethinking Exclusionary Abuses in EU Competition Law*, 2010, cit., pp. 416-417. No mesmo sentido parece navegar a jurisprudência estadunidense: no caso *Verizon Communications Inc. v. Law Offices of Curtis v. Trinko, LLP* (540 US 398, de 2004), o Supremo Tribunal dos E.U.A., ao se referir à recusa em contratar apreciada no caso *Aspen Skiing*, em 1985, (472 US 585, 608, espec. 610-611), entendeu que esta era uma das excepções onde é aplicável o disposto na Secção 2 do *Sherman Act*, isto embora a recusa (considerada ilegal) em manter os fornecimentos ao

Se o titular da marca tem (e mantém) relações comerciais com o importador paralelo, ele não pode cessar *abruptamente* esse fornecimento, com base na ideia de que se faz mister compensar o investimento empresarial que foi por ele efectuado. O titular da marca terá, isso sim, que demonstrar uma *alteração das circunstâncias*, segundo a qual a manutenção das relações comerciais com o importador paralelo poderá privá-lo de lograr a *adequada compensação* pela realização desse investimento.

No sector farmacêutico não pode, ademais, dizer-se que os *legítimos interesses* geradores da verificação de *razões objectivas* de recusa em vender os medicamentos por parte empresa concretamente dominante são, igualmente, *interesse públicos*, tais como a segurança e a eficácia dos medicamentos e, logo, *saúde dos consumidores pacientes*. A prossecução destes interesses cabe, em primeira linha, às autoridades (nacionais e comunitárias) competentes, pelo que a recusa em fornecer medicamentos ao importador paralelo com base em tais motivos não traduz a existência de *motivos objectivos*, pela singela razão que existem autoridades administrativas que zelam fortemente pela segurança, eficácia e qualidade dos medicamentos que são colocados, *pela primeira* vez, no mercado; e, outrossim, existe um corpo legislativo e regulamentar denso, nacional e comunitário, em que tais *actuações regulatórias* se fundam.

A cessação do fornecimento (*in casu*, dos medicamentos) ao importador paralelo é assim considerada, *prima facie*, abusiva[139]; o que, todavia, desencoraja, *ab initio*, o titular da marca no encetar de relações comerciais com um *distribuidor independente* de medicamentos, atento o receio de, uma vez iniciada, a relação comercial tenha que ser mantida contra a vontade desse titular. E o que é, de resto, uma solução contrariada, *a montante*, pela ideia segundo a qual as *empresas em posição dominante* podem (e devem) escolher *livremente* os parceiros comerciais com quem pretendam estabelecer relações.

Talvez que seja preferível que as partes protejam os respectivos investimentos por mor do recurso ao *direito dos contratos* (e ao concreto programa contratual), em vez de recorrerem ao disposto no actual art. 102.° do Tratado sobre o Funcionamento da União Europeia (antigo art. 82.°).

---

concorrente tivesse sido justificada na obtenção de lucros no curto prazo, tendo em vista lograr um fim anticompetitivo.

[139] ROUSSEVA, Ekaterina, *Rethinking Exclusionary Abuses in EU Competition Law*, 2010, cit., p. 417.

SUGESTÕES PARA UM PLANO ESTRATÉGICO DO INPI PARA OS PRÓXIMOS 10 ANOS

JOSÉ DE OLIVEIRA ASCENSÃO
Professor Catedrático da Faculdade de Direito de Lisboa

ANTÓNIO CÔRTE-REAL CRUZ
Advogado
Agente Oficial da Propriedade Industrial

ÍNDICE:

1. **O enquadramento internacional**

A APDI acolhe com satisfação a iniciativa do INPI de reflectir sobre o longo prazo. Considera-a atitude indispensável, para evitar o casuísmo e consequentemente a deriva e até a contradição de actuações concretas. E louva a abertura ao diálogo e à participação, que contrasta com alguns aspectos do passado recente, como a reforma do Código da Propriedade Industrial de 2008, que se caracterizou pelo secretismo e a não audição dos interessados.

É-nos perguntado como vemos a evolução nacional e internacional para a próxima década. Começando pela internacional, a crescente mundialização da Propriedade Intelectual pode prever-se com segurança. A agenda internacional tende a não deixar incólume nenhum país.

A extensão horizontal é acompanhada por uma centralização política. Cada vez mais há um núcleo central que toma as decisões e uma periferia a quem são impostas. Esse núcleo é composto pelos grandes "exportadores", digamos assim, dos direitos intelectuais.

O exemplo do ACTA é elucidativo. O Tratado é preparado num secretismo quase absoluto, só rompido menos de um ano antes da aprovação final, que é realizada num tempo recorde. Não se deu qualquer possibilidade séria de debate. Seguir-se-á a pressão sobre os vários países que não participaram do plano para a adesão ao Tratado.

O núcleo central dominante está apenas parcialmente definido. Há a posição hegemónica dos Estados Unidos da América, com o apoio da União Europeia, Japão e outros países, mas não é homogéneo; e defronta sobretudo os grandes países emergentes, como a China ou a Índia, cuja visão não será seguramente a mesma. Isto significa que a nível internacional se abrirão espaços de debate que Portugal terá o maior interesse em consciencializar, acompanhar e participar, para não ser simplesmente um receptáculo de decisões alheias.

Eis desde logo um papel fundamental do INPI: dar a informação sobre os dados internacionais relevantes; auscultar as posições do público interessado; formular em diálogo uma política nacional; e defendê-la, nas instâncias respectivas. Há aqui seguramente um campo de acção que pensamos dever ser cuidadosamente aperfeiçoado nos próximos dez anos.

A liberdade de actuação de Portugal no âmbito internacional é porém limitada. Faz-se particularmente sentir a integração na União Europeia. Essa integração tem elementos positivos e negativos. Positivamente, dá uma força acrescida para a promoção de objectivos comuns. Permite a participação na formulação de políticas comunitárias. Abre a possibilidade de cooperações específicas em domínios em que as potencialidades de Portugal são insuficientes. Negativamente, rege todavia também na União Europeia uma distinção clara entre o núcleo determinante e as periferias, impondo a estas políticas talhadas à medida do interesse daquelas.

A situação deve ser encarada com realismo mas sem subserviência. A valia internacional de um país não depende apenas da sua extensão ou riqueza, mas da qualidade dos seus representantes. É por isso necessário que o INPI fomente a criação de um corpo de delegados internacionais lúcidos e combativos, capazes de discernir o que podem e não podem defender no interesse nacional e no primeiro caso fazê-lo sem diminuição nos foros internacionais.

Em tudo pressupomos que o INPI não é um mero órgão de registo. O INPI tem importantes atribuições na formulação da política legislativa nacional e internacional portuguesa. Tem ainda a seu cargo a "representação do País nas reuniões e actividades no âmbito da União Europeia e das organizações internacionais relativamente à gestão das convenções, tratados, acordos e regulamentos e, bem assim, à criação e modernização da protecção da propriedade industrial".

Mas em tudo é necessário evitar a tentação burocrática e o seguidismo com que frequentemente estas representações são assumidas. Os delegados portugueses devem ser os mais capazes, pertençam ou não aos quadros do INPI. Por outro lado, a projecção interna desta actividade é quase nula. Muitas vezes, não é possível saber quais as posições nacionais nesta ou naquela matéria ou qual a sua razão de ser. Por exemplo, a informação regular sobre quem representou o País nesta ou naquela reunião, e o que aí foi tratado, não consta do *website* do INPI.

Outro vector importante, que pode atenuar a nossa dependência, está na ligação aos países de língua portuguesa, reforçada hoje via CPLP. Uma política bem conduzida, com vantagens recíprocas, pode marcar a diferença. Portugal recobrará assim algum peso no contexto mundial e europeu.

2. **O enquadramento nacional**

Qual, perante isto, o enquadramento nacional que se pode prever?

Tudo indica que prosseguirá a densificação das regras internacionais neste sector, tendente a reduzir cada vez mais a autonomia dos países periféricos – e Portugal é, neste sentido, um país periférico.

Como proceder então, no plano interno?

Antes de mais, tendo a consciência que as injunções internacionais não constituem um bloco fechado. Pelo contrário, há muitos espaços em aberto, que permitem a cada país buscar a configuração mais adequada aos seus interesses.

Isto significa que o país carece antes de mais da formulação de uma política nacional coerente.

Como o grande peso da Propriedade Industrial recai na área económica, põe-se o problema da integração óptima do INPI na estrutura governativa.

Para melhor desenvolver a sua missão prioritária, é necessário que o INPI se articule melhor com as demais políticas e acções de natureza económica do Governo. O INPI não deveria projectar a imagem de um mero organismo burocrático ou de registos, como se se tratasse de uma conservatória de registo comercial.

Justifica-se pois que seja equacionada a **reintegração do INPI na tutela e supervisão de um ministério económico, tipicamente, o Ministério da Economia, da Inovação e do Desenvolvimento.**

A alteração resultante do PRACE, que levou a transferir o INPI para o Ministério da Justiça em 2006, não se adequa aos importantes desafios que se colocarão ao INPI nesta vertente económica. Com a discutível opção de transferir o INPI para o Ministério da Justiça, Portugal divergiu, sem ganhos evidentes, da orientação seguida em países próximos (por ex., a Oficina Española de Patentes y Marcas, integrada no Min. da Indústria, Comércio e Turismo; o Intellectual Property Office no Reino Unido, integrado no Departamento BIS, Business, Innovation and Skills; o INPI francês, integrado no Min. da Economia, das Finanças e da Indústria; o Ufficio Italiano Brevetti e Marchi, integrado no Min. das Actividades Produtivas). Aliás, o próprio IHMI é supervisionado pela DG do Mercado Interno e Serviços da Comissão Europeia e não pela DG da Justiça.

Por outro lado, uma vez que o INPI tem importantes funções na formulação da política nacional neste domínio – e esta orientação é fundada, desde que se não entenda como um monopólio, que implicaria uma desresponsabilização do Governo – deve corresponder-lhe uma estrutura que suporte esta função.

Exemplificamos. A lei prevê um conselho consultivo como um órgão próprio do INPI. Este tem estado completamente inactivo e que, na actual configuração, pouco utilidade tem. Para além de ser inadequada a sua composição (não prevê, por exemplo, representantes dos consumidores, da ASAE e de outros que se poderiam referir) é um órgão completamente dependente do próprio INPI (é presidido pelo presidente do conselho directivo e, nos assuntos referentes ao direito da propriedade industrial, só tem de ser consultado quando o conselho directivo o entender). Assim, é também necessário, **propor e defender um novo conselho consultivo como órgão próprio do INPI, de composição alargada, com competências efectivas e utilidade prática real.**

Outros aspectos podem ser sublinhados.

O INPI é um órgão dotado de autonomia. É excelente que assim continue a ser. Mas a autonomia não pode significar exclusão ou substituição de outros actores igualmente necessários e interessados: antes, deve levar à colaboração com estes. Seja o caso do ensino. Há órgãos especializados de ensino que podem actuar coordenadamente com o INPI, beneficiando reciprocamente das sinergias entre a experiência administrativa e a reflexão sobre a lei e os princípios gerais.

O INPI é também um órgão regulador, essencial neste domínio. A regulação é uma função pública: não se imaginam no nosso sistema jurídico reguladores privados. A regulação supõe uma garantia constante de independência. Mas independência não é isolamento. Cabe ao INPI suscitar permanentemente a participação, estimulando um diálogo aberto e conciliante na fixação das grandes linhas de actuação, em que toda a sociedade deve ser convidada a participar.

3. **Contributo efectivo do INPI para uma política económica nacional**

Não é arriscado prever que a próxima década suportará o fardo da luta pela recuperação económica, que deverá assentar designadamente no aumento da produtividade, no investimento na produção de bens transaccionáveis e no crescimento das exportações.

A inovação industrial e a aposta na qualidade são imprescindíveis para o aparecimento de novos produtos. Seria fundamental que o INPI aprofundasse as tarefas de suporte e incentivo à inovação e competitividade das empresas, que possam contribuir efectivamente para o crescimento económico. Nesse sentido, **deveria ser prioritária a promoção e divulgação da propriedade industrial em benefício específico das empresas em Portugal**.

Outro objectivo geral nacional está no fortalecimento de um sistema de protecção que mantenha níveis elevados de certeza e segurança jurídicas.

Seria bom que o INPI resistisse à moda dos sistemas de aligeiramento do exame ao mérito dos pedidos de direitos de propriedade industrial. Primeiro, porque tais sistemas pressupõem um funcionamento eficiente e célere do sistema judicial. Infelizmente, não é o caso português. Depois, porque na realidade económica nacional são predominantes as PME, que em geral dispõem de recursos muito limitados para a defesa dos seus DPI e têm a expectativa de que o sistema de registo lhes confira uma vantagem efectiva.

Insistimos em especial no que respeita ao exame. É necessário ter sempre presente que os direitos intelectuais são exclusivos: e que um exclusivo, exercido na vida de negócios, é um monopólio. O monopólio é um entrave à actividade negocial, como todos reconhecem. Por isso, o exclusivo na vida negocial não deve ultrapassar em nada o que é a sua própria justificação – recompensar a inovação industrial revelada ou permitir ao público e ao operador económico distinguir produtos ou serviços. Tudo o que for a mais, é moléstia.

A realidade, porém, é que a falta ou limitação de exame vai encher a vida social de entraves injustificados, barrando sectores que não há razão para estarem excluídos da iniciativa empresarial. Repercute-se pois negativamente na liberdade de concorrência, sem trazer contrapartida para a comunidade. E não adianta dizer que se confia na iniciativa dos interessados porque, se não há um operador que é directamente atingido, ninguém, mesmo que a lei lhe dê legitimidade, irá arcar com os ónus de um processo de anulação se não retira benefício imediato.

Afigura-se necessário *salvaguardar a fluidez do sistema de protecção.*

Em algumas modalidades verificam-se endémicas demoras (nomeadamente nas patentes – 3, 4 anos), que não são compatíveis com a vida comercial de hoje, embora este não seja um problema especificamente português. Nas marcas assiste-se a uma crescente dificuldade em encontrar sinais que, de algum modo, não se encontrem ameaçados por direitos anteriores, embora muitos destes direitos possam não corresponder a um interesse real na utilização da marca. Um país como Portugal é particularmente prejudicado, pois apenas uma pequena quota do total dos sinais distintivos protegidos no nosso País são aqui utilizados. Interessaria, portanto, discutir e estabelecer, por ex., formas de cooperação para reduzir o prazo de exame nas patentes. Nas marcas interessam por ex. regras e procedimentos que reduzissem o prazo normal de protecção dos registos (para 7 anos, período mínimo previsto no TRIPS), e/ou aumentassem a disponibilidade dos sinais distintivos não utilizados (criando obrigações efectivas quanto ao uso das marcas).

4. **As inovações industriais**

Faremos ainda observações mais em concreto, distinguindo as duas grandes categorias de direitos industriais: as inovações industriais e os sinais distintivos do comércio.

No domínio das inovações industriais é particularmente importante evitar uma extensão injustificada do âmbito destes direitos, não admitindo pois "invenções" que não constituam em verdade a solução técnica de um problema técnico. Seja o caso das patentes sobre modelos de negócios ou das patentes puras de programas de computador[1], que podem chegar mais ou menos disfarçadas à admissão pelo INPI. Nada justifica semelhante protecção.

Atinge aqui acuidade máxima a necessidade do exame. Chegam muitos pedidos de patente que são fraudulentos. Concedidas, automaticamente ou não, vão gravar a vida social e limitar a liberdade de iniciativa económica. A meta deveria ser que todos os pedidos seriam submetidos a exame.

Não se desconhece a gravidade dos obstáculos. Os pedidos de patente surgem nos mais variados ramos da técnica, supondo uma especialização extremamente adiantada do examinador. Por isso, os grandes centros, como o *Patentamt* alemão ou os grandes centros internacionais admitidos pelo Tratado de Cooperação em Matéria de Patentes, têm milhares de examinadores. É difícil imaginar que Portugal possa competir, sem um agravamento brutal de custos que funcionaria muito negativamente em relação a patentes que fossem pedidas em Portugal, dissuadindo os inventores ou outros titulares de as pedir.

É um problema que há que afrontar. A este propósito, lembro que o Tratado de Cooperação em Matéria de Patentes (Washington, 1970), prevê expressamente a possibilidade de os Estados-Membros remeterem para os Centros de Exame oficiais do Tratado os pedidos de patentes nacionais que lhes sejam apresentados. É uma possibilidade a explorar. O exame realizado por esses Centros, é caro, necessariamente. Não é porém impossível pensar num convénio que conseguisse equacionar equilibradamente a situação.

Não é a solução ideal, porque o exame deveria ser feito à luz da situação e prática portuguesas. Mas é um caminho possível, que levaria a que o INPI pudesse remeter as solicitações em domínios em que não tivesse pessoal habilitado próprio, sem abdicar da sua competência final de decisão.

Uma palavra ainda sobre os *modelos de utilidade*. Foram reduzidos a uma espécie de patentes sem exame, com protecção reduzida. Têm todos os inconvenientes de uma patente sem exame e não têm a vantagem específica que o modelo de utilidade poderia ter para um país no circunstancialismo de Portugal.

---

[1] Portanto, os que recaiam sobre o *software* em si.

A patente torna-se hoje uma espécie de subproduto das grandes empresas: produzem-nas às centenas. Portugal tem poucas empresas que se encontrem nessa situação. A questão é agravada pelo baixo (ou mesmo nulo, em casos como o dos Estados Unidos da América) nível de inventividade que se exige. Pelo contrário, encontram-se entre nós muitas pessoas habilidosas, que fazem pequenos inventos, melhoramentos ou aperfeiçoamentos de segunda ordem, mas que devem ser protegidos, embora num nível inferior em relação à patente.

É para isto que serve o modelo de utilidade. Deveria voltar à sua origem (o que nada impede, no regime internacional ou comunitário), satisfazendo uma necessidade específica do meio português.

5. **Os sinais distintivos do comércio**

A situação neste domínio é diferente. Não se supõe engenho na criação da marca ou outro sinal, apenas carácter distintivo. Mas da mesma forma não se compreenderia que a colectividade fosse onerada com monopólios quando não trouxessem a vantagem que deve ser a contrapartida do exclusivo. A justificação deste está em os sinais distinguirem produtos ou serviços, de maneira que o operador económico os possa apresentar identificados no mercado e o público os possa distinguir aí de outros produtos ou serviços. Se os sinais não são identificativos ou se confundem com outros sinais, o exclusivo perde a razão de ser. Por isso também aqui se impõe o exame, não o tornando apenas consequência eventual de uma oposição de outro operador que se sinta atingido.

Os sinais distintivos podem oferecer grande interesse para os operadores portugueses. Haverá que rever o CPI, cuja última formulação foi particularmente infeliz neste domínio; designadamente na configuração dada ao logótipo, deixando-o sem paralelo no exterior nem justificação intrínseca.

Um tipo que interessa particularmente a Portugal é o das *denominações de origem e indicações geográficas*, dada a excelência de muitos produtos portugueses. É um motivo para tomar como tarefa para estes 10 anos a revisão da (muito confusa) disciplina legal[2].

---

[2] Recorde-se que correm trabalhos na OMC preparatórios de inovações nesta matéria.

Mas o tipo dominante entre os sinais distintivos é sem dúvida o das marcas. Aqui Portugal está interessado, como a generalidade dos países. Tem mesmo um interesse particular, enquanto procura superar a marca da micro-empresa, para encontrar sinais correspondentes a uma gama mais vasta de produtos que se possam afirmar no exterior, como base de campanhas de promoção.

Porém, a marca passa a ter um acento negativo quando extrapola o pilar sobre que assenta: o interesse simultâneo do titular da marca e do público na distintividade dos produtos. Isso acontece com a categoria da marca de prestígio, que defende o interesse das marcas das grandes multinacionais muito além do que constitui o interesse do público. O regime interno destas deve ser restritivo, como acontece noutros países europeus, e não ampliativo, como infelizmente é propugnado entre nós.

Não se esqueça aliás que o universo das marcas disponíveis é limitado e que se defronta já uma situação de escassez quando se procura uma marca nova.

O TRATADO ACTA

LUÍS MANUEL TELES DE MENEZES LEITÃO
Doutor e Agregado em Direito
Professor Catedrático da Faculdade de Direito de Lisboa
Advogado e Jurisconsulto

ÍNDICE:

1. **Generalidades**

Perante as violações cada vez mais frequentes aos direitos da propriedade intelectual, com o crescente incremento da pirataria e da utilização de obras contrafeitas, e perante a insuficiência do Acordo TRIPS para reagir contra estas situações, surgiu a necessidade de um novo tratado multilateral destinado a combater a contrafacção, devido aos enormes prejuízos que a mesma causa à sociedade.

Efectivamente, os contrafactores não pagam impostos, o que inviabiliza a obtenção de receitas do Estado para a satisfação das necessidades sociais. Para além disso, os contrafactores não cumprem as disposições laborais, não pagando salários justos ou prestações sociais aos seus trabalhadores, atribuindo-lhes condições de trabalho precárias e utilizando frequentemente mão-de-obra infantil. Por último, os lucros provenientes da contrafacção são normalmente utilizados como fontes de financiamento do crime organizado, como as actividades terroristas, o tráfico humano, e o tráfico de droga.

O Tratado ACTA pretende por isso combater a contrafacção e a pirataria nos bens intelectuais, sendo estas entendida respectivamente como a violação de direitos de marca, ou a violação de direitos de autor e direitos conexos.

2. As negociações em torno do ACTA

O ACTA começou por ser negociado secretamente em Outubro de 2007, completamente à margem das organizações internacionais relevantes, como a OMC e a OMPI entre os Estados Unidos, a Comissão Europeia, a Suíça e o Japão. Posteriormente uniram-se a estas negociações a Austrália, a Coreia do Sul, a Nova Zelândia, o México, a Jordânia, Marrocos, Singapura, Emirados Árabes Unidos e Canadá. O secretismo em torno das negociações veio, no entanto, a ser quebrado pela Wikileaks que divulgou em 22 de Maio de 2008 um documento de discussão sobre o referido Tratado[1], o que produziu uma grande impacto nos meios de comunicação social. Tornaram-se assim conhecidas publicamente as rondas de negociação, tendo sido realizadas novas rondas entre 2008 e 2010, cujo secretismo motivou o Parlamento Europeu a publicar uma resolução crítica em 10 de Março de 2010[2]. Perante as sucessivas fugas de informação as partes publicaram o texto consolidado em 20 de Abril de 2010[3], tendo o texto final do acordo sido publicado em 15 de Novembro de 2010[4].

[1] Cfr. WIKILEAKS, *Proposed US ACTA plurilateral intellectual property trade agreement (2007)* disponível em *http://wikileaks.org/wiki/Proposed_US_ACTA_plurilateral_intellectual_property_trade_agreement_(2007)*

[2] Cfr. *European Parliament resolution of 10 March 2010 on the transparency and state of play of the ACTA negotiations* disponível em *http://www.europarl.europa.eu/sides/getDoc.do?pubRef=-//EP//TEXT+TA+P7-TA-2010-0058+0+DOC+XML+V0//EN*

[3] Cfr. *http://trade.ec.europa.eu/doclib/docs/2010/april/tradoc_146029.pdf*

[4] Cfr. *http://commondatastorage.googleapis.com/leaks/Anti-Counterfeiting%20Trade%20Agreement.pdf*

O Tratado foi finalmente adoptado em 3 de Dezembro de 2010[5]. Nos termos do art. 39.° do Tratado o mesmo permanecerá aberto para assinatura pelos participantes nas negociações ou por outros membros da Organização Comercial de Comércio aceites pelas partes entre 31 de Março de 2011 a 31 de Março de 2013, entrando em vigor com o depósito do sexto instrumento de ratificação (art. 40.° do Tratado).

A aprovação do Tratado não fez, porém, cessar a controvérsia em torno do mesmo. A FOUNDATION FOR A FREE INFORMATION INFRASTRUCTURE mantém activos um sítio na internet[6] e um blogue[7] destinados exclusivamente à crítica ao Tratado ACTA. Da mesma forma, um conjunto de académicos europeus publicou na internet uma posição pública no sentido de o Tratado ACTA contrariar o acervo comunitário e poder afectar de forma significativa os direitos dos cidadãos europeus[8].

3. **Medidas instituídas pelo Tratado ACTA**

3.1. ***Generalidades***

O ACTA tem sido considerado como um acrescentamento ao Acordo TRIPS, tendo sido inclusivamente já qualificado como o TRIPS-Plus, que há muito estava a ser reclamado[9]. Precisamente por esse motivo, o art. 1.° do Tratado ACTA estabelece que nada nesse tratado poderá derrogar qualquer obrigação das partes em relação a qualquer acordo existente com outra parte, incluindo o Acordo TRIPS. Para além disso, o Tratado ACTA não cria novos direitos de propriedade intelectual nem obriga as partes a

---

[5] Disponível em *http://www.dfat.gov.au/trade/acta/Final-ACTA-text-following-legal-verification.pdf*

[6] *http://action.ffii.org/acta*

[7] *http://acta.ffii.org/wordpress/*

[8] Cfr. AAVV, "Opinion of European Academics on Anti-Counterfeiting Trade Agreement", disponível em *http://www.iri.uni-hannover.de/tl_files/pdf/ACTA_opinion_110211_DH2.pdf*

[9] O TRIPS-Plus corresponde a uma agenda instituída pelos Estados Unidos e outros países no sentido de ultrapassar o regime do Acordo TRIPS para tornar mais efectiva a protecção concedida aos direitos de propriedade intelectual, designadamente através da celebração de tratados bilaterais estabelecendo uma protecção mais efectiva. Cfr. PETER K. YU, "Trips and its discontents", em *Marquette Intellectual Property Law Review* vol. 10:2 (2006), pp. 370-410 (383 e ss.).

alterar a sua legislação relativa às condições de atribuição e manutenção desses direitos (art. 3.°). O Tratado apenas pretende assegurar a existência de remédios adequados para reagir no âmbito civil, aduaneiro, penal e no direito da sociedade de informação contra as violações desses direitos. No entanto, a sua articulação com o acordo TRIPS não deixou de suscitar alguma controvérsia, tendo sido salientado que a aprovação do ACTA pode ter como efeito abolir o consenso estabelecido em torno do acordo TRIPS, retirando-lhe a sua força moral, o que, em vez de contribuir para atingir padrões mais elevados de protecção, pode antes levar a tornar menos efectivo o cumprimento do acordo TRIPS[10].

O ACTA distingue entre as seguintes categorias de medidas que estabelece em ordem a reagir contra a pirataria e a contrafacção:

a) Medidas civis;
b) Medidas aduaneiras;
c) Medidas penais;
d) Medidas relativas à sociedade de informação.

Examinemos sucessivamente essas medidas.

3.2. *As medidas civis*

3.2.1. *Generalidades*

Em relação às medidas civis mais importantes do Tratado ACTA, destacam-se as seguintes:

a) Aplicação de medidas inibitórias como reacção à violação de um direito de propriedade intelectual, as quais podem ser substituídas por uma remuneração ou por uma compensação pecuniária;
b) Adopção de critérios específicos de estabelecimento da indemnização pelos danos sofridos em consequência da violação dos direitos de propriedade intelectual;
c) Destruição dos produtos contrafeitos;

[10] É esta a posição de Jeffery Atik, "Acta and the Destabilization of TRIPS", Legal Studies Paper n.° 2011-18, Loyola Law School, Los Angeles, Capítulo 6, de Hans Henrik Lidgard/Jeffery Atik/Tu Thahn Nguyen (org.), *Sustainable Technology Transfer* Kluwer, em publicação, disponível em *http://ssrn.com/abstract=1856285*

d) Direito à informação em relação à participação na actividade ilegal, extensão e consequências da mesma;
e) Medidas provisórias.

Examinemos sucessivamente estas soluções:

3.2.2. *Medidas inibitórias, que podem ser substituídas por uma remuneração ou compensação pecuniária*

As medidas inibitórias encontram-se previstas no art. 8.° do Tratado ACTA, o qual estabelece que, em qualquer processo judicial concernente à protecção de um direito de propriedade intelectual, deve poder ser imposta ao infractor ou a terceiros uma medida inibitória dessa violação, bem como da entrada desses bens no circuito comercial.

O n.° 2 desse artigo 8.° admite, porém, em certos casos que os Estados contratantes possam substituir essas medidas por uma remuneração ou compensação pecuniária. Prevê-se em primeiro lugar a substituição das medidas inibitórias por uma remuneração no caso de essas medidas inibitórias serem dirigidas contra o uso não autorizado dos direitos de propriedade intelectual pelos governos ou por terceiros por estes autorizados, desde que os Estados cumpram as determinações do Acordo TRIPS relativamente às condições em que esse uso é permitido. Para além disso, as medidas inibitórias podem deixar de ser aplicadas no caso de serem inconsistentes com a lei do Estado contratante, caso em que o Estado deverá atribuir um julgamento declaratório e uma compensação adequada.

3.2.3. *Adopção de critérios específicos de estabelecimento da indemnização pelos danos sofridos em consequência da violação dos direitos de propriedade intelectual*

O art. 9.° vem estabelecer critérios específicos relativos à indemnização em consequência da violação dos direitos de propriedade industrial. O art. 9.°, n.° 1, do Tratado refere em primeiro lugar que em qualquer processo judicial respeitante à tutela dos direitos de propriedade intelectual, as Partes devem assegurar que as autoridades judiciais possam ordenar ao infractor que, sabendo-o ou tendo motivos razoáveis para o saber, tenha desenvolvido uma actividade ilícita, pague ao titular do direito uma indemnização por perdas e danos adequada ao prejuízo por este efectivamente sofrido devido à violação. Conforme resulta desta disposição, é formulado o princípio geral da responsabilidade civil pela violação de DPI, o qual assenta naturalmente nos prejuízos efectivamente sofridos pelo lesado, que terão, de acordo com as regras gerais, que ter que ser por ele provados. No entanto, essa mesma disposição possibilita a utilização de qualquer critério legítimo de determinação dos danos, incluindo os lucros cessantes do lesado, o valor dos bens e serviços infringidos medido pelo preço de mercado, ou o sugerido preço de venda, admitindo-se assim uma grande discricionariedade judicial na fixação desses danos.

Estando em causa a violação de direitos de autor ou direitos conexos ou a contrafacção de marcas, o art. 9.°, n.° 2, admite mesmo a possibilidade de os tribunais atribuírem ao lesado os lucros obtidos pelo infractor e de presumirem esses lucros, em resultado da violação dos direitos de propriedade intelectual. Nestas situações os Estados são igualmente obrigadas a estabelecer um sistema com uma das seguintes soluções: a) indemnizações pré-estabelecidas; b) presunções de dano por forma a compensar adequadamente o lesado; c) pelos no caso dos direitos de autor, indemnizações adicionais (art. 9.°, n.° 3). Se os Estados optarem por uma das soluções das alíneas a) e b), devem assegurar ao lesado e à autoridade judiciária a possibilidade de optar pela atribuição dos lucros (art. 9.°, n.° 4). Prevê-se ainda o pagamento à parte lesada de todas as custas judiciais e outras despesas, incluindo os honorários de advogados (art. 9.°, n.° 5).

A utilização destes critérios tem merecida acesa crítica, tendo a FOUNDATION FOR A FREE INFORMATION INFRASTRUCTURE (FFII) salientado que as elevadas indemnizações estabelecidas não poderão ser pagas pelas empresas em início de actividade, pelo que contribuirão para restringir a entrada no mercado e aumentar os custos de transacção e os preços pagos pelos consumidores em benefício daqueles que registam patentes. Especialmente no que se refere ao critério do "sugerido preço de venda", esta instituição sustenta que este critério permite obter uma indemnização muito acima dos prejuízos efectivamente sofridos, os quais no caso da infracção a patentes poderão ser totalmente desproporcionados, uma vez que um simples *software* pode conter centenas de patentes, pertencentes a múltiplos titulares[11].

[11] Cfr. FOUNDATION FOR A FREE INFORMATION INFRASTRUCTURE, "FFII Acta Analysis", disponível em *http://action.ffii.org/acta/Analysis*

A perda dos lucros indevidos obtidos pelo infractor constitui um critério típico da figura anglo-saxónica do *disgorging for profits*[12], e que temos considerado presente na figura da gestão de negócios imprópria. Da mesma forma, a indemnização por danos presumidos corresponde a uma grande evolução na responsabilidade civil onde são raras as presunções de dano.

Já em relação às indemnizações adicionais, as mesmas deverão corresponder ao estabelecimento de montantes de indemnização a título punitivo (*punitive damages*).

3.2.4. *Destruição dos produtos contrafeitos*

O art. 10.°, do Tratado Acta obriga a que, pelo menos no que respeita à pirataria de obras intelectuais e à contrafacção de marcas, seja possível ao lesado ordenar a destruição dos produtos pirateados ou contrafeitos, sem compensação de qualquer espécie, salvo em situações excepcionais. Da mesma forma, o lesado pode solicitar que os materiais e os instrumentos cujo uso predominante seja a manufactura ou a criação desses produtos seja destruído ou colocado fora dos circuitos comerciais de forma a minimizar os riscos de novas infracções. Os Estados contratantes podem mesmo estabelecer que a destruição ou retirada dos circuitos comerciais ocorra a expensas do infractor.

3.2.5. *Direito à informação em relação à participação na actividade ilegal, extensão e consequências da mesma*

Outro aspecto civil importante do Tratado ACTA é a atribuição de um direito à informação em relação à participação na actividade ilegal, extensão e consequências da mesma. Esse direito à informação encontra-se previsto no art. 11.° do Tratado e permite ao titular dos direitos solicitar à autoridade judiciária que ordene ao lesante ou ao alegado lesante informação na sua posse e controlo sobre essa violação. Essa informação abrange por exemplo a identificação das pessoas envolvidas na violação, os meios de produção e os canais de distribuição e as quantidade produzidas, fabricadas, entregues, recebidas ou encomendadas, bem como o preço

[12] Sobre esta figura, no âmbito do Direito dos Valores Mobiliários, veja-se entre nós José António Veloso, "*Churning:* alguns apontamentos com uma proposta legislativa", em AAVV, *Direito dos Valores Mobiliários*, Lisboa, FDL/Lex, 1997, pp. 349-453 (440 e ss.)

obtido pelos bens ou serviços em questão. É de notar que a informação da identidade dos participantes na rede permite fazer recair sobre eles igualmente a obrigação de informação, bem como a responsabilidade. Em relação à informação sobre o volume da produção e preço dos bens, esta vem permitir determinar o montante da indemnização com base nos critérios acima referidos.

Essa obrigação não prejudica, no entanto, as leis relativas a segredo de Estado, protecção das fontes de informação e protecção dos dados pessoais (art. 11.°, proémio). A simples referência a estes regimes nesta disposição faz colocar bastantes dúvidas sobre a efectiva extensão desta obrigação de informação. Designadamente, não parece que esta possa levar a um dever de auto-incriminação do próprio ou em relação a familiares próximos. Também não é concebível que através da mesma se possa proceder à violação do segredo profissional ou do segredo de justiça. Parece, por isso, que esta articulação da obrigação de informação com as excepções aqui consagradas será fonte de grandes discussões.

3.2.6. *Medidas provisórias*

O art. 12.° admite ainda as denominadas medidas provisórias, as quais incluem procedimentos cautelares destinados a evitar a violação de direitos de propriedade intelectual e medidas relativas à preservação da prova (n.° 1). Essas medidas podem ser aplicadas sem audiência da parte contrária, quando a sua audição possa provocar um dano irreparável ao titular dos direitos (n.° 2).

O Tratado determina que, pelo menos no caso de violação de direitos de autor e conexos e contrafacção de marcas, as autoridades judiciais competentes devam poder ordenar a apreensão preventiva de bens suspeitos e materiais e instrumentos relevantes para o acto de infracção e pelo menos no caso da contrafacção de marcas, prova documental, incluindo originais e cópias relevantes para a infracção Esta solução corresponde a uma providência, que nos direitos da *Common Law* tem sido denominada de *Mareva injunction*. Trata-se de uma ordem judicial com carácter pessoal (*in personam*), sendo decretada sem audiência do requerido (*ex parte*), que que determina a apreensão dos seus bens sujeitos a um processo, em ordem a evitar que sejam subtraídos à acção do Tribunal[13].

[13] A *Mareva Injunction* foi estabelecida no caso *Mareva Compania Naviera SA v. International Bulkcarriers SA (The Mareva)* [1975] 2 *Lloyd's Rep* 509 [1980] 1 *All ER* 213,

Já as medidas relativas à preservação da prova permitem ao titular dos direitos de propriedade intelectual requerer ao tribunal a apresentação de elementos da prova que se encontrem na posse, na dependência ou sob controlo da parte contrária. Estas medidas são inspiradas nas denominadas *Anton Piller Orders*, existentes nos direitos da Inglaterra e do País de Gales[14].

Qualquer destes medidas só pode ser aplicada no caso de o requerente fornecer indícios que tornem provável a existência da infracção (art. 12.°, n.° 4), podendo ser revogadas se forem posteriormente julgadas injustificadas (art. 12.°, n.° 5).

3.3. *As medidas aduaneiras*

As medidas aduaneiras encontram-se previstas nos arts. 13.° e ss. e pretendem determinar um efectivo controlo fronteiriço em relação à circulação dos direitos de propriedade intelectual (art. 13.°). Essas medidas incluem o controlo fronteiriço de bens suspeitos (art. 16.°), a requerimento do titular do direito com base em elementos de prova suficientes (art. 17.°), o qual deve fornecer uma garantia para prevenir abusos (art. 18.°), após o que as autoridades verificarão se existe ou não infracção (art. 19.°). Neste âmbito pode ocorrer igualmente a destruição dos bens (art. 20.°, n.° 1), a qual pode em certos casos ser substituída pela remoção da marca contrafeita (art. 20.°, n.° 2), podendo igualmente serem aplicadas sanções administrativas (art. 20.°, n.° 3). Os Estados podem cobrar emolumentos pela sua intervenção (art. 21.°) e atribuir ao titular do direito um direito à informação em relação às infracções detectadas (art. 22.°).

---

disponível em *http://www.uniset.ca/other/cs4/19801AER213.html*, tendo correspondido à proibição de deslocação de um navio para fora da jurisdição. Cfr. sobre a mesma William Tetley, "Arrest, Attachment, and Related Maritime Law Procedures [.pdf]" (1999) 73 *Tul. L. Rev.* 1895-1985, disponível em *http://www.mcgill.ca/maritimelaw/maritime-admiralty/arrest/*.

[14] O nome destas medidas deriva do caso *Anton Piller KG vs Manufacturing Processes Limited* [1976] Ch 55, tendo as mesmas sido em 1997 colocadas na *Section VII* do *Civil Procedure Act* 1997. Trata-se de medidas que permitem para efeitos probatórios a busca de instalações e a apreensão de provas incriminatórias, sem aviso prévio, em ordem a evitar a sua destruição, sendo particularmente usadas em casos de violação de direitos de propriedade intelectual, como marcas, patentes e direitos de autor. Cfr. sobre as mesmas William Tetley, *loc. cit.*

É de notar que os Estados podem excluir a aplicação deste regime em relação a bens não comerciais transportados na bagagem pessoal, mas não são obrigados a fazê-lo (art. 14.°, n.° 2).

3.4. *As medidas penais*

Depois do fracasso das iniciativas da União Europeia em impor aos Estados-Membros a criminalização das infracções dos direitos da propriedade intelectual à escala comercial[15], o Tratado ACTA vem expressamente ordenar essa criminalização nos casos de pirataria e contrafacções dolosas praticadas à escala comercial (art. 23.°). O art. 24.° determina mesmo que devem ser estabelecidas penas de prisão e multas em grau suficientemente elevado para ter efeito dissuasor da prática da infracção. Em certos casos, é mesmo previstos que os crimes devem ser públicos (art. 26.°).

3.5. *As medidas relativas à sociedade de informação*

O ACTA preocupa-se explicitamente com a situação da violação dos direitos de propriedade intelectual no ambiente digital, sabendo-se da facilidade que existe na violação nesta área.

Assim, em primeiro lugar, determina-se que as medidas civis e penais anteriormente previstas devem ser igualmente aplicáveis no ambiente digi-

[15] Efectivamente, a proposta inicial da Directiva 2004/48/CE, apreentada em 2003 (COM 2003/0046 final – COD 2003/0024, disponível em *http://eur-lex.europa.eu/LexUriServ/LexUriServ.do?uri=CELEX:52003PC0046:PT:HTML* criminalizava toda e qualquer violação intencional dos direitos de propriedade intelectual à escala comercial (art. 20.°) e não apenas os casos mais graves, e permitia atingir qualquer consumidor.Essa proposta foi, por isso. considerada excessivamente radical, tendo sido recebida com bastantes críticas e retirada da versão final da Directiva. A A Comissão apresentou posteriormente, em 12 de Julho de 2005, uma segunda proposta de Directiva, relativa aos aspectos penais da violação dos direitos de propriedade intelectual, habitualmente conhecida por *IPRED* (COM (2005), 276 final, disponível em europa.eu.int/eur-lex/lex/LexUriServ/ site/en/com/2005/ com2005_0276en01.pdf). que manteve a obrigação de criminalizar qualquer violação intencional dos direitos de propriedade intelectual à escala comercial (art. 3.° da Proposta). Essa proposta foi, no entanto, recebida com grande criticismo, tendo o Parlamento holandês enviado uma missiva ao Comissário Europeu considerando a proposta como fora da competência da União Europeia. A proposta veio a ser por isso mais tarde retirada.

tal, criando as partes processos destinados à sua aplicação efectiva neste ambiente, incluindo meios destinados a prevenir e a dissuadir novas infracções (art. 27.°, n.° 1).

Esses processos devem ser aplicados igualmente às infracções verificadas nas redes digitais, em ordem a evitar a difusão nessas redes de infracções, com os limites resultantes da liberdade de expressão, *fair use*, e privacidade (art. 27.°, n.° 2). Para esse efeito, podem ser desenvolvidos esforços de cooperação com a comunidade na actividade (art. 27.°, n.° 3).

As partes podem determinar, de acordo com as suas leis e regulamentos, que os provedores de serviços forneçam aos titulares de direitos lesados que identifiquem os subscritores cujas contas tenham sido utilizadas para a violação desses direitos (art. 27.°, n.° 4).

As partes devem assegurar uma protecção eficaz contra a neutralização das medidas de carácter tecnológica que protejam as obras e prestações dos titulares de direitos de autor e direitos conexos (art. 27.°, n.os 5 e 6).

As partes devem assegura uma efectiva protecção e medidas legais eficazes contra actos de remoção ou alteração de informação electrónica sobre direitos (art. 27.°, n.° 7).

4. **Conclusão**

Apesar da controvérsia com que foi recebido, o Tratado ACTA constitui um importante passo dado pela comunidade internacional, em ordem a conseguir uma repressão eficaz da contrafacção e da pirataria. Espera-se por isso que venha a ter uma eficaz implementação, em ordem a assegurar uma adequada tutela dos direitos de propriedade intelectual.

FRONTEIRAS CRÍTICAS DA PATENTEABILIDADE: OS PROGRAMAS DE COMPUTADOR*

PEDRO SOUSA E SILVA
Advogado.
Professor-coordenador do ISCA da Universidade de Aveiro
Docente convidado da Escola de Direito do Porto da U. Católica

I. **Introdução**

Se há vinte anos se colocasse a questão de patentear em Portugal programas de computador, a resposta seria clara e categórica: nem pensar!

Por um lado, porque já então fora estabelecida outra via de protecção para o software: **os direitos de autor**[1]. Por outro, e coerentemente, porque

---

* Texto de uma exposição apresentada em 5 de Fevereiro de 2011 no II Curso Pós--Graduado de Direito Intelectual – 2011, promovido pela Faculdade de Direito de Lisboa e pela Associação Portuguesa de Direito Intelectual, sob a coordenação do Professor Oliveira Ascensão e do Professor José Alberto Vieira.

[1] Entre nós, mesmo antes da publicação do DL 252/94, de 20 de Outubro, já se entendia que a tutela do software deveria fazer-se por aplicação analógica do regime dos Direitos de Autor, havendo decisões jurisprudenciais nesse sentido. Este diploma veio atribuir expressamente, aos *programas de computador que tiverem carácter criativo (...), protecção análoga à conferida às obras literárias,* tendo a duração da protecção (inicialmente correspondente à vida do autor acrescida de 50 anos) sido aumentada por força da Lei n.° 99/ /97, de 3 de Setembro, que alargou esse prazo suplementar para 70 anos. Este diploma procedeu à transposição para a ordem interna da Directiva n.° 91/259/CEE, do Conselho de 14 de Maio de 1991, relativa à protecção jurídica dos programas de computador. Sobre a problemática das patentes de software e sobre métodos comerciais, cf. CORNISH, LLEWELYN AND APLIN, *Intellectual Property: Patents, Copyright, Trade Marks and Allied Rights,* 2010, pp. 234 e 235 e 862 a 872, DAVID BAINBRIDGE, *Intellectual Property,* 2010, pp. 450 a 457, BENTLY e SHERMAN, *Intellectual Property Law*, 2004, pp. 342 a 344 e 410 a 423, ROCHELLE DREYFUSS, *Examining State Street Bank: Developments in Business Method Patenting,* in

os programas informáticos correspondiam a realidades legalmente excluídas da patenteabilidade, juntamente com os princípios e métodos matemáticos, ou de exercício de actividades intelectuais, no domínio das actividades económicas. Além disso, sempre se exigiu, expressa ou implicitamente, que as patentes versassem sobre invenções do domínio da **técnica**. Ora, muitos dos programas de computador respeitam a domínios não tecnológicos, incidindo até sobre métodos comerciais. Logo, também por essa razão, nestes casos seria impossível patentear o software.

Mas as coisas começaram a mudar...

Desde logo, colocava-se a questão de saber se era possível patentear um aparelho inovador, em cujo funcionamento fosse utilizado um programa de computador (por exemplo, os travões "ABS"[2]). A resposta parecia evidente: o que não podia ser patenteado era o programa de computador, *em si mesmo* considerado. Assim como um certo equipamento utiliza parafusos ou rodas dentadas, como componentes do seu maquinismo, também poderia incorporar sistemas informáticos, mais ou menos complexos. E não seria isso que afastaria esse equipamento da patenteabilidade. Foi assim que começou a entender-se que apenas não seriam patenteáveis os programas de computador, enquanto tais.

Não por acaso, a Convenção de Munique, de 1973 – que excluía do conceito de invenção patenteável, no art. 52.°/2/d), os programas de computador[3] – logo acrescentava, no n.° 3 dessa disposição, que a patenteabi-

---

Computer Law Review, 1/2001, p. 1, FRANÇOIS PERRET, *La protection des méthodes commerciales par le droit des brevets d'invention: le point de la situation après l'arrêt State Street Bank*, Revue de Droit Suisse, n.° 3-2001, pp. 271 e ss., e o excelente artigo de JAMES GLEICK, *Patently absurd* – "The New York Times Magazine", de 12 de Março de 2000 (disponível em *http://query.nytimes.com/gst/fullpage.html?res=9A0DE0DD1238 F931A25750 C0A9669C8B63&scp=1&sq=JAMES%20GLEICK,%20Patently%20absurd&st=cse*). Entre nós, SOUSA E SILVA, *A patenteabilidade dos métodos comerciais*, in Direito da Sociedade da Informação, Vol. V, ob. col. ed. pela APDI, 2004, pp. 237 e ss., ALEXANDRE DIAS PEREIRA, *Patentes de Software. Sobre a patenteabilidade de programas de computador*, Direito Industrial, Vol. I, 2001, pp. 385 e ss. e MOURA E SILVA, *Protecção de Programas de Computador na Comunidade Europeia*, Direito e Justiça, Vol. VII, 1994, p. 253.

[2] Patente britânica n.° 97/03388, pedida em 8/12/97, posteriormente estendida a outros países, via PCT.

[3] Esta opção legislativa deve-se, não tanto à especial natureza do *software*, mas antes à ideia – dominante aquando da redacção da Convenção de Munique de 1973, que inspirou o nosso CPI – de que os programas informáticos seriam melhor protegidos pela disciplina dos Direitos de Autor. Neste sentido, BENTLY e SHERMAN, *Intellectual Property Law*, cit., pp. 394 e 410.

lidade só era excluída quando o pedido de patente incidisse apenas sobre esse elemento (o programa informático), *considerado* ***como tal***. Nesta mesma linha, o CPI de 1995, no seu art. 48.°/1/d), excluía a patenteabilidade dos *programas de computadores, como tais*.

II. A evolução recente

Mas a realidade evolui rapidamente nestes domínios e, sobretudo nos Estados Unidos, as "comportas abriram-se" já há alguns anos, tendo o USPTO passado a atribuir verdadeiras patentes de software (isto é, sobre programas de computadores, como tais) e até sobre métodos comerciais sem carácter técnico, apenas por serem informatizados. A "corrida ao ouro" foi tal que, só no ano 2000, o USPTO registou 7.800 pedidos de patentes deste género, número que não parou de aumentar: em 2010, os pedidos de patentes apresentados para *Computer Architecture, Software & Information Security* atingiram já os 60.882[4].

Mas o que explica este interesse? Então não existia já a protecção do Direito de Autor (nos EUA, do "copyright"), que até tem uma duração muito mais longa? Como é sabido, o direito de autor só se extingue 70 anos após a morte do criador (art. 31.° CDADC), em vez dos "modestos" 20 anos de duração das patentes (art. 99.° CPI). Além disso, a protecção do Direito de Autor nem sequer depende do registo, sendo totalmente gratuita; ao contrário da patente, que depende de uma procedimento de exame, exige o pagamento de taxas e resulta de um acto administrativo de concessão.

Acontece que a protecção do Direito de Autor *abrange unicamente a expressão do programa de computador*. Ou seja, protege apenas o texto, o código, com que esse programa está redigido. Não ficam como tal protegidas as ideias e os princípios subjacentes a qualquer elemento do programa, nomeadamente os presentes na lógica, nos algoritmos e na escrita de programação. Por este motivo, o *copyright* tem um âmbito de protecção muito mais estreito que o da patente, pois esta impede o uso do invento, seja qual for a expressão que este uso assuma, o que lhe confere uma protecção de "largo espectro". Ao passo que aquele apenas impede

[4] Fonte: United States Patent and Trademark Office, através da página *http://www.uspto.gov/patents/stats*.

a cópia daquela escrita informática concreta, não impedindo outros autores de redigirem o seu próprio código para conseguirem o mesmo resultado prático.

As patentes envolvendo **programas informáticos** concedidas até hoje situam-se nos mais variados domínios: há software de compressão de dados, de encriptação, de sistemas de jogos, de processamento de imagem, de motores de busca, ferramentas da Internet ou de telecomunicações. Note-se que estes exemplos respeitam já, unicamente, a programas de computador *como tais* (o que os privaria, à partida, de patenteabilidade, à luz da CPE e do CPI). Tais programas, ainda assim, pertencem ao domínio da *técnica*. Mas que dizer de patentes sobre **métodos comerciais** – designadamente sistemas de vendas, ou procedimentos de exercício de actividades económicas – que começaram também a ser protegidos ao abrigo de patentes? É que estes nem sequer constituem novidades do foro da técnica...

No entanto, isso não impediu as autoridades norte-americanas de concederem patentes deste tipo, tendo com isso gerado uma controvérsia viva e áspera, que está longe de terminar[5], e que se insere no debate – mais amplo – sobre a admissibilidade das patentes de software, que há muito se estendeu à União Europeia, que chegou mesmo a elaborar propostas de regulamentação desta matéria, de que adiante falaremos.

III. A "última fronteira": patentes sobre métodos comerciais

Um marco decisivo nesta evolução foi a decisão proferida em 1998, no já célebre caso *State Street Bank*[6], pelo "United States Court of Appeals for the Federal Circuit". É certo que a concessão de patentes a métodos comerciais não nasceu com aquele processo[7]. Contudo, esta decisão signi-

[5] Para uma reflexão crítica sobre os efeitos da propriedade intelectual sobre a criatividade e inovação, cf. LAWRENCE LESSIG, *The future of ideas,* 2001.

[6] *State Street Bank* & Trust CO vs. Signature Financial Group, Inc. – Proc. n.° 96--1327, do United States Court of Appeals for the Federal Circuit; sentença de 23.07.1998 (texto integral in *http://www.law.emory.edu/fedcircuit/july98/96-1327.wpd.html*). Estava em causa um sistema de processamento de dados para implementar uma estrutura de gestão de investimentos com fundos mutualistas.

[7] Como faz notar ROCHELLE COOPER DREYFUSS, *Examining State Street Bank: Developments in Business Method Patenting* – Computer Law Review International, 1/2001, p. 1.

ficou a *aprovação oficial* deste tipo de patentes, tendo desencadeado a dita "corrida ao ouro"...

Antes de mais, importa definir este novo (?) conceito, que vem sendo designado – na linguagem corrente e sem grande rigor[8] – por patente de "método comercial" ou de "procedimento comercial" (*business method patent*). Mas é também frequente a designação de *web patent* (pois são procedimentos desenvolvidos e explorados predominantemente no contexto da Internet). Há quem fale, a este propósito, de patentes sobre "actividades não tecnológicas" (*nontechnological arts*)[9].

Estão em causa actividades tão variadas como a publicidade e o *marketing*, as vendas e leilões na Internet, os serviços financeiros, o ensino e a formação, a contabilidade, e até a arquitectura. Do ponto de vista administrativo, estas patentes são normalmente processadas pelo USPTO como inventos relativos a "processamento de dados: financeiros, de práticas comerciais, de gestão ou determinação de custo ou preço". Um diploma legal em vigor nos EUA desde 2001, o *Business Method Patent Improvement Act*, define "método comercial" como *um método de administrar, gerir, ou de outro modo conduzir uma empresa ou organização, incluindo uma técnica usada para fazer ou conduzir negócios, ou processar informação financeira; ou qualquer técnica usada no desempenho de capacidades atléticas, pedagógicas ou pessoais; e qualquer implementação informática desses métodos ou técnicas*[10].

Um dos exemplos mais famosos é o da patente concedida à *Amazon.com*, tendo por objecto o *método e sistema para colocar uma ordem de compra através de uma rede de comunicações*, e que é hoje conhecido pela sua designação comercial, e marca registada, "1-Click"[11]. Como é

---

[8] A este respeito, cf. DECLAN MCCULLAGH, *IP: Has the U.S. Patent Office really reformed? – http://cluebot.com/article.pl?sid=01/03/21/1817201*.

[9] Expressão usada por JOHN THOMAS, *The Patenting of the Liberal Professions*, cit. por R. DREYFUSS, ob. cit., nota 1.

[10] Tradução do autor. No original: "(1) a method of: (A) administering, managing, or otherwise operating an enterprise or organization, including a technique used in doing or conducting business; or (B) processing financial data; (2) any technique used in athletics, instruction, or personal skills; and (3) any computer-assisted implementation of a systematic means described [in (1)] or a technique described in [(2)]".

[11] Sobre este tema cf., entre outros, L. LESSIG, *The future of ideas*, cit., pp. 132 e 133, R. C. DREYFUSS, *Examining State Street...* cit., p. 3 e DAVID BENDER, *Business Methods Patents: An Alternative View* – Computer Law Review International, 3/2001, p. 67; cf. ainda o site *www.noamazon.com*, que conduz uma campanha contra aquela

sabido, este sistema consiste em permitir que o comprador *online* use um "carrinho de compras", que vai enchendo através de *clicks* do rato com os artigos que vai seleccionando, elaborando assim uma lista que pode ser comprada, em bloco, mediante um último e único *click* – sem necessitar de proceder ao fastidioso preenchimento dos seus dados pessoais, endereço para envio e número de cartão de crédito (pois estes dados, a partir da primeira compra que cada consumidor efectue na *Amazon,* podem ser automaticamente carregados a partir de um *cookie* mantido no próprio computador do cliente, desde que este tenha aderido ao dito sistema "1-Click"). Este procedimento é extremamente prático e atraente para os clientes, e terá contribuído largamente para o êxito comercial da empresa[12]. Por isso, logo que a respectiva patente foi concedida, a *Amazon* tratou de processar um concorrente, a *Barnes and Noble* (que vinha utilizando um sistema semelhante, denominado "Express Lane"), tendo conseguido que um tribunal decretasse uma providência cautelar obrigando esta última a modificar o seu método de vendas, através da adição de um *click* de rato, suplementar e supérfluo (para o diferenciar do método já patenteado). Seguiu-se uma renhida batalha judicial que levou um tribunal de recurso a revogar a medida cautelar, por entender que a patente em questão aparentava ser demasiado óbvia para merecer protecção[13], tendo este contencioso terminado num acordo entre as partes, celebrado em Março de 2002.

Aqui reside um dos maiores problemas que esta questão levanta: os métodos ou procedimentos comerciais normalmente não são inéditos, sendo já conhecidos e utilizados pelos agentes económicos. Raramente são verdadeiras inovações, constituindo antes adaptações ou aperfeiçoamentos de sistemas já existentes – ou, mais rigorosamente, da *transpo-*

---

empresa de comércio electrónico, por considerar que as suas práticas ameaçam o progresso da Internet.

[12] Sublinhe-se que a técnica dos "cookies" não foi inventada pela Amazon, tendo antes sido introduzida pela Netscape. Um *cookie* é um grupo de dados trocados entre o navegador e o servidor de páginas, colocado num arquivo (ficheiro) de texto criado no computador do utilizador. A sua função principal é a de manter a persistência de sessões HTTP, para evitar guardar informações confidenciais num computador pertencente ao vendedor, que pode não ser suficientemente seguro. Esta técnica é muito usada por sites que pretendem evitar que seja necessário digitar a senha novamente quando se voltar ao site. Outros sites podem utilizá-los para guardar as preferências ou referências do utilizador.

[13] Cf. *http://www.law.emory.edu/fedcircuit/feb2001/00-1109.wp.html.*

sição para ambiente informático de procedimentos já conhecidos e frequentemente sem qualquer novidade ou criatividade. Ora a *novidade* e a *actividade inventiva* são, justamente, dois requisitos essenciais para a concessão da patente[14]. Como será, então, possível concederem-se exclusivos deste tipo?

Segundo ROCHELLE DREYFUSS[15], *a maioria das patentes concedidas parece basear-se na teoria de que a implementação em computador de uma técnica comercial conhecida, ou a tradução para o ciberespaço de um método de fazer negócio já conhecido, bastam para satisfazer o requisito da inventividade ("nonobviousness"), apesar de a implementação e a tradução serem já bem conhecidas da ciência dos computadores.* Ou, como explica LAWRENCE LESSIG[16], *estamos a falar de gente que pega numa forma de fazer negócio e, porque a transforma em software, vem dizer, "Isto agora é meu".*

Este entendimento "criativo" da lei de patentes, além de suscitar fortíssimas reservas conceptuais, levanta problemas práticos enormes, relacionados com a inexistência de bases de dados contendo a informação relevante para medir a criatividade do "invento", não havendo sequer publicações científicas que se dediquem à sua divulgação (ao contrário do que sucede nos domínios da técnica, propriamente dita). Assim, torna-se quase impraticável determinar, a cada momento, o "estado da técnica". Os métodos comerciais, como as técnicas de vendas, têm muito de conhecimento empírico, ligado à "astúcia" e intuição do negociante, constituindo informação partilhada pela generalidade dos agentes económicos, que se transmite pelo exemplo e pela observação das práticas empresariais alheias.

O outro grande problema – que não pode dissociar-se do primeiro – é a falta de *carácter técnico* do objecto destas patentes. Estas "invenções" respeitam a quê? Qual é o contributo que elas vêm trazer ao estado da técnica?

---

[14] Devendo além disso, como é sabido, tratar-se de um invento susceptível de aplicação industrial – arts. 51.°/1, 55.°/1 e 56.° do CPI. Estes requisitos são também exigidos, obviamente, pelo TRIPS (Acordo sobre os aspectos dos Direitos de Propriedade Intelectual relacionados com o Comércio, de 15 de Abril de 1994 – art. 27.°/1) e pela Convenção sobre a Patente Europeia (arts. 52.°/1 e 54.°).

[15] Ob. cit., p. 2.

[16] Citado por James Gleick, artigo cit., *supra*, nota 1.

Esta objecção, nos Estados Unidos, tem sido lestamente ultrapassada, à luz do princípio segundo o qual o simples facto de uma invenção usar um computador ou *software* fá-la ingressar automaticamente no domínio da técnica, desde que seja *útil, concreta e produza resultados tangíveis*[17]. Neste sentido, continua a ser exigido o carácter técnico para conceder uma patente. Mas bastará "embrulhar" convenientemente um sistema de vendas conhecido, com roupagem informática apropriada, para lhe dar boas hipóteses de sucesso no exame do USPTO.

A incongruência deste entendimento e os exageros a que conduz vêm gerando um coro de críticas, não só da parte dos *outsiders* habituais, mas de vozes autorizadas, incluindo prestigiados professores de Harvard e de Nova York[18], políticos e empresários influentes[19]. Por isso, o Congresso americano já começou a tomar medidas, embora tímidas, no sentido de mitigar os efeitos negativos desta proliferação de patentes "não tecnológicas", e mesmo de patentes inválidas (que vão subsistindo sem impugnação, face aos custos elevadíssimos de uma acção de anulação[20]). Por um lado, consagrou um *prior user right*, em favor de qualquer pessoa que, agindo de boa fé, tenha posto em prática o objecto de uma patente referente a métodos comerciais pelo menos um ano antes da data do pedido dessa patente, e tenha explorado comercialmente esse invento antes da data desse pedido[21]. Por outro, aprovou em 2001 o *Business Method Patent Improvement Act*, que veio facilitar e tornar menos onerosa a oposição a

---

[17] A este respeito, cf. o detalhado relatório apresentado à Comissão Europeia por ROBERT HART, PETER HOLMES e JOHN REID, *The Economic Impact of Patentability of Computer Programs*, disponível em *http://europa.eu.int/comm/internal_market/en/indprop/studyintro.htm.*

[18] Designadamente LAWRENCE LESSIG, *The future of ideas*, cit., pp. 208 e 209 e *Code and other Laws of Cyberspace*, 1999, pp. 130 e ss., bem como ROCHELLE COOPER DREYFUSS, *Examining State Street Bank...*, cit., p. 1.

[19] Nomeadamente a ORACLE e a ADOBE que, ao deporem perante o USPTO numa audiência pública sobre patentes de software, em 1994, declaram opor-se frontalmente a este tipo de patentes, acrescentando que os regimes do *copyright* e da protecção do segredo de negócios eram mais apropriados para proteger os desenvolvimentos do software – cf. *http://www.jamesshuggins.com/h/tek1/software_patent_adobe.htm.*

[20] DAVID BENDER refere que a impugnação judicial de uma patente, nos Estados Unidos, dificilmente tem um custo inferior a um milhão de dólares em "attorneys' fees – *Business Methods Patents: An Alternative View* – Computer Law Review International, 3/2001, p. 66.

[21] Sobre esta excepção, denominada "first inventor defense", cf. R. DREYFUSS, ob. cit., p. 4.

pedidos de patentes de métodos comerciais e a anulação destas patentes, com fundamento na falta de requisitos de patenteabilidade, nomeadamente a novidade e a actividade inventiva.

Mas a evolução deste regime não parece ainda estabilizada, até pelas crescentes dúvidas acerca do efeito destas patentes sobre a actividade económica, havendo já quem afirme[22] que o sistema de patentes americano está a *estrangular a inovação que ele próprio deveria alimentar.*

IV. A malograda proposta de directiva

Deste lado do Atlântico, o panorama é algo diferente, embora se observe uma tendência convergente com a dos Estados Unidos.

Nesse sentido, chegou mesmo a ser elaborada uma proposta de directiva comunitária *relativa à patenteabilidade dos inventos que implicam programas de computador*, apresentada pela Comissão Europeia em 20.02.2002[23]. Mas esta iniciativa, que não agradou "a gregos nem a troianos", veio a ser rejeitada pelo Parlamento Europeu em 6.07.2005, por uma larga maioria de 648 votos contra 14 votos favoráveis, com 18 abstenções.

Segundo a Comissão Europeia, a proposta limitava-se a clarificar o regime já existente, não servindo para tornar "patenteável o que ainda não era patenteável", prevendo a consagração, no direito interno dos Estados-membros, da patenteabilidade de **inventos que impliquem programas de computador**. O artigo 2.° do projecto definia este conceito como *qualquer invento cujo desempenho implique o uso de um computador, de uma rede informática ou de outro aparelho programável e que tenha uma ou mais características novas, à primeira vista, que sejam realizadas, no todo ou em parte, através de um ou mais programas de computador.* E confirmava a regra de que, para ser patenteável, um invento deve dar um *contributo técnico para o progresso tecnológico.* Esse contributo (condição para que o invento implique actividade inventiva), seria *avaliado considerando a diferença entre o âmbito da reivindicação da patente considerada no seu conjunto, cujos elementos possam incluir características técnicas e não técnicas, e o progresso tecnológico* (art. 4.°, § 3.°).

---

22 JAMES GLEICK, art. cit..

23 Documento COM (2002) 92 final, disponível em *http://europa.eu.int/comm/internal_market/en/indprop/comp/index.htm.*

A exigência deste contributo visava declaradamente negar a concessão de patentes *aos procedimentos comerciais "puros" ou aos processos mais geralmente sociais*, por haver receios de que tais patentes viessem a *asfixiar o comércio electrónico*[24]. Escusado será dizer que, à luz de um regime como este, a *Amazon* nunca teria obtido a patente que o USPTO lhe concedeu, sobre o sistema "1-Click".

A rejeição desta proposta – saudada simultaneamente como uma vitória do "open source" e da indústria do *software*!... – teve pelo menos uma consequência inequívoca: manter a **indefinição** que paira sobre toda esta matéria, dando "rédea solta" à abordagem liberal do IEP e permitindo interpretações e práticas divergentes ao nível nacional. Isto porque, nesta matéria, os Estados-membros da UE mantiveram competência legislativa, com a consequente autonomia para admitir, ou não, este tipo de patentes.

V. A situação actual

Com estes antecedentes, tentemos agora sintetizar o regime actual:

Como é sabido, a patente tem por objecto uma "invenção". Este conceito não está cunhado na nossa lei, nem nas convenções internacionais aplicáveis em Portugal, mas pode ser definido como *a solução de um problema específico no domínio da tecnologia*[25].

Para uma invenção ser patenteável tem que preencher não só os chamados requisitos de patenteabilidade – que constam dos artigos 51.° do CPI e 52.° da CPE (*novidade*, *actividade inventiva*, e *aplicabilidade in-*

---

[24] Cf. pp. 12 e 13 da Exposição de Motivos.

[25] A definição é da OMPI: cf. *WIPO Intellectual Property Handbook: Policy, Law and Use*, Cap. II, p. 17, acessível in *http://www.wipo.int/export/sites/www/about-ip/en/iprm/pdf/ch2.pdf*. Oliveira Ascensão esclarece: *a invenção, que respeita ao direito industrial, distingue-se da descoberta por representar a solução de um problema técnico. Já pode aparecer mais como criação e não mera descoberta, por um lado, e por outro é necessariamente caracterizada pelo problema técnico a que vem dar resposta* (in *Direito Comercial, II, Direito Industrial*, p. 233). Couto Gonçalves, sob inspiração da jurisprudência germânica, propõe a definição seguinte: *ensinamento para uma acção planeada, com a utilização das forças da natureza susceptíveis de serem dominadas, para obtenção de um resultado causal previsível* (*Manual de Direito Industrial*, 2008, p. 56). Sobre o conceito de invenção, cf. ainda Remédio Marques, *Biotecnologias(s) e Propriedade Intelectual*, 2007, Vol. I, p. 231.

dustrial) – mas também o requisito do **carácter técnico**[26]. Este (pré)requisito, constante do n.° 2 do art. 51.° do CPI e do n.° 1 do art. 52.° da CPE, significa que o invento deve *ter por objecto um «ensinamento técnico», ou seja, deve indicar ao perito na especialidade como proceder para resolver um determinado problema técnico utilizando certos meios técnicos*[27].

Consequentemente, é recusada protecção às *descobertas, às teorias científicas e aos métodos matemáticos, aos materiais já existentes na natureza, às criações estéticas, às apresentações de informação e aos projectos, princípios e métodos do exercício de actividades intelectuais em matéria de jogo ou no domínio das actividades económicas*[28] – pois estas realidades, por mais importantes que sejam, revestem natureza abstracta ou intelectual, sem carácter técnico. Por outras palavras, *as concepções intelectuais só se tornam patenteáveis na medida em que tenham sido incorporadas em aplicações técnicas*[29].

O texto do CPI actual, em vigor desde 1 de Julho de 2003, não trouxe grandes novidades neste domínio, constituindo o seu art. 52.° uma reprodução quase total do art. 48.° do CPI de 1995. Além da referência explícita aos "domínios da tecnologia", há apenas que registar um curto aditamento à alínea d) do número 1, que continuar a negar a patenteabilidade dos *programas de computadores, como tais,* mas acrescentando agora: *sem qualquer contributo*. Esta nova redacção permite, como é óbvio, facilitar a concessão de patentes sobre invenções implementadas informaticamente, quando envolvam um contributo para o progresso tecnológico num domínio técnico. Mas não prescinde da exigência da natureza técnica do invento.

A orientação do IEP no caso PENSION BENEFITS SYSTEM (ao interpretar o art. 52.° da CPE, que só exclui a patenteabilidade na medida em que o pedido *se refira a um desses elementos considerado como tal*), é a de não

---

[26] Esta catalogação é proposta pelo próprio Instituto Europeu de Patentes (adiante, "IEP"), na linha da decisão da Câmara de Recurso no processo T 154/04 (OJ 2008, p. 46), que esclareceu que os quatro requisitos supracitados constituem critérios de patenteabilidade *distintos e independentes*, sendo susceptíveis, *per se*, de conduzir à recusa da patente. Sobre este aspecto, cf. *Case Law of the Boards of Appeal of the European Patent Office*, 2010, p. 1 – disponível in *http://www.epo.org/patents/appeals/case-law.html*.

[27] Cf. *Case Law of the Boards of Appeal of the European Patent Office*, cit., p. 2.

[28] Arts. 52.°, n.° 1 do CPI e 52.° da CPE.

[29] CORNISH/LLEWELYN/APLIN, *Intellectual Property...*, cit., p. 230.

considerar invenções os *métodos envolvendo apenas conceitos económicos e práticas de fazer negócio*. Por isso, vem considerando que *uma característica de um método respeitante ao uso de meios técnicos para uma finalidade exclusivamente não técnica e/ou para processar exclusivamente informação não técnica não confere necessariamente carácter técnico a esse método*. E esclarece: *qualquer actividade nos domínios não tecnológicos da cultura humana envolve entidades físicas e utiliza, num grau maior ou menor, meios técnicos*. Porém, faz notar que *a mera existência de características técnicas numa reivindicação não transforma o objecto dessa reivindicação num invento*. Deste modo, quando o aperfeiçoamento resultante da invenção seja *essencialmente económico, i.e., pertença ao domínio da Economia, não poderá contribuir para a actividade inventiva*[30].

Isto significa, pois, que na Europa existe uma atitude mais restritiva, exigindo que uma invenção tenha *intrinsecamente* carácter técnico ou, pelo menos, que o invento dê um *contributo técnico*. Nos Estados Unidos esse contributo não é necessário: o simples facto de o invento usar um computador ou um programa informático já lhe confere natureza técnica, desde que seja útil, concreto e produza resultados tangíveis, como vimos.

Contudo, esta firmeza inicial do IEP foi entretanto atenuada, no caso AUCTION METHOD/HITACHI[31], quando a Câmara de Recurso considerou que *um método envolvendo meios técnicos constitui uma invenção no sentido do n.° 1 do art. 52.° da CPE*, acrescentando: *o que importa é a existência do carácter técnico que pode resultar das características físicas de uma entidade ou da natureza de uma actividade, ou que pode ser conferido a uma actividade não-técnica pelo uso de meios técnicos*.

Esta última expressão – algo enigmática – poderia significar que a mera utilização de meios informáticos numa reivindicação de um método comercial, conferindo-lhe carácter técnico, seria bastante para preencher o requisito absoluto de patenteabilidade, independentemente de qualquer contribuição técnica – o que, afinal, aproximaria significativamente a

---

[30] Decisão proferida em 8.09.2000, pela Câmara de Recurso do IEP, em recurso contra a recusa do pedido de patente europeia n.° 88 302 239.4 (*PENSION BENEFITS SYSTEMS*, relativo a um sistema de pensões que alegadamente reduzia os encargos financeiros e administrativos a suportar por empregadores e trabalhadores – Proc. T 931/95, JO 2004, p. 441). Note-se que a recusa desta patente foi confirmada, justamente por falta de carácter técnico.

[31] Decisão de 21.04.2004, Proc. T 258/03 (JO 2004, p. 575).

posição do IEP da do USPTO. Contudo, o IEP insiste em afirmar[32] que *não concede patentes de software*, mas apenas inventos que impliquem programas de computador ("computer-implemented inventions" – "CII"), na linha da citada proposta de Directiva. Ou seja, além de exigir que tais inventos tenham *carácter técnico* e sejam a *solução de um problema técnico,* exige ainda que os mesmos *envolvam um contributo técnico inventivo face ao estado da técnica, independentemente de serem implementados através de hardware ou de software*. Por falta desse contributo técnico, considera que os "métodos comerciais puros" não são patenteáveis, pois resolvem um problema comercial e não um problema técnico. E será esta, em resumo, a principal diferença entre a posição europeia e a norte-americana.

VI. **Conclusão**

Perante este panorama, não é fácil concluir com segurança sobre a admissibilidade das patentes sobre programas de computador na Europa e em Portugal. Neste domínio, como ironiza Bainbridge[33], os redactores da Convenção de Munique *não podiam ter chegado a uma posição mais opaca e imprevisível, mesmo que tivessem esse objectivo. Espantosamente, no fim de contas, tudo se reduz a averiguar o efeito de duas curtas palavras: "como tal"*.

Apesar isso, a prática extremamente liberal do IEP – que assumidamente interpreta as exclusões do art. 52.° da CPE de forma muito restritiva – tem levado nos últimos anos à concessão de um elevado número de

[32] Cf. *Patents for Software? European law and practice* – ed. do IEP de 2009, disponível in *www.epo.org*. Uma tentativa de clarificação deste regime, através de uma questão submetida pelo Presidente do IEP à Grande Câmara de Recurso (ao abrigo do n.° 1 do art. 112.° da CEP) não surtiu o efeito visado, dado que o parecer n.° G 3/08, de 12.05.2010, acabou por não reconhecer a existência de divergências de decisão entre as câmaras de recurso (disponível na página *http://www.epo.org/topics/issues/computer-implemented-inventions/referral.html*). Apesar disso, este extenso parecer fornece pistas relevantes para o aprofundamento desta matéria. Para uma crítica bem humorada (e extremamente elucidativa) da posição actual do IEP, vd. *Moses and Patentability – The Ten Exclusions vs Stealing with a further Ethical Effect*, disponível in *http://swpat.a2e.de/analysis/epc52/moses* (consultado em 21.01.2011).

[33] David I. Bainbridge, *Intellectual Property*, cit., pp. 451 e 452.

"CII". Segundo o IEP, 7,3% dos pedidos apresentados em 2005 já revestiam essa natureza[34].

Teria que ser assim?

Há cada vez mais gente a acreditar que não. A rejeição da directiva pelo Parlamento Europeu parece constituir um sinal claro de oposição a este tipo de patentes, pese embora a ambiguidade de todo esse processo legislativo.

Aliás, muitos dos avanços tecnológicos das últimas décadas ocorreram sem a ajuda de qualquer patente, pelo menos em fases iniciais. A *Microsoft*, fundada em 1975, só teve a sua primeira patente em 1986 (para um invento de pequena importância) e apenas em 1988 obteve uma patente relacionada com computadores. A própria *Amazon* chegou à liderança do comércio *on-line* antes de lhe ser concedida a patente "1-Click", em 1999. Está ainda por demonstrar, inequivocamente, que o sistema de patentes é necessário ou sequer benéfico para o progresso científico e técnico. E há riscos de *efeitos perversos* sobre a inovação, devido à estagnação provocada pela proliferação de direitos exclusivos.

O que não oferece dúvidas é que os métodos ou procedimentos comerciais, em si mesmo considerados, estão longe de representar um progresso *técnico*. Quando muito, estão ligados a este progresso, e podem contribuir para um melhor funcionamento do mercado. Mas não devem a sua existência à atribuição de qualquer exclusivo de exploração, nem precisam de patentes para serem convenientemente explorados. Nem estamos sequer perante inventos cujo desenvolvimento tenha custado milhões em investigação. Trata-se apenas de modos de fazer negócio, de organizar uma actividade económica, ou de um sistema de vendas.

De qualquer modo, a ordem jurídica portuguesa não deixará totalmente desprotegidas estas realidades, quando se elevem acima do panorama da banalidade. Além da tutela do Direito de Autor, quando aplicável, se alguém adoptar um método comercial verdadeiramente inovador e ocorrer um aproveitamento parasitário por parte de um concorrente, haverá sempre recurso à proibição da *concorrência desleal*[35].

---

[34] Yannis Skulikaris, *What's wrong with patenting Computer-Implemented Inventions? EPO Press Workshop, Brussels*, 2.11.2006.

[35] A este respeito, Oliveira Ascensão, *Concorrência Desleal*, 2002, pp. 446 e 447, refere que *a apropriação de toda uma linha empresarial alheia inutiliza a vantagem que deve caber a uma prática inovadora e falseia a concorrência*, mas sublinha que é *essa e só essa que contraria as normas e usos honestos* e que *constitui concorrência desleal.*

Estando em causa grandes interesses económicos, o debate em curso continuará a ser marcado pelas inevitáveis profissões-de-fé na defesa dos frutos do labor intelectual. Mas o legislador deve pairar acima desses interesses para ter uma visão de conjunto e conseguir, com isenção e lucidez, ponderar os interesses globais da sociedade e fazer as escolhas mais adequadas – que não coincidem necessariamente com a defesa dos interesses restritos dos titulares de direitos.

Porto, 30 de Janeiro de 2011

Sobre este tema, cf. ainda PATRÍCIO PAÚL, *Concorrência Desleal*, 1965, p. 162, CHAVANNE e BURST, *Droit de la Propriété Industrielle*, 1993, p. 387 e LADAS, *Patents, Trademarks and Related Rights, National and International Protection*, Vol. III, p. 1701.

SINAL E MARCA
AS MARCAS NÃO TRADICIONAIS

PEDRO SOUSA E SILVA*
Advogado.
Professor-coordenador do ISCA da Universidade de Aveiro
Docente convidado da Escola de Direito do Porto da U. Católica

ÍNDICE:

I – INTRODUÇÃO

Uma "marca" pode constituir um sinal, destinado a ser apercebido pelos sentidos e memorizado, para poder ser reconhecido quando o destinatário desse sinal voltar a deparar com ele.

Como sinal que é, visa transmitir alguma espécie de informação. Da mais variada natureza. Pode tratar-se de uma punção para indicar a qualidade do metal, de um carimbo para certificar um pagamento, pode constituir um visto de inspecção sanitária, ou um *ex-libris* para identificar o proprietário de um livro. Ou ainda – como sucede com as marcas comerciais – pode servir para identificar produtos ou serviços, distinguindo-os de produtos ou serviços congéneres. Neste último caso, estamos perante marcas

---

* Este texto corresponde, com algumas actualizações e desenvolvimentos, à conferência proferida em 27.02.2010 no VIII Curso Pós-Graduado sobre Propriedade Industrial, organizado pela ADPI e a Faculdade de Direito de Lisboa.

que constituem *sinais distintivos do comércio*, com diversas funções económicas e uma primordial função jurídica: individualizar e distinguir produtos e serviços em função da sua proveniência empresarial[1].

E que tipos de sinais podem ser utilizados como marcas? Ou, perguntando melhor, que sinais é que o legislador reconhece e protege como marca, permitindo o seu registo e atribuindo ao seu titular um direito exclusivo de exploração?

É que nem tudo o que pode constituir uma marca é (ou foi sempre) legalmente protegido como marca. Se pensarmos nos apitos dos amoladores de facas, que se faziam anunciar ao som de um pífaro, cada um com o seu toque personalizado, teremos um bom exemplo de uma marca de serviços, usada há largas décadas, numa época em que a nossa lei não admitia o registo de marcas sonoras[2].

Aliás, para a generalidade dos produtos, o registo de marcas nem sequer é obrigatório[3]. Nada impede que um empresário adopte uma marca e a use como marca livre (ou não registada). Neste caso, a marca é válida e desempenha plenamente a sua função indicativa. Só que, na falta de registo, esse empresário não terá o direito de impedir terceiros de a usarem também[4]. E, pior, correrá o risco de alguém registar essa marca, caso em que ficará impedido de continuar a usá-la, e privado de um sinal que concebeu, promoveu e valorizou junto da sua clientela, que poderá entretanto ser desviada por efeito da atracção da marca em causa.

---

[1] Além desta função essencial, as marcas dotadas de prestígio desempenham uma outra função jurídica, complementar, a denominada função publicitária. Para um enunciado das funções económicas e jurídicas da marca, cf., entre outros, CARLOS OLAVO, *Propriedade Industrial*, Vol. I, 2005, pp. 73 e ss., COUTO GONÇALVES, *Manual de Direito Industrial*, 2008, pp. 183 e ss. e SOUSA E SILVA, *Direito Comunitário e Propriedade Industrial. O princípio do esgotamento dos direitos*, 1996, pp. 46 a 55.

[2] Este exemplo é dado por PIRES DE CARVALHO, Nuno, *A Estrutura dos Sistemas de Patentes e de Marcas. Passado, Presente e Futuro*, Editora Lumen Juris, Rio de Janeiro, 2009, p. 635. Esta obra inclui uma profunda e original descrição da origens das marcas e da sua evolução. Para uma outra descrição da "(longa) história das marcas", cf. NOGUEIRA SERENS, *A Monopolização da Concorrência e a (Re-) Emergência da Tutela da Marca*, 2007, pp. 589 e ss.

[3] A obrigatoriedade do registo de marcas só existe relativamente a alguns produtos, referidos em legislação especial, como por exemplo os vinhos e bebidas do sector vinícola (art. 2.° do Decreto-Lei n.° 376/97, de 24 de Dezembro).

[4] Sem prejuízo da tutela decorrente da disciplina da concorrência desleal, quando reunidos os pressupostos da sua aplicação.

Ora, o elenco dos sinais passíveis de serem registados como marca foi sendo alargado ao longo dos anos, tendo-se acrescentado à tradicional trilogia das marcas *nominativas*, *figurativas* e *mistas*, a figura das marcas *tridimensionais* e das marcas *sonoras*, estando actualmente em debate a admissibilidade de marcas *olfactivas*, *tácteis*, *gustativas*, *dinâmicas* e *holográficas*[5].

As empresas e os profissionais da Propriedade Industrial viram aqui uma nova oportunidade, que tem dado origem a um número crescente de pedidos de registo de marcas, causando às repartições de registo dúvidas e perplexidades que os tribunais se têm encarregado de remover, ou talvez não...

É disso que vamos tratar, começando pela descrição do enquadramento legal desta matéria (II), para seguidamente analisarmos o regime específico de cada tipo de marcas (III), concluindo com um balanço dos interesses em presença (IV).

II – O ENQUADRAMENTO LEGAL

A definição de marca, constante do art. 222.° do Código de Propriedade Industrial[6] é bastante abrangente: *um sinal ou conjunto de sinais susceptíveis de representação gráfica, nomeadamente palavras, incluindo nomes de pessoas, desenhos, letras, números, sons, a forma do produto ou da respectiva embalagem, desde que sejam adequados a distinguir os produtos ou serviços de uma empresa dos de outras empresas.* Esta redacção

---

[5] Para um ponto de situação sobre esta matéria, cf. nomeadamente MARIA MIGUEL CARVALHO, *"Novas" marcas e marcas não tradicionais*, in Direito Industrial, Vol. VI (ob. colectiva coordenada por OLIVEIRA ASCENSÃO), pp. 217 e ss., COUTO GONÇALVES, *Objecto. Sinais protegíveis. Modalidades* (*idem*, p. 275); de COUTO GONÇALVES, cf. também *Manual de Direito Industrial*, 2008, pp. 221 a 231 e 243 a 247; AA. VV. (*Código da Propriedade Industrial Anotado*, coord. por ANTÓNIO CAMPINOS e COUTO GONÇALVES), 2010, pp. 425 a 439. Na literatura estrangeira, entre muitos outros, cf. ANTÓNIO LOBATO, *Comentario a la Ley 17/2001 de Marcas*, Madrid, 2002, pp. 149 a 162, ANDRÉ BERTRAND, *La Propriété Intellectuelle*, Livre II, pp. 318 a 323, CORNISH e LLEWELYN, *Intellectual Property: Patents, Copyright, Trademarks and Allied Rights*, 2003, pp. 652 a 667, BENTLY e SHERMAN, *Intellectual Property Law*, 2004, pp. 818 e ss..

[6] Aprovado pelo Decreto-Lei n.° 36/2003, de 5 de Março, com sucessivas alterações, sendo as últimas as decorrentes do Decreto-Lei n.° 143/2008, de 25 de Julho e da Lei n.° 52/2008, de 28 de Agosto – adiante referido abreviadamente como "CPI".

é praticamente coincidente com a do art. 2.° da Directiva n.° 89/104/CEE (de harmonização das legislações nacionais em matéria de marcas)[7] e do art. 4.° do Regulamento (CE) n.° 207/2009 (sobre a marca comunitária)[8].

Esta definição (pela positiva) deverá ser complementada pela delimitação (negativa) decorrente do disposto no art. 223.° do CPI, que enumera os sinais *insusceptíveis* de ser registados como marca, e no art. 238.° do CPI, que enuncia os motivos absolutos de recusa do registo (reflectindo este último, no essencial, o regime dos artigos da 3.° DM e 7.° do RMC).

Assim, segundo a primeira dessas disposições do CPI, *não satisfazem as condições* necessárias para obter um registo de marca:

a) As marcas desprovidas de qualquer carácter distintivo;
b) Os sinais constituídos, exclusivamente, pela forma imposta pela própria natureza do produto, pela forma do produto necessária à obtenção de um resultado técnico ou pela forma que confira um valor substancial ao produto;
c) Os sinais constituídos, exclusivamente, por indicações que possam servir no comércio para designar a espécie, a qualidade, a quantidade, o destino, o valor, a proveniência geográfica, a época ou meio de produção do produto ou da prestação do serviço, ou outras características dos mesmos;
d) As marcas constituídas, exclusivamente, por sinais ou indicações que se tenham tornado usuais na linguagem corrente ou nos hábitos leais e constantes do comércio;
e) As cores, salvo se forem combinadas entre si ou com gráficos, dizeres ou outros elementos de forma peculiar e distintiva.

Por seu lado, o art. 238.° do CPI qualifica como motivos absolutos de recusa do registo de uma marca, a circunstância de esta ser:

a) constituída por sinais insusceptíveis de representação gráfica;
b) constituída por sinais desprovidos de qualquer carácter distintivo;

---

[7] Directiva n.° 89/104/CEE do Conselho de 21 de Dezembro de 1988, que harmoniza as legislações dos Estados-Membros em matéria de marcas, adiante referida abreviadamente como "DM".

[8] Regulamento do Conselho de 27 de Fevereiro de 2009, que veio substituir o Regulamento n.° 40/94 do Conselho de 20 de Dezembro de 1993, adiante referido abreviadamente como "RMC".

c) constituída, exclusivamente, por sinais ou indicações referidos nas alíneas b) a e) do n.° 1 do artigo 223.°.

Dessas normas resulta, pois, que os requisitos substanciais para que um sinal constitua uma marca válida são o **carácter distintivo** e a **susceptibilidade de representação gráfica**[9]. Assim, desde que um sinal preencha esses dois requisitos, poderá em princípio ser registado como marca, mesmo que não seja um dos sinais mencionados no elenco do art. 222.°, que é manifestamente *exemplificativo*, como decorre do advérbio "nomeadamente".

III – REGIME ESPECÍFICO DAS MARCAS NÃO TRADICIONAIS

No CPI de 1940, o elenco das marcas expressamente admitidas limitava-se às marcas *nominativas* (i.e, palavras, incluindo nomes de pessoas, de localidades, palavras inventadas, letras, números), *figurativas* (desenhos, emblemas, símbolos, rótulos, fotografias, etc.) e *mistas* (conjugando elementos nominativos e figurativos). Apesar disso, já então se debatia a possibilidade de registo, mesmo nesse quadro legal, de marcas tridimensionais, nomeadamente a forma da embalagem[10].

---

[9] Para além do respeito por certas exigências de interesse e ordem pública enunciadas nos n.os 4 a 6 do art. 238.° do CPI. Como sublinha MARIA MIGUEL CARVALHO, o requisito da susceptibilidade de representação gráfica não deriva *propriamente do conceito de marca*, mas antes *do sistema constitutivo do registo* (*"Novas" Marcas...* cit., p. 222). Na verdade, são concebíveis marcas (i.e, sinais distintivos de produtos ou serviços) que não possam representar-se graficamente e apesar disso desempenhem a sua função. A necessidade de representação gráfica prende-se, essencialmente, com finalidades de registo e de publicidade, para permitir uma adequada referenciação dos sinais registados, seja por parte das autoridades, seja por parte dos operadores económicos que consultem os registos de marcas.

[10] A favor da admissibilidade do registo de marcas tridimensionais, na vigência do CPI de 1940, pronunciavam-se nomeadamente NOGUEIRA SERENS (*Marcas de Forma* – Parecer publicado na Col. Jur. 1991, Tomo IV, pp. 58 e ss.), VASCO DA GAMA LOBO XAVIER (em nota de concordância com este parecer, idem, pp. 78 e 79), PINTO COELHO (*Lições de Direito Comercial,* 1.° Vol., 1957, pp. 450 e ss.; e já assim no domínio da Lei de 21 de Maio de 1986, in *Marcas Comerciais e Industriais*, 1922, p. 67) e JUSTINO CRUZ, *Código da Propriedade Industrial anotado*, 1983, pp. 176 a 178; em sentido contrário, pronunciava-se FERRER CORREIA, por entender que, traduzindo-se a marca, *necessariamente, num elemento extrínseco à própria estrutura do objecto (...) não poderá proteger-se como*

Com a publicação do CPI de 1995[11], o catálogo foi substancialmente alargado, passando a mencionar explicitamente os *sons* e a *forma* do produto ou da respectiva embalagem, numa enunciação igual à que hoje consta do CPI de 2003, a qual não exclui, como vimos, outros tipos de marca.

Assim, para além das marcas figurativas, nominativas (também designadas "verbais") e mistas – que habitualmente se designam por marca *tradicionais* – são à partida registáveis marcas, ditas *não tradicionais* ou *não convencionais*, desde que respeitem os dois requisitos já enunciados[12].

Mas é justamente no exame desses requisitos que têm surgido dúvidas e dificuldades, que têm levado a divergências entre as diversas repartições de registo, incluindo o próprio Instituto de Harmonização do Mercado Interno ("IHMI"), dando origem a uma jurisprudência crescente e que está longe de consolidada.

Vejamos, pois, qual o estado da arte relativamente aos diversos tipos de marcas não tradicionais, as quais, tendo em conta as especificidades de cada um, se agrupam habitualmente em sinais visíveis e sinais não visíveis em si mesmos. Esta distinção justifica-se porque este último grupo suscita dificuldades especiais no preenchimento do requisito da representação gráfica, por razões óbvias, que adiante analisaremos mais em detalhe.

---

marca a forma do produto, mesmo quando não desempenhe, em relação a este, qualquer função (in *Lições de Direito Comercial,* vol. I, 1973, p. 323, nota 2).

[11] Aprovado pelo Decreto-Lei n.° 16/95, de 24 de Janeiro, cujo art. 165.°, n.° 1 corresponde à redacção do actual art. 224.°, n.° 1.

[12] Couto Gonçalves (*Objecto...*, cit., p. 282), refere que os sinais não convencionais são aqueles que não são *independentes fisicamente do produto e que, por via disso, ou são apenas conceptualmente autónomos (cor, sinal tridimensional), ou são apreensíveis por sentidos diferentes da visão (sons, aromas, sabores, tactilidades).* Mas não creio que possamos usar este critério (da independência física do produto) para distinguir estes sinais dos sinais tradicionais. Desde logo, porque este critério não funcionaria adequadamente com as marcas de serviço, que são normalmente *independentes* fisicamente do serviço que assinalam. Por outro, porque alguns dos sinais não tradicionais (como a cor em si mesma) podem ter completa autonomia física relativamente ao produto, podendo ser usados só na respectiva embalagem ou publicidade, sendo que outros (como o som) terão quase sempre essa autonomia, porque raramente estarão incorporados no próprio produto.

Sinais visíveis em si mesmos

Marcas tridimensionais: Estes sinais podem constituir não só a forma do produto em si mesmo, como a da sua embalagem ou vasilha, desde que, em qualquer caso, se trate de formas que não sejam banais, isto é, que possuam um conteúdo suficientemente arbitrário para lhes conferir capacidade distintiva. É o que sucede com determinadas garrafas ou frascos (de perfume, de refrigerantes ou de bebidas alcoólicas: do perfume "TRÉSOR", da vodka "ABSOLUT ou do whisky "DIMPLE") que, devido à sua originalidade ou uso intensivo e prolongado, têm a capacidade de identificar o produto, aos olhos do consumidor, que o reconheceria mesmo que tais vasilhas não tivessem qualquer outra rotulagem. Ou com as embalagens dos chocolates "TOBLERONE", com o seu formato característico de secção triangular, que deram origem a 3 registos de marca comunitária.

Como sublinham BENTLY e SHERMAN[13], o registo como marca da forma de um produto exige, *em primeiro lugar, uma ponderação sobre se há algo de invulgar ou idiossincrático nessa forma, que leve o consumidor relevante a reparar nela e a lembrá-la; e então, se tal individualidade existir, uma ponderação sobre se o consumidor pensaria nessa forma como sendo indicativa da origem, em vez de ser meramente funcional ou decorativa.*

O registo destas marcas torna-se especialmente melindroso, devido à exigência legal de que os sinais não sejam *constituídos, exclusivamente, pela forma imposta pela própria natureza do produto, pela forma do produto necessária à obtenção de um resultado técnico ou pela forma que confira um valor substancial ao produto* – como dispõem os artigos 223.°/ /1/c) do CPI, 3.°/1/e) da DM e 7.°/1/e) do RMC. Para usar uma fórmula sintética, adoptada pelo Advogado-geral COLOMER no caso PHILIPS. REMINGTON[14], não podem registar-se como marcas formas que sejam *naturais, funcionais ou ornamentais*. Neste mesmo processo, relativo a uma marca constituída pela representação de uma máquina de barbear com três cabeças rotativas, o Tribunal de Justiça da União Europeia esclareceu que a *ratio* destes motivos absolutos de recusa *consiste em evitar que a protecção do direito da marca leve a conferir ao seu titular um monopólio sobre soluções técnicas ou características utilitárias de*

---

[13] *Intellectual Property Law*, cit., p. 819.

[14] Ac. de 18.06.2002, Proc. n.° C-299/99, disponível in *http://curia.europa.eu.*

um produto, que possam ser procuradas pelo consumidor nos produtos dos concorrentes. E esta recusa impõe-se ainda, acrescentou o Tribunal, mesmo que o resultado técnico possa ser alcançado por outras formas. O disposto no art. 3.°/1/e) da DM – que inspirou o art. 223.°/1/b) do CPI – reflecte pois *o objectivo legítimo de não permitir aos particulares utilizarem o registo de uma marca para obter ou perpetuar direitos exclusivos relativos a soluções técnicas*[15].

Na mesma linha, no caso LEGO[16], o Tribunal de Primeira Instância da União Europeia[17] confirmou a recusa do IHMI em registar uma marca tridimensional correspondente a um tijolo de cor vermelha, para "jogos de construção", tendo esclarecido que, para que o registo seja recusado, *basta que as características essenciais da forma reúnam as características tecnicamente causais e suficientes para a obtenção do resultado técnico visado, de molde a serem atribuíveis ao resultado técnico;* e que *a adição de características não essenciais que não tenham uma função técnica não leva a que uma forma escape a este motivo absoluto de recusa se todas as características essenciais da referida forma responderem a tal função.*

Especialmente difícil de aplicar é o critério da *forma que confira um valor substancial ao produto,* que CORNISH e LLEWELYN[18] consideram *particularmente opaco...* De facto, o objectivo desta exclusão é impedir que a mais-valia estética de um produto obtenha indirectamente a tutela reservada aos sinais distintivos[19]. Mas não é fácil – nem isento de subjectividade – qualificar uma forma como esteticamente neutra, pois a forma dos produtos influi quase sempre, num grau maior ou menor, nas escolhas e preferências dos consumidores.

---

[15] Para obter direitos exclusivos sobre este tipo de inovações deve antes recorrer-se às patentes ou aos modelos de utilidade, que são por natureza limitados no tempo (com um máximo de 20 e 10 anos, respectivamente – arts. 99.° e 142.° do CPI).

[16] Ac. de 12.11.2008, Proc. n.° T-270/06, in *http://curia.europa.eu/jurisp*, pendente de recurso para o Tribunal de Justiça, sob o n.° C-48/09. Refira-se que está pendente outro pedido de registo da LEGO, com a forma de uma placa de base de construções, ainda sem decisão nesta data (pedido de registo n.° 008879892, apresentado em 12.02.2010).

[17] Que passou a designar-se "Tribunal Geral" a partir de 1 de Dezembro de 2009, data da entrada em vigor do Tratado de Lisboa.

[18] *Intellectual Property...*, cit., p. 673.

[19] Como é sabido, para protecção da vertente estética dos produtos existe o regime dos desenhos e modelos e, sob certas condições, do Direito de Autor.

Marcas monocolores: Está aqui em causa o registo como marca da cor *em si mesma*, sem corresponder a qualquer forma ou figura geométrica definida – o que permitiria, naturalmente, enquadrá-la nas ditas marcas tradicionais, do tipo figurativo, à semelhança de muitas já existentes.

Neste aspecto, a legislação portuguesa afasta-se claramente da comunitária, pois a alínea e) do n.° 1 do art. 223.° do CPI impede o registo como marcas *das cores, salvo se forem combinadas entre si ou com gráficos, dizeres ou outros elementos de forma peculiar e distintiva*. Ao passo que essa restrição não consta da DM, nomeadamente do seu art. 3.°, nem do RMC, cujo art. 7.° não tem qualquer referência às cores.

À partida, a lei portuguesa parece justificar-se, dado que a cor constitui uma característica dos produtos, servindo normalmente para definir ou melhorar a sua aparência, sem que esse factor se mostre suficientemente distintivo para permitir individualizá-los e distingui-los dos produtos concorrentes. Além disso, esta opção seria seguramente aquela que melhor protegeria a liberdade de concorrência, prevenindo distorções derivadas da apropriação exclusiva de fracções do espectro cromático.

A jurisprudência comunitária já teve ocasião de se pronunciar a este propósito, nomeadamente no caso LIBERTEL, em sede de um recurso prejudicial relativo ao registo da marca da *cor-de-laranja* para produtos e serviços de telecomunicações[20]. E fê-lo no sentido de considerar que *as cores por si sós podem ser adequadas a distinguir os produtos ou serviços de uma empresa dos de outras empresas na acepção do artigo 2.° da directiva*. O que pode levar à conclusão de que a citada alínea e) do n.° 1 do art. 223.° do CPI é incompatível com o direito comunitário, visto que nas áreas cobertas pela DM deve entender-se que ocorreu uma harmonização completa das *regras de fundo essenciais*, privando os Estados-membros de autonomia legislativa para definirem soluções diferenciadas[21].

---

[20] Ac. do Tribunal de Justiça de 6.05.2003, Proc. n.° C-104/01, in *http://curia.europa.eu/jurisp*.

[21] Neste sentido, cf. ac. de 16.07.98 (SILHOUETTE INTERNACIONAL, Proc. n.° C-355/96, CJCE, p. 4799) e ac. de 11 de Março de 2003 (ANSUL, Proc. n.° C-40/01, in http://curia.europa.eu/jurisp), em que o Tribunal de Justiça sublinhou: *Se é verdade que, de acordo com o terceiro considerando da directiva, «não se afigura necessário proceder a uma aproximação total das legislações dos Estados-Membros em matéria de marcas», é um facto que a directiva contém uma harmonização relativa às regras de fundo essenciais na matéria, a saber, segundo esse mesmo considerando, as regras relativas às disposições nacionais com incidência mais directa sobre o funcionamento do mercado interno,*

A argumentação do Tribunal de Justiça começou por reconhecer que, *normalmente, a cor constitui uma mera característica das coisas. Contudo, pode constituir um sinal. Isso depende do contexto em que a cor for utilizada. Uma cor, por si só, relacionada com um produto ou serviço, pode sempre constituir uma marca.*

Para isso, porém, a sua representação gráfica deve respeitar certos parâmetros: *deve ser clara, precisa, completa por si própria, facilmente acessível, inteligível, duradoura e objectiva*. Para isso não bastará a apresentação de uma *simples amostra de* cor, dado que esta *pode alterar-se com o tempo*. Mas já assim não sucederá se a amostra for acompanhada de uma *descrição verbal da mesma*, ou se a mesma for referenciada *através de um código de identificação internacionalmente reconhecido* [v.g. o código PANTONE], *pois estes códigos são considerados precisos e estáveis*.

Todavia, apesar do Tribunal admitir o registo de marcas monocolores, fá-lo em termos bastantes restritivos, por motivos de interesse público, dado que *o número reduzido de cores efectivamente disponíveis tem como resultado que um pequeno número de registos como marcas para serviços ou produtos determinados pode esgotar toda a paleta de cores disponíveis. Um monopólio assim entendido não seria compatível com o sistema de concorrência leal, designadamente na medida em que poderia criar uma vantagem concorrencial ilegítima a favor de um só operador económico.*

---

e que esse considerando não exclui que a harmonização relativa a estas regras seja completa (acórdão de 16 de Julho de 1998, Silhouette International Schmied, C-355/96, Colect. p. I-4799, n.° 23). Por isso, não acompanhamos, neste aspecto, COUTO GONÇALVES (*Manual de Direito Industrial*, cit., p. 147), quanto ao significado de a *DM não se ter pronunciado quanto à cor, apesar de um dos seus propósitos ser o de tornar comuns aos vários países os sinais susceptíveis de constituir uma marca*. Na verdade, o significado do art. 2.° da DM – que enuncia um conceito amplo de marca, seguido de uma enumeração exemplificativa – não foi o de excluir, ou de *admitir a exclusão* do registo das cores como marcas, mas apenas o de precisar os requisitos cumulativos para a constituição destes sinais. Por isso, ao transpor a DM para o direito interno, o legislador português deveria ter usado de mais prudência, quando redigiu o n.° 1 do art. 223.°. Isto porque a alínea e), relativa à cor, restringe o conceito de marca para além do que resulta do artigo 2.° da DM – tal como explicitado pelo citado acórdão LIBERTEL – o que se mostra claramente incompatível com as regulamentação comunitária. Isto porque a lei portuguesa determinou a exclusão de um sinal que a definição comunitária *implicitamente admite*, como resulta desta jurisprudência. Em face disso, nada impede, a meu ver, que o INPI português proceda ao registo de marcas constituídas por uma só cor, desde que o pedido respeite os requisitos positivos da capacidade distintiva e da representação gráfica – atenta a incompatibilidade da alínea e) do n.° 1 do art. 223.° do CPI com o Direito Comunitário.

Também não seria adequado ao desenvolvimento económico e à promoção do espírito empresarial que os operadores já estabelecidos pudessem registar a seu favor a totalidade das cores efectivamente disponíveis, em prejuízo de novos operadores.

Por isso, acrescentou, *uma cor por si só pode ser reconhecida como tendo carácter distintivo na acepção do artigo 3.°, n.os 1, alínea b), e 3, da directiva, na condição de que, em relação à percepção do público relevante, a marca seja apta a identificar o produto ou o serviço para o qual é pedido o registo como proveniente de uma empresa determinada e a distinguir esse produto ou esse serviço dos das outras empresas.*

Por outro lado, o facto de *o registo como marca de uma cor por si só ser pedido para um número significativo de produtos ou de serviços, ou de o ser para um produto ou um serviço específico ou para um grupo específico de produtos ou de serviços, é relevante, conjuntamente com as restantes circunstâncias do caso concreto, tanto para apreciar o carácter distintivo da cor cujo registo é pedido como para apreciar se o respectivo registo é contrário ao interesse geral.*

É pois sem surpresa que se constata a existência de um elevado número de registos de marca comunitária constituídos por uma única cor, de 1996 em diante, sendo o primeiro concedido o verde da BP, para assinalar *combustíveis e lubrificantes*, seguido de outros, como o da cor-de--laranja da operadora de telecomunicações ORANGE, para *produtos eléctricos, electrónicos, de telecomunicações e serviços de telecomunicações*, e do roxo da CADBURY, para *leite e produtos lácteos, chocolates e doçaria.*

Outras marcas visíveis: As considerações anteriores aplicam-se, no essencial, aos demais tipos de marcas "não tradicionais".

Assim, o IHMI tem procedido ao registo de marcas constituídas por **hologramas** (i.e., imagens em três dimensões, frequentemente incorporadas em cartões magnéticos como forma de autenticação), tendo o primeiro registo comunitário sido concedido em 2002, à BIOCLIN, BV, para *produtos cosméticos e medicinais*, havendo até à data apenas duas outras marcas registadas, uma para *aparelhos electrónicos e serviços de telecomunicações, educacionais e culturais* (concedida à VIDEO FUTUR), e outra para cigarros (concedida à EVE HOLDINGS, INC.).

Assinale-se ainda o registo de diversas marcas de **imagens em movimento**, como por exemplo a abertura ascendente das portas de um LAMBORGHINI, para assinalar *automóveis, peças e modelos à escala*, ou o movimento de duas mãos a juntarem-se, registado pela NOKIA para assinalar *aparelhos electrónicos, jogos, e serviços de telecomunicações e culturais*. São também frequentes, hoje em dia, certas figuras ou logos em movimento que assinalam páginas da Internet, e que – na medida em que se destinem a identificar produtos ou serviços – serão passíveis de registo como marcas.

Sinais não visíveis em si mesmos

Marcas olfactivas: O odor que um produto exala, ou que seja associado à prestação de um serviço, pode ser usado como sinal distintivo desse produto ou serviço. Aliás, o olfacto permite mesmo activar algumas das recordações mais nítidas do ser humano, interagindo com a memória de forma particularmente intensa[22].

A lei portuguesa – como de resto a DM e o RMC – não rejeita a possibilidade do registo de marcas olfactivas. Mas estas marcas terão, naturalmente, que cumprir os requisitos gerais: susceptibilidade de representação gráfica e eficácia distintiva. E aqui começam os obstáculos, derivados principalmente da dificuldade de as *representar graficamente*, de uma forma clara e inequívoca[23]. Além disso, o odor a registar como marca, para ser dotado de *eficácia distintiva*, não poderá consistir no cheiro normal ou típico do produto a assinalar. É essencial que os consumidores reconheçam esse odor como um *sinal* distintivo do produto ou do serviço, e não propriamente como uma *característica* destes. Por exemplo, o aroma de um coco não poderá servir de marca de frutos, ou sequer de um champô, pois aí estaremos perante um sinal desprovido de arbitrariedade, constituindo um cheiro característico ou habitual em produtos desse género. Mas esse odor já seria admissível, à partida, como marca de livros ou de material de escritório.

---

[22] Para um enunciado das questões que rodeiam o registo de marcas olfactivas, cf. o interessantíssimo parecer do Advogado-Geral JARABO-COLOMER, que precedeu o acórdão SIECKMANN, referido no texto (parecer emitido em 6.11.2001, disponível in *http://curia.europa.eu/jurisp*).

[23] Embora já existam alguns meios técnicos de representação de odores, como a cromatografia de gases e a cromatografia líquida. Sobre este ponto, cf. MARIA MIGUEL CARVALHO (*"Novas" marcas...*, cit., pp. 234 e 235) e COUTO GONÇALVES (*Objecto...*, cit., pp. 289 a 296).

Existem já alguns precedentes conhecidos, quer a nível nacional, quer a nível comunitário. Assim, no Reino Unido foi concedido um registo do aroma de *rosas para assinalar pneus*, e outro com o odor de *cerveja para palhetas de dardos*. No Benelux, foi registada uma marca para *bolas de ténis com o odor da relva cortada de fresco*. No IHMI, foram até à data[24] recusados 6 pedidos de registo para marcas olfactivas (incluindo aromas de baunilha, de limão e de morango maduro) e foi concedido apenas um, para a dita marca de bolas de ténis com o odor da relva cortada de fresco ("The smell of fresh cut grass"). E mesmo este registo só foi realizado, após uma recusa inicial, por decisão da 2.ª Câmara de Recurso, de 11.02.1999[25].

Esta abordagem restritiva mereceu já o beneplácito do Tribunal de Justiça, no conhecido caso SIECKMANN[26], um recurso prejudicial gerado pela recusa do Instituto Alemão de Marcas e Patentes em registar uma marca olfactiva para serviços das classes 35.ª, 41.ª e 42.ª (incluindo, nomeadamente, publicidade, formação, restauração, serviços médicos e até serviços jurídicos...). O odor ("balsâmico-frutado com ligeiras notas de canela") era complexo e descrito de forma bastante detalhada[27] pelo requerente, um advogado especialista em Propriedade Intelectual, que além disso tinha juntado uma amostra do odor em causa.

---

[24] Consulta efectuada em 6.02.2010.

[25] Processo n.° R 156/1998-2 (marca n.° 428870). Curiosamente, este único registo caducou em 11.12.2006, sem ter sido renovado...

[26] Ac. de 12.02.2002, Proc. n.° C-273/00, in *http://curia.europa.eu/jurisp*.

[27] Mais concretamente, o requerente remeteu para uma descrição anexa ao seu pedido de registo, com o seguinte teor:

A protecção da marca é pedida para a marca olfactiva apresentada a registo no Deutsches Patent- und Markenamt para a substância química pura cinamato de metilo (éster metílico de ácido cinâmico) cuja fórmula química se reproduz seguidamente. Também se podem obter amostras desta marca olfactiva através dos laboratórios locais referenciados nas páginas amarelas da Deutsche Telekom AG ou através da empresa E. Merck, em Darmstadt.

C6H5-CH = CHCOOCH3»

No caso de a descrição mencionada no número anterior não cumprir os critérios de registo previstos no § 32, n.os 2 e 3, da Markengesetz, o requerente dá o seu consentimento para uma consulta dos processos relativos à marca olfactiva 'cinamato de metilo', nos termos do § 62, n.° 1, da Markengesetz e do § 48, n.° 2, do Markenverordnung [regulamento relativo às marcas]. Com o seu pedido de registo, o requerente apresentou ainda um recipiente com uma amostra do odor do sinal e acrescentou que o aroma é habitualmente descrito como «balsâmico-frutado com ligeiras notas de canela».

O Tribunal começou por declarar que o art. 2.° da DM significa que *um sinal que não é em si mesmo susceptível de ser visualmente perceptível pode constituir uma marca, desde que possa ser objecto de representação gráfica, nomeadamente através de figuras, de linhas ou de caracteres*. Ou seja, a definição de "marca" constante da DM não impede à partida o registo de marcas olfactivas. Porém, acrescentou, é necessário que tal representação gráfica seja *clara, precisa, completa por si própria, facilmente acessível, inteligível, duradoura e objectiva*.

Contudo, ao analisar a representação gráfica proposta pelo requerente daquele registo, o Tribunal adoptou uma postura de tal forma restritiva que muito dificilmente haverá uma descrição que preencha os critérios acima enunciados. No caso em apreço, foi entendido que *os requisitos da representação gráfica não são cumpridos através de uma fórmula química, de uma descrição por palavras escritas, da apresentação de uma amostra de um odor ou da conjugação destes elementos*.

Esta postura restritiva foi reafirmada numa decisão posterior, EDEN[28], em que o Tribunal de Primeira Instância confirmou a recusa, pelo IHMI, do registo de uma marca olfactiva, descrita como "odor de morango maduro" e acompanhada da imagem a cores de um morango. Esta forma de representação gráfica não foi julgada *unívoca nem precisa*, tendo o tribunal sublinhado que *não existe uma classificação internacional de odores geralmente aceite que permita, à semelhança dos códigos internacionais de cor ou de escrita musical, a identificação objectiva e precisa de um sinal olfactivo através da atribuição de uma denominação ou de um código precisos e próprios a cada odor*. Além disso, acrescentou, a imagem de um morango contida no pedido de registo *não constitui uma representação gráfica do sinal olfactivo*, visto que representa apenas *o fruto que exala um odor supostamente idêntico ao sinal olfactivo em causa, e não o odor reivindicado*... sendo certo que existem diversos odores de morangos, consoante a sua variedade.

Perante isto, somos forçados a concordar com a jurisprudência comunitária, quando sublinha que a representação gráfica deve permitir que o sinal seja representado visualmente, de modo a que *possa ser identificado com exactidão*, de modo *acessível às autoridades e ao público, em particular aos operadores económicos*. Mas também é verdade que, se no caso SIECKMANN isso não sucedia, então será precisa grande imaginação para conseguir a proeza de registar uma marca olfactiva...

[28] Ac. de 27.10.2005, Proc. n.° T-305/04, in *http://curia.europa.eu/jurisp*.

Aliás, dificilmente veremos o IHMI a conceder um registo análogo ao da marca "The Smell of Fresh Cut Grass", efectuado em 1999, três anos antes do acórdão SIECKMANN, com argumentos escassamente consistentes[29].

Marcas sonoras: A dificuldade de identificação objectiva do sinal, que tanto limita as marcas olfactivas, está minorada no caso das marcas sonoras, em que é possível o recurso a formas padronizadas de representação dos sons[30], especialmente no caso de marcas musicais.

Reflexo dessa facilidade é o número muito mais elevado (123, em 20.02.2010) de pedidos de registo que foram até à data apresentados no IHMI, que concedeu uma parte significativa deles. Exemplos disso são o hino de identificação da EUROPEAN BROADCASTING UNION, registado em 2000, para *suportes de som e imagem, publicações e serviços audiovisuais*, ou o "jingle" conhecido como "NOKIA TUNE", registado em 2000 para *aparelhos electrónicos, jogos, e serviços de telecomunicações e culturais.*

Em 2005, o IHMI decidiu aceitar que os pedidos apresentados por via electrónica viessem acompanhados de ficheiros no formato MP3, com o máximo de 1Mb, com vista a esclarecer e apoiar a descrição. De então para cá foram assim registadas, entre outras, marcas como o rugido do leão da METRO-GOLDWIN.MAYER, o canto de uma voz feminina, como marca da DAIMLER, uma voz masculina dizendo "Oh Yes", registado pela Seguradora CHURCHILL, ou o choro de um bebé, registado pela INLEX para serviços diversos, entre os quais *consultadoria em Propriedade Intelectual.*

Por seu lado, o Tribunal de Justiça, no caso SHIELD[31], teve ocasião de se pronunciar sobre a admissibilidade de marcas sonoras, em termos idênticos aos já enunciados no acórdão SIECKMANN: Assim, nada obsta ao registo de marcas sonoras, desde que possam ser *objecto de representação*

[29] A decisão da 2.ª Câmara de Recurso do IHMI, de 11.02.1999, que revogou o despacho de recusa inicial do Instituto, limitou-se a dizer que *o odor da relva cortada de fresco é um cheiro distinto que toda a gente reconhece imediatamente à luz da experiência (...)*, pelo que *a Câmara considera satisfatória a descrição fornecida para a marca registanda de bolas de ténis, que é apropriada e que cumpre o requisito da representação gráfica do artigo 4.° do RMC.*

[30] Nomeadamente oscilogramas e espectrogramas (ou sonogramas).

[31] Ac. de 27.11.2003, Proc. n.° C-283/01, in *http://curia.europa.eu/jurisp.* Neste recurso prejudicial estavam em causa os registos de diversas marcas, constituídas pelas "nove primeiras notas do Für Elise" de Beethoven, e por uma onomatopeia do cantar de um galo, em neerlandês.

gráfica, nomeadamente através de figuras, linhas ou caracteres, que seja clara, precisa, completa por si própria, facilmente acessível, inteligível, duradoura e objectiva. Contudo, esclareceu, *estas exigências não são satisfeitas se o sinal for representado graficamente através de uma descrição que recorre à linguagem escrita, tal como a indicação de que o sinal é constituído por notas que compõem uma obra musical conhecida ou a indicação de que é o grito de um animal, ou através de uma simples onomatopeia sem outra precisão, ou através de uma sucessão de notas musicais sem outra precisão. Em contrapartida, são satisfeitas as referidas exigências quando o sinal é representado através de uma pauta dividida em compassos e na qual constem, designadamente, uma clave, notas musicais e silêncios.*

Outras marcas não visíveis: No que respeita às **marcas gustativas**, as dificuldades avolumam-se, pois aos obstáculos já enfrentados pelas marcas olfactivas (a respeito da representação gráfica), soma-se o problema da sua reduzida *capacidade distintiva.* É que, como sublinhou um tribunal americano, é difícil qualificar um sabor como uma marca, quando os consumidores só saboreiam os produtos depois de os comprarem... O IHMI recusou o registo de uma marca de produtos farmacêuticos que consistia no sabor a morango[32], por entender que *qualquer fabricante de produtos farmacêuticos tem o direito de acrescentar o sabor de morango artificial aos seus produtos com a finalidade de disfarçar qualquer gosto desagradável que eles poderiam ter ou simplesmente com a finalidade de os tornar agradáveis ao paladar. Se ao recorrente fosse dada um direito exclusivo de utilizar esse sinal nos termos do artigo 9.° do RMC, isso iria interferir indevidamente com a liberdade dos seus concorrentes.*

Idênticas dificuldades poderíamos referir quanto às **marcas tácteis**, havendo apesar disso a assinalar um registo alemão[33], concedido em 2004, que consiste na marca UNDERBERG em Braille, para *cervejas e outras bebidas alcoólicas.*

[32] Decisão da 2.ª Câmara de Recurso do IHMI, de 4.08.2003, Processo n.° R 120/ /2001-2; recurso interposto por Eli Lilly and Company.

[33] Marca n.° 30259811, com o registo publicado em 16.01.2004, a favor de UNDERBERG KG, para produtos das classes 32.ª e 33.ª. COUTO GONÇALVES (*Objecto...*, cit., p. 282, nota 19) adianta um outro exemplo – *embora disfarçado numa veste de sinal tridimensional* – que foi objecto de um pedido de registo de marca comunitária, recusado pela Câmara de Recurso do IHMI, e que consistia numa marca de *lentes ópticas com um determinado toque* (decisão de 21.03.2001, R-0448/1999-2, in *http://oami.eu.int*).

IV – BALANÇO

Em face disto, é inegável que os limites do Direito de Marcas estão a ser alargados, para além do que se imaginaria há alguns anos atrás. E esta tendência, até certo ponto, é compreensível. Desde logo, porque o universo das marcas tradicionais começa a estar saturado, até porque o alfabeto tem um número limitado de letras. Note-se que o número de registos de marcas no INPI já vai em cerca de 480.000... Apesar disso, os principais interessados nas marcas não tradicionais são, normalmente, empresas que já dispõem de outros registos de marcas, mais convencionais e pretendem alargar os limites de protecção da sua imagem comercial. Mas o aperfeiçoamento e a sofisticação crescentes das formas de comunicação e dos meios utilizados no marketing e na publicidade justificam que certas ideias e investimentos sejam rodeados de uma protecção adequada, que permita combater o aproveitamento parasitário da imagem de marcas fortes ou prestigiadas.

Por isso, faz todo o sentido admitirem-se marcas de outra natureza, para além das simplesmente nominativas, figurativas e mistas. Não há qualquer razão válida para privar de protecção sinais distintivos de produtos ou serviços dotados de real (por vezes intensa) capacidade distintiva e que, com registo ou sem ele, já vêm sendo largamente usados pelos operadores económicos em todo o mundo.

No entanto, e como em tudo na vida, é possível transformar "uma coisa boa numa coisa má".

As marcas não tradicionais podem também ser usadas para obter abusivamente direitos exclusivos sobre realidades pertencentes ao domínio público, e para restringir indevidamente a margem de liberdade dos concorrentes. Um pouco por todo o lado, vem-se assistindo a pedidos de registo, *como marcas*, de sinais que correspondem a desenhos ou modelos, ou até invenções, já entrados no domínio público, tentando "reprivatizar" realidades que pertencem a todos.

Para evitar isso, as repartições de Propriedade Industrial e os próprios tribunais devem estar particularmente atentos a tentativas deste género, tendo sempre presente a função das marcas e a sua finalidade última. É que, como sublinhava um tribunal americano, citado por FERNANDEZ NOVOA[34], *o Direito das Marcas não existe para proteger as marcas, mas sim para*

[34] In *Fundamentos de Derecho de Marcas*, 1984, p. 45.

proteger da confusão o público consumidor e, simultaneamente, para garantir ao titular da marca o seu direito a que o público não seja confundido.

Num caso paradigmático, julgado pelo Tribunal de Justiça em 2007[35], estava em causa o pedido de registo de diversas marcas que consistiam "num receptáculo ou câmara de recolha transparente que faz parte da superfície externa de um aspirador, como representado na figura anexa". A requerente (DYSON LTD, fabricante de aspiradores) declarou expressamente que não pretendia obter o registo de uma marca *para uma ou várias formas determinadas do receptáculo de recolha transparente – uma vez que as formas representadas graficamente no referido receptáculo eram apenas exemplos –, mas obter o registo de uma marca para o próprio receptáculo.* Por isso, o registo dessa marca tinha por objecto *todas as formas imagináveis de uma caixa de recolha transparente que faz parte da superfície externa de um aspirador.*

Perante esta sinceridade, o Tribunal começou por lembrar que a marca é, por definição, *um sinal*, constatando que o pedido de registo tinha por objecto *um conceito* ou uma *propriedade* do produto em causa (e não propriamente um sinal), que não é susceptível de constituir uma marca na acepção do art. 2.° da DM.

Mas aproveitou para sublinhar que o direito de marcas não pode ser *desvirtuado de modo a obter uma vantagem concorrencial indevida*; e que tal vantagem passaria a existir se a requerente do registo ficasse com *o direito de impedir que os seus concorrentes oferecessem aspiradores apresentando na sua superfície externa qualquer tipo de caixa de recolha transparente, independentemente da sua forma.*

Esta jurisprudência[36], exprime e aplica um princípio fundamental, desenvolvido pela Doutrina e Jurisprudência, do **imperativo da disponibilidade** de certo tipo de sinais, que não devem ser apropriados por ninguém, mas antes serem mantidos para livre utilização da generalidade dos agentes económicos.

Nesta mesma linha, o Tribunal já declarou[37] que *a possibilidade de registar uma marca pode ser objecto de restrições com base no interesse*

---

[35] Ac. de 25.01.2007, Proc. n.° C-321/03 (DYSON LTD), in *http://curia.europa.eu/jurisp.*

[36] Que nesta parte reafirmou o acórdão de 24.06.2004 (HEIDELBERGER BAUCHEMIE), Proc. n.° C-49/02, in *http://curia.europa.eu/jurisp.*

[37] Acórdãos de 4.05.1999, WINDSURFING CHIEMSEE, Procs. n.° C-108/97 e C-109/97 e de 8.04.2003, LINDE, Procs. n.os C-53/01 a 55/01.

público, sublinhando que a alínea c) do n.° 1 do art. 3.° da DM *prossegue um fim de interesse geral que exige que os sinais ou indicações descritivas das categorias de produtos para os quais é pedido o registo possam ser livremente utilizados por todos*; noutra ocasião[38], considerou que a alínea e) da mesma disposição também *prossegue um objectivo de interesse geral que uma forma cujas características essenciais respondem a uma função técnica e foram escolhidas para preencher essa função possa ser livremente utilizada por todos*; esse mesmo princípio foi reafirmado[39], por fim, a respeito das marcas constituídas por uma só cor, invocando *um interesse geral em não limitar indevidamente a disponibilidade das cores para os restantes operadores económicos que oferecem produtos ou serviços do tipo daqueles para os quais é pedido o registo.*

Em contrapartida, este princípio não deve influir no exame do grau de semelhança ou de confundibilidade entre dois sinais distintivos, nem relevar para aferir do âmbito de protecção de uma marca registada, como esclareceu o Tribunal de Justiça em acórdão de 10.04.2008[40]

Este imperativo de disponibilidade tem uma concretização clara nas diversas alíneas do n.° 1 do artigo 223.° do nosso CPI. Mas, ainda que assim não fosse, sempre poderia afirmar-se, convictamente, que o registo de uma marca com vista a conferir ao seu titular um monopólio sobre soluções técnicas, ou relativo a características estéticas ou utilitárias de um produto, sempre constituiria um manifesto abuso do direito, por exceder flagrantemente o fim social e económico do direito de marcas. As funções das marcas não são essas, nem do ponto de vista jurídico nem sequer económico. Por isso, registar uma marca para obter exclusivos do foro da Técnica ou da Estética seria desvirtuar esta figura, numa atitude que não merece a tutela legal.

Porto, 20 de Fevereiro de 2010

---

[38] Cf. os já citados acórdãos PHILIPS e LINDE.

[39] Cf. o citado acórdão LIBERTEL.

[40] Ac. "ADIDAS.MARCA MODE" (Proc. n.° C-102/07), em que estava em causa a protecção da marca registada da "adidas AG", constituída por 3 riscas verticais paralelas, alegadamente ofendida pela utilização de duas riscas paralelas em vestuário desportivo comercializado por outras empresas. O Tribunal entendeu que, embora o imperativo de disponibilidade desempenhe um *papel pertinente* no quadro dos artigos 3.° e 12.° da DM, *não pode nunca constituir uma limitação autónoma dos efeitos da marca*, nem *um critério de apreciação, após registo de uma marca, para efeitos de delimitar o âmbito do direito exclusivo do titular da marca.*